Die Romantik ist eine der zentralen Bewegungen der Geistesgeschichte, besonders der deutschen. Rüdiger Safranksi zeichnet
ihre Geschichte in seinem hochgelobten Buch nach, analysiert ihre
Bedeutung, erzählt von Tieck, Novalis, Fichte, Schelling, Schleiermacher oder Dorothea Veit, und zeigt, wie die Romantik auch
heute nichts von ihrer Faszination verloren hat.

Rüdiger Safranski, geboren 1945, lebt als Autor und Privatgelehrter
in Berlin. Er wurde mit dem Friedrich-Märker-Preis, dem Ernst-
Robert-Curtius-Preis für Essayistik und dem Friedrich-Nietzsche-
Preis ausgezeichnet. Im Fischer Taschenbuch Verlag hat er zuletzt
herausgegeben »Schiller als Philosoph. Eine Anthologie« (Bd.
90181).

Unsere Adressen im Internet: www.fischerverlage.de
www.hochschule.fischerverlage.de

Rüdiger Safranski

Romantik

Eine deutsche Affäre

Fischer Taschenbuch Verlag

3. Auflage: März 2010

Ungekürzte Ausgabe
Veröffentlicht im Fischer Taschenbuch Verlag,
einem Unternehmen der S. Fischer Verlag GmbH,
Frankfurt am Main, Oktober 2009

Lizenzausgabe mit freundlicher Genehmigung
des Carl Hanser Verlags München Wien
© Carl Hanser Verlag München Wien 2007
Satz: Fotosatz Reinhard Amann, Aichstetten
Druck und Bindung: CPI – Clausen & Bosse, Leck
Printed in Germany
ISBN 978-3-596-18230-5

Inhaltsübersicht

Zweites Buch

Das Romantische

Zwölftes Kapitel

Dreizehntes Kapitel

Vierzehntes Kapitel

Fünfzehntes Kapitel

Sechzehntes Kapitel

Siebzehntes Kapitel

Achtzehntes Kapitel

*Die Katastrophe und ihre romantische Deutung: Thomas Manns
Doktor Faustus. Höhere Interpretationen des kruden Geschehens.
Ernüchterung. Trockengelegte Alkoholiker. Die skeptische Generation.
Nochmals neue Sachlichkeit. Der Avantgardismus, die Technik und die
Massen. Adorno und Gehlen im Nachtstudio. Wie romantisch war die
68er-Bewegung? Über Romantik und Politik.*

370

Vorwort

Was man um 1800 die ›Romantische Schule‹ genannt hat, was sich um die Gebrüder Schlegel versammelte, was sich in deren kurzlebiger, aber heftiger Zeitschrift »Athenäum« selbstbewußt und bisweilen doktrinär zu Wort meldete, dieser entfesselte Spekulationsgeist des philosophischen Beginns von Fichte und Schelling, was in den frühen Erzählungen von Tieck und Wackenroder bezauberte als Vergangenheitssehnsucht und als neu erwachter Sinn für das Wunderbare, diese Hinneigung zur Nacht und zur poetischen Mystik bei Novalis, dieses Selbstgefühl des Neuanfangs, dieser beschwingte Geist einer jungen Generation, die zugleich gedankenschwer und verspielt auftrat, um den Impuls der Revolution in die Welt des Geistes und der Poesie zu tragen – diese ganze Bewegung hat selbstverständlich eine Vorgeschichte, einen Anfang vor dem Anfang.

Die jungen Leute, denen es nicht an Selbstbewußtsein mangelte, wollten einen neuen Anfang setzen, aber sie setzten doch auch fort, womit eine Generation früher der ›Sturm und Drang‹ begonnen hatte. Johann Gottfried Herder, der deutsche Rousseau, hatte den Anstoß dazu gegeben. Und deshalb kann man die Geschichte der Romantik mit dem Augenblick beginnen lassen, da Herder 1769 zu einer Seereise nach Frankreich aufbrach, überstürzt und fluchtartig, überdrüssig der beengenden Lebensverhältnisse in Riga, wo sich der junge Prediger mit den Orthodoxen herumschlagen mußte und in ärgerliche literarische Fehden verwickelt war. Unterwegs kommen ihm Ideen, die nicht nur ihn beflügeln werden.

Herder sticht also in See. Hier beginnt unsere Reise auf den Spuren der Romantik und des Romantischen in der deutschen Kultur. Sie führt nach Berlin, Jena, Dresden, wo die Romantiker ihre Hauptquartiere aufgeschlagen hatten und wo sie das Feuerwerk ihrer

Ideen abbrannten. Wo sie träumten, kritisierten und phantasierten. Die Epoche der Romantik im engeren Sinne endet bei Eichendorff und E. T. A. Hoffmann, romantische Entfesselungskünstler und doch auch anderweitig gebunden. Der eine ein guter Katholik und Regierungsrat, der andere ein liberaler Kammergerichtsrat. Beides Doppelexistenzen, die nicht auf Romantik festgelegt sind. Eine kluge, eine lebbare Form der Romantik.

Es geht in diesem Buch um die Romantik und um das Romantische. Die Romantik ist eine Epoche. Das Romantische eine Geisteshaltung, die nicht auf eine Epoche beschränkt ist. Sie hat in der Epoche der Romantik ihren vollkommenen Ausdruck gefunden, ist aber nicht darauf beschränkt; das Romantische gibt es bis heute. Es ist nicht nur ein deutsches Phänomen, aber es hat in Deutschland eine besondere Ausprägung erfahren, so sehr, daß man im Ausland bisweilen die deutsche Kultur mit Romantik und dem Romantischen gleichsetzt.

Das Romantische findet sich bei Heine, der es zugleich überwinden will, so wie auch bei seinem Freund Karl Marx. Der Vormärz hat es in die Politik gelegt, in die nationalen und sozialen Träume. Dann Richard Wagner und Friedrich Nietzsche, die keine Romantiker sein wollten, aber es doch waren als Jünger des Dionysos. Ungehemmt romantisch war die Jugendbewegung um 1900. Beim Kriegsbeginn 1914 glaubten Thomas Mann und andere, die romantische Kultur Deutschlands gegen die westliche Zivilisation verteidigen zu müssen. Die unruhigen 20er Jahre sind ein Nährboden für romantische Erregungen, bei den Inflationsheiligen, den Sekten und Bünden, den Morgenlandfahrern; man wartet auf den großen Augenblick, auf politische Erlösung. Heideggers Vision einer seinsgerechten Politik mündet in eine fatale politische Romantik, die ihn Partei nehmen läßt für die nationalsozialistische Revolution. Wie romantisch war der Nationalsozialismus? War er nicht vielleicht doch eher pervertierter Rationalismus als verwilderte Romantik? Ist Thomas Manns »Doktor Faustus« nicht doch eine zu *hohe Interpretation des kruden Geschehens* (Mann) – ein romantisches

Buch also, das über die Romantik zu Gericht sitzt? Dann die Ernüchterungen der Nachkriegszeit, die ›skeptische Generation‹ mit ihrem Vorbehalt gegen das Romantische. Die Reise durch die bizarre deutsche Geisteslandschaft endet bei dem vorläufig letzten größeren romantischen Aufbruch, bei der Studentenbewegung von 1968 und ihren Folgen.

Die beste Definition des Romantischen ist immer noch die von Novalis: *Indem ich dem Gemeinen einen hohen Sinn, dem Gewöhnlichen ein geheimnisvolles Ansehn, dem Bekannten die Würde des Unbekannten, dem Endlichen einen unendlichen Schein gebe, so romantisiere ich es.*

In dieser Formulierung merkt man, daß die Romantik eine untergründige Beziehung zur Religion unterhält. Sie gehört zu den seit zweihundert Jahren nicht abreißenden Suchbewegungen, die der entzauberten Welt der Säkularisierung etwas entgegensetzen wollen. Romantik ist neben vielem, was sie sonst noch ist, auch eine Fortsetzung der Religion mit ästhetischen Mitteln. Das hat ihr die Kraft zur beispiellosen Rangerhöhung des Imaginären gegeben. Die Romantik triumphiert über das Realitätsprinzip. Gut für die Poesie, schlecht für die Politik, falls sich die Romantik ins Politische verirrt. Dort also beginnen die Probleme, die wir mit dem Romantischen haben.

Der romantische Geist ist vielgestaltig, musikalisch, versuchend und versucherisch, er liebt die Ferne der Zukunft und der Vergangenheit, die Überraschungen im Alltäglichen, die Extreme, das Unbewußte, den Traum, den Wahnsinn, die Labyrinthe der Reflexion. Der romantische Geist bleibt sich nicht gleich, ist verwandelnd und widersprüchlich, sehnsüchtig und zynisch, ins Unverständliche vernarrt und volkstümlich, ironisch und schwärmerisch, selbstverliebt und gesellig, formbewußt und formauflösend. Der alte Goethe sagte, das Romantische sei das Kranke.

Aber auch er mochte nicht darauf verzichten.

Erstes Buch

Die Romantik

Und die Welt hebt an zu singen,
Trifft du nur das Zauberwort.

Eichendorff

Erstes Kapitel

Romantischer Anfang: Herder sticht in See. Die Kultur neu erfinden.
Individualismus und die Stimmen der Völker. Vom Schaukeln der Dinge
im Strom der Zeit.

Zweieinhalb Jahrhunderte nach Kolumbus und ein Jahrhundert vor
Nietzsches Losung: *Auf die Schiffe, ihr Philosophen!* rührte sich bei
einem Abenteurer des Geistes das Verlangen, in See zu stechen und
aufzubrechen ins real existierende Ungeheure. Am 17. Mai 1769
verabschiedet sich Johann Gottfried Herder von seiner Gemeinde
mit den Worten: *Meine einzige Absicht ist die, die Welt meines Gottes*
von mehr Seiten kennenzulernen. Herder ging an Bord eines Schiffes,
das Roggen und Flachs nach Nantes bringen sollte, doch für ihn
selbst blieb das Reiseziel noch unbestimmt, vielleicht würde er sich,
so dachte er, in Kopenhagen an Land begeben, vielleicht an der
nordfranzösischen Küste das Schiff wechseln und fernere Ziele an-
steuern. Die Ungewißheit beflügelte ihn, *unbesorgt, wie Apostel und*
Philosophen, so gehe ich in die Welt, um sie zu sehen.

In See stechen hieß für Herder: das Lebenselement wechseln, das
Feste gegen das Flüssige, das Gewisse gegen das Ungewisse einzu-
tauschen, es hieß, Abstand und Weite gewinnen. Auch das Pathos
eines neuen Anfangs war darin. Ein Konversionserlebnis, eine innere Umkehr, ganz in der Art, wie Rousseau zwanzig Jahre vorher
unter einem Baum auf der Straße nach Vincennes seine große Inspiration erlebt hatte: die Wiederentdeckung der wahren Natur
unter der Kruste der Zivilisation. Noch ehe Herder neue Menschen, neue Länder und Sitten kennenlernt, macht er also eine neue
Bekanntschaft mit sich selbst, mit seinem schöpferischen Selbst. Er
überläßt sich, von den sanften Winden der Ostsee geschaukelt, seinem Gedankensturm. *Was gibt ein Schiff, das zwischen Himmel und*
Meer schwebt, nicht für weite Sphären zu denken! Alles gibt hier dem Ge-

danken Flügel und Bewegung und weiten Luftkreis! Das flatternde Segel, das immer wankende Schiff, der rauschende Wellenstrom, die fliegende Wolke, der weite unendliche Luftkreis! Auf der Erde ist man an einen toten Punkt angeheftet und in den engen Kreis einer Situation eingeschlossen ... o Seele, wie wird dir's sein, wenn du aus dieser Welt hinaustrittst?

Er ist an Bord gegangen, um *die Welt zu sehen*, schreibt er, doch außer der bewegten Wasserwüste und einigen Küstenlinien sieht er zunächst wenig davon. Dafür aber findet er Zeit und Gelegenheit, sein bisheriges Bücherwissen zu *zerstören*, um herauszufinden und zu *erfinden, was ich denke und glaube*. Die Begegnung mit einer fremden Welt wird zur Selbstbegegnung. Das ist das Charakteristische dieses deutschen Aufbruchs: aus beschränkten Bordmitteln und in der Einsamkeit auf hoher See erzeugt sich dieser vom Fernweh gepackte Prediger eine neue Welt; er trifft keine Indianer, stürzt keine Azteken- und Inkareiche, schleppt keine Goldschätze und Sklaven heran, unternimmt keine neue Vermessung der Welt; seine neue Welt ist eine, die im Handumdrehen wieder Buchform annehmen wird. Herder, der das *Repositorium voll Papier und Bücher, das nur in die Studierstube gehört*, hinter sich lassen wollte, wird am Ende doch wieder von der Bücherwelt eingeholt, denn, noch auf dem Schiff, schwelgt er in literarischen Projekten. *Welch ein Werk über das menschliche Geschlecht! den menschlichen Geist! die Kultur der Erde! aller Räume! Zeiten! Völker! Kräfte! Mischungen! Gestalten! Asiatische Religion! und Chronologie und Polizei und Philosophie ... Griechisches Alles! Römisches Alles! Nordische Religion, Recht, Sitten, Krieg, Ehre! Papistische Zeit, Mönche, Gelehrsamkeit! ... Chinesische, Japanische Politik! Naturlehre einer neuen Welt! Amerikanische Sitten usw. ... Universalgeschichte der Bildung der Welt!*

Herder zehrte ein Leben lang von den Ideen, die ihm auf bewegter See durch den Kopf gegangen waren. Das Tagebuch, das sie verzeichnete – ein bedeutendes literarisch-philosophisches Dokumente der zweiten Hälfte des 18. Jahrhunderts – erschien zwar erst postum 1846 unter dem Titel »Journal meiner Reise im Jahr 1769«, aber der es geschrieben hatte, begegnete nach der Reise 1771 in

Straßburg diesem vielversprechenden jungen Mann, Goethe, den das Ideengestöber mächtig anzog und der vieles davon weitergab und fortsetzte, was er von ihm zu hören bekam. Im zehnten Buch von »Dichtung und Wahrheit« erinnert sich Goethe an die zufällige erste Begegnung im Treppenaufgang eines Straßburger Gasthauses, wo Herder für die Zeit einer langwierigen und schmerzhaften Behandlung an den Tränendrüsen Quartier genommen hatte. Goethe schildert, daß ihm Herder vorgekommen sei wie ein Abbé, mit seinem gepuderten und zu Locken aufgesteckten Haar; elegant, wie er die Treppe emporstieg, die Enden des schwarzen seidenen Mantels lässig in die Hosentaschen gesteckt. Goethe war damals der Empfangende, Lernende. Dem fünf Jahre Älteren fühlte er sich in fast allen Belangen unterlegen. Der Umgang war schwierig. Zwar schätzte er Herders *ausgebreitete Kenntnisse* und *tiefe Einsichten*, aber er mußte auch dessen *Schelten und Tadeln* ertragen. Das war er nicht gewohnt, denn bisher, schreibt Goethe, hatten die älteren und überlegenen Personen ihn *mit Schonung zu bilden gesucht*, ihn vielleicht durch *Nachgiebigkeit* sogar *verzogen*. Von Herder aber, der ihm mit seinen Ideen den Kopf neu aufsetzte, *konnte man niemals eine Billigung erwarten, man mochte sich anstellen, wie man wollte.* Goethe mußte also zuvor seine Eitelkeit überwinden, um sich *zu neuen Ansichten täglich, ja stündlich befördern* lassen zu können.

Er sah in Herder den Abenteurer des Geistes, der von hoher See zurückgekehrt ist und den frischen Fahrtwind mitbringt, der die Phantasie anregt. So eingestimmt schreibt er ihm am 10. Juli 1772: *Noch immer auf der Woge mit meinem kleinen Kahn, und wenn die Sterne sich verstecken, schweb ich so in der Hand des Schicksals hin, und Mut und Hoffnung und Furcht und Ruh wechseln in meiner Brust.*

Wahrscheinlich hatte Herders Aufbruch und Ausbruch dem jungen Goethe das Vorbild gegeben für die Studierzimmer-Szene im »Urfaust«, die noch unter dem Eindruck der ersten Begegnung mit Herder entstanden war. *Weh! steck ich in dem Kerker noch? / ... / Beschränkt von all dem Bücherhauf, / ... / Flieh! Auf hinaus ins weite Land ...* Wie Faust aus dem dumpfen Mauerloch seiner Studierstube, so war eben auch Herder aus der Rigaer Domkirche geflohen.

Eine Fülle von Ideen sind ihm bei seiner Reise gekommen. Damals liegt noch alles in schöner Verwirrung ungeschieden beieinander. Er sucht noch nach einer Sprache, um das innere Gewoge zu fassen. Die Vernunft, so schreibt er, ist immer eine *spätere Vernunft*. Sie arbeitet mit Begriffen der Kausalität und kann darum das schöpferische Ganze so nicht begreifen. Warum? Kausale Vorgänge sind vorhersehbar, schöpferische nicht. Deshalb sucht Herder nach einer Sprache, die sich der geheimnisvollen Bewegtheit des Lebens anschmiegt, eher Metaphern als Begriffe. Vieles bleibt vage, angedeutet, geahnt. Bei manchen Zeitgenossen wird Herder mit dem Schwebenden und Schweifenden seiner Sprache Anstoß erregen. Kant beispielsweise schrieb einmal mit ironischer Bescheidenheit an Hamann, dieser möge ihm doch erklären, was sein Freund Herder denke, *aber womöglich in der Sprache der Menschen ... denn ich armer Erdensohn bin zu der Göttersprache der anschauenden Vernunft gar nicht organisiert. Was man mir aus den gemeinen Begriffen nach logischen Regeln vorbuchstabieren kann, das erreiche ich noch wohl.*

Herder war unbescheiden genug, den Begriff der Vernunft erneuern zu wollen – auch gegen Kant, bei dem er zunächst studiert hatte und dem er freundschaftlich verbunden war. Solange Kant, in seiner vorkritischen Phase, kosmologische Spekulationen über die Entstehung des Weltalls, der Sonnensysteme und der Erde anstellte und anthropologische, völkerkundliche und geographische Forschungen vortrug, fühlte sich Herder ihm auch geistig verbunden. Das war nach seinem Geschmack, dieses Staunen vor der Vielfalt der erscheinenden Welt. Als der Königsberger Philosoph aber begann, dem Verstand seine Grenzen vorzurechnen und die Bedeutung der Intuition und Anschauung herabzusetzen, trennten sich die Wege. Die »Kritik der reinen Vernunft« galt Herder als *leerer Wortkram* und Ausdruck unfruchtbarer Bedenklichkeiten. Wie Hegel eine Generation später hielt er Kant vor, es könnte die Furcht zu irren selbst der Irrtum sein. Er jedenfalls wollte sich von den erkenntniskritischen Präliminarien nicht behindern lassen, sondern ins volle Leben greifen. Herder spricht von der *lebendigen* im Gegensatz zur abstrakten Vernunft. Die lebendige Vernunft ist konkret, sie taucht ein ins Element der Existenz, des Unbewußten, Irrationalen, Spontanen, also ins dunkle, schöpferische, treibend-getriebene Leben. ›Leben‹ bekommt bei Herder einen neuen, enthusiastischen Klang. Das Echo ist weithin zu hören. Kurz nach der Begegnung mit Herder wird Goethe seinen Werther ausrufen lassen: *Ich finde überall Leben, nichts als Leben ...*

Herders Lebensphilosophie hat den Geniekult des Sturm und Drang (und später der Romantik) angeregt. Bei wem das Leben frei strömen und seine schöpferische Kraft entfalten kann, der gilt dort als Genie. Es begann damals ein lärmender Kult um die sogenannten ›Kraft-Genies‹; darin war viel Inszenierung und Prätention, aber eben mit Schwung und Selbstgewißheit. Der Geist des Sturm und Drang will Geburtshelfer sein für das Genialische, das als bessere Anlage angeblich in jedem schlummert und nur darauf wartet, endlich zur Welt zu kommen.

Im späteren Rückblick auf den Tumult jener Jahre bezeichnete Goethe im zwölften Buch von »Dichtung und Wahrheit« ziemlich ungnädig das *Genie* als allgemeine Losung für jene *berühmte, berufene und verrufene Literarepoche, in welcher eine Masse junger genialer Männer mit aller Mutigkeit und Anmaßung* hervorgebrochen sei, um sich im Grenzenlosen zu verlieren.

Goethe und seine Freunde hatten es tatsächlich einigermaßen toll getrieben in dieser genialischen Zeit. Nach seiner Begegnung mit Herder und der Übersiedlung nach Weimar 1776 hatte Goethe diesen beschaulichen Musensitz zum zeitweiligen Hauptquartier des Geniewesens gemacht. Er zog Lenz, Klinger, Kaufmann, die Brüder Stolberg, die damals noch nicht fromm geworden waren, wie einen Kometenschweif hinter sich her. Es gab Festivitäten, von denen die Weimarer Philister noch Jahrzehnte später erzählten. *Unter andern wurde damals*, so berichtet der Zeitzeuge Carl August Böttiger, *ein Geniegelag gehalten, das sich gleich damit anfing, daß alle Trinkgläser zum*

Fenster hinausgeworfen, und ein paar schmutzige Aschenkrüge, die in der Nachbarschaft aus einem alten Grabhügel genommen worden waren, zu Pokalen gemacht wurden. Man überbot sich in Gesten und Auftritten, die ungebührlich wirken sollten. Lenz spielte den Narren, Klinger tat sich hervor, indem er ein Stück rohes Pferdefleisch verzehrte, Kaufmann fand sich bei der herzoglichen Tafel ein, die Brust bis auf den Nabel nackt, offenes, flatterndes Haar und mit einem gewaltigen Knotenstock. Zu Goethes ›Geniestreichen‹ gehörte eine Reise mit dem herzoglichen Freund zu Pferde, unterwegs wechselte man die Verkleidung und suchte erotische Abenteuer. *In Stuttgart*, berichtet Böttiger, *bekam man den Einfall, an Hof zu gehn. Plötzlich mußten alle Schneider herbei, und Tag und Nacht an Hofkleidern arbeiten.* Dann traten die beiden bei der Jahresabschlußfeier der Stuttgarter Akademie in Erscheinung. Da standen die beiden bewunderten Genies auf der Durchreise, der Weimarer Herzog und sein Freund Goethe, als Ehrengäste an der Seite Karl Eugens auf der Empore und beobachteten mit milder Herablassung eine Preisverleihung, bei der ein Schüler ausgezeichnet wurde, der seine Geniekarriere noch vor sich hatte: Friedrich Schiller. Auch er wird in seiner Sturm-und-Drang-Phase das *starke Leben* feiern und zur Geltung bringen.

Das Leben in seiner gärenden und keimenden Unruhe ist auch etwas Ungeheures, wovor das Bewußtsein zurückschreckt. Herder verweist, wie später Nietzsche, auf den auch beängstigenden ›Abgrund‹ des Lebendigen. *Trefflich auch, daß ... die tiefste Tiefe unsrer Seele mit Nacht bedeckt ist! Unsre arme Denkerin war gewiß nicht im Stande, jeden Reiz, das Samenkorn jeglicher Empfindung, in seinen ersten Bestandteilen zu fassen: sie war nicht im Stande, ein rauschendes Weltmeer so dunkler Wogen laut zu hören, ohne daß sie es mit Schauer und Angst, mit der Vorsorge aller Furcht und Kleinmütigkeit umfinge und das Steuer ihrer Hand entfiele. Die mütterliche Natur entfernte also von ihr, was von ihrem klaren Bewußtsein nicht abhangen konnte ... sie steht auf einem Abgrunde von Unendlichkeit und weiß nicht, daß sie darauf steht; durch diese glückliche Unwissenheit steht sie fest und sicher.*

Herders Begriff der lebendigen Natur umfaßt das Schöpferische, dem man sich euphorisch überläßt, aber auch das Unheimliche, das einen bedroht. Es sind gerade diese gemischten Empfindungen, die sich Herder bei seiner Schiffsreise aufdrängen.

Die wichtigsten Ideen, die sich aus dem Gedankentumult auf offener See in der Folgezeit deutlich herausschälen und dann auf die Romantiker einwirken werden, sind die folgenden: Alles ist Geschichte. Das gilt nicht nur für den Menschen und seine Kultur, sondern auch für die Natur. Es ist ein neuer Gedanke, Naturgeschichte als Entwicklungsgeschichte zu verstehen, welche die Vielfalt der natürlichen Gestalten hervorbringt, denn damit wird die göttliche Weltschöpfung in den Naturprozeß hineingenommen. Natur ist selbst jene schöpferische Potenz, die früher in einen außerweltlichen Bereich verlagert wurde. Die Entwicklung durchläuft verschiedene Stufen, die mineralische, die vegetative und die animalische. Jede Stufe hat ihr Recht in sich, aber enthält zugleich den Keim zur jeweils höheren. Und alle Stufen sind Vorstufen des Menschen. Dessen Auszeichnung besteht darin, daß er die schöpferische Potenz, die in der Natur wirkt, nun in eigene Regie nehmen kann und muß. Er kann es aufgrund seiner Intelligenz und der Sprache, und er muß es, weil er instinktarm und darum ungeschützt ist. Die kulturschaffende Potenz ist also Ausdruck sowohl einer Stärke wie einer Schwäche.

Mit diesem Gedanken ist Herder der Vorläufer der modernen Anthropologie, mit dem Menschen als dem kulturschaffenden Mängelwesen. Für Herder gehört die Kulturgeschichte der Menschheit zur Naturgeschichte, aber einer Naturgeschichte, in der die bisher ohne Bewußtsein wirkende Naturkraft im menschlichen Denken und seiner absichtsvollen Schöpferkraft zum Bewußtsein ihrer selbst durchgedrungen ist. Die Umgestaltung des Menschen durch sich selbst und die Bildung der Kultur als Lebensmilieu nennt Herder die *Beförderung der Humanität*. Humanität steht nicht gegen Natur, sondern ist in bezug auf den Menschen die wahrhafte Realisierung seiner Natur. Herder hat dem 19. Jahrhundert den Begriff einer dynamischen, offenen Geschichte vermacht. Da gibt es keinen Traum einer paradiesischen Vorgeschichte, in die man am besten wieder zurückkehrt. Jeder Augenblick, jede Epoche enthält eine eigene Herausforderung und eine Wahrheit, die es zu ergreifen und umzubilden gilt. Damit begibt sich Herder in scharfen Gegensatz zu Rousseau, für den die gegenwärtige Zivilisation eine Verfalls- und Entfremdungsform menschlichen Lebens darstellt: *Das menschliche Geschlecht hat in allen seinen Zeitaltern, nur in jedem auf andre Art, Glückseligkeit zur Summe; wir, in dem unsrigen, schweifen aus, wenn wir wie Rousseau Zeiten preisen, die nicht mehr sind, und nicht gewesen sind*, schreibt Herder im »Journal«. Geschichte ist auch nicht ein *blindes Ungefähr* wie bei den französischen Materialisten, dem Zufall und dem seelenlosen Mechanismus preisgegeben. Sie ist sinnhaft, wenn auch nicht auf ein geistig vorweg erfaßbares Ziel hin geordnet. Die Verwirklichung der Humanität ist eine Art experimentum mundi, ein offener Prozeß, dessen Verlauf vom Menschen abhängt, auch wenn im Hintergrund eine Naturabsicht wirkt. Da diese aber nicht explizit zu erfassen ist, bleibt nichts anderes übrig, als das Werk der Selbstgestaltung nach den Maßstäben zu vollbringen, die sich der Mensch selber setzt. Sie wirken als innerer Kompaß, der die jeweilige Richtung anzeigt, in der ein Höchstmaß an gemeinschaftlicher Selbstentfaltung gefunden werden kann. Der Geschichtsprozeß verläuft nicht linear, sondern vollzieht sich über Brüche und Umbrüche. Mit *Stößen und Revolutionen ... mit Empfindungen, die hie und da schwärmerisch, gewaltsam, gar abscheulich werden* sei zu rechnen, schreibt Herder. Davon solle man sich nicht schrecken lassen, das gehöre zu den vulkanischen Formen, in denen das Neue hervorbricht.

So dynamisch und emphatisch war Geschichte bisher noch nie begriffen worden, und es ist erstaunlich, daß dies ausgerechnet in dem kleinstaatlich zersplitterten und gesellschaftlich zurückgebliebenen Deutschland geschah, wo die reale Geschichte gewissermaßen eingefroren war. Es war wie eine Einstimmung auf das große Ereignis der Französischen Revolution, denn erst dann war es in der

Wirklichkeit so weit, daß die Geschichte das zu halten schien, was sich Herder zwei Jahrzehnte zuvor von ihr versprochen hatte.

Es war bisher immer von ›dem Menschen‹ im kollektiven Singular die Rede. Herder aber – und das ist nach dem Begriff der dynamischen Geschichte sein zweiter wirkungsmächtiger Gedanke – hat den Individualismus oder Personalismus und daraus folgend die Pluralität entdeckt.

›Der‹ Mensch ist ein Abstraktum, es gibt nur ›die‹ Menschen. So wie das Leben insgesamt auf jeder Stufe seiner Entwicklung eigenes Recht und eigene Bedeutung besitzt, so verhält es sich auch mit dem Menschengeschlecht. Jedes Individuum prägt in jeweils besonderer Weise das aus, was der Mensch ist und sein kann. Herder vertritt einen radikalen Personalismus. Es gibt die Menschheit als abstrakte Größe, und es gibt die Menschheit, die jeder in sich achten und zur individuellen Gestalt bringen kann. Auf sie kommt es an. Aus dieser Perspektive ist die Geschichte dann nicht nur das große Panorama, vor dem sich der Einzelne abhebt. Die bewegenden Grundkräfte der Geschichte, die man dort draußen entdeckt, müssen und können vom Einzelnen als schöpferische Lebendigkeit in ihm erfahren werden, ein Zusammenhang, den Herder auf seiner Schiffsreise geradezu ekstatisch erlebte. Nur wer das schöpferische Prinzip am eigenen Leib erfährt, wird es auch draußen im Lauf der Welt und in der Natur entdecken. Diesen Gedanken wird Goethe später in den »Maximen« in dem Satz resümieren: *Über Geschichte kann niemand urteilen, als wer an sich selbst Geschichte erlebt hat.*

Der Einzelne, der sich zum Individuum bildet, ist und bleibt das Sinnzentrum, auch wenn er, was nicht zu leugnen ist, stets einer Gemeinschaft bedarf. Sie aber, so Herder, sollte so organisiert sein, daß jeder seinen individuellen Lebenskeim entfalten kann. Die Gemeinschaft ist eine Verbindung zur gegenseitigen Hilfe bei dieser Entwicklung. Dabei ergibt die Vereinigung der Einzelnen in der Gemeinschaft nicht einfach eine Summe, sondern sie bildet durch das Zusammenwirken einen jeweils besonderen Geist, der aus der Vereinigung entspringt und dem Einzelnen eine geistige Lebensluft gibt. Für Herder ist der Mensch als Individuum eingebettet in der Gemeinschaft, einer Art größerem Individuum. Herder sieht konzentrische Kreise, von der Familie, den Stämmen, den Völkern, Nationen bis hinauf zu der Gemeinschaft von Nationen, die auf ihrem Niveau eine geistige Synthese bilden. In bezug auf die Völker spricht Herder von den Volksgeistern. Wichtig aber ist: Diese größeren Einheiten werden vom Individuum her gedacht. Wie die einzelnen Individuen untereinander, so bilden auch diese größeren Einheiten eine Pluralität – die der Volksgeister.

Um diesen Volksgeistern auf die Spur zu kommen, hat Herder auf seiner Schiffsreise den Plan gefaßt, Volkslieder und sonstige kulturelle Zeugnisse der Völker zu sammeln. Er wird ihn in die Tat umsetzen und damit den Romantikern Anstoß und Vorbild sein, diese Sammeltätigkeit fortzusetzen.

Herder bleibt auch beim Sammeln der alten Volkslieder Individualist. Denn was für den Einzelnen gilt – daß er bei der Entfaltung seiner Eigenart die Eigenart der anderen nicht nur respektieren, sondern als Gewinn ansehen sollte –, gilt auch für die Volksgeister. Viele Völker, viele Stimmen. Die Vielfalt erst läßt den Reichtum des Menschlichen blühen. Engherziger Patriotismus liegt ihm fern. Er will helfen, die anderen Völker in ihren Traditionen besser zu verstehen. *Der Denkart der Nationen bin ich nachgeschlichen, und was ich ohne System und Grübelei herausgebracht, ist: daß jede sich Urkunden bildete, nach der Religion ihres Landes, der Tradition ihrer Väter, und den Begriffen der Nationen: daß diese Urkunden in einer dichterischen Sprache, in dichterischen Einkleidungen, und poetischem Rhythmus erscheinen: also mythologische Nationalgesänge vom Ursprunge ihrer ältesten Merkwürdigkeiten.*

Herder hatte in Riga in einem bunten Völkergemisch gelebt zwischen Russen, Livländern und Polen. Die Oberschicht, politisch maßgeblich in der unter russischer Oberhoheit stehenden Stadtrepublik, war deutsch. Inmitten der anderen Völkerschaften schärfte sich zwar Herders Sinn für deutsche Kulturtradition, aber er versuchte als Prediger und Seelsorger die Abschottung der deutschen

Gemeinde zu durchbrechen – aus Neugier und aus Gerechtigkeitsempfinden gegenüber den zumeist in großer Armut lebenden Livländern und Russen. Herder beruft sich in seiner Einleitung zu der Liedersammlung »Stimmen der Völker« auf seine Rigaer Erlebnisse mit der einheimischen Volkskultur und Dichtung: *Wissen Sie also, daß ich selbst Gelegenheit gehabt, lebendige Reste dieses alten, wilden Gesanges, Rhythmus, Tanzes unter lebendigen Völkern zu sehen, denen unsere Sitten noch nicht völlig Sprache und Lieder und Gebräuche haben nehmen können, um ihnen dafür etwas sehr Verstümmeltes oder nichts zu geben.*

Der Volkslieder-Sammler Herder vergewisserte sich zwar seiner eigenen kulturellen Wurzeln und war bestrebt, ›deutsche Art und Kunst‹ zu befördern und zu beleben, aber ohne Überheblichkeit. Wenn er sie bei anderen spürte oder wenn er bemerken mußte, daß man ihn selbst so verstand und darum mißverstand, reagierte er sehr ungehalten. *Was ist Nation? Ein großer, ungejäteter Garten voll Kraut und Unkraut. Wer wollte sich dieses Sammelplatzes von Torheiten und Fehlern so wie von Vortrefflichkeiten und Tugenden ohne Unterscheidung annehmen und ... gegen andre Nationen den Speer brechen? Lasset uns, so viel wir können, zur Ehre der Nation beitragen; auch verteidigen sollen wir sie, wo man ihr Unrecht tut ... sie aber ex professo preisen, das halte ich für einen Selbstruhm ... Offenbar ist die Anlage der Natur, daß wie Ein Mensch, so auch Ein Geschlecht, also auch Ein Volk von und mit dem andern lerne ... bis alle endlich die schwere Lektion gefaßt haben: kein Volk ist ein von Gott einzig auserwähltes Volk der Erde; die Wahrheit müsse von allen gesucht, der Garten des gemeinen Besten von allen gebauet werden ... So darf sich auch kein Volk Europas vom andern abschließen, und töricht sagen: bei mir allein, bei mir wohnt alle Weisheit.*

Herders Patriotismus war demokratisch und setzte auf die Vielfalt der Kulturen. Viele Wege führen – wohin? Jedenfalls nicht zu einer Herrschaft des einen Volkes über andere, sondern, so Herders Wunschbild, in einen *Garten* der Vielfalt, wo die Volkskulturen in Abgrenzung, Austausch und wechselseitiger Befruchtung ihre jeweils besten Möglichkeiten entwickeln. Das schöpferische Prinzip, das er in den Volkskulturen am Werke sah, machte ihm auch die

Demokratie so sympathisch, daß seine Parteinahme für die Französische Revolution später Goethe verstimmte und dieser seinen Freund Herder gelegentlich einen *Jakobiner reinsten Wassers* schalt.

Die Entdeckung der dynamischen Geschichte mit allem was daraus folgt, vom stolzen Individualismus bis zur Demut vor den alten Zeugnissen der Volkskultur, bewirkte eine wirkliche Zäsur des abendländischen Geistes. Seitdem ist es selbstverständlich geworden, die Dinge geschichtlich zu sehen. Geschichte relativiert alles. Sie wird selbst zu etwas Absolutem; kein Gott, keine Idee, keine Moral, keine Gesellschaftsordnung, kein Werk können sich ihr gegenüber von nun an als etwas Absolutes behaupten. Selbst das Gute, Wahre, Schöne, einst am Himmel der unwandelbaren Ideen und Offenbarungen fixiert, geraten in den Sog des Werdens – und Vergehens. *Auch das Schöne muß sterben*, heißt es bei Schiller, und die Götterdämmerung und die Umwertung der Werte werden auch eine Folge des geschichtlichen Bewußtseins sein. Und darum kann man von Herders Gedanken auf offener See sagen: Sie sind schon romantisch, weil sie uns einstimmen auf das Schaukeln der Dinge im Strom der Zeit.

Zweites Kapitel

Von der politischen zur ästhetischen Revolution. Politische Ohnmacht
und poetische Kühnheit. Schiller ermuntert zum großen Spiel.
Die Romantiker bereiten ihren Auftritt vor.

Zwischen Herders Seefahrt und der Frühromantik ereignet sich ein
großer Zeitenbruch, die Revolution in Frankreich. Sie hat dem
deutschen intellektuellen Leben Impulse gegeben wie kein anderes
politisches Ereignis. Der frühromantische Aufbruch ist Sturm und
Drang, der durch die Erfahrung der Revolution hindurchgegan-
gen ist.

In Frankreich waren Dinge geschehen, von denen die Zeitgenossen auch in Deutschland sofort überzeugt waren, daß sie von
weltgeschichtlicher Bedeutung seien und noch bei den künftigen
Generationen Entsetzen und Bewunderung hervorrufen würden.
Es sind Ereignisse, die im Augenblick des Geschehens bereits in
mythischem Glanz erstrahlen und als Urszenen der Geburt eines
neuen Zeitalters gedeutet werden. Ereignisse, die, kaum geschehen,
schon überall, auch im fernen Tübingen, Jena oder Weimar als
buchenswert und als ›klassisch‹ empfunden werden: der ›Ballhaus-
schwur‹ am 20. Juni 1789, als die Deputierten des Dritten Standes
sich als Nationalversammlung konstituieren und ihre Absicht be-
schwören, beieinander zu bleiben, bis eine neue Verfassung beschlossen ist; die Entlassung des liberalen Finanzministers Necker
am 11. Juli als erster Akt der Gegenrevolution und die darauffol-
gende Erstürmung der Bastille am 14. Juli; das Wüten der Lynch-
justiz; die ersten Aristokraten an der Laterne; die Bildung der Nationalgarde; am 17. Juli die erste Kapitulation des Königs, der sich
vor der Nationalgarde verbeugt und die Kokarde nimmt; der Zusammenbruch der Staatsgewalt in den Provinzen, die Revolte der
Bauern und der Umsturz in den Städten; die ›große Furcht‹, die das

Land in Atem hält; der Beginn der Emigration des Adels – auf der Straße nach Turin flieht die ›Zierde‹ des alten Frankreichs, an der Spitze des Zugs der Tausend die beiden Brüder des Königs – die denkwürdige Nacht vom 3. auf den 4. August, als die Nationalversammlung, berauscht von der eigenen Kühnheit, mit zahllosen pathetischen Dekreten das jahrhundertealte Feudalsystem Frankreichs zerschlägt; die feierliche Erklärung der Menschen- und Bürgerrechte am 26. August; der zweite große Aufstand in Paris am 5. Oktober, als die Marktfrauen den König und die Nationalversammlung zur Übersiedlung von Versailles nach Paris nötigen.

Aus der Ferne einer späteren Zeit erscheinen die Jahre zwischen 1789 und 1804, als sich Napoleon zum Kaiser krönte, wie ein großer historischer Augenblick, für die Zeitgenossen aber war es ein langwieriger, verwickelter Prozeß. Regierungsformen lösten sich ab, von der absoluten zur konstitutionellen und dann zur parlamentarischen Demokratie, die ihrerseits überging in die jakobinische Diktatur; es folgte das autoritäre ›Direktorium‹ und schließlich die napoleonische Kaiserherrschaft, die restaurative und revolutionäre Elemente verband. Dazwischen die Hinrichtung des Königs, Terror, Kriege, die sowohl die Errungenschaften wie die Schrecken der Revolution auch nach Deutschland trugen.

Die Chance für eine Revolution von unten bestand in Deutschland nicht, wenn man vom Zwischenspiel der Mainzer Republik (1793) absieht, die sich unter französischem Schutz einige Monate halten konnte, nicht ohne daß die Öffentlichkeit regen Anteil daran nahm – auch weil der berühmte Naturforscher, Schriftsteller und Weltumsegler Georg Forster dabei mitwirkte. Das Ende war fatal, für die Republik und für Georg Forster. Die alliierten Truppen – Goethe befand sich mit seinem Herzog in ihrem Gefolge – eroberten im Sommer 1793 die Stadt zurück, und es setzte eine Treibjagd auf die Republikaner ein. Georg Forster aber, der nach Paris gesandt worden war, um den Anschluß der Stadt an Frankreich zu erwirken, starb dort im Januar 1794, verbittert und verarmt. Also keine Revolution von unten. Um so einschneidender aber war die

Revolution von oben. Binnen weniger Jahre brach die alte Staatenordnung zusammen, das Heilige Römische Reich Deutscher Nation versank, und es bildete sich in Deutschland ein neues Staatensystem heraus; regierende Häuser wurden von Napoleon entmachtet, mediatisiert, in den Rheinbundstaaten wurde das bürgerliche Gesetzbuch des napoleonischen Frankreich eingeführt.

Daß die Ereignisse in Frankreich eine Zeitenwende bedeuteten, daß von nun an eine neue Epoche begonnen hatte, war den meisten Schriftstellern und Intellektuellen in Deutschland sofort klar. Dem Pathos der geschichtlichen Stunde konnte man sich kaum entziehen. *Ein solches Phänomen in der Menschheitsgeschichte*, schreibt Kant, *vergißt sich nicht mehr, weil es eine Anlage und ein Vermögen in der menschlichen Natur zum Besseren aufgedeckt hat, dergleichen kein Politiker aus dem bisherigen Lauf der Dinge herausgeklügelt hätte.* Auch Hegel datiert, wie Kant, von der Französischen Revolution an eine neue Epoche in der Menschheitsgeschichte: *Solange die Sonne am Firmament steht und die Planeten um sie herumkreisen, war das nicht gesehen worden, daß der Mensch sich auf den Kopf, d.i. auf den Gedanken stellt und die Wirklichkeit nach diesem erbaut.* Man nahm die Revolution wahr als eine Urszene des gesellschaftsbegründenden Handelns. Was bisher in den aufgeklärten Vertragstheorien, zuletzt bei Rousseau, in eine abstrakte Vorgeschichte und einen ebenso abstrakten Raum hineinprojiziert worden war, von dem glaubte man jetzt, daß es sich vor aller Augen und in greifbarer Gegenwart abspielte. Das gab dem Ereignis die Aura einer, wie Kant sagt, *wahrsagenden Geschichte.* Wer sich zuvor schon zu den philosophischen Ideen der Freiheit und Gleichheit bekannte, konnte mit dem Revolutionsgegner Friedrich Gentz in der Revolution den *praktischen Triumph der Philosophie* erblicken. Da es also die eigenen Gedanken waren, die hier zur Tat wurden, konnte man sich noch in der Entfernung als Mittäter empfinden. Nun endlich war der Beweis erbracht, daß Denken und Schreiben die Welt nicht nur interpretiert, sondern sie auch verändert, vielleicht, daß überhaupt die Idee und der Geist die Welt regieren und daß es nur darauf ankommt, die richtigen Gedanken zu finden, die den Nerv der Zeit treffen. Viele Intellektuelle auch außerhalb Frankreichs sahen die Revolution als ›ihre‹ Revolution an, weil sie glaubten, sie hätten sie mitbewirkt. Gerade auch Kants Sympathie für die Revolution, die er trotz aller Bedenken im einzelnen bis an sein Lebensende beibehielt, ist auf ein solches Gefühl der geistigen Teilhabe und Mitverantwortung gegründet. Für ihn war in Frankreich gewissermaßen stellvertretend für die ganze Menschheit der große praktische Versuch unternommen worden, aus der *selbstverschuldeten Unmündigkeit* herauszukommen.

So kam es, daß die Revolution, zunächst jedenfalls, dem Idealismus Auftrieb gab. *Der Idealismus*, schreibt Friedrich Schlegel, ist *in praktischer Ansicht nichts anders als der Geist jener Revolution*, und Hegel erklärt, die Vernunft habe sich wie ein Maulwurf durch das schwere Erdreich hindurchgewühlt und sei nun ans Tageslicht durchgedrungen. Das Bild von der Revolution als *Tageslicht* oder *Morgenröte* findet sich bei fast jedem Schriftsteller in den frühen 90er Jahren, mit dem vielleicht eindringlichsten Pathos vorgetragen vom alten Klopstock, den die Revolution zu einem späten lyrischen Frühling verhalf: *Der kühne Reichstag Galliens dämmert schon, / Die Morgenschauer dringen den Wartenden / Durch Mark und Bein: o komm, du neue, / Labende, selbst nicht geträumte Sonne!*

Die jungen Romantiker gehören zunächst auch zu den Enthusiasten der geschichtlichen Morgenröte. Hölderlin, Hegel und Schelling errichten in Tübingen einen Freiheitsbaum. Schelling will sein Theologiestudium an den Nagel hängen, will dem *Pfaffen- und Schreiberlande* entkommen und sehnt sich nach den *freieren Lüften* in Paris. Der Gymnasiast Ludwig Tieck dichtet ein Drama über die Volkserhebung: *Nahe dich, Freiheit, / Daß ich mich stürze / Dir in die Arme ...* Und noch drei Jahre später, 1792, schreibt er an Wackenroder: *Oh wenn ich izt ein Franzose wäre! Dann wollt' ich nicht hier sitzen, dann —— Doch leider bin ich in einer Monarchie, die gegen die Freiheit kämpft, unter Menschen, die noch Barbaren genug sind, die Franzosen zu verachten ... Oh, in Frankreich zu sein – es muß doch ein großes Gefühl sein, unter Dumouriez zu fechten und Sklaven in die Flucht zu jagen und auch zu fallen – was ist ein Leben ohne Freiheit?* Wackenroder, dieser zartbesaitete Jüngling, stimmt von *ganzem Herzen* in Tiecks Enthusiasmus ein, und nachdem das Haupt des Königs gefallen ist, bemerkt er kühl: *Die Hinrichtung des Königs von Frankreich hat ganz Berlin von der Sache der Franzosen zurückgeschreckt; aber mich gerade nicht. Über ihre Sache denke ich wie sonst.* Aber anders als Tieck gesteht sich Wackenroder ein, daß es ihm wohl doch an Mut fehlt, sich für die Revolution zu schlagen. Allerdings hält sich auch Tiecks Begeisterung in rhetorischen Grenzen. Auf eine praktische Bewährung läßt er es nicht ankommen. Auch der junge Schleiermacher verurteilt am Beginn des ersten Koalitionskriegs die *despotischen Absichten* der europäischen Fürsten, welche *die Revolution zu ersticken trachten*, und hält das *Gesalbtsein* eines Monarchen für keinen hinreichenden Grund, ihm nicht den Kopf abzuschlagen. Fichte veröffentlicht seine »Beiträge zur Berichtigung der Urteile des Publikums über die Französische Revolution«, worin er dem Volk ausdrücklich das Recht auf eine Revolution zubilligt und erklärt, daß es dabei durchaus auch gewaltsam zugehen könne. Friedrich Schlegels 1796 erschienene Abhandlung »Versuch über den Begriff des Republikanismus« verficht, Kants Verteidigung der repräsentativen Demokratie noch überbietend, die direkte Demokratie, die seiner Ansicht nach auf die Gewaltenteilung – für Kant ein essentieller Bestandteil des Republikanismus – verzichten kann. Zur Zeit der Abfassung dieser Schrift war Schlegel allerdings besonders eng mit den revolutionären Ereignissen verbunden, da er sich in Caroline Böhmer verliebt hatte, die bei der Mainzer Republik als Freundin Georg Forsters tätig mitgewirkt hatte und sich deshalb vor dem Zugriff der Behörden versteckt halten mußte. Caroline wird später den Bruder August Wilhelm heiraten, um dann auf dem Höhepunkt der romantischen Geselligkeit in Jena zu Schelling überzuwechseln.

Auch in den Briefen von Novalis findet sich Revolutionsenthusiasmus. Von *Freiheitsglut, Sklaverei, Tyrannenhaß* ist dort die Rede. Novalis schwelgt in revolutionärer Metaphorik. Als er seinem Freund Friedrich Schlegel am 1. August 1794 seine Sehnsucht nach

Brautnacht, Ehe und Nachkommenschaft gesteht, schildert er die Verwirklichung seiner Wünsche als eine Art Revolution, die ihn endlich aus der häuslichen Bevormundung befreien würde: *Wollte der Himmel, meine Brautnacht wäre für Despotismus und Gefängnisse eine Bartholomäinacht, dann wollt ich glückliche Ehestandstage feiern.*

Die Revolution hatte eine so gewaltige Ausstrahlung, weil man sich von ihr nicht nur die Beseitigung eines ungerechten Herrschaftssystems versprach, sondern von Herrschaft überhaupt. Die Veränderung der politischen Institutionen würden, so hoffte man, den besseren, den freien Menschen endlich zum Vorschein bringen. Man glaubte, Zeuge eines welthistorischen Experimentes zu sein, bei dem es um die Frage ging: Wieviel freie Selbstbestimmung ist möglich und welche äußeren Gesetze und politische Ordnungen sind dafür nötig?

Viele von denen, die anfangs die Revolution begeistert begrüßten, wandten sich später ab, als Terror und neue Unterdrückung im Namen der Freiheit überhandnahmen. Sogar Georg Forster schreibt am 16. April 1793 aus Paris: *Die Tyrannei der Vernunft, vielleicht die eisernste von allen, steht der Welt noch bevor ... Je edler das Ding und je vortrefflicher, desto teuflischer der Mißbrauch. Brand und Überschwemmung, die schädlichen Wirkungen von Feuer und Wasser, sind nichts gegen das Unheil, das die Vernunft stiften wird.*

Tatsächlich erweist sich die Vernunft tyrannisch mit ihrer Neigung, tabula rasa machen zu wollen, Überlieferungen, Anhänglichkeiten, Gewohnheiten, also die ganze Geschichte, in die man verwickelt ist, zu zerstören. Es ist die Verlockung zum großen Reinemachen, zur Beseitigung einer Tradition, die nur noch als Gerümpel aus großer Zeit gilt. Tyrannisch ist also die unhistorische Vernunft, die sich anmaßt, alles neu und besser zu machen. Tyrannisch ist die Vernunft zweitens, wenn sie sich anmaßt, ein wahres Menschenbild zu entwerfen, wenn sie vorgibt, zu wissen, was im allgemeinen Interesse liegt, wenn sie im Namen des Allgemeinwohls ein neues Regime der Unterdrückung etabliert.

Der Verlauf der Revolution wird diese Tyrannei der Vernunft

enthüllen. Es werden zwar die allgemeinen Menschenrechte – Sicherheit des Lebens, des Eigentums und der Meinungsäußerung – proklamiert, aber sie bieten keinen Schutz gegen die Willkür der neuen Volksvertreter, die sich als Dolmetscher des wahren Volkswillens aufspielen und die angeblichen Volksfeinde terrorisieren, zu denen bald jeder gerechnet werden kann, der dem Menschenbild der Wohlfahrtsausschüsse nicht entspricht oder aus anderen Gründen bei den Machthabern in Mißkredit geraten ist.

Diese Tyrannei der Vernunft wird von einer neuen intellektuellen Elite ausgeübt, die das moderne Instrument der Massenmobilisierung zu nutzen weiß. In der Folge der Französischen Revolution betreten zum ersten Mal die Massen die Bühne der Geschichte. Die Pogrome während der Jakobiner-Herrschaft sind unmittelbare Folge dieses historisch neuen Bündnisses zwischen Elite und Mob – ein Vorspiel der totalitären Exzesse im 20. Jahrhundert.

Mit der Revolution entsteht zuerst in Frankreich, dann aber überall in Europa ein neues Politikverständnis. Politik, bisher eine Spezialität der Höfe, läßt sich nun als ein Unternehmen verstehen, das man zur Herzensangelegenheit machen kann. Man muß sich die gewaltige Zäsur klarmachen, die diese Explosion des Politischen zur Folge hat. Die Sinnfragen, für die zuvor die Religion zuständig war, werden jetzt an die Politik gerichtet; ein Säkularisierungsschub, der die sogenannten ›letzten‹ Fragen in gesellschaftlich-politische verwandelt: Freiheit, Gleichheit, Brüderlichkeit sind politische Losungen, die ihre religiöse Herkunft kaum verleugnen.

Bis zur Französischen Revolution war Geschichte für die meisten ein schicksalhaftes Geschehen, das wie jede Seuche oder Naturkatastrophe über einen hereinbrach. Die Ereignisse von 1789 lassen bei den Zeitgenossen eine verstehende Wahrnehmung von historischen Abläufen in großem Stil entstehen, die sich, synchron zu ihrer Politisierung, beschleunigen. Die Revolutionsarmeen, die Europa überschwemmen, bringen nicht nur das Ende der alten Kabinetts- und Söldnerkriege, darüber hinaus bedeuten die Volksheere, dieser Inbegriff einer waffenstarrenden Nation, daß die Hi-

storie nunmehr auch den kleinen Mann zur Mittäterschaft rekru-
tiert. In den Sog dieser Politisierung geraten in Deutschland die
meisten Schriftsteller, ob sie nun, wie die jungen Romantiker, sich
zunächst für die Revolution begeistern oder sich skeptisch verhalten, wie etwa Wieland, oder ob sie, wie Matthias Claudius, zu erbit-
terten Gegnern werden. Auf allen Seiten ist für eine kurze Zeit das
politische Raisonnement vorherrschend, und es sind nicht wenige
Autoren, die sich gedrängt fühlen, die Sprachkunst in den Dienst
des politischen Handelns zu stellen. Es erscheinen in den ersten
Jahren eine Fülle von Schriften, Gedichten, Dramen, deren hervor-
stechendes Merkmal darin besteht, daß sie politisch Partei nehmen
und häufig sogar pamphletistisch oder agitatorisch gerichtet sind.

Es ist genau diese Atmosphäre der politischen Aufgeregtheit, die
Goethe so sehr abgestoßen hat. Für ihn bedeutete die Revolution
nichts anderes als den verhängnisvollen Beginn des Massenzeital-
ters, das er haßte und fürchtete, dessen Unvermeidlichkeit er aber
auch einsah. So hat denn die Französische Revolution auch bei
Goethe Epoche gemacht, wenn auch nicht in dem positiven Sinne
wie bei Kant und Hegel. An Jacobi schrieb er am 3. März 1790: *Daß
die Französische Revolution auch für mich eine Revolution war, kannst du
dir denken*. Er habe, notiert er im Rückblick in den »Morphologi-
schen Heften«, *viele Jahre* gebraucht, *dieses schrecklichste aller Ereignisse
in seinen Ursachen und Folgen dichterisch zu bewältigen*. Die *Anhänglich-
keit an diesen unübersehlichen Gegenstand* habe sein *poetisches Vermögen
fast unnützerweise aufgezehrt*. Tatsächlich spielt die Revolution in fast
allen seinen Werken der 90er Jahre eine bedeutsame Rolle, teils als
ausdrückliches Thema wie in den »Aufgeregten«, im »Bürgergene-
ral« oder in der »Natürlichen Tochter«, teils als Hintergrund und
Problemhorizont wie in »Hermann und Dorothea« oder in den
»Unterhaltungen deutscher Ausgewanderten«.

Was ist für Goethe so *schrecklich* an der Revolution?

Er versteift sich nicht auf Interessen und Sichtweisen des Adels
und der wohlhabenden Gesellschaft, er bemerkt durchaus empö-
rendes Unrecht und Ausbeutung. An Knebel hatte er einige Jahre

vor der Revolution geschrieben: *Du weißt aber, wenn die Blattläuse auf den Rosenzweigen sitzen und sich hübsch dick und grün gesogen haben, dann kommen die Ameisen und saugen ihnen den filtrierten Saft aus den Leibern. Und so geht's weiter, und wir haben's so weit gebracht, daß oben immer in einem Tage mehr verzehrt wird, als unten in einem beigebracht werden kann* (17. April 1782). Indem er die Revolution ablehnt, wird er doch nicht zum Fürsprecher des Ancien Régime. Von der Kampagne in Frankreich 1792 schreibt er an Jacobi, ihm sei *weder am Tode der aristokratischen noch demokratischen Sünder im mindesten etwas gelegen* (18. August 1792). Das Schreckliche an der Revolution ist für ihn nicht, daß alte und womöglich ungerechte und ausbeuterische Besitzstände in Frage gestellt werden. Das läßt sich rechtfertigen. Das Schreckliche an der Revolution ist für ihn, daß es sich hierbei um einen Vulkanausbruch des Sozialen und Politischen handelt. Nicht zufällig beschäftigt er sich in den Monaten nach der Revolution mit dem ihn beunruhigenden Naturphänomen des Vulkanismus im Gegensatz zum Neptunismus, der Theorie von der allmählichen Veränderung der Erdoberfläche durch die Ozeane. Das Allmähliche zog ihn an, das Plötzliche und Gewaltsame stieß ihn ab, in der Natur ebenso wie in der Gesellschaft. Er hielt es mit den Übergängen, nicht mit Brüchen. Er war ein Freund der Evolution, nicht der Revolution.

Aber das Forcierte der Revolution war es nicht allein, was ihn schreckte. Unheimlich war ihm die Vorstellung, daß die Massen verführbar sind, weil sie von *Revolutionsmännern*, wie Goethe die Demagogen und Doktrinäre gern nannte, in eine Sphäre hineingerissen werden, wo sie sich nicht auskennen. Politik hat es mit den Angelegenheiten der Gesellschaft als ganzer zu tun. Das setzt eine Denkweise voraus, die nicht nur dem eigenen Interesse folgt, sondern für das Ganze Verantwortung übernehmen kann. Der gewöhnliche Mensch aber, so Goethe, kann sich zu diesem Gesichtspunkt nicht erheben, und darum wird er zur Manövriermasse von Agitatoren. Die allgemeine Politisierung begünstigt das Lügen, Belogenwerden und den Selbstbetrug. Man will das Ganze beherrschen und kann sich nicht einmal selbst beherrschen, man will die Gesellschaft verbessern und weigert sich, mit der Verbesserung seiner selbst zu beginnen. Im Rausch der Masse geht die Vernunft unter, und das Durchbrechen niederer Instinkte wird begünstigt. Anschauungsmaterial dafür liefern der staatliche Terror, der im Jahr 1793 durch Frankreich tobt, die Massenhinrichtungen, die Pogrome, die Plünderungen in den besetzten Gebieten. *Was ich mir gefallen lasse? / Zuschlagen muß die Masse, / Dann ist sie respektabel, / Urteilen gelingt ihr miserabel.* Wo die Revolution die Köpfe nicht abschlug, reichte ihre Macht immerhin aus, sie zu verwirren. Die Politisierung der Öffentlichkeit empfand Goethe als verhängnisvoll. Er nannte sie eine allgemeine Ermunterung zur *Kannegießerei.* Er litt unter dem endlosen Geschwätz und Debattieren über Ereignisse, die keiner von denen, die in der Zeitung oder am Stammtisch das große Wort führen, beeinflussen können, und er ärgerte sich über die absurde Verkennung der politischen Realitäten in Deutschland bei den Revolutionsfreunden. Das ganze politisierte Zeitungswesen war ihm verhaßt. Von der Kampagne in Frankreich schreibt er: *Leider kommen die Zeitungen überall hin, das sind jetzt meine gefährlichsten Feinde* (18. August 1792). Er empörte sich über die Unaufrichtigkeit der Fürstenkritiker, die sich, wie etwa Herder oder Wieland, nicht eingestehen mochten, daß sie selbst Nutznießer der Fürstenherrschaft waren.

Goethes Ablehnung der Revolution ist Ausdruck der Überzeugung, daß die allgemeine Politisierung im beginnenden Massenzeitalter eine fundamentale Verwirrung in der Wahrnehmung des Nahen und des Fernen zur Folge hat. *Der Mensch*, heißt es in »Wilhelm Meisters Lehrjahren«, *ist zu einer beschränkten Lage geboren; einfache, nahe, bestimmte Zwecke vermag er einzusehen, und er gewöhnt sich, die Mittel zu benutzen, die ihm gleich zur Hand sind; sobald er aber ins Weite kommt, weiß er weder was er will, noch was er soll, und es ist ganz einerlei, ob er durch die Menge der Gegenstände zerstreut, oder ob er durch die Höhe und Würde derselben außer sich gesetzt werde. Es ist immer sein Unglück, wenn er veranlaßt wird, nach etwas zu streben, mit dem er sich durch eine regelmäßige Selbsttätigkeit nicht verbinden kann.* Gegen die politische Leidenschaft setzt Goethe die aus der Kraft der Begrenzung erwachsene Gestaltung der individuellen Persönlichkeit. Da wir das Ganze nicht umfassen können und das Ferne uns zerstreut, so bilde der Einzelne sich zu etwas Ganzem aus – das ist Goethes Maxime und darum gilt: *Höchstes Glück der Erdenkinder / Sei nur die Persönlichkeit* (West-östlicher Divan). In diesem fast trotzigen Persönlichkeitsideal steckt auch jene glänzende Ignoranz im Dienste des Lebens, die Nietzsche an Goethe gerühmt hat und die zu seiner prometheischen Gestaltungskraft gehört. Eine Gestaltungskraft, die der Lebensformel entspringt: sich die Welt anverwandeln und sie dadurch zur eigenen machen, aber auch nur so viel davon aufnehmen, wie man sich anverwandeln kann. Daraus folgt: Man muß das *Unzukömmliche* ohne Skrupel draußen halten. Goethes Welt und Leben blieben geräumig genug, trotz seiner Gesten der Abwehr und Abgrenzung.

Zwar kann sich Goethe von den Einflüssen des politisierten Zeitgeistes nicht ganz freihalten – immerhin kauft er für seinen Sohn August eine Spielzeugguillotine –, aber er ist fest entschlossen, seine Zuflucht vor dem Umtrieb in den ruhigen Betrachtungen seiner Naturforschungen zu suchen. Am 1. Juni 1791 schreibt er an Jacobi über seine Beschäftigung mit Optik und Farbenlehre: *Indes attachiere ich mich täglich mehr an diese Wissenschaften, und ich merke wohl, daß sie in der Folge mich vielleicht ausschließlich beschäftigen werden.* So war es dann doch nicht. Von Kunst und Literatur mochte er sich nicht trennen, sie bildeten für ihn, neben der Naturbeobachtung, das zweite Bollwerk gegen den aufgeregten Zeitgeist. *Die ästhetischen Freuden halten uns aufrecht, indem fast alle Welt dem politischen Leiden unterliegt,* schreibt er mit provozierender Ironie an den jakobinisch gesinnten Komponisten und Zeitschriftenherausgeber Reichardt. Und einem Bekannten im französisch besetzten Trier empfiehlt er: *Wir haben mehr als jemals jene Mäßigung und Ruhe des Geistes nötig, die wir den Musen allein verdanken können.* Als er die Arbeit an seinem liegengebliebenen Roman »Wilhelm Meisters Lehrjahre« wieder aufnimmt, teilt er Knebel am 7. Dezember 1793 mit: *Jetzt bin ich im Sinnen und Entschließen womit ich künftiges Jahr anfangen will, man muß sich mit Gewalt an etwas heften. Ich denke es wird mein alter Roman werden.*

Die Romantiker haben trotz ihrer Elogen auf Goethe dessen Rückzug aus der revolutionären Geschichte durchaus nicht immer gebilligt. Wenn Friedrich Schlegel in dem berühmten »Athenäum«-Fragment Goethes »Wilhelm Meister« zusammen mit Fichtes Wissenschaftslehre in Parallele zur Französischen Revolution setzte und als Ausdruck einer revolutionären Tendenz verstand, die eben *nicht laut und materiell*, dafür um so nachhaltiger sei, dann mochte Novalis dem nicht zustimmen. Er war der Auffassung, daß sich Goethes Quietismus im »Wilhelm Meister« als Mangel an Poesie ausgewirkt habe. Er nennt das Werk einen *prosaischen* Roman und vermißt die *poetische Kühnheit.* Diese aber gilt ihm als Entsprechung zum revolutionären Enthusiasmus in der politischen Welt. Goethe sei in seinen Werken, schreibt er, *höchst einfach, nett, bequem und dauerhaft* und es komme ihm eher darauf an, *etwas Unbedeutendes ganz fertig zu machen – ihm die höchste Politur und Bequemlichkeit zu geben, als eine Welt anzufangen und etwas zu tun, wovon man vorauswissen kann, daß man es nicht vollkommen ausführen wird* ... Eine neue Welt anzufangen, ob in der Poesie oder der Philosophie, bedeutet für Novalis nichts anderes als den revolutionären Impuls in der Welt des Geistes wirken zu lassen. In solcher revolutionären Stimmung schreibt er im August 1794 an Friedrich Schlegel: *Heutzutage muß man mit dem Titel Traum doch nicht zu verschwenderisch sein – Es realisieren sich Dinge, die vor zehn Jahren noch ins philosophische Narrenhaus verwiesen wurden.*

Ungefähr zur selben Zeit, da Goethe die Literatur als Asyl gegen die Revolution wählt und die Romantiker sie noch enthusiastisch feiern, fühlt sich Schiller von der Revolution dazu herausgefordert, eine neuartige ästhetische Theorie zu entwickeln. Er wird damit zum Initiator der wenig später unternommenen romantischen Versuche, die Revolution nicht nur als Thema, sondern als produktives Prinzip in die literarisch-philosophische Welt hineinzuziehen. Mit anderen Worten: Schillers Spieltheorie von 1794 ist das Vorspiel zur romantischen Literaturrevolution um 1800.

Auch Schiller hatte die Revolution zunächst begrüßt, war dann aber von ihrem weiteren Verlauf abgestoßen. Kurz nach den Septembermorden von 1792, als fast zweitausend Menschen vom Pariser Mob niedergemacht wurden, und nach der Hinrichtung des Königs, hatte er damit begonnen, eine ästhetische Therapie zu konzipieren, die dabei helfen sollte, die Menschen freiheitsfähig zu machen. Daß sie es noch nicht sind, hätten, so Schiller, die Exzesse der Revolution zur Genüge bewiesen: *rohe gesetzlose Triebe* hätten sich *nach aufgelöstem Band der bürgerlichen Ordnung* entfesselt und seien *mit unlenksamer Wut ihrer tierischen Befriedigung zu* geeilt. Es waren also nicht freie Menschen, die der Staat unterdrückt hatte, nein, es waren bloß wilde Tiere, die er an heilsame Ketten legte. Als Antwort auf die Französische Revolution unternimmt Schiller den unbescheidenen Versuch, das revolutionäre Frankreich mit einer alternativen Revolution, einer geistigen, zu überbieten. Erst das Spiel der Kunst, so Schiller, könne den Menschen wahrhaft frei machen. Zunächst innerlich und später, wenn in Deutschland die Umstände herangereift seien, auch äußerlich. Er setzt große Hoffnungen auf die befreiende Wirkung von Kunst und Literatur. An diese beispiellose Rangerhöhung des Ästhetischen wird die erste Romantikergeneration anknüpfen können.

Die Französische Revolution nennt Schiller einen *freigebigen Augenblick*, der ein *unempfängliches Geschlecht* vorgefunden habe. Unempfänglich, weil innerlich unfrei. Was aber bedeutet es, innerlich frei zu sein? Man dürfte nicht von Begierden abhängig sein, gleichgültig, ob man ihnen roh und unzivilisiert oder mit dem Raffinement der Zivilisation folgt. So oder so bleibt der Mensch von seiner Natur beherrscht, ohne sich selbst beherrschen zu können. Aber leben wir nicht in einem Zeitalter der Aufklärung und der Wissenschaft, in einer Periode der Blüte des freien und forschenden Geistes? Nein, sagt Schiller, man dürfe die gegenwärtigen Errungenschaften nicht überschätzen. Aufklärung und Wissenschaft haben sich bloß als *theoretische Kultur* erwiesen, eine äußerliche Angelegenheit für *innerliche Barbaren*. Die öffentliche Vernunft hat noch nicht den Kern der Person ergriffen und umgestaltet. Was ist zu tun? Ist nicht der einzige Weg der Befreiung des inneren Menschen der politische Kampf um die äußere Freiheit? Freiheit lernt man doch nur, indem man politisch um sie kämpft. Das jedenfalls werden Fichte und andere Freiheitsfreunde gegen Schiller einwenden, der dieses Konzept des ›learning by doing‹, wie wir heute sagen würden, zurückweist. Sein Argument: Wenn man zu früh die autoritäre Klammer des Staates (des *Naturstaates*) durch den politischen Kampf schwächt oder gar auflöst, ist *Anarchie* und damit die vervielfachte Gewalt und Willkür der Egoismen die notwendige Folge: *Die losgebundene Gesellschaft, anstatt aufwärts in das organische Leben zu eilen, fällt in das Elementarreich zurück.* Vielmehr muß man den Menschen gewissermaßen ein Übungsgelände der Freiheit eröffnen; man muß, während noch der *Naturstaat* besteht, der die *physische Existenz* der Menschen sichert, die geistigen Fundamente schaffen, auf denen sich in Zukunft der freie Staat errichten läßt. Man kann das *Uhrwerk* des Staates nicht zuerst zerstören und sodann ein neues erfinden wollen, sondern es gilt, *das rollende Rad während seines Umschwungs auszutauschen.*

Warum aber sollte dieser Austausch des rollenden Rades, diese Revolution der Denkungsart, ausgerechnet von der Kunst und dem Umgang mit ihr bewirkt werden können? *Weil es die Schönheit ist, durch welche man zu der Freiheit wandert.* Gewiß kann man behaupten – und Schiller behauptet es auch –, daß die schöne Kunst die Empfindungen schult und verfeinert. Das wäre dann ihr Beitrag zur Zivilisierung. Aber damit begnügt sich Schiller nicht. Die ästhetische Welt ist nicht nur ein Übungsgelände für die Verfeinerung und Veredelung der Empfindungen, sondern sie ist der Ort, wo der Mensch explizit zu dem wird, was er implizit immer schon ist: zum »homo ludens«.

Erst im fünfzehnten seiner Briefe »Über die ästhetische Erziehung des Menschen« findet sich jener Satz, auf den in dieser Abhandlung alles zuläuft und aus dem alles abgeleitet wird, was für Schiller am Kunstschönen von Belang ist. Es handelt sich um eine kulturanthropologische These mit weitreichenden Konsequenzen für das Verständnis der Kultur im allgemeinen und der Moderne im besonderen; eine These auch, mit der Schiller seinen Anspruch, durch ästhetische Erziehung die Krankheit der Kultur kurieren zu können, recht eigentlich begründet. Diese berühmte These lautet: *um es endlich auf einmal herauszusagen, der Mensch spielt nur, wo er in voller Bedeutung des Worts Mensch ist, und er ist nur da ganz Mensch, wo er spielt.*

Welche Spiele? Natürlich sind es für Schiller in erster Linie die Spiele der schönen Literatur und Kunst. Aber er deutet an, daß dabei die ganze Zivilisation auf dem Spiel steht – weil sie eben auch Spiel ist, nämlich eine Einrichtung, die möglichst viele Ernstfälle in spielerische Ersatzhandlungen überführt oder doch wenigstens einen distanzierten Umgang mit ihnen ermöglicht. Schiller ist einer der ersten, die darauf hingewiesen haben, daß der Weg von der Natur zur Kultur über das ›Spiel‹ – und das heißt über Rituale, Tabus, Symbolisierungen – führt. Es wird dem Ernst der Triebe – Sexualität, Aggression, Konkurrenz und Verfeindung – und den Ängsten vor Tod und Krankheit und Verfall etwas von ihrer zwingenden, freiheitsberaubenden Gewalt genommen. So wird die Sexualität zum Spiel der Erotik sublimiert, womit sie aufhört, bloß tierisch zu sein, und wahrhaft menschlich wird. Dazu gehören dann die Verhüllungen, Listen, der Schmuck und die Ironien im Spiel, wodurch sich jene wunderbaren Verdoppelungen ergeben: Man genießt das Genießen, fühlt das Gefühl, liebt das Verlieben, man ist zugleich Akteur und Zuschauer. Solches Spiel erlaubt erst die raffinierte Steigerung, während das Begehren in der Befriedigung erlischt und somit unheilvoll auf den toten Punkt zustrebt: post coitum omne animal triste. Sexualität ist Begierde und Fortpflanzung, Erotik aber eröffnet eine ganze Welt von Bedeutungen.

Das Spiel eröffnet Freiheitsräume. Das gilt auch für die Gewalt. Kultur muß mit ihr rechnen und mit ihr ›spielen‹, zum Beispiel im ritualisierten Wettkampf, in der Konkurrenz, in den Redeschlachten. Das symbolische Universum der Kultur bietet Entlastung von den Ernstfällen, von Tod und wechselseitiger Vernichtung. Sie macht das Zusammenleben der Menschen, dieser gefährlichen Tiere, lebbar. Die Maxime der Kultur lautet: Wo Ernst war, soll Spiel werden.

Selbstverständlich werden wir auch weiterhin sehr ernsthaft unseren Geschäften nachgehen müssen, Beziehungen knüpfen und pflegen, unsere Aufgaben erfüllen, Probleme lösen. Aber es kommt alles darauf an, daß wir gegenüber den uns beherrschenden Begierden und Affekten einen freien Spielraum gewinnen.

Dazu gehört auch eine Freiheit gegenüber bloßen Nützlichkeitserwägungen. Die bürgerliche Gesellschaft, sagt Schiller, steht wie nie zuvor unter dem Diktat der Nützlichkeit. Er beschreibt sie als geschlossenes System der Zweckrationalität und der instrumentellen Vernunft, als eine Gesellschaftsmaschine, fast schon als jenes *stählerne Gehäuse*, als welches sie Max Weber ein Jahrhundert später bezeichnen wird: *Der Nutzen*, schreibt Schiller, *ist das große Idol der Zeit, dem alle Kräfte fronen und alle Talente huldigen sollen. Auf dieser groben Waage hat das geistige Verdienst der Kunst kein Gewicht, und, aller Aufmunterung beraubt, verschwindet sie von dem lärmenden Markt des Jahrhunderts.*

Bei der Kunst kann man lernen, daß die wichtigen Dinge des Lebens – die Liebe, die Freundschaft, die Religion und eben auch die Kunst – ihren Zweck in sich selbst haben, daß sie primär nicht darum sinnvoll sind, weil sie funktional etwas anderem dienen. Die Liebe will die Liebe, die Freundschaft die Freundschaft und die Kunst die Kunst; daß dabei auch noch andere Zwecke realisiert werden, ist selbstverständlich, darf aber nicht beabsichtigt sein. Eine berechnende Freundschaft ist keine, und eine Kunst um der sozialen Nützlichkeit willen ist auch keine. Kunst ist, wie jedes Spiel, autonom. Sie hat Regeln, aber sie gibt sie sich selbst. Sie kann vom Ernstfall nur entlasten, wenn sie sich selbst ernst nimmt. In bezug auf die allgemein herrschende Nützlichkeit ist sie Selbstzweck, also ekstatisch, wie zum Beispiel die Religion, die man auch in ihrem

Wesen verkennt, wenn man sie funktionalistisch auf eine gesellschaftsdienliche Rolle einschränkt. Nur wenn die Kunst – ebenso wie die Religion – sich selbst will, kann es geschehen, daß sie auch, gewissermaßen unbeabsichtigt, der Gesellschaft dient.

Kunst also ist erstens Spiel, zweitens Selbstzweck und drittens kompensiert sie das, was Schiller als spezifische Deformation der bürgerlichen Gesellschaft analysiert: das entwickelte System der Arbeitsteilung. Hölderlin und Hegel, später Marx, Max Weber und Georg Simmel werden an Schillers Analyse anknüpfen. Es gibt keine Gesellschaftsanalyse aus dieser Zeit, die wirkungsmächtiger gewesen wäre, als die Schillersche. Die *moderne* Gesellschaft, schreibt Schiller, hat Fortschritte gemacht auf dem Gebiet der Technik, der Wissenschaft und des Handwerks infolge von Arbeitsteilung und Spezialisierung. In demselben Maße, wie die Gesellschaft im Ganzen reicher und komplexer wird, läßt sie den Einzelnen in Hinsicht auf die Entfaltung seiner Anlagen und Kräfte verarmen. Indem sich das Ganze als reiche Totalität zeigt, hört der Einzelne auf, das zu sein, was er gemäß einem idealisierenden Vorurteil in der Antike gewesen sein soll: eine Person als Totalität im kleinen. Statt dessen findet man heute unter den Menschen nur *Bruchstücke*, was zur Folge hat, *daß man von Individuum zu Individuum herumfragen muß, um die Totalität der Gattung zusammenzulesen.* Jeder versteht sich nur auf sein spezielles Handwerk, sei es ein materielles oder ein geistiges. Auch die Politik ist zu einem *Maschinenwesen* von Spezialisten der Macht geworden, sie wurzelt nicht mehr in der Lebenswelt und ist nicht mehr ein organischer Ausdruck der vereinigten Macht der Individuen: *der Genuß wurde von der Arbeit, das Mittel vom Zweck, die Anstrengung von der Belohnung geschieden. Ewig nur an ein einzelnes kleines Bruchstück des Ganzen gefesselt, bildet sich der Mensch selbst nur als Bruchstück aus, ewig nur das eintönige Geräusch des Rades, das er umtreibt, im Ohre, entwickelt er nie die Harmonie seines Wesens, und anstatt die Menschheit in seiner Natur auszuprägen, wird er bloß zu einem Abdruck seines Geschäfts.*

Doch gegen die rousseauistischen Träume einer besseren Vergangenheit hält Schiller daran fest, *daß, so wenig es auch den Individuen bei dieser Zerstückelung ihres Wesens wohl werden kann, doch die Gattung auf keine andere Art hätte Fortschritte machen können.* Um die Anlagen der Gattung als ganzer zu entwickeln, gab es offenbar kein anderes Mittel, als sie unter den Individuen aufzuteilen und sogar einander entgegenzusetzen. Den *Antagonismus der Kräfte* bezeichnet Schiller als das *große Instrument der Kultur,* im gesellschaftlichen Ganzen den Reichtum der menschlichen Wesenskräfte zu verwirklichen und ihn in der großen Masse der Einzelnen zu verfehlen. In dieser Analyse wird Hölderlin den Schlüssel zum Verständnis seines Leidens an der Gegenwart finden. Im »Hyperion« heißt es: *Handwerker siehst du, aber keine Menschen, Denker, aber keine Menschen ... ist das nicht wie ein Schlachtfeld, wo Hände und Arme und alle Glieder zerstückelt untereinander liegen, indessen das vergoßne Lebensblut im Sande zerrinnt ... Doch das wäre zu verschmerzen, müßten solche Menschen nur nicht fühllos sein für alles schöne Leben ...*

Die Zersplitterung und Verstümmelung ist für Schiller auch ein Grund dafür, daß in Frankreich die Aufklärung als *theoretische Kultur* zur bloßen Ideologie geworden ist und schließlich sogar, wie das Beispiel Robespierre beweist, zum Terror der Vernunft wird, der nicht nur gegen die alten Institutionen, sondern gegen den alten Glauben im Herzen der Menschen vorgeht.

Das Spiel der Kunst soll diesen Krebsschaden der arbeitsteiligen Gesellschaft, die den Menschen zum *Bruchstück,* zum bloßen *Abdruck seines Geschäfts* macht, wenn auch nicht überwinden, so doch wenigstens kompensieren. Das Spiel der Kunst ermuntert den Menschen, mit allen seinen Kräften zu spielen – mit Verstand, Gefühl, Einbildungskraft, Erinnerung und Erwartung. Dieses freie Spiel befreit aus den arbeitsteiligen Verengungen. Es erlaubt dem Einzelnen, der an seiner Zersplitterung leidet, zu etwas Ganzem zu werden, eine Totalität im kleinen, wenn auch nur im befristeten Augenblick und im begrenzten Bereich der Kunst. Im Genuß des Schönen erlebt er den Vorgeschmack einer Fülle, die im praktischen Leben und in der geschichtlichen Welt noch aussteht.

Schiller hat sich also von der ästhetischen Erziehung viel versprochen, und er hat damit eine bis dahin beispiellose Rangerhöhung von Kunst und Literatur bewirkt.

Das neue Selbstbewußtsein künstlerischer Autonomie, die Ermunterung zum großen Spiel und zur erhabenen Nutzlosigkeit, das Versprechen einer Ganzheit im kleinen – alles zusammen hat der Romantik Auftrieb gegeben, deren erste Generation nun ihren Auftritt hat.

Drittes Kapitel

*Das tintenklecksende Säkulum. Abschied von der aufgeklärten
Nüchternheit. Vom Wunderlichen zum Wunderbaren. Friedrich Schlegel
und die Karriere der Ironie. Das schöne Chaos. Die Stunde der kritischen
Diktatoren. Die Welt zum Kunstwerk machen.*

Schiller hatte Anfang der 80er Jahre sein Zeitalter das *tintenklecksende Säkulum* genannt. An diesem Befund hat sich zwanzig Jahre
später, beim Auftritt der romantischen Generation, nichts geändert,
im Gegenteil: Man liest und schreibt noch mehr als je zuvor. Die
Rangerhöhung der Literatur, ihre Bedeutsamkeit fürs Leben, hat
noch einmal gewaltig zugenommen. Von diesem lesehungrigen
und schreibwütigen Zeitalter ist der romantische Aufbruch geprägt.

Das Viellesen wird am Ende des 18. Jahrhunderts in den bürgerlichen und kleinbürgerlichen Kreisen fast epidemisch. Pädagogen
und Kulturkritiker beginnen darüber zu klagen. Was im Lesenden
vorgeht, läßt sich schwer kontrollieren – es gibt Erregungen, Phantasien im Verborgenen. Das lesende Frauenzimmer auf dem Sofa,
Romane verschlingend, überantwortet es sich nicht heimlichen
Exzessen? Und die lesenden Gymnasiasten, nehmen sie jetzt nicht
teil an Abenteuern, von denen ihre Erziehungsberechtigten sich
nichts träumen lassen? Zwischen 1750 und 1800 verdoppelt sich die
Zahl derer, die lesen können. Ungefähr 25% der Bevölkerung gehören am Ende des Jahrhunderts zum potentiellen Lesepublikum.
Langsam vollzieht sich im Leseverhalten ein Wandel: Man liest nicht
mehr ein Buch viele Male, sondern viele Bücher einmal. Die Autorität der großen, wichtigen Bücher – die Bibel, Erbauungsschriften,
Kalender –, die mehrfach gelesen und studiert werden, schwindet,
man verlangt nach einer größeren Masse von Lesestoff, nach Büchern, nicht dafür geschaffen, daß man darin liest, sondern daß man

sie verschlingt. Zwischen 1790 und 1800 erscheinen zweieinhalb-tausend Romantitel auf dem Markt, genau so viele wie insgesamt in den neunzig Jahren zuvor. Das wachsende Angebot will bewältigt sein. Das Publikum lernt die Kunst des schnellen Lesens. Ohne Muße kann es natürlich ein Leseleben nicht geben. In Friedrich Schlegels Roman »Lucinde« wird nicht von ungefähr das Loblied auf den *Müßiggang* angestimmt. *O Müßiggang, Müßiggang! du bist die Lebensluft der Unschuld und der Begeisterung; dich atmen die Seligen, und selig ist wer dich hat und hegt, du heiliges Kleinod! einziges Fragment von Gottähnlichkeit, das uns noch aus dem Paradies blieb.* Zum Glück hat es an Muße damals im bürgerlichen Leben nicht gefehlt. Und wenn doch, verlängert man die Lesestunden in die Nacht. Nicht nur die Aufklärung, auch die Lesewut verlangt nach mehr Licht.

Wie es in einer viellesenden Familie um 1800 zuging, beschreibt die Gesellschafterin des Grafen Friedrich Stolberg: Nach dem Früh-stück las der Graf ein Kapitel aus der Bibel und einen Gesang aus Klopstocks Liedern vor. Dann las sie still in der Zeitschrift »Specta-tor«. Danach las die Gräfin eine Stunde lang aus Lavaters »Pontius Pilatus« vor. Die Zeit bis zum Mittagessen las jeder für sich. Zum Nachtisch gab es eine Lesung aus Miltons »Paradise Lost«. Danach las der Graf in den Lebensbeschreibungen des Plutarch, und nach dem Tee las man sich Lieblingsstellen aus Klopstock vor. Abends werden Briefe geschrieben, die man sich am anderen Morgen vor-liest, ehe man sie absendet. In den freien Stunden des Tages liest man zeitgenössische Romane, was aber eher verschämt erwähnt wird.

Die Vielleser rufen die Vielschreiber auf den Plan, Autoren, die es verstehen, fürs schnelle Lesen zu schreiben. Schiller hatte sich, als er an seinem Fortsetzungsroman »Der Geisterseher« schrieb, auch darin geübt. Von August Lafontaine, der weit über hundert Ro-mane verfaßte, sagte man, er schreibe schneller, als er lesen könne, er könne also noch nicht alle seine Romane gelesen haben. Professio-nelle Kritiker – zu ihnen zählten zunächst auch die Schulhäupter der romantischen Bewegung – treibt diese Romanflut zur Verzweiflung. *Unter den zahlreichen Romanen,* schreibt Friedrich Schlegel 1797, *welche mit jeder Messe unsre Bücherverzeichnisse anschwellen, vollenden die meisten den Kreislauf ihres unbedeutenden Daseins so schnell, um sich dann in die Vergessenheit und den Schmutz alter Bücher in den Lesebibliotheken zurückzuziehen, daß der Kunstrichter ihnen ungesäumt auf den Fersen sein muß, wenn er nicht den Verdruß haben will, sein Urteil auf eine Schrift zu verwenden, die eigentlich gar nicht mehr existiert.* Es wird der Ehrgeiz der Romantiker sein, mit ihren Schriften noch zu existieren, wenn alle anderen schon längst verschwunden sind.

Die besonderen gesellschaftlich-politischen und geographischen Bedingungen haben in Deutschland das Buch- und Blätterwesen so trefflich gedeihen lassen. Das Fehlen von bedeutenden städtischen Mittelpunkten des geselligen Lebens begünstigt die Vereinzelung und damit die Lust an der imaginären Geselligkeit im Buch und der reellen durch das Buch. Deutschland besaß keine die Phantasie beflügelnde politische Macht, keine große Hauptstadt mit ihren labyrinthischen Geheimnissen, keine Kolonien, die den Sinn für Ferne und Abenteuer in der äußeren Welt erregten. Alles war zersplittert, eng und klein. Wenn Hamann bei Kant zu Besuch war, konnte das schon eine Begegnung zwischen Aufklärung und Sturm und Drang bedeuten, und in Jena, eine Generation später, lagen die Hauptquartiere von Romantik und Klassik nur einen Steinwurf voneinander entfernt. Alles Außerordentliche, was die englischen Seefahrer und Entdecker, die Pioniere in Amerika, die Matadore der Französischen Revolution vollbrachten, erlebte das deutsche Publikum in der Regel bloß im Nachvollzug und in der Ersatzform der Literatur. In einem Brief an Merck stellt Goethe lapidar fest, daß *das ehrsame Publikum alles außerordentliche nur durch den Roman kennt* (11. Oktober 1780).

Wer viel liest, kommt leicht auf die Idee, selber zu schreiben. Da tauschen Freunde Briefe aus und tragen sie hinterher sogleich zum Verleger. Wer es am Ort zu Ehre und Geld gebracht hat oder auch zu keinem von beidem, schreibt, wenn er in die Jahre kommt, seine Lebensbetrachtung. Goethe hat im »Wilhelm Meister« über diese

Entwicklung geseufzt, Jean Paul hat sie in seinem »Schulmeisterlein Wutz« parodiert. Wutz läßt sich regelmäßig den Meßkatalog kommen, und da er knapp bei Kasse ist, schreibt er die dort angekündigten Romane selbst. Dabei nimmt er allmählich die Meinung an, seine Schreibbücher wären die eigentlichen Originale. Als er dann, wohlhabender geworden, die eigentlichen Originale kennenlernt, hält er sie für verfälschte Nachdrucke.

Das vermehrte Lesen läßt Lesen und Leben zusammenrücken. Man fahndet im Gelesenen nach dem Leben des Autors, der plötzlich mit seiner Biographie interessant wird, und wenn er es noch nicht ist, sich interessant zu machen versucht. Die Schlegels waren Meister darin, sich interessant zu machen. Ihre Liebesgeschichten waren in Jena Stadtgespräch. Man fahndete nach dem Leben hinter der Literatur und war umgekehrt von der Vorstellung fasziniert, wie die Literatur das Leben formen könnte. Man versuchte das zu leben, was man gelesen hatte. Man zog Werthers Sperlingsfrack an oder rollte mit den Augen wie Karl Moor. Man setzte auf Erlebnisse nach dem literarischen Drehbuch, das schon die Rollen verteilt, die Atmosphäre bezeichnet und die Handlung festgelegt hatte. Es ging damals von dem noch recht neuen Leitmedium Literatur eine faszinierende, das Leben inszenierende Kraft aus. Was der großen Literatur recht war, konnte der sogenannten Unterhaltungsliteratur, den Lafontaineschen Familienromanen, den Räubergeschichten des Goethe-Schwagers Vulpius und den Geheimbundromanen eines Karl Grosse, ein Lieblingsautor der Frühromantiker, nur billig sein. Auf beiden Niveaus äußert sich der Wunsch nach intensiverem Selbstgefühl. Man will sich fühlen, man verlangt Lebendigkeit vom Leben, und wenn die äußeren Umstände dem entgegenstehen, dann muß eben die Identifikation mit literarischen Mustern aus dem in alltäglichen Ritualen verrinnenden Lebensstrom bedeutungsvolle Momente herausheben. Man will sein Leben im Spiegel der Literatur aufwerten, ihm eine Dichte, eine Dramatik und eine Atmosphäre geben. So kann der Lesende, der nach seiner im Alltag verschollenen Existenz sucht, zum Selbstgenuß kommen. *Wir sind aus*

Literatur gemacht, klagt der junge Tieck, und auch Clemens Brentano hört im Leben das Papier rascheln: *Ich sehe nach und nach immer mehr ein, daß durch die Romane eine Menge unsrer Handlungen unwillkürlich bestimmt werden, und daß Frauenzimmer besonders am Ende ihres Lebens nichts als Kopien der Romancharaktere waren, die ihnen die Lesebibliotheken ihres Orts dargeboten haben.*

Dieser dichte Grenzverkehr zwischen Literatur und Leben, die Neigung, das Leben zu literarisieren, mag Tieck damals auch zur Übersetzung des »Don Quixote« angeregt haben, denn das Thema des Romans ist bekanntlich die Verdrängung der Lebenserfahrung durch Leseerfahrung. Man konnte den Roman lesen als Epos über den gefährlichen Imperialismus der Literatur, die sich das Leben untertan macht. Die Macht der Literarisierung zeigt sich sogar in der Politik. Die Akteure der großen revolutionären Ereignisse erscheinen sich selbst und dem gebildeten Publikum als Darsteller von Rollen, die man aus der antiken Literatur bereits kennt. Die klassische Bildung ermöglicht ein Déjà-vu-Erlebnis eigener Art: Caesar, Cicero und Brutus kehren wieder als historisches Kostüm. Brutus beispielsweise wird jetzt von einer Frau dargestellt: Charlotte Corday, die sanfte Fanatikerin aus der Normandie, die 1793 Marat, der sich gerne als Gracchus gebärdet, in der Badewanne ersticht. Klopstock, Wieland und andere haben diese Tat bedichtet: ein Tyrannenmord, wie er im Buche steht.

Wer liest und schreibt, spekuliert auf eine persönliche Revolution, eine Umwälzung, in deren Folge entweder die gewöhnlichen Dinge unseres Lebens in neuem Licht erglänzen oder sich Abgründe öffnen, je nachdem. Wenn man das Leben mit Poesie anstecken möchte, bedient man sich am besten der romantischen Verfremdungstechnik, die Tieck so beschreibt: *Wir sollten es nur einmal versuchen, uns das Gewöhnliche fremd zu machen, und wir würden darüber erstaunen, wie nahe uns so manche Belehrung, so manche Ergötzung liegt, die wir in einer weiten, mühsamen Ferne suchen. Das wunderbare Utopien liegt oft dicht vor unsern Füßen, aber wir sehn mit unsern Teleskopen darüber hinweg.* Lesen und Schreiben versprechen also das Abenteuer um die Ecke, die kleine Revolution. Natürlich wünscht man sich ein besseres Leben, jedenfalls ein zusätzliches. Ein Leben, das andere Überraschungen und Geheimnisse verspricht als das gewöhnliche.

Überhaupt das Geheimnis. In dieser literaturbesessenen Epoche hatte es Konjunktur. Das Licht der Aufklärung verlor an Glanz. Bis in die einfachen Volksschichten war es sowieso nicht vorgedrungen, und in aristokratischen Kreisen spielte man mit der Vernunft und übte sich im Tischrücken. Am Ende des Jahrhunderts konnte das Wunderliche wieder selbstbewußt als das Wunderbare auftreten. Wieder tauchen die Wunderheiler auf, die man zuvor in die Arbeitshäuser gesperrt hatte. Wieder laufen in den Städten die Menschen zusammen, um Propheten anzuhören, die den Weltuntergang oder die Wiederkehr des Messias predigen. In Sachsen und Thüringen trieb der Teufelsaustreiber Gaßner sein Wesen, und in Leipzig erlangte der Gastwirt Schrepfer eine kurze Berühmtheit als Totenbeschwörer. Die allgemeine Stimmung hatte sich geändert, man fand wieder Gefallen am Rätselhaften, der Glaube an die Transparenz und Kalkulierbarkeit der Welt war schwächer geworden. Die pragmatische Aufklärung hatte Vorhersehbarkeit und Planbarkeit auf ihr Panier geschrieben. Die 8oer und 9oer Jahre aber bringen Wirtschaftskrisen und Kriege. Der erste Akt der Französischen Revolution konnte noch als Akt der Vernunft gelten – die Welt stand *auf dem Kopf* (Hegel), der Gedanke triumphierte –, aber die tumultuarischen und terroristischen Folgen mußte man wohl als Zeichen dafür nehmen, daß die Geschichte der planenden Vernunft aus dem Ruder läuft und eher unsere dunkle Natur als unseren hellen Verstand zum Zuge kommen läßt. Das alles erschüttert das Vertrauen in ein aufgeklärtes Denken, das sich die Sache zu leicht macht, was bedeutet: unfähig ist, die Tiefe des Lebens und seine Nachtseiten zu erfassen. Es wird der Ehrgeiz der Romantiker sein, das Denken und die Imagination auf das Ungeheure einzustimmen, das in uns und um uns geschieht. Daß der Fortschritt immer das Bessere bringt, beginnt man zu bezweifeln. Könnte es nicht auch das Alte und Uralte sein? Jedenfalls hört man, wenn die lichte Zukunft sich verdüstert, die Stimme der Vergangenheit besser. Man findet wieder Gefallen am Dunklen, das von weither kommt. Die verhangene Melancholie der Volkslieder übt ihren Reiz aus: *Es fiel ein Reif in der Frühlingsnacht.*

Die Lust am Geheimnisvollen und Wunderbaren, wie sie in der literarischen Kultur am Ende des Jahrhunderts aufkommt, ist das Symptom eines Mentalitätswandels, der den rationalistischen Geist zurückdrängt. Es sind viele, die am gemessenen Schreiten des aufgeklärten Fortschritts zweifeln oder gar verzweifeln und einen Ausnahmezustand herbeisehnen, der ihnen erlaubt, einzelne Stufen zu überspringen und ihr individuelles Glück zu machen, noch ehe die triumphierende Vernunft das Glück der Menschheit sichert. Man hofft auf überraschende Wendungen, Begegnungen, die das große Glück bringen. Die Romane leben davon. *Nichtsahnend ging ich aus dem Haus, als plötzlich ...* – das wird jetzt die Formel der Spannungserzeugung. Besonders E. T. A. Hoffmann wird sie virtuos zu handhaben wissen. Der junge Tieck macht auf seinem Gang zur Schule Umwege, um die Wahrscheinlichkeit von Begegnungen zu erhöhen, die ins Unvorhersehbare führen. Friedrich Schlegel kann sich 1792 einer solchen Begegnung rühmen: *Das Schicksal hat einen jungen Mann in meine Hand gegeben, aus dem alles werden kann,* berichtet er seinem Bruder im Januar 1792. Der junge Mann, es ist Novalis, glaubt auch an ein Wunder, das ihn mit Schlegel zusammengeführt habe.

Die Wundermacht des Schicksals knüpft überraschende Verbindungen, läßt die Menschen abstürzen und in ungeahnte Höhen steigen. In solcher Atmosphäre werden die vom Schicksal und der eigenen Geschicklichkeit wundersam emporgeschleuderten Hochstapler vom Schlage eines Cagliostro fast zu mythischen Figuren. Kometenhaft ziehen sie ihre Bahn, für kurze Augenblicke kann man sie am Himmel der Gesellschaft sehen.

Phantasien über Geheimbünde und geheime Komplotte erregten die Öffentlichkeit in einem Ausmaß, das wir uns heute im Zeichen der Terrorismushysterie und der Verschwörungstheorien ganz gut vorstellen können. Diese Atmosphäre begünstigt ein literarisches Genre, zu dessen Erfindern Schiller mit seinem »Geisterseher«-Roman gehört. Es ist das Genre des ›Bundesromans‹, der mit wohligem Grausen von mysteriösen Geheimgesellschaften und ihren Machenschaften erzählt. In den 8oer und 9oer Jahren erschienen über zweihundert einschlägige Titel, meist dem Trivialbereich zugehörig, aber mit mächtiger Ausstrahlung auf die literarischen Gipfelhöhen. In Goethes »Wilhelm Meister« gibt es die geheime Turmgesellschaft; Jean Pauls »Titan« und Achim von Arnims »Die Kronenwächter« oder Tiecks »Wilhelm Lovell« sind ebenfalls geprägt von der Tradition des ›Bundesromans‹.

Im Bundesroman gibt es ein stereotypes Schema: Ein harmloser Mensch gerät in geheimnisvolle Verstrickungen; er wird verfolgt; Menschen kreuzen seinen Weg, die alles über ihn zu wissen scheinen; allmählich bemerkt er, daß er sich in dem Netz einer unsichtbaren Organisation verfangen hat. Oft dient auch eine schöne Frau als Lockvogel: Zum bedrohlichen gesellt sich das süße Geheimnis. Vielleicht dringt der Protagonist in den Bund vor, vielleicht sogar bis in seine innersten Verliese, schwarze Höhlen mit flackerndem Licht und weißen Gesichtern bekommt er dort zu sehen. Manchmal wird er eingeweiht in die Mysterien eines verborgenen Wissens oder einer verhüllten Absicht, lernt die Führer kennen, niemals die obersten. Bei denen, die sich zu erkennen geben, handelt es sich zu seinem Entsetzen oft um Menschen, die er schon lange kennt, aber bisher in einem anderen Licht gesehen hat. In diesen Geschichten gibt es manchmal den guten und den bösen Bund, und wenn erzählt wird, wie diese beiden im Kampf miteinander liegen, dann wird das Ganze vollends undurchsichtig, es wimmelt von Doppelagenten, und es gibt kaum noch Zimmer ohne doppelte Böden und Schränke ohne geheime Türen. Man kann auch nicht mehr über die Straße gehen, ohne von einem Emissär mit schmalem Gesicht und dünnen Lippen angesprochen zu werden.

Der reale Anknüpfungspunkt dieser Geschichten ist das Wirken der geheimen Bünde der Jesuiten, der Freimaurer, der Illuminaten

und der Rosencreutzer. Die geheimbündlerischen Verschwörungstheorien waren und sind bis heute die massenwirksamste Form der
Geschichtsphilosophie. Man glaubt zu wissen, wie die Geschichte
funktioniert, wo ihre Drahtzieher sitzen, wie sie gemacht wird. Die
Verschwörungstheoretiker von damals wußten alles über die Französische Revolution, zum Beispiel, daß sie von Ingolstadt aus gesteuert würde, denn dort befand sich bekanntlich das Hauptquartier
der Illuminaten ...

Der Wille zum Geheimnis war eine Triebkraft sowohl bei denen,
die verschwörerische Bünde bildeten, als auch bei denen, die sich
davon schrecken ließen. Wer sich an diesem Geschäft beteiligte, auf
der einen oder anderen Seite, verhielt sich im Flachland so, wie es
dann Novalis auf der Hochebene des romantischen Spekulationsgeistes fordert: *Indem ich dem Gemeinen einen hohen Sinn, dem Gewöhnlichen ein geheimnisvolles Ansehn, dem Bekannten die Würde des
Unbekannten, dem Endlichen einen unendlichen Schein gebe, so romantisiere ich es.*

Die Geheimbundromane, die den Buchmarkt überschwemmten,
beherrschten virtuos die Kunst, *dem Gewöhnlichen ein geheimnisvolles
Ansehn* zu geben; sie werden deshalb auch von der romantischen
Generation, die sich der Schule des Rationalismus entwachsen fühlt,
eifrig gelesen. Besonderer Beliebtheit erfreute sich bei ihnen der
Roman »Der Genius« von Karl Grosse (1791). Der junge Tieck liest
ihn in einem Zuge seinen Freunden vor und erregt sich dabei so
sehr, daß er um seinen Verstand fürchtet. Er benötigt eine Woche,
um sich zu erholen und schreibt dann an seinem Roman »William
Lovell«, worin natürlich auch eine Geheimgesellschaft ihr Unwesen
treibt. Dem jungen E. T. A. Hoffmann erging es ähnlich. Nach der
Lektüre schrieb er am 19. Februar 1795 an seinen Freund Hippel:
*Das Aufwallen von unzähligen Leidenschaften hatte meinen Geist in eine
Art von matter Betäubung gesenkt ... ich sah auch meinen Genius ...*
Kurz darauf machte er sich an seinen ersten Roman, der unveröffentlicht geblieben ist.

Aus allen Verwicklungen von scheinbaren Zufällen, heißt es bei Grosse, *blickt eine unsichtbare Hand hervor, welche vielleicht über manchem unter uns schwebt, ihn im Dunkeln beherrscht, und den Faden, den er in sorgloser Freiheit selbst zu weben vermeint, oft schon lange vorausgesponnen haben mag.* Die unsichtbare Hand oder der geheime *Faden* fesseln die Einbildungskraft einer Zeit, die gerade damit beginnt, geschichtsphilosophisch zu denken. *Gibt's einen Faden der Entwicklung menschlicher Kräfte durch alle Jahrhunderte und Umwandlungen in der Hand des Schicksals, und kann ihn ein menschliches Auge bemerken – welches ist er?* So formuliert Herder die Frage, deren Beantwortung er für die Jahrhundertaufgabe hält. Wer diesen Faden erkennt, der braucht sich nicht mehr als geschichtsphilosophischer Analphabet zurechtweisen zu lassen: *Siehst du Ameise nicht, daß du auf dem großen Rade des Verhängnisses nur kriechst?* Die Geheimgesellschaften und die einschlägigen Romane geben dem geschichtsphilosophischen *Faden* eine plausible Gestalt. Die *unsichtbare Hand*, man kann sie jetzt ergreifen, sie gehört zu einem Menschen, der allerdings oft ein Dunkelmann ist. Man wird in die verborgenen Werkstätten geführt, wo die Fäden gezogen werden für das Marionettentheater der Geschichte. Solche Bilder kennzeichnen den zunächst selbst noch aufklärerischen Impuls des Geheimniskultes. Doch am Ende des Jahrhunderts verändert das Geheimnis seinen Charakter. Zunächst war der Glaube an die Vernunft noch so kräftig, daß man das Geheimnis nur als einen faszinierenden ›Schein‹ ansah, hinter dem sich ein letztlich doch rational erklärbarer Mechanismus verbirgt. Das Geheimnisvolle war eine Kategorie der Täuschung, etwas noch nicht Durchschautes und darum einstweilen noch Unheimliches. Doch bei der romantischen Generation beginnt das Interesse am Geheimnisvollen stärker zu werden als das Interesse an seiner ernüchternden Aufklärung. Man schätzt das Geheimnis nicht nur, weil die Aufklärung ihre Kraft daran erproben kann, sondern auch, weil es der Aufklärung trotzt. Das Unerklärliche ist nun nicht mehr Skandal, sondern Reiz. *Manches bleibt in Nacht verloren*, wird es bei Eichendorff heißen.

Nur in einem solchen literaturbesessenen Milieu, wo Literatur und Leben ineinanderspielen, wo das Geheimnis lockt wie ein dunkler Kontinent, an dessen Rande wir siedeln, und wo man sich viel verspricht vom eigenen Inneren, das wir nur von der Benutzeroberfläche her kennen – nur in diesem auf Literatur und vielversprechende Geheimnisse fixierten Umfeld konnten sich die hochfliegenden theoretischen Konzepte der Frühromantiker entwickeln. Diese jungen Leute, zuerst in Jena und dann in Berlin, sind von einem Geist inspiriert, mit dem sie sich und andere verzaubern wollen. Es ist ein revolutionärer Geist. Wenn die Verhältnisse links vom Rhein sich so schnell und grundlegend verändern, wenn das Neue in der Luft liegt und jeder Tag politische Überraschungen bringt, warum sollen dann nicht auch Literatur und Philosophie zu neuen Ufern aufbrechen? In den Schriften Friedrich Schlegels aus den 90er Jahren wird der Begriff ›Revolution‹ fast inflationär verwendet. Da ist von einer *moralischen Revolution* die Rede, von einer *schönen Revolution*, einer *ästhetischen Revolution*, von dem *Idealismus* als *Revolution*. Da wird die Erwartung ausgesprochen, daß die gegenwärtige *Anarchie des Geistes* die Mutter einer *wohltätigen Revolution* sein werde. An eine politische Revolution ist dabei natürlich nicht gedacht. Die Verhältnisse in Deutschland sind nicht danach. Um so stärker ist der Impuls zur geistigen Revolution. Ihr Prinzip ist das zu kühnem Selbstbewußtsein erwachte schöpferische Ich. Hat nicht die Französische Revolution gezeigt, daß das Subjekt der erstarrten Objektivität überlegen ist? Es sei nun an der Zeit, schreibt der junge Schelling 1794, das *kühne Wagestück der Vernunft* zu vollbringen, die *Menschheit den Schrecken der objektiven Welt zu entziehen*. Inzwischen hat auch er sich in Jena eingefunden und bestimmt das *absolute Ich* als dasjenige *was schlechterdings niemals Objekt werden kann*.

Die Jenaer treiben es weit mit ihren Lockerungsübungen, sie wollen die Scheidewände zwischen Literatur und Leben vollends niederreißen. Friedrich Schlegel und Novalis prägen für dieses Unternehmen den Begriff des *Romantisierens*. Jede Lebenstätigkeit soll sich mit poetischer Bedeutsamkeit aufladen, soll eine eigentümliche Schönheit zur Anschauung bringen und eine Gestaltungskraft offenbaren, die ebensogut ihren ›Stil‹ hat wie das Kunstprodukt im engeren Sinne. Überhaupt gilt ihnen Kunst weniger als Produkt denn als Ereignis, das immer und überall stattfinden kann, wo Menschen ihre Tätigkeit mit gestalterischer Energie und vitalem Schwung verrichten. Novalis ist davon überzeugt, daß sich auch *Geschäftsarbeiten* poetisch behandeln lassen. Das Leben muß mit Poesie durchdrungen werden. Friedrich Schlegel prägt dafür den Ausdruck *progressive Universalpoesie*.

Das berühmte »Athenäum«-Fragment Nr. 116, wo dieser Begriff zum ersten Mal auftaucht, enthält in nuce das ganze Programm der Frühromantik: *Die romantische Poesie*, heißt es dort, *ist eine progressive Universalpoesie. Ihre Bestimmung ist nicht bloß, alle getrennten Gattungen der Poesie wieder zu vereinigen und die Poesie mit der Philosophie und Rhetorik in Berührung zu setzen. Sie will und soll auch Poesie und Prosa, Genialität und Kritik, Kunstpoesie und Naturpoesie bald mischen, bald verschmelzen, die Poesie lebendig und gesellig und das Leben und die Gesellschaft poetisch machen ...*

Mit dem Geist der Poesie soll alles mit allem in Verbindung gebracht, sollen Grenzen und Spezialisierungen überwunden werden, und zwar nicht nur Spezialisierungen im Bereich des Literarischen, wenn literarische Gattungen vermischt werden, nicht nur Spezialisierungen zwischen den verschiedenen Geistestätigkeiten, wenn Philosophie, Kritik und Wissenschaft selbst zu Elementen der Poesie werden, sondern es soll die Trennung beseitigt werden zwischen der Logik des alltäglichen Lebens und Arbeitens und der sonstigen freien, schöpferischen Geistestätigkeit. Diese enthusiastische Vision einer alles umgreifenden Vereinigung nennt Hegel, der den romantischen Impuls seiner Jugend später gerne verleugnete, einen *bacchantischen Taumel, an dem kein Glied nicht trunken ist*.

Wie hat man sich diesen großen Vereinigungstaumel vorzustellen? Was genau haben die Romantiker sich dabei gedacht? Man nähert sich ihren Ideen am besten, indem man sich klarmacht, wogegen sie entwickelt werden.

Soeben hatte Schiller in den »Ästhetischen Briefen« eindringlich die Deformationen durch die Arbeitsteilung in der bürgerlichen Welt beschrieben. Der Mensch, hatte Schiller geschrieben, ist zu einem *Bruchstück* geworden, und *ewig nur das eintönige Geräusch des Rades, das er umtreibt, im Ohr*, vermag er nicht die *Harmonie seines Wesens* zu verwirklichen. Gegen die Arbeitsteilung und ihre deformierenden Folgen rebelliert die Romantik. Wackenroder und Tieck verwenden in ihrer Kritik des bürgerlichen Lebens Schillers Bild vom geisttötenden Umtrieb des Rades. In dem »Wunderbaren morgenländischen Märchen von einem nackten Heiligen« heißt es über den Protagonisten, *er höre unaufhörlich in seinen Ohren das Rad der Zeit seinen sausenden Umschwung nehmen . . . die gewaltige Angst, die ihn in immerwährender Arbeit anstrengte, verhinderte ihn, irgendetwas zu sehen und zu hören . . .*

Bei der Prosa des arbeitsteiligen Lebens vergeht uns gewöhnlich Hören und Sehen, und es verkümmert der schöpferische Geist – diese Erfahrung steht am Anfang der romantischen Phantasien der Entgrenzung. Sie wollen die Zersplitterung des Lebendigen rückgängig machen, zuerst bei sich selbst und im Kreis der Freunde, dann aber auch, beispielgebend, im gesellschaftlichen Leben. Das meint Friedrich Schlegel, wenn er schreibt, es komme darauf an, *das Leben und die Gesellschaft poetisch* zu machen. Aber zunächst einmal geht es um die Aufhebung der Arbeitsteilung auf dem Felde des Geistes. Besonders Friedrich Schlegel und Novalis praktizieren, lesehungrig und schreibwütig, einen Universalismus, der alles zu ergreifen sucht, was für die eigene Bildung – nicht Ausbildung – interessant zu sein verspricht. Schlegel wird übrigens den Ausdruck *interessant* zum ersten Mal als den Begriff gebrauchen, mit dem sich das moderne Zeitalter, wie es ihm vorschwebt, verstehen läßt. Unbekümmert um die traditionelle Einteilung der Disziplinen ergreifen die Romantiker alles, was ihnen interessant erscheint.

Friedrich Schlegel, Jahrgang 1772, vertieft sich nach einem kurzen Abstecher in eine Kaufmannslehre in einem geradezu wütenden autodidaktischen Studium in die Antike mit der festen Absicht, ›der Winckelmann‹ der antiken Poesie zu werden. Und tatsächlich wird er es auch fast. Der Dreiundzwanzigjährige veröffentlicht 1795 den Aufsatz »Über das Studium der griechischen Poesie«, mit dem er bei den damaligen Koryphäen des Faches sofort höchste Anerkennung findet, aber auch beim übrigen gebildeten Publikum. Die Kultur der Griechen, lehrt Schlegel ein dreiviertel Jahrhundert vor Nietzsches Buch über die antike Tragödie, sei nicht nur von der *edlen Einfalt und stillen Größe* geprägt gewesen, wie Winckelmann behauptet, sondern ihr Untergrund sei ekstatisch, wild, grausam, auch pessimistisch. Um so erstaunlicher die vitale Kraft, die den Erzeugnissen des griechischen Geistes die Vollkommenheit und Rundung der Form gegeben habe. Die Antike sei nichts weniger als *naiv* gewesen, wie Schiller in dem zur selben Zeit erschienenen Aufsatz »Über naive und sentimentalische Dichtung« schreibt, vielmehr sei es bemerkenswert, wie damals aus einem *schönen Chaos* der Antriebe die gelungene Form geboren wurde. Das läßt für die Gegenwart hoffen. Denn in der Gegenwart herrscht auch *Anarchie*, es fehlt der Mittelpunkt, es handelt sich aber um eine langweilige, reizlose Anarchie. Es fehlt die Substanz. Man muß endlich, so Schlegel, Genialität ins Spiel bringen. Dazu aber muß man begriffen haben, daß das Leben vielleicht überhaupt nichts anderes ist als – ein großes Spiel. Es kommt darauf an, sich als Akteur des großen Weltspiels in Szene zu setzen. Das ist unsere Chance, erklärt dieser genialische Jüngling mit kühnem Selbstbewußtsein. *Alle heiligen Spiele der Kunst sind nur ferne Nachbildungen von dem unendlichen Spiele der Welt, dem ewig sich selbst bildenden Kunstwerk.* Man merkt die Nachwirkung von Schillers Philosophie des Spiels. Bei den Romantikern, besonders bei Friedrich Schlegel, wird daraus das Spiel der Ironie.

Wohin gelangt man, wenn man spielt? Friedrich Schlegel antwortet: in den alten Götterhimmel. *Denn das ist der Anfang aller Poesie, den Gang und die Gesetze der vernünftig denkenden Vernunft aufzuheben und uns wieder in die schöne Verwirrung der Phantasie, in das ursprüngliche Chaos der menschlichen Natur zu versetzen, für das ich kein schöneres Symbol bis jetzt kenne, als das bunte Gewimmel der alten Götter.* Das mag noch undeutlich gedacht sein, aber es braucht einen nicht zu schrecken, denn *alles Denken ist ein Divinieren, aber der Mensch fängt eben an, sich seiner divinatorischen Kraft bewußt zu werden.*

Diese divinatorische Kraft äußert sich für den jungen Friedrich Schlegel nicht bei den sogenannten Sehern, die ihm eher verdächtig sind, sondern – und das ist für diese rebellische und verspielte frühe Romantik bezeichnend – in der Ironie. Friedrich Schlegel war der eigentliche Erfinder der romantischen Ironie, die weit mehr ist als die wohlbekannte rhetorische Figur, mit der man etwas sagt und durchblicken läßt, daß man etwas anderes, vielleicht sogar das Gegenteil davon meint – Übles geschieht, und der Ironiker kommentiert: »Schöne Bescherung.« Ironie galt bis dahin als rhetorische Figur, auch als literarische Methode, irgendwo angesiedelt zwischen Humor, Spott und Satire. Außerdem gab es da noch die sokratische Ironie. Der Satz *Ich weiß, daß ich nichts weiß* ist natürlich ein ironischer Satz, denn Sokrates weiß eine ganze Menge, vor allem aber dies, daß die anderen weniger wissen, als sie zu wissen meinen. Die sokratische Ironie tut nun so, als nähme sie das vorgebliche Wissen des anderen ernst, und verstrickt ihn derart in die eigenen Anmaßungen, daß er schließlich seine eigene Hohlheit bemerken müßte, wenn es der Stolz ihm nicht verbieten würde. Sokratische Ironie war bei den Autoren der Aufklärung ein beliebtes Mittel.

Ironie war also nichts weniger als unbekannt, aber was Schlegel daraus machte, hatte es so noch nicht gegeben: Er romantisierte die Ironie, das heißt er entdeckte in der bekannten Ironie lauter noch unbekannte Verwendungsweisen, er entdeckte im Bekannten das Unbekannte, eine ganze reiche Welt von überraschenden Bedeutungen. Dabei knüpfte Schlegel durchaus an der bisher bekannten Grundfigur der Ironie an, daß nämlich eine bestimmte Aussage in eine andere, eine umfassendere Perspektive gerückt und dadurch relativiert oder gar dementiert wird. Der Trick, mit dem Schlegel die Ironie zur theoretischen Goldader macht, besteht darin, daß er für die jeweils bestimmte Aussage das *Endliche* setzt und für die Perspektive der Relativierung und Dementierung das *Unendliche.* Ist diese Unterscheidung einmal gemacht, kann das große Spiel beginnen, ein Spiel, bei dem alle bestimmten, fest umrissenen Aussagen ins *Schweben* – ein Lieblingsausdruck Schlegels – gebracht werden können. Jede bestimmte Aussage bedeutet angesichts des Überkomplexen der Welt eine Komplexitätsreduzierung. Und wer nun durchblicken läßt, daß er um diese Komplexitätsreduzierung weiß, wird seiner in Wahrheit unterkomplexen Aussage den Ton des ironischen Vorbehalts geben.

Das *Unendliche*, von dem Schlegel spricht, ist das schlechthin Überkomplexe. Man darf dabei aber nicht sogleich an ›Gott‹ denken, der allerdings bald ins Spiel kommt. *Ironie ist klares Bewußtsein der ewigen Agilität, des unendlich vollen Chaos*, schreibt Schlegel.

Chaos aber gibt es in mehreren Dimensionen: Das eigene Selbst ist ein Chaos, man darf sich nicht einbilden, daß unsere Aussagen und Handlungen es je erschöpfen und zur angemessenen Darstellung bringen könnten. Individuum est ineffabile.

Zweitens gibt es, damit zusammenhängend, das Chaos zwischen den Menschen. Keine Mitteilung ist wirklich imstande, sich vollständig verständlich zu machen. Was zwischen den Menschen zirkuliert, schwimmt auf einem Ozean von Unverständlichkeiten. Menschliche Geschichte besteht aus Geschichten von Mißverständnissen. Das kann tragische Folgen haben, aber üblicherweise richten wir uns damit ein. Man wiegt sich wechselseitig in dem Glauben, einander zu verstehen. Ist das schlimm? Nein, sagt Schlegel, schlimmer wäre, wir würden glauben, uns wechselseitig bis ins Innerste verstanden zu haben. Denn dann wäre das Geheimnis verschwunden, der vielversprechende Logos würde zur langweiligen Tautologie werden. Der Mensch hat *unendlichen Sinn für andre Menschen*, gerade deshalb aber werden sie ihm unverständlich bleiben, weil er mit dem Verständnis nie zum Ende kommen kann, wie sollte er auch, da man doch nicht nur einander, sondern auch sich selbst unverständlich bleibt. Ironie ist: verständliche Sätze zu produzieren, die ins Unverständliche hinüberspielen, wenn man sie genauer ansieht. Schlegel hatte, als Leser sich über die Unverständlichkeit insbesondere seiner Fragmente beklagten, einen Essay genau zu diesem Thema verfaßt:

»Über die Unverständlichkeit«. Darin heißt es: *Aber ist denn die Unverständlichkeit etwas so durchaus Verwerfliches, und Schlechtes? Mich dünkt, das Heil der Familien und der Nationen beruhet auf ihr … Ja das köstlichste, was der Mensch hat, die innere Zufriedenheit selbst hängt, wie jeder leicht wissen kann, irgendwo zuletzt an einem solchen Punkte, der im Dunkeln gelassen werden muß, dafür aber auch das Ganze trägt und hält, und diese Kraft in demselben Augenblicke verlieren würde, wo man ihn in Verstand auflösen wollte. Wahrlich es würde euch bange werden, wenn die ganze Welt, wie ihr es fordert, einmal im Ernst durchaus verständlich würde. Und ist sie selbst, diese unendliche Welt, nicht durch den Verstand aus der Unverständlichkeit oder dem Chaos gebildet?* Das Unverständliche ist also die lebendige Kraft, die beeinträchtigt würde, wenn der Verstand sie gänzlich enthüllen könnte. Die Ironie bewacht lächelnd den Zugang. Nietzsche wird diesen Gedanken später aufgreifen, wenn er das Nichtwissen zur Voraussetzung des Lebens erklärt.

Neben den beiden Dimensionen des unverständlichen *Chaos* – dem eigenen Selbst und dem menschlichen Miteinander – gibt es die dritte Dimension, auf die im letzten Satz des zitierten Passus angespielt wird: Das Universum, oder die Welt insgesamt, ist ein *Chaos*. Hier nun kommt Gott ins Spiel. Er ist das schlechthin Überkomplexe, ihn einen ›Chaoten‹ zu nennen, ist indes nicht schicklich. Jedenfalls ist er der absolut Unverständliche. Und darum spricht sich die wahre Andacht angesichts dieses Ungeheuren am besten in der Ironie aus. Wie sollte nicht jeder Satz über das Absolute und Transzendente nur unter ironischem Vorbehalt gesprochen werden dürfen? Endliches zu sagen über das Unendliche kann und darf nur ironisch sein. Ironie gehört deshalb in jede Philosophie, die das Ganze zu begreifen versucht: *Ist sie nicht wirklich die innerste Mysterie der kritischen Philosophie?* Schlegel trägt die Ironie ins Herz der Philosophie, was der ernsthaft gewordene Hegel später den Romantikern nicht verzeihen wird. *Die Philosophie,* schreibt Schlegel, *ist die eigentliche Heimat der Ironie,* sie ist *transzendentale Buffonerie,* belebt durch eine *Stimmung, welche alles übersieht, und sich über alles Bedingte unendlich erhebt, auch über eigne Kunst, Tugend oder Genialität.*

Ironie als lächelnder Respekt vor dem Unbegreiflichen vermeidet dogmatische Anmaßung ebenso wie Demutsstarre, und deshalb ist sie zugleich eine gesellige Kunst, sie ist von *erhabner Urbanität*: Sie erlaubt das Gespräch, weil sie den toten Punkt des völligen Begreifens vermeidet. Die gute Mischung aus Mitteilsamkeit und Unverständlichkeit ist das Lebenselexier der geistvollen Unterhaltung, und die Romantiker sind frivol genug, sich auch noch von der Beschäftigung mit den letzten Dingen unterhalten zu lassen. Unter dem Einfluß Friedrich Schlegels schreibt der junge Theologe Friedrich Schleiermacher, der sich Ende der 90er Jahre mit Schlegel anfreundet und mit ihm zeitweilig eine Wohngemeinschaft bildet, seinen »Versuch einer Theorie des geselligen Betragens«, worin er diese Schlegelsche *Ironie* als jenes wunderbare Mittel auszeichnet, das es den Menschen erlaubt, einander nahezukommen, ohne sich zu vereinnahmen, den Geist untereinander zirkulieren lassen zu können, ohne sich ihre Überzeugungen aufzunötigen. Ironie ist im Spiel, wenn die Geselligkeit sich nicht als ein Zweckverband, als Arbeitsgemeinschaft oder gar als Zwangsverband versteht, sondern wenn ihr Zweck in ihr selbst liegt, mit anderen Worten: wenn sie ein *Spiel* ist. Und nur dort, wo sie dieses Spiel ist, wird die Geselligkeit für sich selbst genossen und erreicht ihre höchste Form, nur dort wird sie zu einer wahrhaft menschlichen Angelegenheit. Schleiermacher braucht nicht Schiller zu zitieren, man hört den berühmten Satz mit: *der Mensch spielt nur, wo er in voller Bedeutung des Wortes Mensch ist, und er ist nur da ganz Mensch, wo er spielt.*

Ironie war tatsächlich im Spiel, wenn der innere Kreis der frühen Romantiker – die Brüder Schlegel, Tieck, Novalis, Schelling – bei ihren legendären Treffen gegen Ende des Jahrhunderts über Gott und die Welt sprach und sie sich aus ihren entstehenden Werken vorlasen. In den poetischen Werken aber, weder der frühen noch der späteren Phase der Romantik, ist Ironie tatsächlich nicht so häufig anzutreffen. Nur Ludwig Tieck, Clemens Brentano und E.T.A. Hoffmann wußten sie virtuos zu handhaben. Friedrich Schlegels Romanversuch »Lucinde« gibt sich zwar locker, ist dabei aber doch angestrengt. Mehr Theorie der Ironie als praktizierte Ironie. Das eigentliche Betätigungsfeld der Ironie beim jungen Schlegel blieb denn auch der gesellige Verkehr, die Philosophie und die Reflexion. In seinen ideensprühenden Fragmenten war Friedrich Schlegel wirklich ein Ironiker. Seinen ersten theoretischen Versuchen über das »Studium der griechischen Poesie« hatte er selbstkritisch einen *gänzlichen Mangel der unentbehrlichen Ironie* zum Vorwurf gemacht und Besserung versprochen. Er hat das Versprechen gehalten und ist als Theoretiker eine Weile lang so aufgetreten, wie er es sich erträumt hat, nämlich in der *Manier eines gewöhnlichen guten italienischen Buffo.*

Freunden erschien Schlegel damals bisweilen auch als *rasender Roland* auf geistigem Felde. Was er alles in sich aufnahm, wie schnell und funkelnd er es verarbeitete, wie er in Gesprächen übersprudelte, wie er mit Ideen und Einfällen um sich warf und im Handumdrehen neue Buchprojekte entwickelte. Man kam aus dem Staunen nicht heraus. Als August Wilhelm den Bruder nach der Einteilung seines Tages fragt, antwortet Friedrich: *Diese ist folgende: wenn ich aufwache, fange ich an, an meinem Werke zu arbeiten, und ich höre auf, wenn ich mich niederlege. Im Wechsel des Schreibens, Denkens, Lesens, Exzerpierens habe ich keine feste Regel.* Novalis schreibt nach der ersten Begegnung mit Friedrich Schlegel: *Vielleicht seh ich nie wieder einen Menschen, wie Dich. Für mich bist Du der Oberpriester von Eleusis gewesen. Ich habe durch Dich Himmel und Hölle kennen gelernt – durch Dich von dem Baume des Erkenntnisses gekostet* (20. August 1793). Und Friedrich Schleiermacher schreibt über den Freund: *Was seinen Geist betrifft, so ist er mir durchaus superieur, daß ich nur mit viel Ehrfurcht davon sprechen kann. Wie schnell und tief er eindringt in den Geist jeder Wissenschaft, jedes Systems, jedes Schriftstellers ..., wie seine Kenntnisse alle in einem herrlichen System geordnet dastehen und alle seine Arbeiten nicht von ungefähr, sondern nach einem großen Plan aufeinander folgen ... das weiß ich erst Alles seit der kurzen Zeit völlig zu schätzen, da ich seine Ideen gleichsam entstehen und wachsen sehe.* Nach einiger Zeit allerdings beginnt Schleiermacher das *herrliche* System zu vermissen, aber das ändert nichts an der Bewunderung, die er diesem Tausend-sassa entgegenbringt. Ein System ist vielleicht doch nicht das Rechte für die wahre Spieler-Natur. Anderen aber, die Schlegel nicht freund-lich gesonnen sind, erscheint er als *Witzling*. So nennt ihn Schiller, der sich über den allzu selbstbewußten jungen Mann ärgerte, der es wagte, seinen neuesten »Musenalmanach« zu verspotten, der die »Horen«, in denen Schiller ihn nicht schreiben ließ, unsanft anging und der über Schillers Gedicht »Würde der Frauen« schrieb, es würden darin die Frauen zwar idealisiert, aber leider nicht nach oben, sondern nach unten. Daß man im Freundeskreis bei der »Glocke« vor Lachen vom Stuhl gefallen sei, schreibt man nicht, aber Caroline, noch mit dem Bruder August Wilhelm liiert, sagt es jedem, der es hören will.

Als Friedrich Schlegel 1795 sein Buch über die Antike erscheinen läßt, hat er bereits ein weites Feld des Geistes, unbekümmert um die abgesteckten Reviere, durchquert. Er hat ein Jurastudium abgebro-chen, hat sich in die gegenwärtige Literatur, in die Philosophie, Me-dizin, Ökonomie, Mathematik, Naturwissenschaft und Religion vertieft. Wahllos habe er alles verschlungen, sagen die einen, andere bewundern, wie er in der verwirrenden Mannigfaltigkeit offenbar doch Spur hält. Für Schlegel selbst jedenfalls ist der Ariadnefaden die Idee der *Universalpoesie*. Von ihr ausgehend entwickelt Schlegel das Konzept eines offenen Kunstwerkes, wovon die neuere Litera-turwissenschaft so großes Aufhebens macht. Das offene Kunstwerk, das sich nicht mehr an die poetologische Ordnung der Gattungen hält: Episches, Lyrisches und Dramatisches sollen gemischt werden; das diskursive Denken – Kritik, Reflexion und Wissenschaft –, das sich gewöhnlich außerhalb oder sogar im Gegensatz zum Poeti-schen definiert, soll ins Kunstwerk hineingenommen werden. Wenn es bisher hieß: »bilde Künstler, rede nicht«, so soll nun gerade das Gegenteil gelten: Der Künstler soll dichten und denken und über alles reden. Er soll etwas darstellen und über das Darstellen reflek-tieren. Das nennt Schlegel die *Poesie der Poesie*, wenn nicht nur die erfundenen Welten, sondern die Erfindung von Welten zum Thema wird, wenn also die Poesie sich auf sich selbst zurückbezieht. Rück-beziehung ist Reflexion. Poesie, die sich reflektiert, wird ironisch, weil sie den Schein des in sich Gerundeten, den magisch geschlos-senen Kreis des Poetischen durchbricht. Mag Poesie ein Göttergeschenk sein, auf jeden Fall ist sie auch ein Artefakt.

Damit wird nicht nur der Inspiration, sondern auch dem kritischen Verstand hohes Ansehen verschafft. Die Kritik gehört zur Kunst und wird zur Kunst. Wenn die Poesie, wie Schlegel schreibt, von *Witz, Einfällen, Experimenten und Hypothesen* lebt, ist die Kritik ermächtigt, ihr mit denselben Mitteln zu antworten. Sie wird selbst zu einem poetischen Werk, indem sie sich in das fremde Werk vertieft und seinen Geist im eigenen Geist *nachkonstruiert*. Friedrich Schlegel hat es in seiner Besprechung von Goethes »Wilhelm Meister« vorgemacht. Solche Kritik überwindet die bis dahin gängige normative Poetik: *Die Kritik soll die Werke nicht nach einem allgemeinen Ideal beurteilen, sondern das individuelle Ideal jedes Werkes aufsuchen.* Dabei muß sie sich, nach der Maßgabe *nur diejenige Ver-worrenheit ist ein Chaos, aus der eine Welt entspringen kann,* auf das individuelle Chaos einlassen, aus dem das jeweilige Werk entsprungen ist. Weil Kritik sich in das vertieft, woraus die Poesie entspringt, kann sie Schlegel auch *Transzendental-Poesie* nennen und ihr den gleichen, bisweilen sogar einen höheren Rang zubilligen als der Poesie selbst.

Friedrich Schlegel, dessen poetisches Talent eher mäßig war, er-geht sich in Machtphantasien. Er träumt von einer Herrschaft über die gegenwärtige Literatur. Nicht von ungefähr ist er den Jakobinern freundlich gesinnt, auch ihn überkommt bisweilen ein diktatorisches Gelüst. *Die gesetzgebende Macht der ästhetischen Bildung der Modernen dürfen wir ... nicht erst lange suchen. Sie ist schon konstituiert. Es ist die Theorie.* Die seine, versteht sich. In dem Brief, worin Friedrich sei-nem Bruder die Gründung der Zeitschrift »Athenäum« vorschlägt – das Blatt sollte dann zum Zentralorgan der frühromantischen Be-wegung werden –, heißt es: Ein großer Vorteil dieses Unternehmens würde wohl sein, *daß wir uns eine große Autorität in der Kritik machen,*

hinreichend, um nach fünf bis zehn Jahren kritische Diktatoren Deutsch-
lands zu sein ...

Friedrich Schlegel möchte den Geist der Ironie herrschend machen, den Sinn für das Unverständliche, für das Unendliche und für
die unabschließbare Reflexion. Poesie, Philosophie, Wissenschaft
und Politik sollen fusionieren, und dann würde die neue Denkweise entstehen, die *schaffende, die von der Freiheit und dem Glauben an*
sie ausgeht, und dann zeigt, wie der menschliche Geist sein Gesetz allem
aufprägt, und wie die Welt sein Kunstwerk ist.

Diese Philosophie hatte soeben das Licht der Welt erblickt. Es ist
die Philosophie Fichtes. Als Friedrich Schlegel den Philosophen
1796 persönlich kennengelernt hat, berichtet er in einem Brief: *Ich*
werde immer mehr Fichtes Freund. Ich liebe ihn sehr ... Könnt ich ihm nur
den ganzen Plunder meiner Hefte zeigen! Ach, daß man in der Welt so klug
sein muß! – Er würde sie doch nicht verstehen.

Das ist nicht weiter schlimm, denn nicht verstanden zu werden,
gehört vorerst noch zum Betriebsrisiko des ironischen Romanti-
kers.

Viertes Kapitel

Fichte und die romantische Lust, ein Ich zu sein. Überfluß des Herzens. Schöpfungen aus dem Nichts. Romantische Geselligkeit. Die legendäre Wohngemeinschaft von Jena. Höhenflüge und Angst vor dem Absturz.

Fichte war bereits ein berühmter Mann, als er 1794 nach Jena kam. Schon seine äußere Erscheinung war herrisch: kräftige, gedrungene Gestalt, feuriger Blick, schneidende Stimme. Sein Vortrag hatte etwas Diktatorisches, Gegenrede wurde kaum geduldet. P. J. A. Feuerbach, der ihm damals begegnete, schreibt: *Ich bin überzeugt, daß er fähig wäre, einen Mahomet zu spielen, wenn noch Mahomets Zeit wäre, und mit Schwert und Zuchthaus seine Wissenschaftslehre einzuführen, wenn sein Katheder ein Königsthron wäre.* Das Herrische an Fichte aber war nicht Anmaßung, sondern kam von seiner unbändigen Leidenschaft. Als Fichte 1794 das erste Mal bei Goethe am Weimarer Frauenplan vorsprach, wartete er nicht, bis ihm Hut und Stock abgenommen wurden, sondern ließ, sogleich ins Gespräch vertieft, seine Garderobe auf den nächsten Tisch fallen. Goethe war perplex und doch auch beeindruckt von solcher Selbstvergessenheit, die sich um keine Umgangsformen scherte. Er ließ sich aus der Drukkerei den ersten Bogen von Fichtes »Grundlage der gesamten Wissenschaftslehre« kommen, las ihn sogleich und schrieb ihm am 24. Juni: *Das Übersendete enthält nichts, das ich nicht verstünde oder wenigstens zu verstehen glaubte, nichts, das sich nicht an meine gewohnte Denkweise willig anschlösse.* Fichte brauchte das nicht nur als höfliches Kompliment zu verstehen, denn nach einer weiteren Unterredung mit Goethe konnte er seiner Frau berichten: *Neulich ... hat er mir mein System so bündig und klar dargelegt, daß ich's selbst nicht hätte klarer darstellen können.*

Erstaunlich ist es schon, wie Goethe auf Fichtes Philosophie ansprach. Er werde ihm Dank wissen, schrieb er im selben Brief, *wenn Sie mich endlich mit den Philosophen versöhnen, die ich nie entbehren und mit denen ich mich niemals vereinigen konnte.* An Fichtes Philosophie war ihm die energische Betonung der Tätigkeit und des Gestaltens sympathisch. Goethe nahm ihn, der sich auch in atemberaubend dunkle Abstraktionen verlieren konnte, durchaus als Künstlerphilosophen, weil er auf die schöpferische Kraft des Menschen setzte. Fichte rückte für ihn ins Licht, was sich sonst im Dunkel des Unbewußten vollzieht: den schöpferischen Prozeß der Weltbildung, nicht nur in der Kunst. Um diese Zeit nahm Goethe, von Fichtes Ich-Philosophie angeregt, unter seine »Maximen« den Grundsatz auf, wonach man sich stets zu fragen habe: *Ist es der Gegenstand oder bist du es, der sich hier ausspricht?*

Fichtes kometenhafter Aufstieg in den 90er Jahren liest sich selbst wie eine romantische Geschichte. Der 1762 in der Oberlausitz geborene Sohn eines armen Bandwebers hütete am Sonntag hinter der Kirche das Vieh und sprach sich die soeben gehörte Predigt auswendig vor, wobei ihn der Gutsherr, Freiherr von Miltitz, belauschte. Der nahm sich des begabten Jungen an und schickte ihn mit einem Stipendium nach Schulpforta. Nach dem Tode des Freiherrn von Miltitz 1774 war es Heinrich von Hardenberg, der Vater von Novalis, der sich um den begabten mittellosen Jungen kümmerte und dessen weitere Ausbildung bis 1783 finanzierte. Novalis selbst lernte den Philosophen dann erst 1795 persönlich kennen im Hause Niethammers in Jena, wo er auch zum ersten und einzigen Mal Friedrich Hölderlin traf, ebenfalls ein Fichte-Enthusiast der ersten Stunde. Zu diesem Zeitpunkt war Fichte bereits eine Zelebrität am Ort. Sein Lebensweg davor war mühsam gewesen. Er hatte sich, nach einem Studium der Theologie und Jurisprudenz, zunächst als Hauslehrer durchgeschlagen. Ein Schüler wünschte von ihm in die Kantsche Philosophie eingeführt zu werden, von der alle Welt redete. Fichte nahm sich die »Kritik der reinen Vernunft« vor, deren Schwerverständlichkeit ihn bisher abgeschreckt hatte, und war davon so hingerissen, daß er sogleich im Sommer 1791 nach

Königsberg reiste, um den großen Philosophen aufzusuchen. Er traf einen müden Greis, der sich ihm gegenüber ziemlich gleichgültig verhielt, kein Wunder, denn der inzwischen Hochberühmte war von Bewunderern umlagert. Auch Damen baten neuerdings den notorischen Junggesellen um sittlichen Rat in schiefen Lebenslagen. Fichte wurde also wie manche anderen Damen und Herren zunächst nach Hause geschickt. Dort zieht er sich für fünfunddreißig Tage in Klausur zurück und verfaßt in fieberhafter Eile eine Schrift, mit der er sich beim Meister empfehlen möchte: »Versuch einer Kritik aller Offenbarung«. Kant ist von diesem Werk so beeindruckt, daß er den Verfasser nicht nur zum Mittagessen einlädt, sondern ihm auch einen Verleger besorgt. Im Frühjahr 1792 erscheint das Buch, gegen den Willen Fichtes anonym. Der Verleger ließ aus Zensurgründen Vorsicht walten, außerdem war geschäftliches Kalkül im Spiel, denn die Schrift war so sehr im Geiste Kants verfaßt, daß man darauf rechnen konnte, das Publikum werde sie dem Königsberger, von dem die Öffentlichkeit schon seit geraumer Zeit ein letztes Wort in Religionsdingen erwartete, zuschreiben und sich dementsprechend kauflustig zeigen. So geschah es. Die in Jena erscheinende »Allgemeine Literatur-Zeitung« brachte die Mitteilung: *Jeder der nur die kleinste derjenigen Schriften gelesen, durch welche der Philosoph von Königsberg sich unsterbliche Verdienste um die Menschheit erworben hat, wird sogleich den erhabenen Verfasser jenes Werkes erkennen.* Daraufhin bedankte sich Kant in derselben Zeitung für die schmeichelhafte Zuschreibung und erklärte, er sei nicht der *erhabene Verfasser*, diese Ehre gebühre dem bislang noch unbekannten Fichte. Mit dieser Erklärung wurde Fichte über Nacht zu einem der berühmtesten philosophischen Schriftsteller in Deutschland.

Beschwingt durch diesen Anfangserfolg, wagt sich Fichte an die Umwälzung der ganzen bisherigen Philosophie. Bei dem Versuch, Kant zu vertiefen, entwickelt er eine »Wissenschaftslehre«, mit der er nie fertig werden wird, die aber in jeder ihrer Versionen mehr sein will als eine akademische Spezialität. Immer wieder betont er: Nur der wird sie verstehen, bei dem sie an den inneren Menschen rührt. Es geht um nichts Geringeres als um ein Erweckungserlebnis – durch das Denken. Natürlich ist das nicht jedermanns Sache. Fichte weiß, daß Menschen bisweilen schon tot sein können, ohne es zu merken. Solche wird er nicht erreichen: *Ein von Natur oder durch Geistesknechtschaft, gelehrten Luxus und Eitelkeit erschlaffter und gekrümmter Charakter wird sich nie zum Idealismus erheben.*

Fichte radikalisiert den Kantschen Freiheitsbegriff. In jener Version der »Wissenschaftslehre«, die er zum ersten Mal in Jena vorträgt und die dort Epoche macht, zieht Fichte aus dem Kantschen Satz *das ›ich denke‹ muß alle meine Vorstellungen begleiten können* den Begriff eines allmächtigen Ichs heraus, das die Welt als trägen Widerstand oder als möglichen Stoff seiner *Tathandlungen* erfährt. Fichte tritt auf als Apostel des lebendigen Ichs. In Jena erzählt man sich, wie Fichte die Studenten im Kolleg aufforderte, die gegenüberliegende Wand anzublicken. *Meine Herren, denken Sie die Wand,* sagte Fichte, *und dann denken Sie sich selbst als das davon Unterschiedene.* Spöttisch bedauerte man die strebsamen Studenten, die in hellen Scharen in die Vorlesungen Fichtes drängten, um dort ratlos auf die Wand zu starren, wo ihnen nichts auffiel, weil ihnen das eigene Ich nicht einfiel. Mit seinem Wandexperiment aber wollte Fichte das gewöhnliche Bewußtsein aus seiner Selbstversteinerung und Selbstverdinglichung herauslösen, denn, so pflegte er zu sagen, der Mensch sei leichter dahin zu bringen, sich für ein Stück Lava vom Mond als für ein lebendiges Ich zu halten.

Aber nicht alle saßen ratlos vor der Wand. Das hinreißende Rednertalent Fichtes versetzte auch viele in Begeisterung. So hatte man noch niemals über das Wunderwerk des eigenen Ichs reden hören. Ein eigentümlicher Zauber ging aus von seinen schwierigen Erkundungen in einer fremden und doch so nahen Welt. Fichte wollte unter seinen Hörern die Lust verbreiten, ein Ich zu sein. Aber nicht ein bequemes, gefühlsseliges, passives Ich, sondern ein dynamisches, ein weltbegründendes, weltschaffendes. An Fichte war alles Energie, auch die subtilen Reflexionen, mit denen das Ich sich selbst ergreift und begründet, verrieten den Geist der Eroberung. Er ergriff das flüchtige Ich, wie man das Wild auf der Jagd ›stellt‹. Wohin flieht das Ich? Es will sich unter die Dinge mischen, es will wie ein Ding sein, ebenso unverantwortlich, ebenso unfrei und fremdbestimmt. Diesen Fluchtweg in die Unbelangbarkeit will ihm Fichte abschneiden. Das Ich ergreift sich, wenn es begreift, daß es sich nicht im Nicht-Ich – das, was man gemeinhin die ›Objektivität‹ nennt – verstecken kann. Die Welt des Nicht-Ich kann alles sein, was meine Freiheit dementiert: eine mechanisch und deterministisch verstandene äußere Natur; die Begierden und Triebe, diese Natur am eigenen Leibe, die man nicht in den Griff bekommt; ein gesellschaftliches System der Unfreiheit; eine Religion, in der ein Gott über seine Kreaturen herrscht. Diese Welten des Nicht-Ichs gibt es, wer könnte daran zweifeln. Fichte aber zweifelt daran, mehr noch, er entzieht ihnen allen Kredit. Fichte will seine Hörer in eine subtile Verschwörung gegen den Lauf der Zeit und den Stand der Dinge verwickeln.

Auf den ersten Blick scheint es bei Fichte lediglich um die Lösung eines philosophie-immanenten Problems zu gehen. Die Generation der jungen Idealisten – Fichte, Schelling, Reinhold, Schulze – hatte zwar Kants *Revolution der Denkart* vollzogen, die dort vorgenommene Begründung der Erkenntnis im Subjekt aber war ihnen noch ungenügend geleistet. *Die Philosophie*, schreibt der junge Schelling am 6. Januar 1795 an seinen Freund Hegel, *ist noch nicht am Ende, Kant hat die Resultate gegeben: die Prämissen fehlen noch.* Es fehlt also noch eine wirkliche Aufhellung des *höchsten Punktes* der Philosophie, wovon alle Sätze ihren Ausgang nehmen können. Das könnte nun entweder Gott sein oder die Natur, oder – und das ist die Antwort Fichtes – es ist die durchsichtig gemachte Struktur des Selbstbewußtseins, das *wahrhafte Ich* des Erkennens, Handelns, Glaubens und Hoffens. Aber hatte Kant das dazu Erforderliche nicht schon geleistet mit der Entdeckung der Kategorien des erkennenden Verstandes – Raum, Zeit, Kausalität usw. – und den moralischen Imperativen der praktischen Vernunft? Hatte er nicht dargetan, daß man aus dem Selbstbewußtsein nicht mehr herausholen kann, und zwar deshalb nicht, weil man es nicht als reinen Gegenstand vor sich hinstellen kann: Das Selbst, das erkannt werden soll, ist das Selbst, das erkennt, also ist es immer schon vorausgesetzt. Aus diesem Zirkel, erklärte Kant, komme man nicht heraus. Fichte nun setzt dagegen, daß man zwar nicht aus diesem Zirkel herauskommt, aber anders in ihn hineinkommen kann, nämlich so, daß man eben nicht, wie Kant befürchtet, beim Ich als einer *gänzlich leeren Vorstellung* endet, sondern beim Ich als Prinzip des Lebendigen. Als etwas so Lebendiges erschien dieses ›Ich‹, das es mit Hilfe Fichtes zu finden galt, daß Novalis, als er im Mai 1797 das Gefühl hatte, es gefunden zu haben, zu einem Zeitpunkt da er täglich nach Grüningen ans Grab der geliebten Sophie pilgerte, in sein Tagebuch schrieb: *Zwischen dem Schlagbaum und Grüningen hatte ich die Freude den eigentlichen Begriff vom Fichteschen Ich zu finden.* Was der Nachsatz: *Den Tag über war ich sehr lüstern* in diesem Zusammenhang zu bedeuten hat, bleibt allerdings dunkel. Zurück zu Fichtes ›Ich‹.

Kant sei, lehrt Fichte, von dem ›Ich denke‹ als von etwas Gegebenem ausgegangen; das dürfe man aber nicht, sondern man müsse einmal beobachten, was in uns vorgeht, wenn wir das ›Ich denke‹ denken. Das Ich ist etwas, das wir im Denken erst hervorbringen, und gleichzeitig ist die hervorbringende Kraft die unvordenkliche Ichheit in uns selbst. Das denkende und das gedachte Ich bewegen sich tatsächlich in einem Zirkel, aber es kommt alles darauf an zu begreifen, daß es sich bei Fichte um einen tätigen, einen produktiven Zirkel handelt. Es geht nicht darum, daß sich ein Ich nur betrachtend begründet, sondern es bringt sich selbst hervor in der Reflexion, die ihrerseits eine Tätigkeit ist; es *setzt* sich. Das heißt: Dieses Ich ist keine Tatsache, kein Ding, sondern ein Ereignis. Das Ich ist in Bewegung, es lebt, wir spüren es in uns. Novalis, der damals nach seiner juristischen Ausbildung als Praktikant beim Kreisamt Tennstedt beschäftigt war, versucht in seinen 1795 beginnenden Fichte-Studien diesen aktivischen Charakter des Ichs so zu fassen: *Das dem Gefühl Gegebene scheint mir die Urhandlung als Ursache und Wirkung zu sein.* Das Gefühl ist also ein Begleitphänomen des Handelns. Novalis ist hier auf der richtigen Spur, denn tatsächlich bemüht sich Fichte, dem Mißverständnis vorzubeugen, es lasse sich dieses Ich wie ein Gegenstand greifen. Immer wieder betont er: Alles ist in Bewegung und lebt, wir denken es, mehr noch: wir spüren es in unserer eigenen Lebendigkeit. Die Welt hebt an mit einem Tun, und mit einem Tun hebt auch an, was wir Ich nennen. Fichte würde sagen: Ich bringe mich als Ich hervor, darum bin ich.

Monströs müssen diese Überlegungen wirken, wenn sie so aufgefaßt werden, als würde hiermit eine Außenwelt geleugnet und ein absoluter Solipsismus behauptet. Das aber ist bei Fichte nicht der Fall. Er zieht nur aus dem Grundsatz, daß wir die Außenwelt zunächst einmal nur als unsere Innenwelt haben, radikale Konsequenzen, zum Beispiel die, daß erst in dem Augenblick, da sich das Ich ergreift, sein Gegensatz, das Nicht-Ich, auftaucht. Insofern ist der widerständige Gegenstand in demselben Augenblick erst *gesetzt*, in dem auch das Ich sich *setzt*. Das Ich wird nur bemerkbar im Gegensatz zu einem Nicht-Ich. Aber wird darum dieses Nicht-Ich vom Ich hervorgebracht, oder bleibt es nicht vielmehr doch von außen gegeben? Gewiß ist es ›gegeben‹, aber nur im Umkreis des Ichs, aus dem dieses niemals heraustreten kann, und insofern ist das Nicht-Ich selbst ein Aspekt dieses Ichs. Das Nicht-Ich ist eine Begrenzung, die vom Ich als Selbstbegrenzung übernommen wird. Es kann aber, und hier beginnt das Problem, die Selbstbegrenzung so weit getrieben werden, daß man sich den Selbst-Anteil an der Begrenzung verbirgt. Dann wird Selbstbegrenzung zur Selbstverdinglichung. Sie gibt den äußeren Dingen eine Macht, die sie nicht hätten, wenn das Ich sich seiner selbst bewußt bliebe. Für Fichte kommt alles darauf an, den Sinn zu schärfen für den Ich-Anteil, das heißt für die eigene Aktivität bei der Weltbildung. Die Welt ist nicht etwas, das uns nur von außen gegenübersteht, sie ist kein fertiger fremder Gegenstand, sondern vom Ich durchtränkt. Die Außenwelt zeigt sich im Umkreis des Ichs. Aber wie?

Jede Wirklichkeit, die auf uns wirkt, ist eingebettet in Möglichkeiten. Empfindungen am eigenen Leibe – die uns nächste Außenwelt – drängen sich auf, aber selbst ihnen gegenüber haben wir

Spielraum: Wir können mit ihnen umgehen. Je subtiler die Wahrnehmungen werden bis hinauf zum Denken und Phantasieren, desto inniger sind sie verknüpft mit einem ganzen ›Hof‹ von Möglichkeiten. Was wirklich ist, können wir dann nur herausfinden, indem wir unter den vielen Möglichkeiten, die sich dabei denken lassen, die ›passende‹ herausfinden. Es gibt nicht einfach das ›Notwendige‹; man muß es vielmehr aus den Möglichkeiten herausfinden. Es ist die Freiheit, welche das Notwendige entdeckt. ›Wirklich‹ nennt Fichte jene Vorstellungen, die vom *Gefühl der Notwendigkeit* begleitet sind. Dieses Gefühl drängt sich auf, aber nicht alternativlos: Es könnte immer noch anders sein. Freiheit als Möglichkeitssinn bleibt im Spiel, auch bei den sogenannten harten Tatsachen. Auch im Erkennen, nicht nur im Handeln, ist der Mensch ein Wesen, das immer auch anders kann; nicht nur anders handeln, sondern auch die Dinge anders sehen. Der Mensch lebt in Möglichkeiten. Wirklichkeit konstituiert sich in einem Horizont von Möglichkeit. Das ist Freiheit.

Auch dies ist ein Gedanke, der sich mit Novalis' Kommentaren ins rechte Licht setzen läßt. Unser Erkennen, schreibt er, ist deshalb frei, weil wir uns irren können. Wir müßten unfrei sein, wenn wir zwingend auf die Gründe des *Seins* geleitet würden. Nur da uns das *Absolute* vorenthalten ist, wir aber immer danach suchen können, *entsteht die unendliche freie Tätigkeit in uns.*

Diese freie Beweglichkeit sieht Fichte auch noch verknüpft mit der Erfahrung der Zeit. Wir sind zeitoffene Wesen, die eine Vergangenheit erinnern und eine Zukunft erwarten. Die Zukunft ist das Mögliche, auf das wir hinausblicken; und die Vergangenheit ist das ehemals Wirkliche, das, da es nicht mehr ist, wieder zur Möglichkeit geworden ist, die sich verschieden erinnern und interpretieren läßt.

Von der Gegenwart aus gesehen – wenn wir es nach seinen Ursachen und Gründen begreifen wollen – ist also alles, was geschieht, von einem Hof von Möglichkeiten umgeben, aus denen wir die Spur des Notwendigen herausfinden müssen; und von der Gegenwart aus gesehen ist auch Zukunft und Vergangenheit der große Raum des Möglichen.

Die Beweglichkeit, mit der wir in diese Räume ausgreifen, faßt Fichte mit dem Begriff der *Einbildungskraft*. Kant hatte ihn bereits verwendet, um die der Wahrnehmung und Erkenntnis inhärente Energie zu kennzeichnen, bei Fichte aber wird er zum Schlüsselbegriff des ganzen Systems. Und zwar ist dabei nicht nur an die bewußte Einbildungskraft im Sinne der Phantasie gedacht, sondern Fichte nimmt eine unbewußte wirkende Einbildungskraft an, die im Ich wirkt, noch ehe das Ich sich ihrer bewußt wird. Offenbar ist hier von zwei Ichs die Rede.

In der Tat, Fichte unterscheidet das *transzendentale Ich* vom *empirischen*, und so gibt es denn auch neben einer Einbildungskraft, die ich willkürlich in Gang setzen kann, noch eine solche, die unwillkürlich und unbewußt in mir wirkt. Diese beiden Dimensionen sind indes nicht absolut voneinander getrennt, sondern durch ein Kontinuum wachsender Bewußtheit und zunehmender Grade von Selbstbestimmtheit miteinander verbunden. Es kommt darauf an, die bewußte Einbildungskraft möglichst nahe an die unbewußte heranzuführen oder, was dasselbe ist, das empirische Ich zum transzendentalen zu erweitern. Hier gibt es, so Fichte, riesige ungenutzte Spielräume. Gewiß gibt es Grenzen für die freie Spontaneität des Ichs, das gibt Fichte zu, aber nicht ohne darauf hinzuweisen, daß wir dazu neigen, den Bereich der freien Selbstbestimmung enger zu fassen, als er in Wirklichkeit ist. Es gibt Zwänge, bewußte und unbewußte, aber allzu häufig fühlen wir uns gezwungen, wo wir es nicht sind. Vielleicht, weil die Freiheit auch anstrengend ist und es leichter ist, sich als etwas Gestoßenes und Getriebenes zu empfinden, ohne Verantwortlichkeit, als Ding unter Dingen, als bloße Reaktion und nicht als Aktion. Fichte nimmt jene eigenartige Trägheit ins Visier, die sich die eigene Freiheit verhüllt. Für ihn ist sie das eigentlich Böse.

Wenn die Welt alles ist, wovon es eine Erfahrung gibt, dann heißt das: Wovon es keine Erfahrung gibt, da gibt es auch keine Welt. Da gibt es dann aber auch nicht Kants ominöses ›Ding an sich‹: Es ist sinnlos, eine nicht erfahrbare, aber angeblich allem zugrundeliegende Substanz anzunehmen und eine Kausalität zu unterstellen zwischen dem, was wir kennen, und dem, was wir nicht kennen. Kausalität können wir nur zwischen zwei bekannten Elementen feststellen. Für Fichte gilt: Das Subjekt, das tätige und erkennende Ich, ist das Zugrundeliegende. Es gibt nichts, was über den Absolutismus dieses Ichs hinausführt, aber alles führt in ihn hinein.

Neben dem solipsistischen ergibt sich hier nun ein zweites Mißverständnis, wenn nämlich dieses in der Erfahrung vorausgesetzte Ich, das transzendentale Ich, verwechselt wird mit dem psychologischen und umgangssprachlich verstandenen, dem empirischen Ich. Dann läßt sich auch leicht darüber spotten. Auch Schiller und Goethe machen ihre Witze. Als Fichte in einen Streit mit studentischen Orden gerät und Studenten ihm nachts die Fensterscheiben einwerfen, schreibt Goethe an seinen Ministerkollegen Voigt: *Sie haben also das absolute Ich in großer Verlegenheit gesehen und freilich ist es von den Nicht Ichs, die man doch gesetzt hat, sehr unhöflich durch die Scheiben zu fliegen.* Am 28. Oktober 1794 schreibt Schiller an Goethe über Fichte, den er wenig später in einem Brief an Hoven am 21. November 1794 den *größten spekulativen Kopf in diesem Jahrhundert* nach Kant nennen wird: *Die Welt ist ihm nur ein Ball, den das Ich geworfen hat und den es bei der Reflexion wieder fängt. Sonach hätte er seine Gottheit wirklich deklariert, wie wir neulich erwarteten.* Als Fichte 1795 vor den Studentenunruhen ins nahegelegene Oßmannstedt ausweichen muß, schreibt Schiller am 15. Mai an Goethe: *Von hiesigen Novitäten weiß ich Ihnen nichts zu melden, denn mit Freund Fichte ist die reichste Quelle von Absurditäten versiegt.*

Fichte wirkte polarisierend. Die einen riß er mit, die anderen empörten sich gegen ihn, in beiden Parteien war die neu geweckte Lust, ein Ich zu sein, mit im Spiel. *Es war eine gefährliche Zeit für Jünglinge von Geist*, erinnert sich später ein Zeitzeuge, *heftig aufgeregt und angezogen ... bewegte sich das Leben zwischen lauter Extremen ...* Für jeden Extremismus machte man folglich Fichtes Ich-Philosophie

verantwortlich. Da nützte es wenig, daß sich Fichte gegen das Mißverständnis verwahrte, seine Ich-Philosophie rechtfertige Rück-
sichtslosigkeit und Egoismus. Aber was war denn nun das richtige
Verständnis seiner Philosophie?

In der Schrift »Sonnenklarer Bericht an das größere Publikum
über das eigentliche Wesen der Philosophie« mit dem bezeichnen-
den Untertitel »Ein Versuch, die Leser zum Verstehen zu zwingen«
bemüht er sich geradezu verzweifelt um den Nachweis, daß er nicht
dem Egoismus das Wort reden, sondern das Sein egologisch zur
Sprache bringen wolle mit der These, daß die Dynamik des Lebensprozesses von Geschichte und Natur nur zu begreifen sei, wenn
man das Ganze ichartig denkt. Die Kraft, die Natur und Geschichte
bewegt, ist von derselben Art, wie wir sie im Aktivismus, in der
Spontaneität unseres Ichs erfahren. Kühn wird hier der Rousseau-
sche Gedanke weiterentwickelt, daß ich vom Anfang der Welt weiß,
weil ich selbst jeden Augenblick anfangen kann. Die Selbsterfah-
rung führt uns in die Welt als Universum der Spontaneität. Das ›Ich
bin‹ ist das offenbare Geheimnis der Welt. Die Welt ist nicht der
Inbegriff aller Tatsachen, sondern aller Ereignisse. Was aber ein Ereignis ist, erfährt man in der produktiven Beweglichkeit des Ichs, in
seiner schöpferischen Freiheit. Deshalb gilt, so notiert sich Novalis:
*Sein überhaupt ist nichts als Freisein – Schweben … Aus diesem Licht-
punkt des Schwebens strömt alle Realität aus.* Diese Einsicht war für
Fichte – und Novalis – jener grelle *Blitz*, der sein Philosophieren bis
zum Ende erhitzte.

Der *Blitz* kam auch aus der spannungsgeladenen geistigen Groß-
wetterlage der Französischen Revolution. Hatte man nicht soeben
erlebt, wie ein ganzes Volk mit der Geschichte einen neuen Anfang
gemacht hatte? Fichte, der auch mit einer Verteidigungsschrift dieser Revolution hervorgetreten war (weshalb die Ministerien bei
seiner Berufung nach Jena zunächst zögerten), wirkte nicht mit
seinen schwierigen Deduktionen, welche die wenigsten begriffen,
sondern mit Schlagworten, aus denen sogleich gängige Münze geschlagen werden konnte für den Wechselkurs der neuen Lust, ein

›Ich‹ zu sein. Er begünstigte den Jugendkult der neuen Wilden, die Goethe in »Faust II« sagen läßt (Verse, die er damals notierte): *Hat einer dreißig Jahr vorüber, / So ist er schon so gut wie tot. / Am besten wär's, euch zeitig totzuschlagen.* Zweifellos hatten Rousseau, Geniekult und Sturm und Drang vorgearbeitet. In dieser Tradition lernte man einen trotzigen Selbstbezug, der sich gegen die Konventionen der Gesellschaft auflehnte. Noch immer ließ man sich erregen von den Fanfarenstößen jener berühmten, epochemachenden Sätze: *Ich alleine. Ich lese in meinem Herzen und kenne die Menschen. Ich bin nicht wie einer von denen geschaffen, die ich gesehen habe* (Rousseau, Bekenntnisse) und *Ich kehre in mich selbst zurück, und finde eine Welt* (Goethe, Werther). So wollte man auch sein, so unverwechselbar und doch universell, so selbstmächtig und als Macht auf die Welt ausstrahlend. Novalis schreibt unter dem Einfluß Fichtes: *Nach innen geht der geheimnisvolle Weg.* Setzt aber dann hinzu: *Wer hier stehn bleibt, gerät nur halb. Der zweite Schritt muß wirksamer Blick nach außen – selbsttätige, gehaltne Beobachtung der Außenwelt sein.*

Fichte hatte das sowohl tätige als auch beobachtende Ich mit viel Getöse auf den philosophischen Olymp gehoben, dort stand es nun wie eine Figur Caspar David Friedrichs, die Welt zu seinen Füßen: eine herrliche Aussicht. Durch Fichte bekam das Wort ›Ich‹ ein ungeheures Volumen, nur vergleichbar mit jener Bedeutungsfülle, die später Nietzsche und Freud dem ›Es‹ zuteil werden ließen. Der popularisierte Fichte wurde zum Kronzeugen für den Geist des Subjektivismus und der grenzenlosen Machbarkeit. Und die vermeintliche Macht des Machens stimmte euphorisch.

Da sitzen Hölderlin, Hegel und Schelling um 1797 beisammen und entwickeln die Umrisse einer neuen Mythologie, die man ›machen‹ müsse. Wo findet man solche Mythologie? Natürlich in sich selbst. So etwas traute man sich zu, man stiftete eine neue gesellschaftsbildende Idee, um den entfremdeten Gesellschaftsmechanismus in ein gemeinschaftliches Leben zu verwandeln. Später nannte man das Protokoll dieses beschwingten Zusammenseins »Das älteste Systemprogramm des deutschen Idealismus«. In dieser Schrift, die vom weltbildenden Geist des Machens und des Ichs bewegt ist, heißt es: *Die erste Idee ist natürlich die Vorstellung von mir selbst, als einem absolut freien Wesen. Mit dem freien, selbstbewußten Wesen tritt zugleich eine ganze Welt – aus dem Nichts hervor – die einzig wahre und gedenkbare Schöpfung aus Nichts.*

Die da so emphatisch sich ihres Ichs vergewisserten, fühlten sich oft bedroht und eingeschränkt von einer Welt, die dem Entfaltungsverlangen doch erheblichen Widerstand entgegensetzte. Überhaupt ist es erstaunlich, daß in einem Land, das territorial zersplittert und gesellschaftlich zurückgeblieben war, in dem es keine große Politik und nur eine eingeschränkte Öffentlichkeit gab, ein solcher himmelsstürmender, selbstbewußter Individualismus aufkommen konnte. Aber vielleicht waren es gerade diese sogenannten beengten Verhältnisse, welche eine solche schöpferische Innerlichkeit und bohrende Intensität begünstigten. Wenn es an einer äußeren großen Welt mangelte, so erzeugte man sie sich selbst aus Bordmitteln. Man muß nur spekulatives und imaginatives Talent besitzen. Damit waren Intellektuelle in Deutschland reich ausgestattet; reicher als das, trotz oder gerade wegen der Revolution, konformistische Milieu in Frankreich und das bieder-pragmatische in England. Madame de Staël hat in ihrem Buch »De l'Allemagne« die Wunder und Wunderlichkeiten des deutschen Geisteslebens einem internationalen Publikum so erklärt: *Ein deutscher Autor erzieht sein Publikum, in Frankreich zieht sich das Publikum seine Autoren.* So kann sich ein deutscher Autor als Herr in seinem kleinen Reich fühlen. Deutschland – dieses Land von Sonderlingen, Grüblern, Büchernarren – hatte mit der romantischen Generation auch noch die intellektuellen Spieler hervorgebracht. Schillers Spieltheorie hatte hier bekanntlich ermunternd gewirkt. *Das regelmäßige Ideenspiel ist die wahre Philosophie,* notiert Novalis und nennt die Poesie entsprechend dazu ein *Gemützustandsspiel.*

Diese intellektuellen Spieler in Deutschland waren vielleicht nicht so elegant wie ihre französischen Kollegen, aber sie waren außerordentlich kühn, sie gingen aufs Ganze. Spielernaturen, die nicht auf ihren Tiefsinn verzichten, bilden hier eine ganz eigene, unverwechselbare Spezies. Individualisten trauen ihrem Ich sehr viel zu, wenn nötig sogar die Kunst, eine neue Welt zu schaffen und die bestehenden Verhältnisse zum Tanzen zu bringen. Man muß nur, wie das große Ich Fichte, einem ganzen Volk zurufen: *Ein Nicht-Ich zu sein, ertraget es nicht länger!* oder wie Novalis ihm den Rat erteilen: *Wenn ihr die Gedanken nicht zu äußeren Dingen machen könnt, so macht die äußeren Dinge zu Gedanken.* Es reicht nicht aus, daß die Gedanken zur Tat drängen, es muß auch dafür gesorgt sein, daß der Gedanke eine bedrängende Wirklichkeit – dieses macht-habenden Nicht-Ich – in einen Schwebezustand versetzt. Der deutsche Tiefsinn bekam mit der Romantik – was gerne übersehen wird – nicht nur die Sehnsucht und die Wehmut, sondern auch die berückende Gabe des Leichtnehmens und Leichtmachens. Es waren grandiose Lockerungsübungen. Hier wurde, wenn man es weniger freundlich sagt, mit Spatzen auf Kanonen geschossen, was allerdings immer noch sympathischer ist als das Umgekehrte.

Natürlich mußten die von ihrem Ich Verzauberten sich eines sehr robusten Nicht-Ichs erwehren und drohten bisweilen in Jammer und Schmerz unterzugehen. An seinen Bruder schreibt der junge Hölderlin: *Und wer vermag sein Herz in einer schönen Grenze zu halten, wenn die Welt auf ihn mit Fäusten einschlägt? Je angefochtener wir sind vom Nichts, das, wie ein Abgrund, um uns her uns angähnt, oder auch vom tausendfachen Etwas der Gesellschaft und der Tätigkeit der Menschen, das gestaltlos, seel- und lieblos uns verfolgt, zerstreut, um so leidenschaftlicher und heftiger und gewaltsamer muß der Widerstand von unserer Seite werden ... Die Not und Dürftigkeit von außen macht den Überfluß des Herzens Dir zur Dürftigkeit und Not.* Der »Überfluß des Herzens« verlangt die Tat, das Verströmen seiner Kraft, die Hemmung, das An-sich-halten wäre tödlich. Am Ende der Versuche, mit seinem Ich zur Welt zu kommen, steht der Turm in Tübingen, wo Hölderlin, gleichviel ob als edler Simulant oder als Kranker, die letzten Jahrzehnte seines Lebens in Abgeschiedenheit verbringt. Ein Ich, das es aufgegeben hat, sich die Welt als Schauplatz seiner *Tat-Handlungen* zu erobern.

Auch beim jungen Friedrich Schlegel ist das neue Ich-Gefühl zunächst noch mit Weltschmerz verbunden. An seinen Freund Novalis schreibt er: *Ich Flüchtling habe kein Haus, ich ward ins Unendliche hinaus verstoßen (der Kain des Weltalls) und soll aus eigenem Herzen und Kopfe mir eins bauen.* Friedrich Schlegel will seinen *Überfluß*, der bei ihm, anders als bei Hölderlin, eher einer des Kopfes als des Herzens ist, nicht an einer beschränkten Wirklichkeit scheitern lassen. Selbstbewußt verneint er, was ihn verneint. In dem »Gespräch über die Poesie« bezeichnet er sich als jemanden, *der mit seiner revolutionären Philosophie das Vernichten gern im Großen trieb.* Als er dies schreibt, ist für ihn die *revolutionäre Philosophie* diejenige Fichtes. Sie ist es, weil sie ihn zur Respektlosigkeit ermuntert: Das Bewährte, Überlieferte und bloß Konventionelle muß sich vor einem selbstbewußten Ich rechtfertigen. Es verfällt der Kritik oder wird zum Material des ironischen Spiels. Schlegels romantische Ironie ist nicht nur, wie bereits dargestellt, Ausdruck des Verlangens nach *Unendlichkeit*, in deren Perspektive das Wirkliche relativiert wird; es soll in seiner selbstgewissen Bedeutung vernichtet werden. Auch diese Lust an der Vernichtung wirkt in der Ironie.

In Jena, wo Fichte zwischen 1794 und 1799 lehrt, versammeln sich für kurze Zeit alle, die mit ihrem Ich hoch hinauswollen. August Wilhelm Schlegel lehrt Literatur in Jena und schreibt für Schiller in den »Horen«. Sein Haus wird zum Mittelpunkt der jungen Bewegung, die man später die ›Jenaer Romantik‹ nennen wird. Ludwig Tieck ist da. Novalis, inzwischen Assessor des Salinenwerkes in Weißenfels, kommt öfters nach Jena herüber. Clemens Brentano studiert hier Medizin und bändelt mit der empfindsamen und schönen Sophie Mereau an, die Schiller für die begabteste Autorin ihrer Generation hält. Hölderlin kommt, um Schiller nahe zu sein und Fichte zu hören. Schelling, der sich mit dem berühmten Satz *Das Ich ist etwas, das sich schlechterdings nicht zum Ding machen läßt* als Fichteaner empfohlen hatte, kommt von Tübingen nach Jena und erhält hier Ende der 90er Jahre eine Professur. Nicht zu vergessen die klugen Frauen im Hintergrund: Dorothea Veit, Tochter von Moses

Mendelssohn und Lebensgefährtin Friedrich Schlegels, sowie Caroline Schlegel, die in diesen Jahren sich zu Schelling hingezogen fühlt. Auch im Haus August Wilhelm Schlegels kam man zusammen, der Höhepunkt des geselligen Zusammenwirkens war im Spätsommer 1799. So viel stolze, selbstbewußte Charaktere konnten es nur dann vermeiden zusammenzustoßen, wenn sie sich wechselseitig ironischen Spielraum gaben. Hier fand Schleiermachers »Theorie über das gesellige Betragen« ein reiches Feld der Bewährung. Hilfreich war auch das verbindende Gefühl der Beteiligten, daß ihnen die Zukunft gehörte. Das gab ihnen die Kraft, den Übermut und die Großherzigkeit der gefeierten Sieger. *Jene schöne Zeit in Jena ist ... eine der glänzendsten und heitersten Perioden meines Lebens*, schreibt Ludwig Tieck 1828 rückblickend (in einem Widmungstext des »Phantasus«) an August Wilhelm Schlegel, *Du und Dein Bruder Friedrich, – Schelling mit uns, wir alle jung aufstrebend, Novalis-Hardenberg, der oft zu uns herüber kam: diese Geister bildeten gleichsam ununterbrochen ein Fest von Witz, Laune und Philosophie.*

Man traf sich mittags und abends zum Essen und zu gemeinsamen Gesprächen, hielt regelrechte Sitzungen ab, auf denen Artikel für das »Athenäum« besprochen wurden, Tieck Erzählungen vorlas, Schelling aus seiner im Entstehen begriffenen Naturphilosophie vortrug und Novalis seinen Aufsatz »Die Christenheit oder Europa« zum ersten Mal zu Gehör brachte. Der romantische Naturwissenschaftler Johann Wilhelm Ritter berichtete Neues über den ›Galvanismus‹ und die ›Elektrizität‹; eine *Metaphysik der Froschschenkel* habe man zu hören bekommen, meinte Friedrich Schlegel spöttisch. Überhaupt muß es sehr heiter zugegangen sein in der Runde. Auf den schwärmerischen Text von Novalis antwortete Schelling mit seiner grobianischen Parodie »Epikurisch Glaubensbekenntnis Heinz Widerporstens«: *Kann es fürwahr nicht länger ertragen, / Muß wieder einmal um mich schlagen, / Wieder mich rühren mit allen Sinnen, / So mir dachten zu zerrinnen / Von den hohen überirdschen Lehren, / Dazu sie mich wollten mit Gewalt bekehren ...*

Die romantische Ironie, das zeigt das Beispiel, wurde in diesem

Kreis recht derb traktiert, aber der freundschaftliche Ton blieb einstweilen erhalten (erst der erotische Zwist wird ihn beenden), man war sich bewußt, daß der Reichtum der Wirklichkeit erst in der Vielfalt der Perspektiven zur Geltung kommen kann. Programmatisch heißt es dazu bei Schlegel im »Athenäum«-Fragment Nr. 125: *Vielleicht würde eine ganz neue Epoche der Wissenschaften und Künste beginnen, wenn die Symphilosophie und Sympoesie so allgemein und innig würde, daß es nichts Seltnes mehr wäre, wenn mehrere sich gegenseitig ergänzende Naturen gemeinschaftliche Werke bildeten.*

Wenn man nicht miteinander aß, sprach, las und musizierte, unternahm man ausgiebige Spaziergänge in die schöne Umgebung von Jena. *Ich habe tausend Freuden gehabt,* schrieb Caroline am 5. Oktober 1799 an ihre Freundin Luise Gotter, *aber seit einem vollen Vierteljahr keinen Augenblick Ruhe ... Welche gesellige fröhliche musikalische Tage haben wir erlebt! ... Damals hatte ich jeden Mittag 15-18 Personen zu speisen. Meine Köchin ist gut, ich aufmerksam, und so ging alles aufs beste ... Wir lebten in schöner Geselligkeit.* Es war eine Geselligkeit, deren belebendes geistiges Prinzip Fichtes Ich-Philosophie war. Henrik Steffens, der einige Jahre später in den romantischen Sog geriet, schrieb in einem elegischen Rückblick: *Sie hatten ein inniges Bündnis geschlossen, und sie gehörten in der Tat zusammen. Was die Revolution als äußeres Naturereignis, was die Fichtesche Philosophie als innere absolute Tat, das wollte dieses Bündnis als reine, wild spielende Phantasie entwickeln.*

Die Romantiker hatten also die *produktive Einbildungskraft* überaus produktiv genutzt und sie zum *Prinzip der göttlichen Imagination* (Friedrich Schlegel) gemacht. Sie hatten sich dabei von einer spielerischen Spekulationslust treiben lassen. Schiller, nur einen Steinwurf vom romantischen Schauplatz entfernt, ging das alles entschieden zu weit. *Der Phantast verläßt die Natur aus bloßer Willkür,* schreibt er, *um dem Eigensinne der Begierden und den Launen der Einbildungskraft desto ungebundener nachgeben zu können ... weil die Phantasterei keine Ausschweifung der Natur, sondern der Freiheit ist, also aus einer an sich achtungswürdigen Anlage entspringt, die ins Unendliche perfektibel ist, so führt sie auch zu einem unendlichen Fall in eine bodenlose Tiefe und kann nur in einer völligen Zerstörung sich endigen.*

Diese Ermahnung glaubten die Romantiker nicht nötig zu haben. Ihre intellektuelle Virtuosität, mit der sie immer schon über sich hinaus sein wollten, hatte ihnen die Risiken ihrer Unternehmungen vor Augen gerückt. Jean Paul, Friedrich Schlegel, Clemens Brentano – sie haben eine scharfe Witterung für das Abgründige ihrer Bestrebungen und ziehen auch noch aus den Gefahren des ›Nihilismus‹ (dieser Ausdruck kommt damals auf) einen speziellen Genuß. Jean Paul: *Ach, wenn jedes Ich sein eigner Vater und Schöpfer ist, warum kann es nicht auch sein eigner Würgengel sein?*

Wenn man den frühen Romantikern vorwirft, wie es Schiller tut, sie gebärdeten sich ›willkürlich‹, dann antworten sie: Ja, warum denn nicht, vielleicht ist Willkür unser bestes Teil. Jean Paul, der die Labyrinthe des Ichs nur zu gut kennt, ergreift am Ende Schillers Partei, als er in seiner »Vorschule der Ästhetik« schreibt: *Es folgt aus der gesetzlosen Willkür des jetzigen Zeitgeistes – der lieber ichsüchtig die Welt und das All vernichtet, um sich nur freien Spiel-Raum im Nichts auszuleeren ... daß er von der Nachahmung und dem Studium der Natur verächtlich sprechen muß.*

Manche von denen, welche die Lust, ein Ich zu sein, besonders tief in die eigene Wildnis verstrickt hatte, überanstrengen sich am Ende. Wie ein melancholisches Echo auf Werthers frohlockenden Ausruf *Ich kehre in mich selbst zurück, und finde eine Welt,* klingt 1802 die Bemerkung Clemens Brentanos: *Wer mich zu mich selbst weist, tötet mich ...*

Sie, die mit ihrem Ich hoch hinauswollten, werden bald Ausschau halten nach etwas Festem. Schließlich wird ja auch der Ich-Komet Bonaparte sich in der steifen Kaiserwürde befestigen. August Wilhelm Schlegel wird bei der vermögenden Madame de Staël unterschlüpfen. Friedrich Schlegel wird seinen Übergang in den Schoß der katholischen Kirche vorbereiten. Auch Brentano wird kirchenfromm werden. Tradition ist wieder gefragt, man wird Volkslieder und Märchen sammeln, *Es fiel ein Reif in der Frühlingsnacht ...,* gottlob muß man doch nicht alles selber machen, man darf sich tragen lassen und in einem Strom schwimmen, der von weither kommt. Man wird Ausschau halten nach festen Stellen und festen Beziehungen.

Aber noch ist es nicht so weit. Zwar wird die romantische Spielschar sich nach 1800 zerstreuen. Auch Fichte, wegen eines Atheismus-Vorwurfes gemaßregelt, verläßt 1799 den romantischen Tatort Jena, aber er wird sich selbst treu bleiben, seine Posaune verkündet immer noch den jüngsten Tag des sittlichen Ichs. Er wird später in den »Reden an die deutsche Nation« die Wiedergeburt des Ichs noch einmal ins Große treiben, wenn er ein ganzes Volk auffordert, sich endlich vom französischen Nicht-Ich zu befreien.

Goethe, als er 1812 auf den frühromantischen Aufbruch zurückblickt, bemerkt lakonisch, es sei eine *Epoche der forcierten Talente* gewesen.

Fünftes Kapitel

Ludwig Tieck. In der Literaturfabrik. Die Ich-Exzesse des
William Lovell. Literatursatiren. Der Virtuose des Schreibens trifft
den kunstfrommen Wackenroder. Zwei Freunde auf der Suche nach der
Wirklichkeit ihrer Träume. Mondbeglänzte Zaubernacht und Dürer-Zeit.
Venusberg im Zwielicht. Franz Sternbalds Wanderungen.

Unter den *forcierten Talenten*, über die Goethe etwas herablassend
sprach, war Ludwig Tieck wohl das am meisten ›forcierte‹. Denn
während die Gebrüder Schlegel zunächst nur die romantische Dok-
trin entwickelten, schuf unabhängig davon der junge Tieck unglaublich schnell und leicht zwischen 1795 und 1800 jene Werke,
die wirklich so romantisch waren, wie sich die Theoretiker das
vorgestellt hatten. Friedrich Schlegel nannte den Autor, als er ihm
1798 persönlich begegnete, einen sehr *gewöhnlichen Menschen*. Wenig später rief er ihn zum Genie aus.

Beim jungen Tieck findet sich schon alles, was man mit Romantik verbindet. Die *Mondbeglänzte Zaubernacht, / Die den Sinn gefangen*
hält, / Wundervolle Märchenwelt, / Steig auf in der alten Pracht (»Kaiser
Octavian«, 1804); der romantische Nihilismus in dem Briefroman
»William Lovell« (1795); die romantische Ironie in den literatursatirischen Komödien »Der gestiefelte Kater« und »Die Verkehrte
Welt«; Tieck schreibt das erste romantische Kunstmärchen, »Der
blonde Eckbert« (1797), und mit seiner Tannhäuser-Erzählung begründet er einen bis zu Wagner und den Venusberg-Phantasien des
20. Jahrhunderts wirkungsmächtigen romantischen Mythos. Zusammen mit Wackenroder ist er der Erfinder der Nürnberg-Ro-
mantik, der Dürer-Verehrung und der Kunstreligion der Raffaeli-
ten. Auf Tiecks Spuren werden später die Nazarener wandeln. Sein
Roman »Franz Sternbalds Wanderungen« (1798) ist das Muster des
romantischen Künstlerromans, an dem Novalis und andere Maß

nehmen werden. Tieck hat wesentlichen Anteil an der nicht nur philologischen, sondern auch poetischen Wiederentdeckung der alten deutschen Volksbücher, des Nibelungenliedes und des europäischen Minnesangs. Auf der Suche nach dem Romantischen vor der Romantik hat er die vergessene ältere englische und spanische Literatur erschlossen. Von seiner Übersetzung des »Don Quixote« wird Thomas Mann sagen, sie zeige *unsere Sprache auf ihrer glücklichsten Stufe.*

Was Friedrich Schlegel theoretisch entwirft, die *progressive Universalpoesie,* setzt Ludwig Tieck ins Werk. Er versteht sich auf fast jedes Literaturgenre, spielt mit Gedanken und Stimmungen, zaubert mit lyrischen Tönen. Alles geht ihm so leicht von der Hand, und genau das wird ihm noch zum Problem werden.

Ludwig Tieck wurde 1773 in Berlin geboren als Sohn eines für seinen Stand recht wohlhabenden Seilermeisters, der tüchtig, praktisch gesinnt und bildungsbeflissen war. Das hatte er der in Berlin populären Aufklärung zu verdanken. Den begabten Sohn schickte er auf das angesehene Friedrichs-Gymnasium. Ludwig galt als ›Wunderkind‹. Die Bibel las er mit vier Jahren, mit zehn lernte er Goethes Drama »Götz von Berlichingen« auswendig. Den Bücherschrank des Vaters hatte er mit vierzehn ausgelesen. Dann kamen die Leihbibliotheken an die Reihe. Er las einfach alles, und alles wild durcheinander, die Räubergeschichten von Vulpius, die Theaterstücke von Lessing, die Geheimbundromane von Grosse, die »Bekenntnisse« von Rousseau, die Ritterromane von Spieß, den »Werther« und die Reiseberichte von Nicolai. Beim ersten Theaterbesuch war er sechs. Mit zwölf erfand er Puppenspiele und führte sie seinem jüngeren Bruder Friedrich vor, der später ein bedeutender Bildhauer werden sollte. Als Sekundaner übersetzte er zweimal die »Odyssee«, erst in Prosa, dann in Hexameter. Shakespeares »Hamlet« las er an einem feuchten Herbstabend im Park. Er hatte ein Exemplar von einem Mitschüler ergattert und wollte auf dem Heimweg von der Schule nur noch schnell das Personenverzeichnis durchgehen, aber er konnte sich nicht losreißen. Als er das

Stück atemlos und völlig versunken ausgelesen hatte, fand er sich durchnäßt und starr vor Kälte neben den kümmerlichen Öllaternen, die inzwischen angezündet worden waren. Das war ein Erweckungserlebnis. Nun las er den ganzen Shakespeare in der Eschenburgschen Prosaübertragung. Der Zauber hielt an, aber es wuchs auch die Überzeugung, daß man einen neuen Übersetzungsversuch wagen müßte. Noch als Schüler begann er mit der Übertragung und Kommentierung des »Sturm«. Er war hocherfreut, als später A. W. Schlegels neue Übersetzungen herauskamen, und er wird das Unternehmen nach dessen Tod zu Ende führen. Der Vater, allem Wilden abhold, war beunruhigt von der Shakespeare-Leidenschaft des Sohnes: *das hat gerade noch gefehlt, um dich vollends verrückt zu machen!*

Die Lehrer an der Schule förderten ihn nicht nur, sondern benutzten ihn auch. August Ferdinand Bernhardi, sein späterer Schwager, und Friedrich Rambach, beide nur wenige Jahre älter als ihr Schüler, betrieben nebenher eine Literaturfabrik. Sie verfertigten Schauer-, Räuber- und Ritterromane für den Massengeschmack. Sie zogen den begabten Schüler zur Mitarbeit heran. Er durfte ausbessern und einzelne Szenen ergänzen. So verblüffend gut gelangen ihm Landschaftsbeschreibungen, Stimmungen, Psychologisches, daß die Lehrer dem gelehrigen Schüler schließlich ganze Partien, besonders die wichtigen Romanschlüsse, überließen. Unglaublich schnell lernte Tieck, wie man aus Literatur Literatur macht und wie man dabei den Publikumsgeschmack trifft.

Nun gehörte Ludwig Tieck aber auch zu der Generation, die von »Werther« und Rousseau lernte, ›sich selbst zu fühlen‹, wie es damals hieß. Und deshalb quälte es ihn, daß ihm vor lauter Literatur das eigene Selbst, das er sich als etwas Kernhaftes vorstellte, entglitt. Er war so gewandt in der Schilderung grauenhafter und rührseliger Szenen und hatte doch noch kaum etwas erlebt; er konnte sich so gut in verwickelte Seelenlagen von Schwerenötern, Haudegen und Burgfräulein einfühlen und war doch nichts weiter als ein pubertierender hochbegabter Jüngling. So gerieten ihm Kunst und Leben in ein gefährliches Mißverhältnis. Einmal vergleicht er in einem Brief sein Gefühlsleben mit der Bewegung der Wolken am Himmel. Sie bilden abwechslungsreiche Gestalten, die nicht zu greifen sind. Sie haben keine Substanz. Aber während die Wolken, wenn sie sich verziehen, einen lachenden blauen Himmel enthüllen, lassen die literarischen Gefühle, wenn sie verschwinden, eine gähnende Leere zurück, die ihn beängstigt. Mit fiebriger Produktivität sucht er über diese Leere hinwegzukommen und wird dennoch das Gefühl der Nichtigkeit nie ganz los, ein Gefühl, das sich dadurch verstärkt, daß er den Massengeschmack, den er bedient, geringschätzt. In gnadenlosen Augenblicken bemerkt er, daß er sich selbst verachtet, auch wenn ihm sein schnellfertiges Geschäft die Anerkennung der beiden Lehrer und etwas Geld einbringt.

Von diesen Gefühlen der Nichtigkeit, Leere und Selbstverachtung handelt der erste große Roman, »William Lovell«, der während der Studienzeit entsteht und nicht mehr für die Rambachsche Literaturfabrik geschrieben ist. Das Grauen vor den nur literarischen Gefühlen, die zuwenig Wirklichkeit enthalten, ist deutlich zu spüren in diesem Briefroman über einen jungen Engländer aus wohlhabender Familie, dessen innere Haltlosigkeit ihn zum Opfer eines raffinierten Verführungsplans werden läßt. William Lovell schreibt an seinen Freund: *Geh ich nicht wie ein Nachtwandler, der mit offenen Augen blind ist, durch dieses Leben? Alles, was mir entgegenkommt, ist nur ein Phantom meiner innern Einbildung ... Wüst und chaotisch liegt alles umher ... Wie mit einem Zauberstabe schlägt der Mensch in die Wüste hinein, und plötzlich springen die feindseligen Elemente zusammen, alles fließt zu einem hellen Bilde ineinander – es geht hindurch und sein Blick, der nicht zurücke kann, nimmt nicht wahr, wie sich hinter ihm alles von neuem trennt und auseinander fliegt.*

Das schreibt Tieck, noch ehe er Fichtes Ich-Philosophie und dessen Konstruktion der Welt aus der Einbildungskraft zur Kenntnis genommen hat. Die eigene Erfahrung und die eigenen Selbstzweifel bei der Hervorbringung eines literarischen Pseudo-Lebens genügen, um schreiben zu können: *Ich komme mir nur selbst entge-*

gen / In einer leeren Wüstenei. Tieck wird seine frühen Erfahrungen mit den Abgründen der Einbildungskraft bestätigt finden, als er 1799 in Jena endlich Fichte begegnet. Der Poet in ihm war schneller als der Philosoph.

Den »Lovell«-Roman schreibt Tieck noch als Student, der sich zum Ärger des Vaters weigert, ein Brotstudium zu absolvieren. In Halle, Göttingen, Erlangen und wieder Göttingen sitzt er in Bibliotheken, liest und schreibt unablässig, wenn er nicht gesellige Kreise aufsucht, wo man ihn gerne sieht. Er ist noch nichts, schreibt er einmal, aber er ist zu allem fähig. Und der Briefroman soll es endlich beweisen. Seinen Protagonisten Lovell schickt er durch Himmel und Hölle und schildert ihn als einen jungen Mann, der in sein Ich verliebt ist, Höhen und Tiefen der Gefühle durchlebt, sich selbst unablässig beobachtet und reflektiert, um am Ende zu bemerken, wie hohl und leer er doch ist und daß sein Ich, das sich so groß und mächtig dünkt, nichts weiter ist als eine Handpuppe für fremde Mächte. Ein Spieler also, der nicht merkt, daß andere – es ist dem Zeitgeschmack folgend eine Geheimgesellschaft – mit ihm spielen. Die Steigerung des Selbstgefühls ist das durchgängige Bestreben Lovells. Wenn er sich verliebt oder Freundschaften schließt, kommt es ihm nicht auf den anderen Menschen an, sondern auf seine eigenen Gefühle, die ihn wie ein Kokon umgeben und von der Wirklichkeit trennen. Das führt zu einem schleichenden Prozeß der Gefühlszersetzung und Auszehrung. Auch die Gedanken belauern sich, am Ende weiß er nicht mehr, wer und was in ihm denkt. Er verwirrt sich in einer heillosen Vervielfältigung seines Ichs. Zuerst genießt er diesen Zustand, dann verzweifelt er daran: *Ach was ist Wahrheit und Überzeugung im Menschen! ... O man rede mir doch künftig nicht von Menschen, die sich verstellen. Was ist Aufrichtigkeit in uns!* Am Schluß des Romans fällt der geheime Drahtzieher ein vernichtendes Urteil über ihn: *Du hast Dich bis jetzt überhaupt für ein äußerst wunderbares und seltenes Wesen gehalten, und bist doch nichts weniger ... Du bildest Dir auch ein, gewaltsame Revolutionen in Deinem Innern erlitten zu haben, und doch ist dies alles nur Einbildung ... nun hast Du alles darangewandt, um ein unzusammenhängender philosophischer Narr zu werden.*

Die Ich-Exzesse des William Lovell waren also viel Lärm um nichts. Der Roman hat schauerliche, abgründige Aspekte; der horror vacui, die Angst vor der Langeweile, der Verdacht, daß wir bloß erfinden, wo wir zu finden glauben, das Verschwinden von Glaube und Vertrauen, die metaphysische Obdachlosigkeit – dies alles spielt hinein und es wird damit gespielt. Schon zu Beginn der Romantik also zeigt sich das Problem des romantischen Nihilismus als die Schattenseite der Ich-Euphorie. Tieck schreibt im Rückblick über die Arbeit an diesem Roman: *Es ist das Denkmal, das Mausoleum vieler gehegten und geliebten Leiden und Irrtümer, aber als es gebaut ward, war der Zeichner und Arbeiter schon von diesen Leiden frei, ich war fast immer sehr heiter, als ich dies Buch schrieb, nur gefiel ich mir noch in der Verwirrung.*

Friedrich Schlegel hatte von der romantischen Poesie die *schöne Verwirrung* gefordert. In diesem Roman findet man sie, und man findet auch die ironische Lust am Spiel mit Zerstörung und Vernichtung. *Fliege mit mir, Ikarus, durch die Wolken*, ruft William Lovell aus, *brüderlich wollen wir in die Zerstörung jauchzen.*

Auch die Ironie hatte Tieck in der Literaturfabrik gelernt. Nicht, daß die Trivialromane, die dort gefertigt wurden, Ironie vorgesehen hätten. Wenn Rambach seine Reihe »Taten und Feinheiten renommierter Kraft- und Kniffgenies« betitelte, war das nicht ironisch gemeint. Aber Tieck war ganz einfach zu intelligent und einfallsreich, um sich mit dem geforderten Schema ohne Ironie abfinden zu können. Noch ehe Friedrich Schlegel das ironische *Schweben* des Autors über der poetischen Materie doktrinär forderte, übte sich der junge Tieck bereits darin. Nur so konnte er sich über die Niederungen erheben. Einmal sollte er die Heldentaten des sogenannten bairischen Hiesel schildern, eines berüchtigten Wilddiebes und Räubers. Rambach hatte das Hiesel-Porträt als Schilderung des Lebensweges eines Kraftgenies angekündigt, das durch *Umstände, Lage und Konvention* mißgebildet worden sei. Tieck führte die Erzählung in diesem Sinne aus, um gegen Ende immer deutlicher durchblikken zu lassen, wie sauer es ihm geworden sei, diesen Kerl als einen Helden erscheinen zu lassen, da er genaugenommen doch nichts anderes als ein gemeiner Spitzbube sei. Tieck verstand es, auch diese Erzählereinrede noch in der Schwebe zu halten, so daß die Leser und auch Rambach nun gar nicht mehr wußten, woran sie sich halten sollten.

Aus solchem Handgemenge in der Literaturfabrik erwuchs Tiecks große ironische Kunst, die sich dann vor allem in seiner literatursatirischen Komödie »Der Gestiefelte Kater« zeigte. Dort hat er es auf die Verspottung des Berliner Theatergeschmacks abgesehen. Das Stück spielt mit einem Publikum, das geharnischte Helden, Hausmütter und gefallene Mädchen in aufwendigen Dekorationen, nicht aber einen Kater, dazu noch einen gestiefelten, auf der Bühne sehen will. Virtuos wird hier, lange vor Pirandello, das Spiel im Spiel vorgeführt, denn es gibt ein Publikum auch auf der Bühne, und die Protagonisten im Stück kritisieren ihren Autor und legen sich mit dem Bühnenpublikum an. Dieses macht aber auch viel Lärm und beschwert sich, daß dem Stück der *feste Standpunkt* fehle und man unmöglich in eine *vernünftige Illusion* hineinkomme. Der Autor wird an die Rampe gerufen. Er versucht die Wogen der Empörung zu glätten und weiß sich schließlich nur noch zu helfen, indem er den Glockenspieler aus der »Zauberflöte« auf die Bühne zitiert, der einige Tanzbären mitbringt. Zu Beginn des dritten Aktes hebt sich der Vorhang zu früh, so daß der Autor im Gespräch mit dem Maschinisten auf der Bühne überrascht wird. Zwischen dem Bühnenautor und dem Bühnenpublikum wird das Bühnenstück – das komische Märchen von dem Kater, der seinem Eigentümer ein Königreich und eine schöne Braut verschaffen soll – geradezu zerrieben. In einer Szene des Märchenstückes behauptet der Hofgelehrte Leander, in dem *neuerlich erschienenen Stück: der gestiefelte Kater* sei *das Publikum gut gezeichnet*, worauf das Bühnenpublikum empört ruft: *Es kömmt ja kein Publikum in dem Stück vor.* Leander blickt ratlos über das Bühnenpublikum hinweg ins wirkliche Publikum.

Eine verspiegelte Szenerie, die übermütig mit dem wirklichen und dem imaginären Publikum, mit der Autorschaft, mit Fiktion und Wirklichkeit, mit Schauspieler- und Schauspielrollen spielt. Ein Stück, das Friedrich Schlegel neben seinem eigenen Roman »Lucinde« als ein Muster romantischer Ironie auslobte. Und es ist ein Muster für das Theater des Illusionsbruches und des Spiels im Spiel geblieben bis zur Gegenwart, bis zu Handkes »Publikumsbeschimpfung«.

Das Motiv der Angst vor der Leere, das wir im »William Lovell« kennengelernt haben, spukt auch in diesem Stück. Das Publikum will unterhalten werden, es wäre schlimm, wenn die Bühne leer bliebe, womit der beleidigte Bühnenautor gelegentlich droht. Spiel zu Ende, Leben zu Ende. Das darf nicht sein. Der Autor wird ausgepfiffen, ein neues Stück muß her. Tieck besaß eine erstaunliche Erfindungsgabe. Aus dem Stegreif konnte er ganze Stücke improvisieren. Einmal ließ er sich im geselligen Kreis ein Thema vorgeben – ein Liebhaber, der sich als Orang-Utan herausstellt – und ersann binnen einer halben Stunde ein verwickeltes Intrigenstück, worin er allein in mehreren Rollen agierte. Der Affe durchläuft ein Kurzprogramm der Aufklärung und ist am Ende so manierlich, daß man ihm das gute Bürgermädchen zur Frau geben kann. *Es wird*, so heißt es am Ende des improvisierten Stückes, *der Grund gelegt zu einer Generation, die alle Vorzüge der Tierheit mit den erhabenen und edlen Gesinnungen, die in unseren Tagen sich in der gebildeten Menschheit zeigen, vereinigt.*

Tieck hatte nicht nur ein erstaunliches Improvisationstalent, er war auch ein begnadeter Schauspieler. Brentano rühmte ihn als das *größte mimische Talent, das jemals die Bühne nicht betreten* hat. Berühmt wurden später seine Vorlese-Abende, bei denen er alle Register von Rollen und Stimmen zog. Das war auf der darstellenden Ebene die Entsprechung zu seiner Virtuosität, mit der er verschiedene literarische Stile imitieren oder sich in sie einfühlen konnte. Auch das gehört zur romantischen *Universalpoesie.*

Tieck, der schnellfertige literarische Spieler, hatte in diesen frühen Jahren das Glück, als Gegengewicht einen Freund zu haben, der einen ganz anderen Typus verkörperte, einen Mitschüler und dann Kommilitonen, dem die Kunst eben nicht nur Spiel, sondern heiliger Ernst war; dem sie zur Religion wurde, die ihn beseligte und an der er litt. Es war Wilhelm Heinrich Wackenroder, dessen Vater, Geheimer Kriegsrat und Berliner Justizbürgermeister, den einzigen Sohn schon früh für die Justizlaufbahn bestimmt hatte. An dieser Fesselung sollte der Kunstenthusiast zugrunde gehen. Er starb 1798. Er hatte noch Zeit, seine Konfessionen und seine Kunstreligion zu Papier zu bringen, die »Herzensergießungen eines kunstliebenden Klosterbruders« von 1797, und ein Jahr später, von Ludwig Tieck nach dem Tode des Freundes herausgegeben und durch eigene Texte erweitert, die »Phantasien über die Kunst für Freunde der Kunst«.

Wackenroder hing mit zärtlicher Liebe an seinem Freund, bewunderte seine Produktivität, kritisierte aber auch die Flüchtigkeit des Schnellschreibers und warnte ihn davor, die heilige Kunst zu profanieren. Den im nüchternen Aufklärungsprotestantismus erzogenen jungen Mann gelüstete es nach einem bildkräftigen und gefühlsstarken Heiligtum; was er wollte und auch von dem Freund erwartete, war, *vor der Kunst niederzuknien und ihr die Huldigung einer ewigen, unbegrenzten Liebe darzubringen.*

Wackenroder war von einer Kunstfrömmigkeit ohnegleichen erfüllt. Fromm sollten die Themen sein. Die Marienbildnisse des Raffael waren ihm Inbegriff einer Kunst der Transzendenz. Der sehnsuchtsvolle Blick nach Italien hatte nichts von der erotischen Verlockung, die Wilhelm Heinses 1787 erschienener Italienroman »Ardinghello und die glückseligen Inseln« bei der jungen Generation bewirkte. Fromm sollte auch die Einstellung des Künstlers sein. Er gibt sich seiner Kunst hin, er dient ihr. Selbstgefälligkeit, Eitelkeit, Effektmacherei und Schielen nach der Publikumsgunst galten ihm als Sünde. Man konnte sich also gegen die Hingabe versündigen, aber verwickelter wurde alles dadurch, daß bei Wackenroder die Macht des Realitätsprinzips, das der Vater verkörperte, ebenfalls noch stark nachwirkte. Und deshalb war die Hingabe auch von einem schlechten Gewissen begleitet, dem Gefühl nämlich, sich gegenüber den irdischen, bürgerlichen Anforderungen seines Lebenskreises zu versündigen. *Die Kunst ist eine verführerische, verbotene Frucht*, heißt es in den »Phantasien über die Kunst«, *wer einmal ihren innersten, süßesten Saft geschmeckt hat, der ist unwiederbringlich verloren für die tätige, lebendige Welt. Immer enger kriecht er in seinen selbsteigenen Genuß hinein, und seine Hand verliert ganz die Kraft, sich einem Nebenmenschen wirkend entgegenzustrecken.*

Wackenroder war ein Mensch, der sich zerrissen fühlte zwischen den Anforderungen der Kunst und des normalen bürgerlichen Lebens. Und außerdem konnte er sich des Verdachtes nicht erwehren, daß der Wille zur Kunst bei ihm nur zum Kunstgenuß, nicht aber zur wirklichen Produktion ausreichte. Der wirkliche Künstler, so stellte er es sich vor, dient rücksichtslos seinem Werk, läßt sich nicht anfechten, die Evidenz seines Schaffens trägt ihn über bürgerliche Skrupel hinweg. Dem wahrhaften Künstler, schreibt er in den »Herzensergießungen«, gelingt es, *seine hohen Phantasien ... als einen festen Einschlag kühn und stark in dieses irdische Leben* einzuweben.

Aber vielleicht wäre die Spannung zwischen Kunst und bürgerlichem Leben geringer, wenn nur das irdische Leben, anders als im nüchternen Berlin, von sich aus mit künstlerischem Geist erfüllt wäre. Auf der Suche nach einer Welt, die der Kunst freundlich gesonnen ist, entdeckt Wackenroder, wenn auch zunächst nur in der Phantasie, die deutsche Renaissance, Dürers Nürnberg. Waren das nicht schöne Zeiten, in denen bürgerliche Solidität, Frömmigkeit und Kunstsinn eine freundliche Einheit bildeten? *In vorigen Zeiten war es nämlich Sitte, das Leben als ein schönes Handwerk oder Gewerbe zu betrachten ... Gott ward für den Werkmeister angesehen.* In dieser göttlichen Handwerkswelt konnten sich die Künstler geborgen fühlen: *Denn ihnen mußte ja ihre Kunst, – denn auch diese trieben sie nicht vornehm als Liebhaberei und um der Langenweile willen (wie jetzt zu geschehen pflegt,) sondern mit emsigem Fleiße, wie ein Handwerk, – sie mußte ihnen, ohne daß sie es selbst wußten, ein geheimnisvolles Sinnbild des Lebens sein.*

So entstand im aufgeklärten Berlin der 90er Jahre der Traum von einer altdeutschen Romantik.

Im Sommer 1793 machten sich die beiden Freunde auf, die Wirklichkeit ihres Traumes zu finden. Sie studierten in Erlangen und wanderten von dort aus nach Bamberg, Pommersfelden, Bayreuth und Nürnberg. Man kann ohne Übertreibung sagen, daß es Tieck und Wackenroder waren, die in jenem Sommer dieses Franken mit seinen mittelalterlichen Städten, Wäldern, Burgruinen, Residenzen und Bergwerken erstmals zum gelobten Land der deutschen Romantik verklärten. Damals in einer Mondnacht im fränkischen Bischofsgrün, erzählt der alte Tieck, ging ihm das Wunder der *mondbeglänzten Zaubernacht* auf, als die *schwebenden Töne eines Waldhorns* herüberklangen. Nürnberg mit seinen zahlreichen Türmen und hohen Giebeln sahen die Freunde wie ein vielmastiges, stolzes, aber gestrandetes Schiff vor sich in der Landschaft liegen. Das abendliche Turmblasen stimmte sie melancholisch. Tagsüber aber ergötzten sie sich an dem bunten Treiben in den engen Gassen zwischen den Fachwerkhäusern und auf den freien Plätzen. Sie fühlten sich wirklich in die Dürer-Zeit zurückversetzt. Und dann im Kontrast zum würdevollen Ernst der alten Reichsstadt die heitere bischöfliche Residenz in Bamberg. Daß ›unter dem Krummstab gut leben ist‹, wie man damals sagte, wollten sie gerne glauben. Es ist eine katholische Welt, in der die jungen Mädchen sie an die Marienbilder in den Kirchen und Klöstern erinnern. Man ist hier fromm, aber auch sinnenfroh. Die religiösen Kulte und Kirchenfeste entfalten immer noch barocke, farbenfrohe Pracht. Selbst die Leichenzüge bieten ein pittoreskes Bild: Eine Totenfrau ruft in den hallenden Gassen den Namen der Verstorbenen aus. Das Volk strömt zusammen, die jungen Mädchen in dunkle Trachten gekleidet mit riesigen Haubenschleifen. Wenn der Wind an ihnen zerrt, sehen sie aus wie große, unruhige Vögel. In dem autobiographisch gefärbten, Jahrzehnte später geschriebenen Roman »Der junge Tischlermeister« erinnert sich Tieck an seine Eindrücke in dieser Stadt und deutet indirekt an, weshalb die katholische Welt für ihn immer etwas Anziehendes behalten hat. *Mein gutmeinender Vater hatte mich vor meiner Reise ermahnt, ja nicht bei Gelegenheit der Feste in katholischen Städten zu lachen … Es war aber gut, daß er nicht zugegen sein konnte, denn gewiß hätte er über meine Rührung und Erhebung bei den Prozessionen, der Musik, den Posaunen und den singenden Chören, bei diesen auf den Straßen geschmückten Altären, bei der betenden Volksmenge, welches alles mich bis zu Tränen begeisterte, seinen Zorn gegen diesen Götzendienst, wie er dergleichen nannte, und noch mehr gegen mich ausgelassen.*

In den Rahmengesprächen des »Phantasus« (nach 1810) bemerkt Tieck mit Genugtuung, daß die Heidelberger Romantik inzwischen dabei ist, auf seinen Spuren das *deutsche Vaterland* zu erkunden. Er aber konnte sich als Pionier fühlen, denn als er damals mit Wakkenroder seine Reise unternahm, war ihnen das *Vaterland … überall so unbekannt, wie ein tief in Asien oder Afrika zu entdeckendes Reich, von welchem unsichere Sagen umgingen …* Sie hatten eine zauberhafte Welt entdeckt, deren Atmosphäre Tieck zu den Erzählungen vom »Blonden Eckbert«, vom »Tannhäuser« und vom »Runenberg« anregte.

Der »Blonde Eckbert« hat die Wonnen und Schauder einer *Waldeinsamkeit* zum Thema, die Tieck damals zuerst im Fichtelgebirge erlebt hatte. Aus Erinnerungen an eine Erzählung der Mutter taucht auch noch das Bild jenes alten unheimlichen Weibes auf, das mit einem Hund in menschenscheuer Abgeschiedenheit in einer Hütte saß. Daraus machte Tieck 1796 dieses romantische Kunstmärchen, das Schule machen sollte.

In Eichendorffs Gedicht »Zwielicht« wird es Jahre später heißen: *Dämmrung will die Flügel spreiten, / Schaurig rühren sich die Bäume, / … Hast du einen Freund hienieden, / Trau ihm nicht zu dieser Stunde, / … Manches bleibt in Nacht verloren – / Hüte dich, bleib wach und munter!*

Wie manches besser in Nacht verloren bleibt und welches Unheil bewirkt wird dadurch, daß es ans Licht des Tages und in die Mitteilung gezogen wird, davon handelt »Der blonde Eckbert«. Es rächt sich nämlich furchtbar, daß Bertha, die mit dem Ritter Eckbert, ihrem Mann, einsam auf der Burg lebt, einen Freund, Walther, ins Vertrauen zieht und ihm ihre wunderliche, fast märchenhafte Geschichte erzählt. Erinnerte Kindheit nimmt wohl immer märchenhafte Züge an, aber diese ganz besonders. Bertha war von zu Hause fortgelaufen, wo man sie geschlagen hatte, war in den Wäldern herumgeirrt und hatte ein glückliches Unterkommen bei einer alten Frau gefunden, die mit einem sprechenden Vogel und einem Hund auf einer Waldlichtung lebte. Dieses einsame Leben teilte sie nun mit der Alten, dem Hund und dem Vogel, der das Lied von der *Waldeinsamkeit* singt und jeden Tag ein Ei legt, worin eine Perle enthalten ist. Sie könnte zufrieden sein, aber es wächst die Neugier auf die Welt. Sie verläßt heimlich dieses Paradies der Kindheit. Den Hund, dessen Namen sie vergißt, läßt sie zurück, den Vogel aber und die Perlen nimmt sie mit. Sie verrät also die *Waldeinsamkeit*, es ist der Sündenfall, und wie ein schlechtes Gewissen begleitet der Vogel sie, bis sie ihn tötet. Danach lebt sie verstört und zurückgezogen, auch nachdem sie in die Ehe mit dem blonden Eckbert eingewilligt hat. Damit könnte Berthas Geschichte vom verlorenen Glück der *Waldeinsamkeit* zu Ende sein, wenn nicht Walther, dem sie erzählt wird, sie mit der Bemerkung quittieren würde: *ich kann mir Euch recht vorstellen … wie ihr den kleinen Strohmian füttert.* Bertha hatte den Namen des Hundes vergessen, und Walther weiß ihn. Wer ist dieser Walther? Hier schlägt die märchenhafte Vergangenheit um in gegenwärtigen Schrecken. Bertha wird vom Grauen überwältigt und stirbt. Eckbert, angesteckt von Berthas Mißtrauen und Verzweiflung, tötet Walther, diesen unheimlichen Mitwisser. Doch der wird ihn noch in verschiedenen Gestalten verfolgen. Schließlich kann Eckbert Wahn und Wirklichkeit nicht mehr unterscheiden, und als ihm am Ende die Alte aus Berthas Kindheitserinnerung begegnet und ihm erklärt, daß sie niemand anders als Walther sei und er, Eckbert, in Wahrheit Berthas Bruder, stirbt er, während der Vogel, der nun plötzlich auch wieder da ist, sein Lied von der *Waldeinsamkeit* singt.

Es geht in diesem romantischen Märchen, das mit sehr modernen Schrecken spielt, um die Unwägbarkeiten der Mitteilung, die Verwirrungen des Geständniszwanges, die Gefährdungen der Intimität und Geheimnisse, die besser im verborgenen bleiben. Worüber man nicht sprechen kann, davon soll man schweigen oder singen. Es genügt das Lied von der *Waldeinsamkeit*. Das romantische Bewußtsein hütet das Geheimnis, um der Lebbarkeit willen. Im Rahmengespräch des »Phantasus« heißt es dazu: *Hast du noch nie ein Wort bereut, das du selbst in der vertrautesten Stunde dem vertrautesten Freunde sagtest? Nicht, weil du ihn für einen Verräter halten konntest, sondern weil ein Gemütsgeheimnis nun in einem Elemente schwebte, das so leicht seine rohe Natur dagegen wenden kann.* So viel zum »Blonden Eckbert«, der bei den Romantikern als Tiecks beste Erzählung galt.

Bei ihren Wanderungen durch Franken hatten die Freunde auch Bergwerke besucht, und die Eindrücke sind so stark, daß auch sie deutliche Spuren im Werk Tiecks, etwa in der Erzählung »Runenberg«, hinterlassen haben. Einmal war man sogar in den Berg eingefahren: *Mir war's als sollte ich in irgend eine geheime Gesellschaft, einen mysteriösen Bund aufgenommen oder vor ein heimliches Gericht geführt werden. Ich erinnerte mich, in meinen Kinderjahren im Traume zuweilen solche langen, engen, finsteren Gänge gesehen zu haben.* Mit Tiecks und Wackenroders Besuch im Bergwerk beginnt die Unter-Tage-Romantik, die so eindringlich von Novalis und E. T. A. Hoffmann fortgesetzt wurde und noch bei Hofmannsthal Wirkung zeigt.

Eine weitere Erzählung, zu der Tieck bei seinen Wanderungen in Franken angeregt wurde, war »Der getreue Eckart und der Tannhäuser«. Hier werden mehrere Volkssagen verbunden. Zum einen die Sage vom getreuen Eckart, der Dietrich von Bern vor den Nibelungen warnt. Daraus wurde Eckart, der warnend Wache steht vor dem Venusberg. Mit diesem Sagenstoff verknüpft Tieck die Sage vom Rattenfänger von Hameln, der als Flötenspieler die Kinder des Ortes mit seinen magischen Klängen lockt. Erinnerungen an die Kinderkreuzzüge sind darin aufbewahrt. Tieck aber hat die Sage mit dem Venusbergmythos und der Gestalt des Tannhäuser verbunden, einem Minnesänger aus der Zeit der Staufer-Kaiser. Dem Tannhäuser wurde schon früh ein besonders erotischer Ton nachgesagt; er sei von Schönheit und Liebe trunken gewesen und habe andere trunken gemacht, hieß es. Ein nordischer Dionysos. Ein Volkslied, das später in die Sammlung »Des Knaben Wunderhorn« aufgenommen wurde, erzählt, wie Tannhäuser von Reue geplagt aus dem Reich der Venus flüchtet und beim Papst um Lossprechung bittet. Da sie ihm aber versagt wird – der Papst kapituliert vor der Macht des Eros –, kehrt Tannhäuser wieder in den Venusberg zurück.

Tiecks Erzählung über die Lockungen des Venusberges wurde zum Steinbruch für spätere Bearbeitungen, vor allem die Wagnersche. Er selbst aber hat mit der Erzählung ein Motiv aus dem »Blonden Eckbert« fortgeführt, die Erfahrung nämlich, daß es Geheimnisse gibt, die besser *in Nacht verloren* bleiben. In der Erzählung vom »Tannhäuser« bezieht sich das Geheimnis auf den gefährlichen Zauber, wenn Kunst und Erotik eins werden. Es gibt ekstatische Augenblicke, die man nicht überlebt, weil man das gewöhnliche Leben danach nicht mehr aushält. *Verzückungsspitzen* wird sie Nietzsche später nennen. Bei Tieck versucht der Tannhäuser seinem Freund Friedrich davon zu erzählen. Er bricht ab und küßt den Freund. Am anderen Morgen ist dessen Frau tot und der Tannhäuser verschwunden. Dessen Kuß aber macht Friedrich besinnungslos. *So rannte er in unbegreiflicher Eile fort, den wunderlichen Berg und den Tannenhäuser zu suchen, und man sah ihn seitdem nicht mehr. Die Leute sagten, wer einen Kuß von einem aus dem Berge bekommen, der könne der Lockung nicht widerstehen, die ihn auch mit Zauber-Gewalt in die unterirdischen Klüfte reiße.*

Tieck vollendete diese Erzählung am Morgen nach der denkwürdigen Nacht, als im Sommer 1799 in August Wilhelm Schlegels Haus in Jena die Freundschaft mit Novalis begann. Als alter Mann schildert Tieck die Szene so: *Die Schranken des alltäglichen Lebens fielen, und beim Klange der Gläser tranken sie Brüderschaft. Mitternacht war herangekommen; die Freunde traten hinaus in die Sommernacht. Wieder ruhte der Vollmond, des Dichters alter Freund seit den Tagen der Kindheit, magisch und glanzvoll auf den Höhen um Jena.*

Noch ein Stück Wegs begleitet Tieck Novalis, der noch in dieser Nacht nach Weißenfels zurückkehren muß. In dieser Nacht, verspricht Tieck dem Freund, werde er seinen »Tannhäuser« beenden. Und tatsächlich konnte er in den Morgenstunden die fertige Erzählung vorweisen, die er am Abend desselben Tages den Freunden in Jena vorlas.

Beim »Tannhäuser« lockt der Berg mit erotischen Geheimnissen. Beim drei Jahre später geschriebenen »Runenberg« kommt zur erotischen Verlockung noch die durch Geld und Gold hinzu. Tieck hatte inzwischen die Naturphilosophie Schellings und Ritters kennengelernt und dort eine Bestätigung für seine Idee gefunden, daß sich im Spiegel der Abgründe der äußeren die eigene innere Natur enthüllt, und zu ihr gehört gewiß auch die Gier, dieser Magnetismus verborgener Schätze. Doch während für Schelling im menschlichen Geist die Natur zum hellen Bewußtsein ihrer selbst durchdringt, fasziniert Tieck das Dunkle, auch Grauenvolle dieser *Brautnacht im Schoße der Erde.*

Wackenroder war schon tot, als die Freundschaft mit Novalis begann. *Deine Bekanntschaft,* schreibt Novalis an Tieck nach der ersten Begegnung, *hebt ein neues Buch in meinem Leben an ... Du hast auf mich einen tiefen, reizenden Eindruck gemacht – Noch hat mich keiner so leise und doch so überall angeregt wie Du ...*

Zu diesem Zeitpunkt hatte Tieck die ersten beiden Teile (der geplante dritte wurde nie geschrieben) seines Künstlerromans »Franz Sternbalds Wanderungen« fertiggestellt, den er ursprünglich gemeinsam mit Wackenroder schreiben wollte.

Der 1798 erschienene Roman erregte bei der romantischen Generation großes Aufsehen und enthusiastische Zustimmung. Friedrich Schlegel lobt die *phantastische Fülle und Leichtigkeit* und fährt fort: *Hier ist alles klar und transparent, und der romantische Geist scheint angenehm über sich selbst zu phantasieren.* Und noch für E. T. A. Hoffmann war es ein *wahres Künstlerbuch.*

Goethes »Wilhelm Meister« hatte zuvor dem Genre des Romans neues Ansehen verschafft. Er stachelte den Ehrgeiz der nächsten

Dichtergeneration an, auch ein Erzählwerk zu schaffen, worin die Darstellung der Entwicklung eines interessanten Individuums, die Erörterung von Problemen des Künstlertums und ein Gesamtbild der Gesellschaft verbunden sein sollten. Nach dem »Wilhelm Meister« galt der Roman als universelle Dichtungsgattung, in der alles seinen Platz finden konnte: Naturschilderung, unterschiedliche Schauplätze, Verwicklungen und Konflikte, eingestreute Gedichte, dazu Psychologie, Philosophie, Kunsttheorie, dargeboten in Gesprächen und Reflexionen. Mit dem Roman wollte man aufs Ganze gehen.

Im Wetteifer mit »Wilhelm Meister« schrieb Tieck seinen »Franz Sternbald«. Doch anders als dort sollte bei Tieck am Ende nicht die bürgerlich-adlige Welt, sondern das Künstlertum triumphieren. So wollte es der romantische Geist, und deshalb begrüßte man diesen Roman, indes Goethe selbst sich indigniert zeigte. Er schickte sein Dedikationsexemplar an Schiller mit der Bemerkung, es sei unglaublich, *wie leer das artige Gefäß ist.*

Der Roman mit dem Untertitel »Eine altdeutsche Geschichte« spielt in der Zeit Albrecht Dürers, an die auch Wackenroders »Herzensergießungen« erinnert hatten. Im Bild des Sebastian, des befreundeten Malerkollegen, den Franz Sternbald in Nürnberg zurückläßt, wird der verstorbene Freund porträtiert. Der Name verweist zudem auf den heiligen Märtyrer. Hat nicht auch Wackenroder für die Kunst und an ihr gelitten?

Franz verließ jetzt Nürnberg, heißt es am Anfang des Romans, *aus diesem befreundeten Wohnort ging er heut, um in der Ferne seine Kenntnis zu erweitern und nach einer mühseligen Wanderschaft dann als ein Meister in der Kunst der Malerei zurückzukehren.* Damit ist eigentlich schon die ganze Geschichte erzählt. Die Stationen dieser Wanderschaft sind Holland, wo Sternbald den Maler Lucas van Leyden besucht; Straßburg, dessen Münster noch einmal gelobt wird, wie es einst der junge Goethe und Herder getan hatten; Italien, wo der fromme junge Mann neben der Kunst Raffaels auch Erotik und Sinnenlust kennen und schätzen lernt.

Die Prägung durch die Literaturfabrik kann Tieck selbst in diesem höchst anspruchsvollen Roman nicht verleugnen, denn wie im Trivialroman (aber auch im »Wilhelm Meister«) lenkt eine unsichtbare Hand die Geschicke des Helden. Sternbald sollte, so der nicht ausgeführte Plan, in Italien seinen wahren Vater finden, der offenbar alles eingefädelt hat, und er sollte in seinem Freund und Begleiter Ludovico seinen wirklichen Bruder erkennen. Eine schöne Unbekannte, der er unterwegs begegnet, erinnert ihn an eine Kindheitsszene. Sie wird fortan zum Leitstern seiner Liebe, die ihre Erfüllung ebenfalls in Italien findet.

Der locker geknüpfte Faden der Erzählung schlingt sich durch die in den romantischen Romanen danach häufig variierten Szenerien von Schlössern, Klöstern, Burgen, Flußauen und Wäldern, wo Kohlenbrenner, Ritter, Gräfinnen, Einsiedler und Mönche ihren Auftritt haben und wo unablässig das Posthorn, das Waldhorn oder eine Hirtenflöte ertönt. Dazwischen die Unterweisungen durch die Meister der Kunst und die Gespräche über Kunst. Dabei geht es immer wieder um die Frage: Wozu Kunst? Welchen Nutzen hat sie in der bürgerlichen Welt?

Zu Beginn seiner Wanderschaft ist Franz Sternbald durch bürgerliche Nützlichkeitserwägungen noch leicht aus der Fassung zu bringen. Zuerst äußert sich ein Handwerker abfällig über den geringen praktischen Nutzen der Kunst, dann legt ihm die Pflegemutter einen soliden Beruf ans Herz und schließlich verspottet ein Geschäftsmann die Künstler als arme Schlucker. Doch Sternbald übersteht diese Augenblicke der Anfechtung und verteidigt in einer großen Rede, die von den Romantikern später gerne zitiert wird, die erhabene Zwecklosigkeit der Kunst. *Und was drückst du mit dem Worte Nutzen aus? Muß denn alles auf Essen, Trinken, Kleidung hinauslaufen? oder daß ich besser ein Schiff regiere, bequemere Maschinen erfinde, wieder nur um besser zu essen? Ich sage es noch einmal, das wahrhaft Hohe kann und darf nicht nützen; dieses Nützlichsein ist seiner göttlichen Natur ganz fremd, und es fordern, heißt, die Erhabenheit entadeln und zu den gemeinen Bedürfnissen der Menschheit herabwürdigen. Denn freilich bedarf der Mensch vieles, aber er muß seinen Geist nicht zum Knecht seines Knechtes, des Körpers, erniedrigen: er muß wie ein guter Hausherr sorgen, aber diese Sorge für den Unterhalt muß nicht sein Lebenslauf sein. So halte ich die Kunst für ein Unterpfand unserer Unsterblichkeit ...*

Franz Sternbald ist einerseits ein veritabler Künstler, andererseits gilt auch für ihn, was Wackenroder in den »Herzensergießungen« über seinen Tonkünstler Joseph Berglinger geschrieben hatte: *Soll ich sagen, daß er vielleicht mehr dazu geschaffen war, Kunst zu genießen als auszuüben?* Tiecks Sternbald ist nicht nur Künstler, sondern mehr noch verkörpert er die Sehnsucht nach Kunst. Zu Anfang begegnen wir ihm in den Werkstätten der Kunst, wir sehen ihn an fest umrissenen Werken arbeiten. Doch es drängt ihn ins Unbestimmte und Ungeheure; er wünscht sich, *ein Werk hinzuzaubern, das gleichsam ein Bild der Unendlichkeit ist.* Darum zieht es ihn in die Ferne, weil auch sein Wille zur Kunst sich im Fernen, Unbegreiflichen zu verlieren droht. Ihm ist die Gefahr, die darin liegt, durchaus bewußt, denn Sternbald schreibt in einem Brief an den Freund: *Ich wollte gern alles leisten, darüber werde ich am Ende gar nichts tun können.*

In der berauschenden Sinnlichkeit eines an Heinses »Ardinghello« erinnernden Italien erlebt Sternbald zugleich mit dem künstlerischen auch einen erotischen Rausch. Fast ist er dem keuschen Kunstideal Dürers abtrünnig geworden, da erlebt er vor dem »Jüngsten Gericht« Michelangelos wieder eine Bekehrung zur künstlerischen Strenge.

Der unausgeführte Plan Tiecks sah eine Rückkehr Sternbalds nach Deutschland vor und eine Läuterung an Dürers Grab. Sternbald sollte also von der werkauflösenden zur werkgestaltenden Sehnsucht geführt werden. Da der Roman aber unfertig blieb, blieb es auch bei der unbestimmten Sehnsucht, die noch nicht den angemessenen Ort und das erfüllende Werk gefunden hat.

Gerade diese Unerfüllbarkeit aus Ahnung und Sehnsucht hat Schule gemacht. Auf junge Maler wie Runge, auf Dichter wie Novalis und Hoffmann haben manche Passagen aus dem »Sternbald« geradezu berückend gewirkt, zum Beispiel jene, wo Sternbalds

Freund angesichts eines Abendrotes in die Worte ausbricht: *Wenn ihr Maler mir dergleichen darstellen könntet ... ich würde da Handlung, Leidenschaft, Komposition und alles gern vermissen, wenn ihr mir, wie die gütige Natur heute tut, so mit rosenrotem Schlüssel die Heimat aufschließen könntet, wo die Ahndungen der Kindheit wohnen, das glänzende Land ... O, meine Freunde, wenn ihr doch diese wunderliche Musik, die der Himmel heute dichtet, in eure Malerei hineinlocken könntet!*

Nach dem »Sternbald« begann Tiecks Produktivität zu stocken, um in den späteren Jahren aufs neue, nun aber in realistischer Manier, wieder einzusetzen. So als wolle er eine Phase zum Abschluß bringen, vereinigte er von 1810 an seine romantischen Erzählungen, Märchen und Theaterstücke in der Sammlung »Phantasus«. Die an A. W. Schlegel gerichtete Vorrede ist elegisch gestimmt. *Es war eine schöne Zeit meines Lebens, als ich Dich und Deinen Bruder Friedrich zuerst kennen lernte; eine noch schönere, als wir und Novalis für Kunst und Wissenschaft vereinigt lebten, und uns in mannigfaltigen Bestrebungen begegneten. Jetzt hat uns das Schicksal schon seit vielen Jahren getrennt ...*

Aus romantischer Sehnsucht war Wehmut des Rückblicks geworden. Die Romantik dauerte noch fort, aber Tieck war dabei, sich von ihr zu verabschieden.

Novalis. Freundschaft mit Schlegel. An Schillers Krankenbett. Sophie von Kühn. Liebe und Tod. Von der Wollust des Transzendierens. Hymnen an die Nacht. Über Tage, unter Tage. Das Mysterium des Berges. Die Christenheit oder Europa. Wo keine Götter sind, walten Gespenster.

Goethe nannte ihn einen Menschen, der ein *Imperator* des geistigen Lebens in Deutschland hätte werden können und sollen. So hoch schätzte er seine poetische und philosophische Kraft. Er bedauerte, daß der junge Mann nicht Zeit genug gehabt hatte, sie zur vollen Entfaltung zu bringen. Als Novalis am 25. März 1801 im Alter von neunundzwanzig Jahren starb, kannte man ihn außerhalb des romantischen Freundeskreises noch kaum. Es lagen bis dahin nur wenige Aphorismen und Gedankensplitter vor, die »Blütenstaub«-Fragmente und die unter dem Titel »Glauben und Liebe« veröffentlichten politischen Aphorismen, sowie die »Hymnen an die Nacht«. Das war alles. Die eigentliche Wirkungsgeschichte seines Werkes begann erst nach seinem Tode, als Ludwig Tieck und Friedrich Schlegel 1802 einige der nachgelassenen Werke herausgaben, den in seinem ersten Teil fertiggestellten Roman »Heinrich von Ofterdingen«, das Romanfragment »Die Lehrlinge zu Saïs« und die »Geistlichen Lieder«. Den Aufsatz »Die Christenheit oder Europa« ungekürzt der Öffentlichkeit bekannt zu machen, wagten die Herausgeber nicht.

Sehr früh wurde Novalis zur mythischen Figur. Er hatte im ersten Kapitel seines »Ofterdingen« den Traum von der blauen Blume erzählt und wurde nun mit seiner Person und seinem Werk selbst zu einem Symbol dieser blauen Blume, ein Klingsohr im Zaubergarten romantischer Poesie. Die ihn näher kannten und mit ihm befreundet waren, hatten ihn schon zu Lebzeiten so empfunden, als Zauberer und Magier, ja sogar als eine Art Religionsstifter. Friedrich Schlegel, der zuzeiten selbst solche Ambitionen hegte, schrieb seinem Freund im Dezember 1798: *Doch vielleicht hast Du mehr Talent zu einem neuen Christus, der in mir seinen wackeren Paulus findet.* Auch die äußere Erscheinung des Jünglings beschäftigte die Phantasie. *Er hat sich merklich geändert,* schrieb Schlegel im Sommer 1798, *sein Gesicht selbst ist länger geworden und windet sich gleichsam von dem Lager des Irdischen empor, wie die Braut von Korinth. Dabei hat er ganz die Augen eines Geistersehers, die farblos geradeaus leuchten.*

Novalis fesselte durch den Zauber seiner persönlichen Erscheinung ebenso wie durch seine Schriften. Der Naturphilosoph Henrik Steffens schildert ihn so: *Wenige Menschen hinterließen mir für mein ganzes Leben einen so bedeutenden Eindruck. Sein Äußeres erinnerte dem ersten Eindruck nach an jene frommen Christen, die sich auf eine schlichte Weise darstellen. Sein Anzug selbst schien diesen ersten Eindruck zu unterstützen, denn dieser war höchst einfach und ließ keine Vermutung seiner adligen Herkunft aufkommen. Er war lang, schlank, und eine hektische Konstitution sprach sich nur zu deutlich aus. Sein Gesicht schwebt mir vor als dunkel gefärbt und brünett. Seine feinen Lippen, zuweilen ironisch lächelnd, für gewöhnlich ernst, zeigten die größte Milde und Freundlichkeit. Aber vor allem lag in seinen tiefen Augen ätherische Glut. Er konnte, besonders in größeren Gesellschaften oder in Gegenwart von Fremden, lange stillschweigend, in Nachdenken versunken, dasitzen. Nur wo ihm verwandte Geister entgegenkamen, gab er sich ganz hin. Dann aber sprach er gern und ausführlich und erschien im höchsten Grade lehrhaft.*

Es muß sich um eine solche Begegnung von *verwandten Geistern* gehandelt haben, als Schlegel im Januar 1792 zum ersten Mal mit Novalis zusammentraf: *er redet,* schreibt Friedrich Schlegel danach an seinen Bruder, *dreimal mehr und dreimal schneller als wir andre – die schnellste Fassungskraft und Empfänglichkeit … Nie sah ich so die Heiterkeit der Jugend.* Das schreibt jemand, der selbst viel und schnell redet. Zuerst dachte Schlegel, er könne den um ein Jahr Jüngeren leiten, bis sich die Rangordnung umkehrte. Besonders in den letzten beiden Jahren wurde ihm der Freund zum bewunderten Vorbild.

In dieser Zeit, zwischen 1799 und 1801, lebte Novalis in einem wahren Schaffensrausch. Der »Heinrich von Ofterdingen« sollte der erste in einer Reihe von mindestens sechs Romanen sein. Er plante einen ganzen Zyklus. *Ich habe Lust*, schreibt er am 27. Februar 1799 an Caroline Schlegel, *mein ganzes Leben an Einen Roman zu wenden – der allein eine ganze Bibliothek ausmachen – vielleicht Lehrjahre einer Nation enthalten soll.* Er hatte nichts Geringeres vor, als den Deutschen ihren romantischen Mythos zu dichten. Es sollte darin alles seinen Platz finden, die Entstehung des christlichen Abendlandes, griechisch-antike Einflüsse, morgenländische Weisheit, römisches Herrschaftswissen, die hohe Zeit der Staufer-Kaiser, die politischen und geistigen Schicksale Deutschlands von den Anfängen bis zur Gegenwart, märchenhaft und gedankenreich, erzählend und reflektierend; am Ende sollte Heinrich, in dessen individueller Bildungsgeschichte sich die große Geschichte spiegelt, die blaue Blume, die er im Traume geschaut hatte, pflücken und sodann zum *klingenden Baume* werden. Eine Suche nach der verlorenen Zeit, die auch mit einer wiedergefundenen, mit einer erfüllten Zeit endet. *Ich bin dem Mittage so nahe*, schreibt Novalis während der Arbeit am Roman euphorisch an Caroline, *daß die Schatten die Größe der Gegenstände haben – und also die Bildungen meiner Phantasie so ziemlich der wirklichen Welt entsprechen.* Die Wirklichkeit, richtig verstanden, ist selbst so phantastisch, daß nur ein Höchstmaß an poetischem Geist sie erfassen kann. Novalis fühlte sich dazu imstande. Es war kurz vor seinem Tod.

Geboren wurde Friedrich von Hardenberg am 2. Mai 1772 im thüringischen Oberwiederstedt – erst 1798 nahm er den Künstlernahmen ›Novalis‹ an, was bedeutet: der Neuland Bebauende. Die Hardenbergs waren ein altes ursprünglich niedersächsisches Adelsgeschlecht. Der Vater war Gutsbesitzer und kursächsischer Salinendirektor, herrnhuterisch-fromm, Patriarch einer kinderreichen Familie. Doch zunächst war der Onkel, der als Landkomtur des Deutschritterordens in der Nähe vom Helmstedt residierende Gottlob Friedrich von Hardenberg, die bestimmende Gestalt, denn bei ihm wuchs Friedrich auf. Der Onkel war, anders als der Vater, adelsstolz und wollte seinem Neffen Gelegenheit geben, seine *Eitelkeit zu befriedigen*. Er wollte aus ihm einen *Weltmann* machen und hatte ihm, berichtet Novalis, *das Ridiküle eines Schöngeistes* warnend vor Augen gerückt. Allerdings vergeblich. Novalis wurde genau das: ein Schöngeist. Den Wünschen des Vaters aber folgte er: Er ließ sich zum Verwaltungs- und Salinenbeamten ausbilden. Der Onkel war frivol-weltlich, der Vater fromm, und am Ende fand Novalis zu einer Frömmigkeit, die etwas Frivoles hatte, weil sie so poetisch-artistisch war.

Novalis blieb familienverbunden, hing liebevoll an der Mutter, die er später im Bilde der *Gottesmutter* verklären wird, und achtete den Vater, weil er ihn die *Verachtung des äußeren Glanzes* gelehrt und ihm geholfen hatte, den Eingebungen des *Herzens* zu folgen und wenig *Rücksicht auf die Meinung der Welt zu nehmen*. Unbefangen, selbstbewußt, gefühlvoll und enthusiastisch tritt der junge Student auf, der 1791 in Jena Schillers Vorlesungen besucht. Anders als der fast gleichaltrige Hölderlin, der Schiller ebenso schwärmerisch anhängt, ist Novalis niemals in Gefahr, sich zu verkrampfen. Er kommt eben aus dem Adel, bei dem ruhiges Selbstbewußtsein eine ererbte Mitgift ist, und deshalb bleiben ihm Hölderlins Qualen eines schwankenden Selbstgefühls erspart, das sich allein auf intellektuelle Leistung stützt. Kindlich-offen wirbt Novalis um Schillers Zuneigung, indem er ihm schreibt, er wünsche sich, *daß ich Ihnen ein bißchen lieb bleibe und daß ich, wenn ich Sie wiedersehe, noch immer die alte Stelle in Ihrem Herzen offen finde*. Als Schiller Anfang 1791 schwer krank darniederliegt, hält Novalis Nachtwache und trocknet ihm die schweißnasse Stirn. Der Vater hatte Schiller gebeten, auf den Sohn Einfluß zu nehmen, um ihn von den schönen Künsten wieder auf das Brotstudium der Juristerei zurückzubringen, und Schiller handelt dementsprechend, im Bewußtsein, daß der poetische Trieb, wenn er stark genug ist, sich allemal seinen Weg bahnt. Von einem Schiller läßt sich Novalis raten und wechselt von Jena nach Leipzig mit dem Vorsatz, dort sein Jurastudium abzuschließen. Er verordnet sich ein *Seelenfasten in Absicht der schönen Wissenschaften*, die für eine

Weile zu *Gespielen* der Nebenstunden herabgestuft werden. Sie sollen jedoch sein wahres *Siegel der Begeisterung und Hoheit* bleiben.

In Leipzig ergreift ihn für einige Zeit die *Weltsucht*, die er bei seinem Onkel gelernt hat. Er lebt auf großem Fuße, macht Schulden, läßt sich auf Ehrenhändel und Liebschaften ein. Die Briefe aus dieser Zeit klingen schwerenöterisch, mit dem Studium kommt er nicht voran.

Um sich selbst zu disziplinieren, will er zum Militär. *Der üppigere Gedankenstrom wird sich verlieren, aber er wird desto reichhaltiger sein,* hofft er. Todesfurcht hat er nicht. *Ich bin fest überzeugt, daß man in der Welt mehr verlieren kann, als das Leben.* Die Öde des Dienstes? Gerade die *mechanischen Pflichten* lassen dem Kopf und dem Herzen *alle mögliche Freiheit.* In dem ausführlichen Brief, worin er seinen Vater um die Zustimmung zu seinen Plänen bittet, entwirft er ein ganzes Programm zur Verbesserung seines Charakters. Phantasien müssen zu Empfindungen, Leidenschaft zu Besonnenheit, Ahnungen zu Einsichten, Erkenntnisse zu Grundsätzen und Einfalt zu Einfachheit werden. Der Vater begrüßt die guten Vorsätze des Sohnes, nicht aber, daß er sie ausgerechnet beim Militär verwirklichen will. Am Ende sieht Novalis selbst ein, daß er nicht das Militär benötigt, um sich zu disziplinieren und seinen Charakter zu verbessern. Im Sommer 1794 legt er in Wittenberg das juristische Examen ab und tritt seinen Dienst als Aktuarius (Praktikant) beim Kreisamt in Tennstedt an. Ende dieses Jahres begegnet er Sophie von Kühn. Er ist überwältigt. Es ist die große Liebe seines Lebens. Was nun geschieht, ist Romantik als Lebensform, wie sie sonst nur im Buche steht.

Das Mädchen ist erst dreizehn Jahre alt, sie ist aus guter Familie. Hinderungsgründe für eine Ehe, zu der Novalis sofort entschlossen ist, gibt es also nicht, außer vielleicht das jugendliche Alter der Braut. Aber der Vater ist bereit, darüber hinwegzusehen, denn auch er hat das Mädchen liebgewonnen. Die Freunde aber konnten nicht recht begreifen, was Novalis faszinierte, sie fanden Sophie nicht sonderlich anziehend. Nur Tieck ist hingerissen. Keine Beschreibung könne ausdrücken, schreibt er, *in welcher Grazie und himmlischen An-*

mut sich dieses überirdische Wesen bewegt und welche Schönheit sie um-
glänzt, welche Rührung und Majestät sie umkleidet habe.

Novalis selbst konnte trotz Verzauberung die Geliebte auch distanziert beurteilen. So vertraut er seinem Tagebuch im Sommer 1796 die folgende Charakteristik an: *Ihre Frühreife. Sie wünscht allen zu gefallen ... Ihr Steifsinn und ihre Schmiegsamkeit gegen Leute, die sie einmal schätzt, oder die sie fürchtet ... Sie macht sich nicht viel aus Poesie ... Sie scheint noch nicht zum eigentlichen Reflektieren gekommen zu sein ... Ihr Tabakrauchen ... Ihre Dreistigkeit gegen den Vater ... Ihr Hang gebildet zu sein ... Kinderliebe. Ordnungsgeist. Herrschsucht. Ihre Sorgfalt und Passion für das Schickliche — Sie will haben, daß ich überall gefalle ... Sie will sich nicht durch meine Liebe genieren lassen. Meine Liebe drückt sie oft. Sie ist kalt durchgehends. Ungeheure Verstellungsgabe, Verbergungsgabe der Weiber überhaupt ...*

Im Sommer 1795, nach der heimlichen Verlobung, beginnt Novalis mit dem Studium Fichtes, dem er in Jena persönlich begegnet war. Wie die »Wissenschaftslehre« auf ihn wirkte, wurde schon dargestellt. Zu ergänzen ist aber für den Zusammenhang dieser Lektüre mit der Liebesgeschichte, daß Novalis bisweilen Fichtes Unterscheidung zwischen dem empirischen und dem transzendentalen Ich ignoriert. In seiner verliebten Hochstimmung ist ihm dann so, als könnte er den transzendentalen Standpunkt nicht nur denken, sondern auch unmittelbar erleben. Das transzendentale Ich erleben bedeutete für ihn: *festeres Fußfassen im Unvergänglichen, im Göttlichen in uns* (an Caroline Just, 10. April 1796). Genau dies widerfährt ihm bei Sophie. In Fichtes Terminologie formuliert er diese Erfahrung so: *Die höchste Aufgabe der Bildung ist, sich seines transzendentalen Selbst zu bemächtigen, das Ich seines Ichs zugleich zu sein.*

Aber Sophie erlaubt ihm nicht nur den transzendentalen Höhenflug des Gefühls. Wer das *Ich seines Ichs* ist, kann nämlich beides, sich den Gefühlen hingeben und sie zugleich beobachten und damit einen verfremdenden Blick auf die Geliebte werfen. Das ergibt genaue Analysen des Seelenzustandes: *Ich habe mein Ich so mit Ihrem Bilde amalgamiert, daß ich keinen Atemzug ohne sie tue. Es wächst mit jedem Tage und ich hätte nie geglaubt, eine Empfindung könne so unauf-hörlich wachsen und doch noch immer Raum behalten. Dabei bin ich doch sowenig Schwärmer, daß ich in dieser Rücksicht einem jährigen Ehemann den Handschuh hinwerfen könnte* (an Caroline Just, 10. April 1796). Dem mit ihrem Bilde *amalgamierten* Ich gegenüber bleibt das *Ich seines Ichs* offenbar frei, *nicht eine Spur von wilder, an sich reißender Leidenschaft.*

Die Verliebtheit hindert ihn nicht daran zu bemerken, wie er sich etwas vormacht. Das nennt er in demselben Brief: sich eine *künstliche Bestimmung zu machen*, und weiter: *es ist allemal ein Poem, denn dies bedeutet in der Ursprache nichts, als Machwerk.*

Wenn Novalis von *Poem* und *Machwerk* spricht, dann ist nicht im herablassenden Sinne von Illusion und Selbstbetrug die Rede, sondern gemeint ist die Äußerung einer lebendigen Kraft, die im philosophischen Diskurs seiner Zeit, vor allem bei Kant und Fichte, *Einbildungskraft* genannt wird.

Diese Kraft, die er in seinen Fichte-Studien *produktive Imagination* nennt, läßt er auch in bezug auf Sophie wirken. Dadurch entsteht in einem doppelten Sinne eine neue Wirklichkeit. Denn erstens beschwingt und steigert die Einbildungskraft sein Lebensgefühl. Es wird also eine neue, wenngleich nur subjektive Wirklichkeit geschaffen. Zweitens aber wirkt die Einbildungskraft nach außen wie ein Magnet. Sie zieht aus der anderen Person etwas hervor, das wirklich in ihr steckt. Durch die Einbildungskraft verwandelt und steigert man sich selbst und den anderen. Diese doppelte, sowohl subjektive wie objektive, Steigerung bezeichnet Novalis in anderem Zusammenhang als *Romantisieren* und gibt dafür die Definition: *Romantisieren ist nichts, als eine qualitative Potenzierung.* In der romantischen Liebe zu Sophie gelingt Novalis diese doppelte *qualitative Potenzierung*, er potenziert sich selbst und die Geliebte.

Im Sommer 1796 aber erkrankt die Geliebte, und am 19. März 1797 stirbt sie. Im Tagebuch notiert Novalis: Sein Trost sei die *wunderbare Heilkraft der Wissenschaft.* Welche Wissenschaft?

Novalis, zur Zeit kursächsischer Salinenbeamter in Weißenfels, bildet sich für seine Arbeit fort, indem er Naturwissenschaften studiert und daran seine naturphilosophischen Spekulationen knüpft. Und der Trost, den er daraus zieht, hängt wohl zusammen mit der Einfühlung in die grandiose Lebendigkeit der ganzen Natur, in ihre ungeheure Geschichte, die auch den Menschen hervorgebracht hat und im menschlichen Geist zum Bewußtsein ihrer selbst und ihrer wirkenden Kräfte durchdringt.

Um *alles Ungemach des Lebens zu bestehen*, vertieft er sich also in die schöpferischen Kräfte der Natur, die er auch in sich selbst spürt. *Nach innen geht der geheimnisvolle Weg.* Was er aber dort entdeckt, ist ihm inzwischen gehaltvoller als Fichtes Ich. *Ist denn das Weltall nicht in uns? Die Tiefen unseres Geistes kennen wir nicht ... In uns, oder nirgends ist die Ewigkeit mit ihren Welten.*

Der *innere Blick* auf die Natur sucht das Bündnis mit ihr, er will sie so verstehen, *wie wir uns selbst und unsere Geliebten ... verstehen.* Statt herzlose Analytik eine Erotik des Naturumgangs. Bei Novalis wird allmählich aus Fichtes absolutem Ich, das auch der Natur zugrunde liegen soll, ein Du. Und da zwischen Liebenden alles möglich ist, gilt: *Was ich will, das kann ich – Bei den Menschen ist kein Ding unmöglich.*

Novalis vollzieht hier bereits eine Wendung, die eine Generation später Schopenhauer, noch aus romantischem Geist, auf geniale Weise wiederholen und zum geschlossenen System ausgestalten wird. Schopenhauer wird, wie Novalis, das Erkennen nach dem Prinzip der Kausalität – er nennt es *Vorstellung* – unterscheiden von der intimen und leibnahen Art, die Natur von innen zu verstehen. Nur in mir selbst, erklärt Schopenhauer, erlebe ich, was die Welt noch ist, außer daß sie mir als Vorstellung gegeben ist. Der Mensch, der sich selbst erfährt, erlebt die Innenseite der Welt. *Man ging*, schreibt Schopenhauer in seinen Aufzeichnungen, *nach Außen in alle Richtungen, statt in sich zu gehen, wo jedes Rätsel zu lösen ist.* Was die Welt ist, außer daß sie meine Vorstellung ist, das ist bei Schopenhauer der am eigenen Leibe erlebte Wille, als jene dunkle Lebensmacht, die im Menschen wie in der ganzen Natur wirkt.

Wie später Schopenhauer wollte Novalis die Natur aus dem eigenen Selbst verstehen, zunächst unter dem Einfluß Fichtes aus der Struktur des Selbstbewußtseins, dann aber aus den dunklen, zugleich triebhaften und schöpferischen Kräften. *Sonderbar, daß das Innere der Menschen nur so dürftig betrachtet und so geistlos behandelt worden ist ... Keinem fiel es ein, noch neue ungenannte Kräfte aufzusuchen.*

Diese *ungenannten Kräfte* nennt Novalis, wie später Schopenhauer, Wille. *Im Grunde lebt jeder Mensch in seinem Willen,* wobei es bemerkenswert ist, *daß ich auch einen Willen habe ... ohne daß ich darum weiß.* Dieser Wille ist, so Novalis, etwas Magisches, Kräftiges. Daran ist nichts Mysteriöses, im tätigen Gebrauch der Organe, wenn ein geistiger Impuls die körperlichen Bewegungen veranlaßt und lenkt, zeigt sich die *magische* Kraft des Willens. Warum sollte es nicht möglich sein, mit dieser Magie des Willens zu beweisen, daß in einem noch tieferen und radikaleren Sinne Schillers Satz gilt: *Es ist der Geist, der sich den Körper baut?* Vielleicht ist es nur eine Frage der Übung, ob wir die Magie des Willens über die bisherigen Grenzen hinaus wirken lassen können.

Was Novalis hier vorschwebt, nennt er *magischen Idealismus,* und er verspricht sich große Dinge davon. Wenn wir diesen *magischen Idealismus* erlernt haben werden, *dann wird jeder sein eigener Arzt sein – und sich ein vollständiges, sichres und genaues Gefühl seines Körpers erwerben können – dann wird der Mensch ... vielleicht imstande sogar sein verlorene Glieder zu restaurieren, sich bloß durch seinen Willen zu töten, und dadurch erst wahre Aufschlüsse über Körper – Seele – Welt – Leben – Tod und Geisterwelt zu erlangen.*

Nach dem Tode Sophies praktiziert Novalis zum ersten Mal seinen *magischen Idealismus,* er setzt auf die Stärke und Magie seines Willens. Er setzt ihn nicht ein, um *verlorene Glieder zu restaurieren,* sondern er will der Geliebten nachsterben, nicht, indem er Hand an sich legt, sondern allein durch den Willen soll der Übergang von dem einen in das andere Leben bewirkt werden. Er setzt sich eine Frist von einem Jahr und weiht seine Freunde ein. Er macht sie zu Zeugen dieses ultimativen Projektes aus dem Geiste seines magischen Idealismus. Kurz vor Sophies Tod hatte Novalis sich als *verzweifelter Spieler* bezeichnet, dessen weiteres Schicksal davon abhängt, *ob ein Blütenblatt in diese oder jene Welt fällt* (an Wilhelmine von Thümmel, 8. Februar 1797). Nach ihrem Tode schreibt er am 13. April 1797: *Das Blütenblatt ist nun in die andre Welt hinübergeweht – Der verzweifelte Spieler wirft die Karten aus der Hand, und lächelt, wie aus einem Traum erwacht, dem letzten Ruf des Wächters entgegen und harrt des Morgenrots, das ihn zum frischen Leben in der wirklichen Welt ermuntert.*

Novalis ist erfüllt von dem Glauben, daß der Tod, den er selbst bewirkt, eine Verwandlung ist, kein Ende. Orpheus folgt der Eurydike, doch nicht ins Reich der Toten, sondern in ein höheres Leben. Die Todessehnsucht ist in Wahrheit das Verlangen nach einem gesteigerten Leben, und er will es erreichen kraft seines Willens und magisch angezogen vom verklärten Bild der Geliebten. Im Trennungsschmerz spürt er seinen *Beruf zur unsichtbaren Welt.*

Am Grab Sophies, das er täglich besucht, gibt es *Augenblicke auflodernder Heiterkeit*, als wäre er bereits mit der Geliebten vereint, und bestürzt fragt er sich: *Du bist doch nicht im Wahnsinn?* Er ist nicht im Wahnsinn, es ist die produktive Einbildungskraft, über die er zuvor in seinen Fichte-Studien theoretisiert hatte, die ihn jetzt fortreißt in ein imaginäres Jenseits, das ihm ein wirkliches ist. Aber noch ist er nicht dort, noch ist er hier, der Übergang muß noch geleistet werden. Er beginnt ein Tagebuch ausdrücklich in der Absicht, seinen Entschluß zu festigen, Anfechtungen genau zu registrieren und niederzukämpfen. Einmal notiert er über diesen Entschluß: *So fest er zu sein scheint, so macht mich doch das zuweilen argwöhnisch, daß er mir so fremd vorkömmt.* Ein andermal nach dem Besuch am Grab: *Mir war sehr wohl – ich war zwar kalt – aber doch weinte ich.* Dann wieder *einige wilde Freudenmomente* am Grab. Er meidet die *Stimmung des Alltagslebens* und vermerkt es kritisch, wenn er sich in Gesellschaft wohl fühlt, wenn er redet bis ihm der Hals schmerzt, wenn er zuviel ißt. *Ich muß schlechterdings suchen mein besseres Selbst im Wechsel der Lebensszenen, in den Veränderungen des Gemüts behaupten zu lernen. Unaufhörliches Denken an mich selbst und das, was ich erfahre und tue.*

Fichte spukt noch in seinem Kopf, und darum setzt er dieses *bessre Selbst* gelegentlich mit dem *eigentlichen Begriff vom Fichtischen Ich* gleich. Aus angespannter Selbstbeobachtung wird Belauern. Bei manchen Regungen weiß Novalis nicht, wie er sie bewerten soll: *Früh etwas aus Fichte extrahiert – ein wenig weit die Lüsternheit getrieben.* Ist es noch die Erinnerung an die Lüsternheit hier, oder schon die Lüsternheit nach der jenseitigen Vereinigung? Er selbst weiß nicht genau, was er davon zu halten hat, erst recht sind die irritiert, die ihn bei seinen befremdlichen Ritualen beobachten. Eine Freundin der Schwester Sophies, Caroline von Kühn berichtet: *Nach Sophiens Tod hielt er sich oft tagelang in ihrem Zimmer verschlossen, und lebte nur seinem Schmerze. Die Besorgnis der Ihrigen, wie er diese lange Einsamkeit zubringe, führte eines Tages die Schwester zu ihm hinauf, und indem sie zur Türe eintritt, bleibt sie starr vor Entsetzen daran stehen, da sie die Verstorbene so wie in der Stunde ihres Todes auf ihrem Bette liegen sieht. Die Erklärung war, daß Novalis das lange blaue Kleid, in dem sie gestorben war, auf dem Bette ausgebreitet, die Haube, die sie getragen, darüber gelegt und ein Taschenbuch, in dem sie zuletzt gelesen, dazu aufgeschlagen hatte, um sich den Anblick ihrer lesenden Gestalt zurückzurufen und festzuhalten.*

Trotz allem, allmählich verblaßt der Entschluß zum Nachsterben, das gewöhnliche Leben nimmt ihn wieder gefangen, das empirische Ich behauptet seine Rechte gegen das transzendentale, das sich zum transzendenten aufschwingen wollte. Doch gänzlich verschwindet es nicht. Es bleibt so weit präsent, daß ihm das gewöhnliche Leben provisorisch vorkommt und es geschieht immer wieder, daß die Sehnsucht nach dem Tod, *diesem festeren Fußfassen im Unvergänglichen*, durchbricht. Soeben hat Novalis sich mit Julie von Charpentier, der Tochter seines Mentors in Freiberg, Bergrat Charpentier, verlobt, da schreibt er an Friedrich Schlegel: *Ein sehr interessantes Leben scheint auf mich zu warten – indes aufrichtig wär ich doch lieber tot* (20. Januar 1799). Auch berichtet er, mit welchen Mühen er die innerlich abgebrochenen Verbindungen zu seinen alltäglichen Geschäften wiederherstellen muß. Aber es gelingt ihm ganz gut: *Ich fange an das Nüchterne, aber echt fortschreitende, Weiterbringende zu lie-*

ben – *indes sind die Phantasien immer phantastisch genug* (an Caroline Schlegel, 20. Januar 1799).

Anfang 1798 beginnt Novalis sein Studium an der Bergakademie in Freiberg. Die bisherige Beschäftigung mit der Bergbaukunde und den Naturwissenschaften gelten ihm inzwischen als bloßes Vorspiel. Jetzt läßt er sich mit aller Energie darauf ein. Er lernt den Untertagebau auch praktisch kennen. Aus dem *Beruf zur unsichtbaren Welt* wird der Beruf zur unterirdischen, nächtlichen Welt. Diese neu erwachte unterirdische Lust wird im »Heinrich von Ofterdingen« deutliche Spuren hinterlassen. Dort ist die Rede von dem *beneidenswerten Glück*, das der *Umgang mit den uralten Felsensöhnen der Natur, ihren dunklen, wunderbaren Kammern* gewährt. Unter Tage, in der Nacht des Berges, erlebt er eine *freudige Erhebung über die Welt*. Ein geheimnisvoller Bergmann singt: *Der ist der Herr der Erde, / Wer ihre Tiefe mißt, / Und jeglicher Beschwerde / In ihrem Schoß vergißt / ... / Er ist mit ihr verbündet, / Und inniglich vertraut, / Und wird von ihr entzündet, / Als wär' sie seine Braut.*

Die neue Bekanntschaft mit der unterirdischen Welt wird auch die »Hymnen an die Nacht« prägen. Dieses erste bedeutende und einzige vollendete dichterische Werk von Novalis entsteht zwischen 1798 und 1799, in einem Zeitraum, da sich die Ekstasen des Überirdischen, das Sophie-Erlebnis, verbinden mit der neuen Lust am Unterirdischen, der Faszination durch den Bergbau. In der vierten Hymne heißt es: *Die kristallene Woge, die gemeinen Sinnen unvernehmlich, in des Hügels dunkeln Schoß quillt, an dessen Fuß die irdische Flut bricht, wer sie gekostet ... wahrlich der kehrt nicht in das Treiben der Welt zurück ... Alles Irdische schwimmt oben auf, ... aber was Heilig ward durch der Liebe Berührung, rinnt aufgelöst in verborgenen Gängen auf das jenseitige Gebiet, wo es ... sich mit entschlummerten Lieben mischt.*

Erstmals am 31. Januar 1800 erwähnt Novalis in einem Brief an Friedrich Schlegel fast beiläufig die »Hymnen«, die bald als Inbegriff der todesverliebten und mystischen Romantik gelten werden. *Außerdem schicke ich euch noch ein langes Gedicht.*

Von den sechs Hymnen ist es die dritte, die recht deutlich auf das

Erlebnis am Grabe der Geliebten hinweist. Möglicherweise ist sie auch schon damals entstanden, jedenfalls bezeichnet sie die Urszene und den Keim für die anderen Hymnen. Sie beginnt: *Einst da ich bittre Tränen vergoß, da in Schmerz aufgelöst meine Hoffnung zerrann . . .* und endet: *seitdem fühl ich ewigen, unwandelbaren Glauben an den Himmel der Nacht und sein Licht, die Geliebte.* Dazwischen ereignet sich die Epiphanie einer Nacht, die gerade nicht auf das Nichts, sondern auf eine überwältigende Fülle weist. Es muß aber zuvor *das Band der Geburt* reißen, es muß sich auflösen, was an das alltägliche Leben bindet, eine zweite Geburt muß geschehen, die einen von *des Lichtes Fesseln* befreit, und sie kann geschehen – aus Liebe. Im Tagebuch hatte Novalis diesen ekstatischen Augenblick, den die Hymne entfaltet, nur mit wenigen Worten festgehalten: *Dort war ich unbeschreiblich freudig – aufblitzende Enthusiasmus Momente – Das Grab blies ich wie Staub, vor mir hin – Jahrhunderte waren wie Momente.*

Novalis erinnert in der Hymne an diese Szene, weil sie ihm die Angst vor der Nacht genommen hat und vor dem, was sie gewöhnlich symbolisiert: Tod, Sinnlosigkeit, Abwesenheit, Leere, Verfinsterung. Inzwischen hat er gelernt, daß die Liebe triumphiert über die Angst des Todes und über jede Art der Verneinung. Sieht man mit dem liebenden Blick ins Dunkle, ist immer etwas darin. *Himmlischer als jene blitzenden Sterne / . . . / Dünken uns die unendlichen Augen, / Die die Nacht in uns geöffnet.*

Aber natürlich bleiben die nächtlichen Schrecken von Nichtsein, Abwesenheit, Sinnlosigkeit gegenwärtig. Andernfalls würde der Widerstand fehlen, den es stets aufs neue zu überwinden gilt. Das Zerstörende und Bedrohliche muß von Ferne anklingen, damit die Heiligung der Nacht noch eine Spur jener *grausamen Wollust* enthält, die Novalis anderswo als ein Element der religiösen Erfahrungen bezeichnete.

Es wird später, bei Leopardi und Baudelaire beispielsweise, andere poetische Versuche über die Nacht geben, die das Aufhören zur Sprache bringen, das Verschwinden, das drohende oder lockende Nichts, die große Müdigkeit, die Lust an der Vernichtung. Es klingt bei Novalis zwar auch schon etwas davon an, aber vorherrschend ist doch das Bild einer Nacht, die von der *Nachtbegeisterung* erhellt wird und die einen *Heiligen Schlaf* schenkt, der nicht dem Schlummer, nicht dem radikalen Aufhören gleicht, sondern eher einem durch Drogen herbeigeführten Rausch. In der *goldnen Flut der Trauben – in des Mandelbaums Wunderöl, und dem braunen Safte des Mohns* kann man ihn ahnen, diesen *Heiligen Schlaf.*

Die Nacht bringt die große Verwandlung, sie ist aber auch eine Nacht des Ursprungs, aus dem das Sein entspringt. Es ist die Dunkelheit des Erdreichs, worin, noch vor der Sonne geschützt, die Saat keimt. Das Wurzelreich ist dunkel wie die Nacht.

Die Bilder der Nacht und der Bergwelt werden eins. Die Nacht erscheint als Erdenschwere, als mütterliches Prinzip, als das Bergende. *Du verflögst in dir selbst / In endlosen Raum / Zergingst du, / Wenn sie dich nicht hielte / Dich nicht bände / Daß du warm würdest / Und flammend die Welt zeugtest.* Die Nacht ist das absolute Innen, demgegenüber das, was an den lichten Tag kommt, äußerlich ist. Die Nacht ist die Zeit, und der Berg ist der Ort des Ursprungs. Was aus dem Ursprung kommt, ist das Entsprungene, es kann aber auch das dem Ursprung Entfremdete sein. Wieviel Ursprung das Entsprungene in sich bewahrt, entscheidet über sein Gelingen, seine Wahrheit und Schönheit. So läßt sich der rätselhafte Satz verstehen: *Trägt nicht alles, was uns begeistert, die Farbe der Nacht?* Die Nacht wäre dann das, wohin wir zurückkehren, eine Wiedergeburt, aber auch eine Zurück-Geburt. Das Entsprungene kehrt in seinen Ursprung zurück. Deshalb die wollüstigen Bilder des Eingehens in die Geliebte, die zugleich die Mutter ist. *Noch wenig Zeiten, / So bin ich los, / Und liege trunken / Der Lieb' im Schoß.*

Die ersten vier Hymnen schildern ein persönliches Offenbarungsgeschehen. Hier ist die Mystik der Nacht noch mit keiner offiziellen Religion verbunden. Das ändert sich in der fünften Hymne, mit der die christliche Religion ins Spiel kommt. Die Zäsur ist deutlich markiert. Nach dem Privatmythos die christliche Glaubenslehre, allerdings recht eigenwillig zurechtgemacht. Der fünfte Hymnus erzählt auf originelle Weise von der griechischen Götterdämmerung und dem Triumph des Christentums. Die antiken Götter waren Götter des Tages und des Lichts. Die Angst vor Nacht und Tod war nicht wirklich überwunden, sondern nur ausgegrenzt, überspielt. Die antike Religion hatte vor dem Tod kapituliert und beschränkte sich darauf, den ausgeleuchteten Teil der Welt und des Lebens zu feiern: *Es war der Tod, der dieses Lustgelag / Mit Angst und Schmerz und Tränen unterbrach.* Erst das Christentum hat auch die andere Hälfte der Welt, die nächtliche und tödliche, erobert und ihres Schreckens beraubt. Erst das Christentum hat jene Weltrevolution der Seele bewirkt, die es ihr erlaubt, im Bedrohlichen das Verheißungsvolle zu entdecken. Christus ist dem vom Tode geängstigten Menschengeschlecht vorangegangen, durch Tod und Nacht und Auferstehung. Seitdem könnte der Tod seinen Stachel verloren haben, vorausgesetzt man glaubt an die Magie von Kreuz und Auferstehung.

Glaubt Novalis wirklich daran?

Die Nacht ward der Offenbarungen mächtiger Schoß. Dieser Satz kann sich auf beides beziehen: auf die individuelle Offenbarung bei der Mystik des Sophie-Erlebnisses und auf die allgemeine, geschichtlich gewordene Offenbarung durch Christus.

Wirklich erfahren hat Novalis, daß Sophie wie ein Christus ihm in den Tod vorausging und ihn magisch in ein Jenseits hinüberzog. Hier konnte er erleben – und brauchte deshalb nicht nur daran zu glauben –, daß die Liebe die Angst vor dem Tod überwinden und eine *Nachtbegeisterung* schaffen kann.

Ob dasselbe aber auch geschieht allein aus dem Glauben an Christus, ist noch sehr die Frage. Gewiß ist nur, daß jene mit Sophie verknüpfte Offenbarung die offizielle Offenbarung stützt und sie beglaubigt. Die persönliche Offenbarung hat er erlebt, an die offizielle Offenbarung kann man nur glauben, wenn man es kann. In einem Brief an den väterlichen Freund, den Kreisamtmann Just in Tennstedt hat sich Novalis ausdrücklich zu seiner Privat-Offenbarung bekannt, im Kontrast zur offiziellen christlichen Religion, die sich auf den *Beweisgrund* der heiligen Schriften stützt und die für den älteren Freund verbindlich ist. Dieser möge, schreibt Novalis, nicht daran Anstoß nehmen, *wenn ich weniger auf urkundliche Gewißheit, weniger auf den Buchstaben, weniger auf die Wahrheit und Umständlichkeit der Geschichte fuße; wenn ich geneigter bin, in mir selbst höhern Einflüssen nachzuspüren, und mir einen eigenen Weg in die Urwelt zu bahnen.*

Nun ist aber Novalis, wie die meisten seiner romantischen Generationsgenossen, gewissenhaft im christlichen Glauben erzogen worden. Der Vater hielt im Hause Religionsstunden und Andachtsübungen ab. Wie es dabei zuging, schildert Tieck, nach einem Besuch beim Freunde in Weißenfels. Er hörte den Vater im Nebenzimmer schelten und zürnen. »Was ist vorgefallen«, fragte er besorgt einen Bedienten. »Nichts«, erwiderte dieser trocken, »der Herr hält Religionsstunde.«

Diese robuste Frömmigkeit, für die der Glaube vor allem sittliche Anweisung ist, hatte auch herrnhuterische Gefühlsseligkeit. Es war die Frömmigkeit eines gut aufgeräumten Innenlebens. Dieser fromme Haushalt ist für Novalis Kindheitserinnerung und zugleich Gegenwart, denn noch immer erhält der Vater die Familie im alten Glauben. Novalis respektiert das, denn er liebt seinen Vater. Doch hat er seinen *eigenen Weg in die Urwelt* gefunden. Das ist zwar nicht gegen die häusliche Frömmigkeit geschehen, aber es ist doch eine selbstbestimmte Verwandlung der Tradition. Eine Fortsetzung erlernter Frömmigkeit mit eigenen Mitteln.

Mit den Mitteln der philosophischen Reflexion im Anschluß an Fichte beim Versuch, das Transzendentale zur Transzendenz zu erweitern.

Mit den Mitteln des magischen Idealismus, als Novalis mit der Kraft seines Willens der geliebten Sophie nachsterben und damit *Fußfassen* wollte im *Unvergänglichen.*

Und schließlich mit den Mitteln der Poesie: *Ergründen ist philosophieren. Erdenken ist Dichten.* Diese außerordentliche Rangerhöhung des Dichtens hatte er in seinen »Hymnen an die Nacht« erprobt. Es war ihm dort, noch besser als in der Philosophie und noch nachhaltiger als am Grabe Sophies, gelungen, sich in einen innigen und gesteigerten Zustand zu versetzen. Das liegt daran, daß die poetische Sprache dem Ekstatischen eine ruhige Form gibt. In der Poesie wird Denken zur Andacht.

Aus der Perspektive des inspirierten poetischen Bewußtseins kommen ihm sogar Zweifel an der Philosophie: *die ganze Philosophie ist nur Wissenschaft der Vernunft ... ohne die mindeste Realität im eigentlichen Sinne ... wo bleibt aber da der Nutzen, der praktische Einfluß der Philosophie?* Auf welchen Nutzen kommt es an?

In seiner Rede »Die Christenheit oder Europa« von 1799 findet er eine klare Antwort darauf. Es kommt alles darauf an, heißt es dort, den *heiligen Sinn,* manchmal nennt er ihn auch den *unsterblichen Sinn,* in sich selbst zu bewahren und dafür zu sorgen, daß er in der gegenwärtigen Welt nicht erlischt. Ist dieser Sinn wach und lebendig, so ist auch die jenseitige Welt da, und zwar nicht in einem Jenseits der Zeit, sondern inmitten von Zeit und Gegenwart. Es steht aber um diesen *heiligen Sinn* gegenwärtig nicht gut. Er ist *getrübt, gelähmt, von andern Sinnen verdrängt.*

Novalis verfaßt seine Rede in dem historischen Augenblick, da Napoleon sich anschickt, zum Beherrscher des kontinentalen Europas zu werden und es tatsächlich so aussieht, als würde das alte christliche Europa verschwinden. Französische Truppen haben im Februar 1798 Rom gebrandschatzt und Papst Pius VI. gefangengesetzt und nach Valence verschleppt, wo er im August 1799 stirbt. Die katholische Kirche scheint enthauptet, und es gibt gute Gründe, daran zu zweifeln, ob sie sich jemals wieder erholen wird, denn Napoleon steht für die Dynamik und Expansivität des säkularen Geistes.

Die Rede ist nichts anderes als der Versuch, die Geschichte der *Vertrocknung des heiligen Sinns* zu erzählen, die Gründe dafür ausfindig zu machen und die Chancen einer Erneuerung zu erkunden. Die Rede ist eine poetisch formulierte Geschichts- und Religionsphilosophie, die in die Vision eines dritten Weltzeitalters mündet. Sie beginnt elegisch und endet prophetisch, sie plädiert nicht für die Rückkehr in die gute alte Zeit, sondern für den Aufbruch zu neuen Ufern, für eine gewandelte, wiedergeborene neue Christenheit in einem geeinten Europa, geeint nicht durch die Waffen Napoleons oder die Hegemonie eines nationalen Geistes, sondern geeint in universeller spiritueller Gemeinschaft, *ohne Rücksicht auf Landesgrenzen.*

Eine reaktionäre Utopie? Die Freunde in Jena, denen Novalis die Rede vortrug, waren verwirrt. Es schloß sich eine heftige Kontroverse an. Friedrich Schlegels Lebensgefährtin Dorothea Veit, noch vom nüchternen Geist ihres Vaters, Moses Mendelssohn, geprägt, schrieb an Schleiermacher nach Berlin: *Das Christentum ist hier à l'ordre du jour; die Herren sind etwas toll ... ich will aber wetten was einer will, sie verstehen sich selbst nicht, und einander nicht.*

Ein Hauptgegner von Novalis war Schelling, der, wie Friedrich Schlegel an Schleiermacher berichtet, *dadurch einen neuen Anfall von seinem alten Enthusiasmus für die Irreligion bekommen* habe. Schellings »Epikurisch Glaubensbekenntnis Heinz Widerporstens«, jenes satirische Gedicht in Knittelversen gegen die weichliche Religionsbegeisterung, wurde kurz nach dem Jenaer Treffen verfaßt: *Reden von Religion als einer Frauen, / Die man nur dürft' durch Schleier schauen / Um nicht zu empfinden sinnlich Brunst, / Machen darum viel Wörterdunst ...*

Ludwig Tieck berichtet Jahrzehnte später, der Freundeskreis habe die Rede *einstimmig verworfen* und entschieden, daß sie nicht *durch den Druck* (im »Athenäum«) *bekannt gemacht werden solle.* So war es aber wohl doch nicht, denn Dorothea Veit hatte sich damals, in einem Brief an Schleiermacher, als die *einzige Warnerin gegen eine Veröffentlichung* bezeichnet. Tatsächlich war man unschlüssig. August Wilhelm Schlegel schlug vor, Goethe als Schiedsrichter anzurufen. Dieser empfahl mit vorsichtiger Diplomatie, den Text nicht zu drucken, weil er der Öffentlichkeit Vorwände zu Verleumdungen bieten würde.

Novalis selbst scheint das alles nicht gekränkt zu haben. Hatte er nur experimentiert? Über das Wesen der Rhetorik hatte sich Novalis einmal die folgende Notiz gemacht: *In einer wahren Rede spielt man alle Rollen – geht durch alle Charaktere durch – durch alle Zustände – nur um zu überraschen – um den Gegenstand von einer neuen Seite zu betrachten, um den Zuhörer plötzlich zu illudieren.*

Hatte er die Zuhörer mit seiner Rede nur *illudieren* wollen? Hatte er sich nur in mehreren *Rollen* zeigen wollen, in der des Elegikers, der eine untergegangene Epoche betrauert, des Revolutionärs, der auf eine Erneuerung drängt, des Propheten, der sagt, was an der Zeit ist?

Tatsächlich darf man sich Novalis nicht als jemanden vorstellen, der vor Begeisterung einfach überfließt. Novalis ist nicht naiv, es ist ihm ernst, aber er bleibt doch der Regisseur der Effekte, die er erzielen oder die er ausprobieren möchte. Im rhetorischen Rollenspiel bewährt er sich als der besonnene, noch über seinem Werk stehende Autor, der *transzendentale Poet* eben. Wohl nur so ist es erklärlich, daß Novalis ohne Groll über die mißliche Resonanz an Friedrich Schlegel schreiben kann: *Die Europa schickt mir wieder – ich habe eine andre Idee damit – Sie kann mit einigen Veränderungen zu einigen andern öffentlichen Reden kommen ... Die Beredsamkeit muß auch gepflegt werden und der Stoff ist herrlich* (31. Januar 1800).

Novalis war auch ein begnadeter Spieler. Dafür liebten ihn die Freunde, auch wenn sie ihm nicht immer zustimmten, sie liebten ihn für diesen bezaubernden Leichtsinn, der mit dem Tiefsinn spielen konnte. Novalis war der Mozart der jungen Romantik. Spielerisch leicht wie dieser mit der Musik ging jener mit den Gedanken um. Es war ihm darum aber nicht weniger ernst damit als den übrigen ernsthaften Leuten.

Der Kerngedanke dieser Rede lautet: *Wo keine Götter sind walten Gespenster.* Gegenwärtig, so Novalis, herrschen die *Gespenster* des Eigennutzes, des Nationalismus, des politischen Machtdenkens. Wir würden das heute ›Ideologien‹ nennen. Sie sind an die Stelle des verkümmerten *heiligen Sinns* getreten. Man hat das Wissen vom Glauben losgerissen und wirft sich nun mit Glaubenseifer auf die Wissenschaft als Ersatzreligion. Das sagt der Naturwissenschaftler Novalis, der genau weiß, daß er mit Chemie und Physik dem Welträtsel nicht auf die Spur kommen wird. Er plädiert für eine Wissenschaft, die auch Weisheit ist und deshalb ihre Grenzen kennt. Den wissenschaftlichen Geist, dem er selbst huldigt, versucht er davor zu bewahren, von sich selbst verführt zu werden. Im Blick auf die Geschichte der letzten Jahrhunderte ruft er die Folgen des neuzeitlichen Religionshasses in Erinnerung: *der Religions-Haß dehnte sich sehr natürlich und folgerecht auf alle Gegenstände des Enthusiasmus aus, verketzerte Phantasie und Gefühl, Sittlichkeit und Kunstliebe, Zukunft und Vorzeit, setzte den Menschen in der Reihe der Naturwesen mit Not oben an, und machte die unendliche schöpferische Musik des Weltalls zum einförmigen Klappern einer ungeheuren Mühle, die vom Strom des Zufalls getrieben und auf ihm schwimmend, eine Mühle an sich, ohne Baumeister und Müller, und eigentlich ein echtes Perpetuum mobile, eine sich selbst mahlende Mühle sei.*

Mit der Metapher des *Perpetuum mobile* resümiert Novalis eine ganze Geschichte des modernen Denkens, das sich von der christlichen Metaphysik löst.

Erinnern wir uns: Früher galt, die Natur kann sich selbst nicht erhalten, sie ist Schöpfung und bleibt auf den steten Zustrom göttlicher Gnade angewiesen, man nannte das die *creatio continua*. Seit der frühen Neuzeit gilt die entgegengesetzte Prämisse: Die Natur ist so eingerichtet, daß sie sich selbst erhält. In ihr sind Gesetzmäßigkeiten am Werk, die ihren Bestand garantieren. Die Neuzeit entwickelt das Weltbild der sich selbst erhaltenden Natur, die auf keinen Gott mehr angewiesen ist. Während einer Übergangzeit hielt man am Prinzip Schöpfung fest in Gestalt der Uhrmacherhypothese. Gott hat die Uhr gebaut, hat sie mit einem Werk wohl eingerichtet, und jetzt läuft sie – als dieses Perpetuum mobile eben, wie sie Novalis nennt. Nur schlechte Uhren bedürfen eines Eingriffs des Uhrmachers. Aber ein vollkommener Gott baut keine schlechten Uhren. Die Uhrmacherhypothese beflügelte die theoretische, forschende Vernunft. Denn sie konnte sich nun zutrauen, das Räderwerk zu begreifen, zuerst andächtig staunend vor Gottes Wunderwerk, dann mit dem Willen, einzugreifen und mit Hilfe der

Kenntnis der Gesetzmäßigkeiten eigene Werke zu verfertigen. Die Uhrmacherhypothese war auch die elegante Art, den Gnaden-Interventionismus überflüssig zu machen. Von nun an konnte, so glaubte man, die Natur gnadenlos ablaufen. Das hatte eine spürbare Abkühlung der gefühlten Weltverhältnisse zur Folge, was freilich durch eine anderweitige Erhitzung kompensiert wurde, denn man begann, diese ›abgekühlte‹ Natur technisch zu beherrschen und sich dienstbar zu machen.

Kehren wir zu Novalis zurück, für den dieser Prozeß zur Folge hat, daß der gegenwärtige Mensch *rastlos beschäftigt* ist, *die Natur, den Erdboden, die menschlichen Seelen und die Wissenschaften von der Poesie zu säubern, – jede Spur des Heiligen zu vertilgen, das Andenken an alle erhebenden Vorfälle und Menschen durch Sarkasmen zu verleiden, und die Welt alles bunten Schmucks zu entkleiden.*

Das christliche Mittelalter wählt Novalis als Kontrastbild. *Es waren schöne glänzende Zeiten, wo Europa ein christliches Land war . . .* Das ist Suche nach der verlorenen Zeit, im Spiegel der eigenen Kindheit und der des Menschengeschlechtes. Novalis schildert, wie der kindliche Sinn für das Wunderbare mit dem neuzeitlichen Erwachsenwerden verschwand, wie *Glaube und Liebe* durch *Wissen und Haben* ersetzt wurde, wie sich alles nur noch um die *eigennützigen Sorgen* dreht, wie der *unruhige Tumult zerstreuender Gesellschaft* keine Zeit mehr läßt zum *stillen Sammeln des Gemüts, zu aufmerksamer Betrachtung der innern Welt.* Charakteristisch für die damalige Zeit soll aber gewesen sein, daß diese innere Welt eben nicht nur eine innere war, sondern sich äußerlich darstellte, in den von der Kirche geordneten Lebensformen, den Ritualen, Bildnissen, Festen, heiligen Verrichtungen. Dieses *organisch* wohlgeordnete Leben aber, über dem sich ein Himmel wölbte, verschwand.

Selbstverständlich weiß Novalis, daß er das Mittelalter über Gebühr idealisiert, oder eben *romantisiert*, aber er erklärt ausdrücklich, daß er das Faktische, das *Buchstäbliche*, weniger wichtig nimmt als den *Geist*, der in der Geschichte wirkt. Der Geist der neueren Zeit ist für ihn der Geist der Entzauberung.

Das Kontrastbild aber, dieser Traum nach rückwärts in eine Zeit vor der ›metaphysischen Obdachlosigkeit‹, wird auch nach Novalis immer wieder geträumt werden, ein Jahrhundert später beispielsweise von dem jungen Georg Lukács, ehe er noch Marxist und Parteikommunist wurde. Seine berühmte »Theorie des Romans« beginnt wie bei Novalis: *Selig sind die Zeiten, für die der Sternenhimmel die Landkarte der gangbaren und zu gehenden Wege ist ... Die Welt ist weit und doch wie das eigene Haus.*

Nach der Elegie die Prophetie. Wie soll es weitergehen, wie wird es weitergehen?

Novalis kennt die zu seiner Zeit unternommenen Versuche, diesem entzaubernden Empirismus und Rationalismus etwas entgegenzusetzen. Kants Methode, der äußeren Naturerkenntnis die Erfahrung der moralischen Freiheit als inneres Metaphysicum gegenüberzustellen, genügt ihm nicht. In diesem Konzept bleibt es bei einem Dualismus zwischen bloß subjektivem Geist und objektivem Materialismus.

Der deutsche Idealismus ist überhaupt der Versuch, diesen Dualismus zu überwinden, und die Romantiker geben diesen Versuchen noch einen besonderen Akzent. Die einen betonen das Sittliche (Schiller, Fichte, Hegel), die anderen, Romantiker wie Novalis und Schlegel, das Ästhetische. Sie mobilisieren die Phantasie, und zwar nicht als bloße Ergänzung, als Nebentrieb und schöne Nebensache, sondern als Zentralorgan des Weltverständnisses und der Weltbildung. Die Phantasie an die Macht! Es gilt, die Welt zu durchdringen mit poetischem Geist! Das beginnt für Novalis bei den Alltagsverrichtungen: *auch Geschäftsarbeiten kann man poetisch behandeln* und endet bei der Religion. Seine Religion habe zur Grundlage das *vorzüglichste Element meiner Existenz, die Phantasie,* schreibt er am 26. Dezember 1798 an den väterlichen Freund Just, um ihm zu erläutern, worin sich seine Religion von der offiziellen unterscheidet. Um es mit einem Wort zu sagen: Seine Religion ist eine ästhetische.

Alles, was er sah und hörte, schien nur neue ... Fenster ihm zu öffnen, heißt es im »Heinrich von Ofterdingen«. Jeder Punkt wird zum

Aussichtspunkt, man blickt in unendliche Perspektiven hinaus, es spiegelt sich überall ein Himmel, und die Dinge bekommen einen wunderbaren Goldgrund. Die Phantasie ist frei, aber auch sie benötigt Regeln und Begrenzungen, um daran ihre Kraft zu messen und zu entwickeln. *Ich möchte fast sagen*, erklärt Klingsohr im »Heinrich von Ofterdingen«, *das Chaos muß in jeder Dichtung durch den regelmäßigen Flor der Ordnung schimmern . . .* Das gilt für die Dichtung, es gilt aber auch für die Religion; auch sie ist bewältigtes Chaos, sie hat einen deutlichen Umriß, an dem sich der Schimmer des Unendlichen zeigt. Ist das Unendliche nicht das auf grandiose Art Unordentliche? *Wahrhafte Anarchie ist das Zeugungselement der Religion.* Bei Nietzsche heißt es dann: *man muß Chaos in sich haben, um einen Stern zu gebären . . .*

Die Verbindung von Poesie und Religion ist für Novalis die Gewähr für die mögliche Wiedergeburt eines religiösen Zeitalters. Nach dem Altertum und dem christlichen Mittelalter könnte, so Novalis, ein *drittes Weltalter* anbrechen, das nicht mehr von der alten Offenbarung, sondern vom poetischen Geist inspiriert sein würde. Die historische Gestalt des Christentums mag verblassen, die Religion aber wird in dreifacher Gestalt fortleben: *Eine ist das Zeugungselement der Religion, als Freude an aller Religion. Eine das Mittlertum überhaupt, als Glaube an die Allfähigkeit alles Irdischen, Wein und Brot des ewigen Lebens zu sein. Eine der Glaube an Christus, seine Mutter und die Heiligen. Wählt welche ihr wollt, wählt alle drei, es ist gleichviel, ihr werdet damit Christen und Mitglieder einer einzigen, ewigen, unaussprechlich glücklichen Gemeinde.*

Für die neue Religion ist es also nicht erforderlich, daß man an Christus glaubt. Eine religiöse Inspiration, die sich auf ein anderes *Mittlertum* bezieht, ist ebenso möglich. Allerdings gilt auch hier dasselbe wie für die Poesie: Ein Mittleres, etwas Konkretes und Bestimmtes ist erforderlich, weil sonst das religiöse Gefühl sich im Unbestimmten verliert. *Nichts ist zur wahren Religiosität unentbehrlicher als ein Mittelglied, das uns mit der Gottheit verbindet. Unmittelbar kann der Mensch schlechterdings nicht mit derselben in Verhältnis stehn. In der*

Wahl dieses Mittelglieds muß der Mensch durchaus frei sein. Der mindeste Zwang hierin schadet seiner Religion.

Der antike Polytheismus kannte viele Götter, also viele *Mittler,* und der monotheistische Gott ist der *Mittler der Mittelwelt.* Dieser Gott ist die Gewähr dafür, daß die *Mittelwelt* sich nicht zum Götzentum verfestigt oder zur Dämonie entfesselt. Die Sphäre des *Mittlers* ist das Geheimnis, das anschaulich wird und Geheimnis bleibt. Doch vergessen wir nicht: *Mittler* kann alles sein, es muß nur als das *Fenster* gebraucht werden, durch das wir ins Ungeheure blicken.

Wo das Bewußtsein sich dieser Sphäre verschließt, beginnt die unheilvolle Geschichte des modernen Aberglaubens, der die Welt aus einem Punkt begreifen und kurieren will. *Wo keine Götter sind, walten Gespenster.*

Siebtes Kapitel

Romantische Religion. Gott erfinden. Schlegels Experimente.
Der Auftritt Friedrich Schleiermachers: Religion ist Sinn und Geschmack
fürs Unendliche. Religion jenseits von Gut und Böse. Ewigkeit in der
Gegenwart. Erlösung durch die Schönheit der Welt. Aus dem Leben eines
Religionsvirtuosen.

Die Romantiker haben die Literatur, also das Imaginäre, zeitweilig zu ihrem hauptsächlichen Lebensinhalt gemacht. Sie wollten aber keine Tagträumer sein und nicht nur im Luftreich des Traumes ihre Eroberungen machen. Das Leben selbst wollten sie verändern, beginnend bei sich selbst, dann sollten die Freunde, das Lesepublikum und schließlich die ganze gebildete Nation ergriffen werden. So weit war der Geist der Revolution auch in ihren Kreisen lebendig.

Wenn man den romantischen Wunsch nach Veränderung auf eine kurze Formel bringen wollte, müßte man sagen: Die in der Wirklichkeit noch verborgenen Möglichkeiten sollen mit spielerischer und zugleich erkundender Phantasie sichtbar gemacht werden. Das war gemeint, wenn Schlegel forderte, alles Endliche solle im Horizont des Unendlichen relativiert und ironisiert werden; und wenn Novalis dem poetischen Sinn die Aufgabe erteilte, das gewöhnliche Leben zu romantisieren, oder wenn Wackenroder die staunende Andacht und Tieck den verfremdenden Blick empfahlen.

Bei den Romantikern war Schillers Satz, daß der Mensch nur da ganz Mensch sei, wo er spielt, auf fruchtbaren Boden gefallen. Sie erinnerten nicht nur an vergessene Traditionen, sondern erlaubten sich auch, mit ihnen zu spielen. Carl Schmitt trifft sicherlich einen Aspekt der romantischen Haltung, wenn er den Romantikern vorwirft, sie seien *Occasionalisten*, also Leute, die virtuos Themen und Motive, poetische, philosophische und politische, zum Anlaß für ihre geistvollen Spiele nehmen. Tatsächlich antizipiert die romantische Unbekümmertheit in mancher Hinsicht die spätere Postmoderne. Der Unterschied ist nur, die Romantiker spielen in dem Gefühl, noch vieles vor sich zu haben, die Postmoderne aber glaubte, das meiste schon hinter sich zu haben.

Gehört Religion nun auch zum romantischen Spielmaterial? Im November 1799, als die Romantiker in Jena zusammenkamen und Novalis seinen Aufsatz »Die Christenheit oder Europa« vorlas, schien es nicht nur Dorothea Veit so: *Das Christentum ist hier à l'ordre du jour; die Herren sind etwas toll.*

Man wollte ursprünglich, um die Ironie auch beim Religionsthema durchzuhalten, die Rede zusammen mit der auf sie gemünzten Satire Schellings veröffentlichen, was auf den Rat Goethes hin unterblieb. Beim Thema Religion sollte der Spaß aufhören. Weder die Verkündigung eines neuen religiösen Zeitalters durch Novalis noch der Spott darüber erschienen tunlich zu einem Zeitpunkt, da Fichte soeben wegen des Atheismus-Vorwurfs die Universität Jena hatte verlassen müssen. Religion als christliche Orthodoxie war eben immer noch, anders als es sich die Romantiker wünschten, eine Ordnungsmacht, die ihre Unabhängigkeit von subjektiver Religiosität behauptete.

Wenn die Religion bei den Romantikern *à l'ordre du jour* war, so doch nicht eigentlich die christliche. Es war eine Phantasie-Religion oder die Religion der Phantasie. Eine Religion der Offenbarung eignet sich nicht dazu, daß man das Spiel der Einbildungskraft an ihr ausläßt. Es mußte eine Religion sein, die selbst aus diesem Spiel erwuchs. Novalis hatte es in dem bereits zitierten Brief an Just unumwunden zugegeben, daß ihm die *urkundliche Gewißheit* der Bibel wenig bedeutete und daß er sich vielmehr seinen *eigenen Weg in die Urwelt* gebahnt hatte. Die *höheren Einflüsse*, schreibt er, seien ihm auf dem Wege der *Phantasie* geschehen.

Die »Rede« und vor allem der Roman »Heinrich von Ofterdingen« sind Werke eines religiösen Phantasten, der aber im übrigen realitätstüchtig genug ist, um empirische Naturwissenschaft zu betreiben und eine Art Literaturagentur zu planen, die den romantischen Freunden aus der finanziellen Misere helfen soll.

Es waren neben Novalis vor allem Friedrich Schlegel und Schleiermacher, die am Ende des Jahrhunderts das Projekt der Verwandlung der Religion in Ästhetik energisch vorantrieben.

Die christliche Religion, schreibt Friedrich Schlegel in den »Ideen«, ist alt und kraftlos geworden, und die Kunst ist berufen, den religiösen Kern zu bewahren. Wahre Religion ist nicht Heteronomie, ist nicht eine uns von außen, von einem überweltlichen Gott zukommende Offenbarung, sondern ist die Entfaltung schöpferischer Freiheit im Menschen bis zur Selbstvergöttlichung. *Frei ist der Mensch, wenn er Gott hervorbringt.* Das geschieht, indem der Mensch seine Mitte findet und dadurch zum *Mittler* wird, ein Gedanke, den Schlegel von Novalis übernahm: *Mittler ist derjenige*, schreibt Schlegel, *der Göttliches in sich wahrnimmt und sich selbst vernichtend preisgibt, um dieses Göttliche zu verkündigen, mitzuteilen, und darzustellen allen Menschen in Sitten und Taten, in Worten und Werken.* Daß es dabei mehr auf die *Worte und Werke* der Künstler als auf die *Sitten und Taten* der guten Menschen ankommt, wird aus dem weiteren Zusammenhang der »Ideen« deutlich, die in zahlreichen Variationen den einen Gedanken umkreisen: daß die Kunst deshalb berufen ist, die Religion zu retten, weil die Religion in ihrem Kern nichts anderes ist als – Kunst.

Was ist das für eine Religion? Das wird nicht recht klar. Auch Novalis ist ratlos und schreibt seinem Freund: *Wenn du von Religion sprichst, so scheinst du mir den Enthusiasmus überhaupt zu meinen.* Schlegel ist dankbar für die Anregung und verwendet sie sogleich: *dieses lichte Chaos von göttlichen Gedanken und Gefühlen nennen wir Enthusiasmus.* Woher aber kommt das *Chaos von göttlichen Gedanken?* Keine Bibel, keine offizielle Offenbarung, nicht Kirche und Sakramente und Rituale sind nötig, der enthusiastische Mensch schöpft alles aus sich selbst. Es muß in ihm nur eine schöpferische *Verworrenheit* vorhanden sein, die Schlegel mit den Worten charakterisiert: *Nur diejenige Verworrenheit ist ein Chaos, aus der eine Welt entspringen kann.*

Der religiöse wie der künstlerische Mensch wissen diese schöpferische Verworrenheit gut zu gebrauchen, sie bilden sich daraus ihre Welt; entweder ein Kunstwerk oder eine Religion. Jedesmal aber ist es ein Werk der Einbildungskraft.

Religion ist in der Regel mit einer Moral verknüpft. *Die eigentliche Zentralanschauung des Christentums ist die Sünde*, schreibt Schlegel, der genau davon loskommen möchte. An diesem Punkt ist ihm das Christentum verdächtig, er sieht es im Trüben fischen. Als wahre Quelle der Religion nennt er die *Liebe*, was bei ihm auch nur ein anderes Wort ist für *Enthusiasmus*. Jedenfalls gilt der Grundsatz: Liebe und tue was du willst. Was man mit Enthusiasmus, also mit Liebe will, das ist auch von Gott gewollt und geboten. Welcher Gott?

Es ist der *Gott in uns*, und der ist nichts anderes als *das Individuum selbst in der höchsten Potenz*. So verwundert es nicht, daß Schlegel Ende Dezember 1798 an Novalis schreibt: *Ich denke eine neue Religion zu stiften*. Es wird, wie sollte es anders sein, wieder ein Buchprojekt daraus: *Daß dies durch ein Buch geschehen soll, darf um so weniger befremden, da die großen Autoren der Religion – Moses, Christus, Mohammed, Luther – stufenweise immer weniger Politiker und mehr Lehrer und Schriftsteller werden.*

Aber dieser Religionsstifter möchte dann doch mehr sein als ein Büchermensch, und deshalb träumt er davon, *auch wie Mohammed mit dem feurigen Schwert des Wortes das Reich der Geister welterobernd zu überziehn*. Auf diesen Brief antwortet Novalis ironisch: *Wer weiß, ob Dein Projekt nicht in das Meinige eingreift – und eben so den Himmel in Bewegung setzt, wie meines den irdischen Sphäroid.* So spricht der Bergbau-Ingenieur zum Religionsstifter, und in seinen Aufzeichnungen aus dieser Zeit notiert Novalis, der gegenüber Schlegel die Rolle des Nüchternen spielt, den Gedanken, daß die Phantasie auch in die Irre führen kann, wenn das Korrektiv durch *kalten technischen Verstand* fehlt; dann nämlich verirrt man sich in einem *Gespensterreich, diesem Antipoden des wahren Himmels.* Friedrich Schlegel selbst wird zehn Jahre später bei seiner Konversion zum Katholizismus kritisch mit seinen früheren Religionsprojekten ins Gericht gehen: *Diese ästhetische Träumerei*, schreibt er 1808, *dieser unmännliche pantheistische Schwindel, diese Formenspielerei müssen aufhören, sie sind der großen Zeit unwürdig und nicht mehr angemessen.*

Friedrich Schlegels Erkundungen waren nur ein Vorspiel zu Schleiermachers »Reden« über die Religion, die Ende 1799 erschienen und die romantische Gefühlsreligion so präsentierten, daß die romantische Generation sich darin vollkommen wiedererkennen konnte. Denn es ging ihr um ästhetische, nicht um moralische Erhabenheit. Nur diese aber war der Religion nach Kants Kritik geblieben.

Kant hatte die alte Metaphysik mit ihren Gottesspekulationen destruiert. Die theoretische Vernunft, so lehrte er, kann Gott nicht erkennen. Kant vertrieb die theoretische Vernunft damit rigoros aus den seligmachenden Gefilden, wo sie nichts zu suchen, jedenfalls nichts zu finden hat. Übriggeblieben war die Gotteshypothese für die praktische Vernunft, also für die Moral. Kant erklärt die Sittlichkeit zum einzig verbleibenden religiösen Organ. Dabei ist, genaugenommen, die Religion nicht das Fundament der Moral, sondern es wird umgekehrt die Religion auf die Moral gegründet. Das ist sehr bedeutsam. Würde Moral auf Religion begründet sein, wäre sie gottgegeben, also heteronom. Sie soll aber autonom sein. So will es der Kantsche Freiheitsbegriff. Der Mensch − der kategorische Imperativ der praktischen Vernunft − gibt sich selbst seine Moral. Gott wirkt nicht als äußerer Zwang auf den Menschen, sondern er hat ihn so geschaffen, daß er sich selbst zwingen kann. Autonomer Selbstzwang statt heteronomer Fremdzwang. Gott wirkt in der moralischen Selbstbestimmung des Menschen. Erhaben ist diese Selbstbestimmung, weil sie sich über bloße Naturbedürfnisse und Triebe erheben kann. Den moralischen Geboten folgen, bedeutet frei sein gegenüber den Naturzwängen am eigenen Leib, dem Begehren und dem Verlangen nach Lust. Die gute Handlung, die diesen Namen verdient, geschieht, Kant zufolge, um ihrer selbst willen, nicht für diesseitige oder jenseitige Belohnung. Hätten die Menschen nicht ihre Moral, die sie uneigennützig handeln läßt, würden sie als bloße Naturwesen *allen Übeln des Mangels, der Krankheit und des unzeitigen Todes, gleich den übrigen Tieren der Erde, unterworfen sein und es auch immer bleiben, bis ein weites Grab sie insgesamt ... verschlingt, und sie, die da glauben konnten, Endzweck der Schöpfung zu sein, in den Schlund des zwecklosen Chaos der Materie zurück wirft, aus dem sie gezogen waren.*

Die Moral der Uneigennützigkeit ist erhaben, alles andere steht unter dem Chaos- und Sinnlosigkeitsverdacht. Bei Kant besitzt die Religion also nicht mehr die Kraft, die Natur zu heiligen und ein Mysterium in ihr zu entdecken. Darauf aber richtete sich der romantische Wille zum Geheimnis. Und genau ihm hat Friedrich Schleiermachers Schrift »Über die Religion. Reden an die Gebildeten unter ihren Verächtern« so treffend entsprochen.

Friedrich Schleiermacher war 1796 als reformierter Prediger an die Charité nach Berlin gekommen, wo er bald Zugang zu dem neben Rahels Dachwohnung bedeutendsten Salon fand, dem von Henriette Herz, und dort begegnete er Friedrich Schlegel, mit dem er bald Freundschaft schloß.

Auch Schlegel hatte zunächst dem in Berlin umlaufenden Gerücht Glauben geschenkt, daß dieser kleine, verwachsene, schüchterne Schleiermacher der Geliebte der schönen Henriette sei, deren Aussehen die einen an Tizians Frauen, die anderen an antike Helena-Darstellungen erinnerte. Sollte es diesem leisen und zurückhaltenden Mann gelungen sein, eine solche Frau zu erobern? Eine Karikatur zeigte eine stattliche Henriette, die ihren Schleiermacher als Regenschirm bei sich trug. Tatsächlich handelte es sich bei dem Verhältnis der beiden um eine innige Seelenfreundschaft. *So haben wir uns denn auch öfter darüber ausgesprochen,* schreibt Henriette in ihren Lebenserinnerungen, *daß wir kein anderes Gefühl für einander hätten und haben könnten als Freundschaft, wenngleich die innigste. Ja, so sonderbar es scheinen mag, wir setzten uns schriftlich die Gründe auseinander, welche verhinderten, daß unser Verhältnis ein anderes sein könnte.* Schleiermacher las mit ihr Platon und Spinoza, und sie half ihm beim Erlernen des Italienischen und Spanischen. Er war fast jeden Abend zu Gast in ihrem Hause. Zu Fuß kam er von der Oranienburger Chaussee in ihre Wohnung in der Neuen Friedrichstraße. Für den beschwerlichen Rückweg – er führte durch noch unbebautes Land – gab sie ihm eine kleine Laterne mit, die er in seinen Mantelkragen einhaken konnte. Sie habe, so spottete man, dem keuschen Prediger ›ein Licht aufgesetzt‹. Das traf zu, aber anders als es das Gerücht meinte. Schleiermacher hatte bei Henriette die eleganten gesellschaftlichen Umgangsformen gelernt, er war, wie er seiner Schwester bekannte, geschmeidiger, mitteilsamer geworden. Er sei glücklich darüber, *einen Cursus der Weiblichkeit durchmachen zu können.*

Schlegel war eifersüchtig auf die Beziehung des Freundes zur schönen Henriette. *Das schlimmste ist,* schreibt er an seinen Bruder, *daß ich keine Rettung für Schleiermacher sehe, sich aus den Schlingen der Antike zu ziehen.* Nachdem Schlegel auf das Angebot Schleiermachers eingegangen war, mit ihm die Wohnung zu teilen, schwand allmählich die Eifersucht. Es entwickelte sich eine enge Arbeitsgemeinschaft. Schleiermacher steuerte einige »Fragmente« für das »Athenäum« bei, darunter das Glaubensbekenntnis, das einer Frau in den Mund gelegt wird: *ich glaube an die Macht des Willens und der Bildung, mich dem Unendlichen wieder zu nähern, mich aus den Fesseln der Mißbildung zu erlösen, und mich von den Schranken des Geschlechts unabhängig zu machen.*

Als Friedrich Schlegel dieses Fragment abdrucken ließ, wußte er noch nicht, daß der darin formulierte Wille, sich *dem Unendlichen wieder zu nähern,* der Ausgangspunkt eines Buches sein würde, mit dem Schleiermacher ein Jahr später bei seinen romantischen Freunden so großes Aufsehen erregte. In dieser Schrift kreist alles um den Gedanken: *Religion ist Sinn und Geschmack fürs Unendliche.*

Erst im romantischen Freundeskreis war bei Schleiermacher dieser Gedanke durchgedrungen, der für ihn auch wiedergefundene Kindheit bedeutete. Er mußte das religiöse Gefühl bei sich erst wieder entdecken, nachdem es zuvor durch eine rationalistische Geistesakrobatik schon fast verschüttet war. Da aber seine inneren Widerstände auch die seiner romantischen Generationsgenossen waren, konnte sein Versuch der Rückeroberung dieser *eigenen Provinz im menschlichen Gemüte* bahnbrechend und befreiend wirken.

Schleiermacher stammte aus einem Pastorengeschlecht. Bereits der Großvater und dann auch der Vater waren Pfarrer gewesen, und die Mutter war die Tochter des damals berühmten Hofpredigers Stubenrauch. *Religion*, heißt es in den »Reden«, *war der mütterliche Leib, in dessen heiligem Dunkel mein junges Leben genährt und auf die ihm noch verschlossene Welt vorbereitet wurde, in ihr atmete mein Geist, ehe er noch seine äußeren Gegenstände, Erfahrung und Wissenschaft gefunden hatte.*

Der junge Schleiermacher wurde zu der Herrnhuter Brüdergemeinde erst in Niesky und dann Barby gegeben. Hier lernte er ein zugleich gefühlvolles und moralisch strenges Christentum kennen. Weltablehnung, Sündenbewußtsein, das Mysterium der Gnade und Jenseitshoffnungen waren hier maßgebend. Dem jungen Mann aber wollten die geforderten übernatürlichen Empfindungen nicht kommen, jedenfalls hielten sie nicht stand. Dem Herkommen der Familie fühlte er sich aber noch so weit verpflichtet, daß er in Halle das Studium der Theologie begann. Er will zwar, wie er seinem Vater erklärt, nach einem Rückweg in den Glauben suchen, aber es muß ein Glaube sein, der sich auch vor dem Verstand bewährt. Ebenso wie in die Theologie vertieft er sich in die Mathematik. Er wird Kantianer. Und noch strenger als Kant reduziert er die theoretische Vernunft auf den endlichen Bereich; noch strenger als Kant verwirft er jede metaphysische Spekulation. Wenn ihm doch danach ist, wirft er sich zur Ernüchterung auf die Algebra. Und noch strenger als Kant reduziert er Religion auf Moral. So behält er die Strenge der herrnhuterischen Moral bei, verwirft aber die *phantastischen* Vorstellungen von Gnade und Jenseits, bei den Herrnhutern eine Kompensation für die Entbehrungen der Weltentsagung. Er ist ängstlich darauf bedacht, daß ihm die Phantasie nicht seine Rechnung verwirrt. In den »Reden« wird Schleiermacher von den *reli-*

giösen Virtuosen sprechen; einstweilen gehört er zu den logischen Virtuosen. Es ist schon bemerkenswert und erweckt den Eindruck vorzeitiger Ältlichkeit, wie dieser junge Mann sich dem Schwärmerischen widersetzt, sich gegen alle Träume und Hoffnungen der Phantasie abschirmt, wie er seine Leidenschaften dämpft.

Nun aber liest er Lukian, Montaigne und Wieland. Skeptiker also, die nicht nur der Religion mit Vorbehalt begegnen, sondern auch dem Wissenschaftsglauben. Es dämmert ihm der Verdacht, daß die Wissenschaften vielleicht doch ihre Wahrheitsansprüche überdehnen. Besonders bei Montaigne lernt er, daß die Wirklichkeit draußen in der Welt und im eigenen Inneren so vielfältig ist, ein so ungeheures Gespinst und Gewoge, an jedem Punkt konkret und doch immerzu sich wandelnd, ein unendlicher Zusammenhang im Endlichen – so unendlich, daß die allgemeinen Begriffe der Wissenschaft sie nicht erfassen können; aber auch nicht die Dogmen der Religionen. Schleiermacher, der sich bisher an den Begriffen der strengen Wissenschaft und der strengen Moral festgeklammert und im übrigen spartanisch und zurückgezogen gelebt hat, öffnet sich für Erfahrungen, die weder in der Wissenschaft noch in der Moral und auch nicht in der dogmatischen Religion einen angemessenen Ausdruck finden. Da es sich hier um Erfahrungen handelt, die eher in der Poesie, Musik und Malerei leben, kann man verstehen, warum sich Schleiermacher im gesellig-geistvollen und kunstbesessenen Milieu der Berliner Romantik aufgerufen fühlt, nach dieser neuen Goldader zu graben. Er nennt sie: *Sinn und Geschmack fürs Unendliche*. Diese Erfahrung bezeichnet er als den wahrhaften Kern der Religion. Da er aber immer überwachsen und verschüttet wird durch Moral, Nützlichkeitserwägungen, Wissenschaft und Dogmatik, kommt es darauf an, ihn aus dem inneren Erdreich herauszuholen und rein vor Augen zu rücken, damit man ihn wenigstens in der Vermischung mit anderen geistigen Materien und Haltungen herausfinden kann. Er arbeite wie ein Chemiker, hat er einmal zu Henriette Herz gesagt. Novalis gegenüber hat er sich als jemand bezeichnet, der auch, wie dieser, das Innere der Berge erforsche. Und als

Kantianer erhebt er den unbescheidenen Anspruch, die drei menschlichen Vermögen – theoretische Vernunft, praktische Vernunft und Urteilskraft – um ein viertes bereichert zu haben: um die religiöse Urteilskraft oder das Apriori der Religion als Erfahrung des Unendlichen.

Er definiert also die religiöse Erfahrung als einen Seinsbereich zwischen der Erkenntnis, die sich an Rationalität bindet, und Moral, die dem in Freiheit angenommenen Sittengesetz folgt. Religiöse Erfahrung ist *Gefühl* und *Anschauung* der Unendlichkeit des *Universums*. Er nennt sie auch ganz einfach *Sinn fürs Universum*. Gemeint ist der tiefe Eindruck, den das Universum auf uns macht. Die Schauer des Ungeheuren und die Andacht vor dem Erhabenen. Es ist eine beseelte Natur, von der Schleiermacher enthusiastisch spricht. In der ersten Fassung dieser Reden, also vor seiner Karriere als Kirchenmann, sind die erotischen Untertöne seiner Seinsmystik noch unüberhörbar. In einer Passage, die später gestrichen wurde, heißt es: *Ich liege am Busen der unendlichen Welt: ich bin in diesem Augenblick ihre Seele, denn ich fühle alle ihre Kräfte und ihr unendliches Leben, wie mein eigenes, sie ist in diesem Augenblicke mein Leib, denn ich durchdringe ihre Muskeln und Glieder wie meine eigenen, und ihre innersten Nerven bewegen sich nach meinem Sinn und meiner Ahndung wie die meinigen. Die geringste Erschütterung, und es verweht die heilige Umarmung, und nun erst steht die Anschauung vor mir als eine abgesonderte Gestalt, ich messe sie, und sie spiegelt sich in der offnen Seele wie das Bild der sich entwindenden Geliebten in dem aufgeschlagenen Auge des Jünglings, und nun erst arbeitet sich das Gefühl aus dem Innern empor, und verbreitet sich wie die Röte der Scham und der Lust auf seiner Wange. Dieser Moment ist die höchste Blüte der Religion.*

In solchen ekstatischen Augenblicken geschieht, was – in der philosophischen Terminologie der Zeit – Aufhebung der Subjekt-Objekt-Beziehung genannt wird. Das Gefühl entdeckt in der Natur Subjektqualitäten und verschmilzt mit ihr. Diese naturnahe Seinsmystik hat Vorläufer. Man findet sie auch bei Herder und dem jungen Goethe, die von der Vereinigung mit dem *All-Leben* schwärmen. Sie steht auch in der Tradition der abendländischen Mystik, bis hin zu ihrer pietistischen Version, die dem herrnhuterisch erzogenen Schleiermacher bekannt war. Im Kreise seiner romantischen Freunde fand Schleiermacher den Mut, diese mystische Erfahrung, die ihm unter rationalistischem Einfluß zeitweilig suspekt erschienen war, wieder energisch ins Zentrum seines geistigen Lebens zu rücken und daraus seine erneuerte Religion zu entwickeln.

Fünf Aspekte seiner Religionslehre waren unter den Romantikern besonders wirkungsmächtig.

Die Einheit mit Gott oder besser: die Teilhabe am Göttlichen, ist nicht eine Sache eines unsterblichen Lebens nach dem Tode. Auch setzt sie nicht die Annahme eines himmlischen Gesetzgebers voraus. Vielmehr ist sie Partizipation am ewigen Leben hier und jetzt. Die Unsterblichkeit, erklärt er, ist nichts anderes als *mitten in der Endlichkeit eins werden mit dem Unendlichen und ewig sein in einem Augenblick*. Das ist die Erfahrung des Ewigen im Endlichen, wie sie auch Fichte in seiner wenig später verfaßten »Anweisung zum seligen Leben« beschreiben wird. Das Ich, sagt Fichte, das unbedingt entschlossen ist, schließt sich eben damit auf für das Unbedingte. Aber anders als Fichte, für den das Handeln zur Ekstase wird, überwiegt bei Schleimacher eine *kindliche Passivität*. Weniger ein Handeln als ein Empfangen: ein lustvolles Bewußtwerden des *geräuschlosen Verschwindens unsres ganzen Daseins im Unermeßlichen*. Eine Erfahrung, die später von Freud im Anschluß an Romain Rolland das *ozeanische Gefühl* genannt wird. Bedeutsam ist, daß dieses *geräuschlose Verschwinden* im Unermeßlichen bei Schleiermacher nicht bedrohlich, sondern lustvoll erfahren wird. Es ist ein Gefühl des liebenden Verschmelzens. Die Dinge des Lebens, auch das Individuum mit seinen Beschränkungen, bleiben wichtig, aber sie relativieren sich vor einem Horizont des Ungeheuren. Sie behalten ihren Ernst, verlieren aber die bedrückende Schwere. Das Leben bekommt etwas Schwebendes.

Zweitens ist Schleiermachers Seinsmystik anti-institutionell. Es bedarf keiner Hierarchie, keiner Priesterämter, überhaupt keiner

Kirche und eigentlich auch keiner Rituale und Sakramente. Vermittelnde Instanzen sind überflüssig, wo die Unmittelbarkeit der Erfahrung lebendig ist. Allerdings führt diese Seinsmystik auch nicht in die Isolation, im Gegenteil: Sie stiftet eine Gemeinschaft der lebendigen Mitteilung. Die religiöse Erfahrung, die ja immer eine der liebenden Verbundenheit mit dem Universum ist, drängt nach Mitteilung. Man möchte sie mit anderen teilen. Sie ist gemeindebildend und freundschaftsbegründend. Das kommt dem romantischen Konzept der »Symphilosophie« und der »Sympoesie« entgegen. In Schleiermacher hatte man nun einen beredten Verkündiger einer sympathetischen Religion. Für ihn war bereits der belebende Geist, der zwischen Freunden zirkuliert, etwas Religiöses. Vom Ich aus gesehen beginnt die Transzendenz bereits beim »Du«. Aber ein institutionell verfaßtes »Wir« muß in Schwierigkeiten geraten, denn etwas Dauerhaftes und Festes läßt sich auf diesem *Sinn und Geschmack fürs Unendliche* wohl doch nicht errichten. Und darum, schreibt er, sei es unausweichlich, daß die Kirche *eine fließende Masse wird, wo es keine Umrisse gibt, wo jeder Teil sich bald hier, bald dort befindet und alles sich friedlich untereinandermengt.* Es versteht sich von selbst, daß dieses anti-institutionelle Verständnis der Religion in Opposition stehen muß zum Staatskirchentum: *Hinweg . . . mit jeder solchen Verbindung zwischen Kirche und Staat!* Gegen die staatliche Bevormundung wird Schleiermacher auch noch später als hoher Kirchenmann Einspruch erheben, weshalb ein Hohenzollernprinz zur Zeit der Demagogenverfolgung ihn als *ärgsten Hauptumtreiber* bezeichnen wird, der die Jugend vergifte.

Zum dritten war bei Schleiermacher zwar von der allverbindenden Liebe, nicht aber von der Sünde die Rede. Keine beängstigende Nachtseite wirft ihre Schatten, weder aus dem eigenen Inneren noch aus der äußeren Natur. Mit dem Dualismus, den Schleiermacher überwinden will, ist auch das Böse verschwunden. Es versteht sich von selbst, daß Kreuz, Tod und Auferstehung, Weltgericht und Verdammnis, dieser ganze christliche Apparat des heiligen Schreckens in Schleiermachers wohlgelaunter Religion keinen Platz findet.

Überhaupt fehlt, viertens, die christliche Dogmatik, was bei einem protestantischen Theologen doch einigermaßen verwundert. Gerne las man bei den romantischen Büchermenschen den Satz: *Nicht der hat Religion, der an eine heilige Schrift glaubt, sondern der, welcher keiner bedarf und wohl selbst eine machen könnte.* Jede ursprüngliche und neue Anschauung des Universums ist für Schleiermacher eine Offenbarung, und darum kann jedes in sich vertiefte und dem Universum hingegebene Individuum der Schauplatz einer Offenbarung sein: *Ja, wer nicht eigne Wunder sieht auf seinem Standpunkt zur Betrachtung der Welt, in wessen Inneren nicht eigene Offenbarungen aufsteigen, wenn seine Seele sich sehnt, die Schönheit der Welt einzusaugen ... wer nicht hier und da mit der lebendigsten Überzeugung fühlt, daß ein göttlicher Geist ihn treibt, und daß er aus heiliger Eingebung redet und handelt; wer sich nicht wenigstens ... seiner Gefühle als unmittelbarer Einwirkungen des Universums bewußt ist ... der hat keine Religion.* Schleiermachers Religion fügt sich also vortrefflich ein in die romantische Ich-Begeisterung. Nicht nur, daß jeder sich seine Bibel selbst machen kann, er ist auch sein eigener Priester, und das Heilige ist nicht ortsgebunden, sondern überall vermag er die *Einwirkungen des Universums* zu spüren.

Schließlich, und das war für die Romantiker von höchster Bedeutung, war Schleiermachers Religion eine ästhetische. Es geht um *Gefühl* und *Anschauung*, nicht um moralisches Handeln. Der religiös geweckte Sinn für das Universum ist zugleich ein Schönheitssinn. Die Seele des religiösen Menschen sehnt sich danach, *die Schönheit der Welt einzusaugen.* So wird man zur schönen Seele, die dann auch schön zu handeln vermag, eingestimmt auf die große Harmonie und darum auch mit den anderen Seelen übereinstimmend. Die religiöse Erfahrung begleitet den Menschen wie eine *heilige Musik.* Manche bringen es dabei zur Meisterschaft, sie werden *religiöse Virtuosen.* Schleiermacher wird sich wohl dazu gezählt haben.

Wenn Schleiermacher die Religion als *heilige Musik* bezeichnet, die *alles Tun des Menschen begleiten* soll, so liegt ein Nachdruck auf dem *begleiten*. Gemeint ist damit, daß Erkennen und Handeln durchaus ihre eigene Logik und Motive behalten, daß sie aber durch die religiöse Erfahrung in ein belebendes Fluidum versetzt werden. Die Erfahrung des Unendlichen kann nicht zu einem besonderen Motiv werden, sie kann auch nicht die Moral ersetzen, auch nicht die strenge Forschung, Wissenschaft und Technik. In diesen Sphären soll der Mensch sich auch weiterhin in *Ruhe und Besonnenheit* bewegen, er wird aber, was er tut, anders tun, der Fanatismus der Einschränkung, die Verstockung im Endlichen hört auf. Er gewinnt heitere Gelassenheit und einen fröhlichen, nicht zynischen Relativismus im Horizont des Unendlichen. Da aber nicht nur das gewöhnliche Handeln und Erkennen zu Verstockung und Fanatismus führen können, sondern gerade auch mißverstandene Religion zur Quelle von Fanatisierung und Feindschaft werden kann, fordert er vom wahrhaft religiösen Menschen: *er soll alles mit Religion tun, nichts aus Religion.*

Die religiöse Erfahrung ist nicht zweckgebunden etwa in dem Sinne, daß sie jenseitige Belohnung verspricht oder moralisches Ansehen zur Folge hat oder arbeitstauglich und gehorsam macht. Sie ist die Erfahrung des Unendlichen im endlichen Augenblick. Sie ist der erfüllte Augenblick, sie ist lebendiges Leben und kann darum belebend ausstrahlen auf die übrigen Lebensbereiche. Sie dient keinem Zweck, sie ist der Zweck. Das hat sie mit der Kunst, wie sie die Romantiker verstehen, gemeinsam. Und darum konnten diese die Lobrede auf den *Sinn und Geschmack fürs Unendliche* auch auf ihre Leidenschaft für die Kunst beziehen.

Wenngleich Schleiermacher in seiner späteren »Glaubenslehre« die Religion als *das Gefühl schlechthinniger Abhängigkeit* bezeichnete und damit einige Mißverständnisse veranlaßte – Hegel zum Beispiel spottete, das Gefühl der Abhängigkeit charakterisiere den Hund, nicht den Menschen –, so leugnet er doch keinesfalls die Freiheit. Das Gefühl der Abhängigkeit, richtig verstanden, bezieht sich auf die Verbundenheit mit dem Mysterium der Natur, die eben nicht ein toter Mechanismus ist, von dem wir determiniert sind, sondern ein lebendiges schöpferisches Prinzip, das wir in uns spüren und in der Natur wiederentdecken. Man kann auch sagen: Das Mysterium des Universums spiegelt uns die eigene Freiheit zurück. Die menschliche Freiheit antwortet auf die unbegreifliche Freiheit des Ganzen. Freiheit ist hier immer verstanden als schöpferisches Prinzip, das über jeden Determinismus hinausweist. Deshalb kann Schleiermacher auch davon sprechen, daß das Universum uns gegenüber *handelt* wie eine Person. Aber eben nur »wie« eine Person. Ein als Person vorgestelltes Absolutes noch jenseits des Unendlichen weist Schleiermacher zurück. Insoweit ist er Spinozist, auch wenn ihm Spinozas Universum zu statisch, zu sehr ›more geometrico‹ vorgestellt erscheint. Die alles umgreifende Substanz, in der wir enthalten und wovon wir wirkendes Moment sind, ist etwas ungeheuer Dynamisches. Man kann es »Gott« nennen, vorausgesetzt man meint den Geist des Unendlichen und nicht einen Geist jenseits des Unendlichen. Wie sollte es jenseits des Unendlichen auch noch einen transmundanen Gott geben? Das Unendliche, indem wir es erfahren, wirkt auf uns in einem erhebenden, steigernden, entgrenzenden Sinne. Deshalb nennt er dieses Wirken ein Handeln: *In der Religion wird das Universum angeschaut, es wird gesetzt als ursprünglich handelnd auf den Menschen.* Es ist ein Wirken, das uns löst und lockert, auch wenn wir darin *verschwinden*. Deshalb kann man den *Weltgeist* auch *lieben*, weil die Lust des Verschwindens auch zur Liebe gehört. Und wie die Liebe abhängig macht ohne Freiheitsverlust, so verhält es sich auch mit dem religiösen *Gefühl schlechthinniger Abhängigkeit*. Es hängt, schreibt Schleiermacher, alles davon ab, ob unsere *Phantasie*, die ins Universum eintaucht, mit dem Bewußtsein der Freiheit verknüpft ist oder nicht. Ist sie es, *so wird sie den Geist des Universums personifizieren, und Ihr werdet einen Gott haben*, im anderen Falle, also ohne das Gefühl der Freiheit, wird uns die Welt als sinnleerer Mechanismus erscheinen.

Ein freies, ein uns sogar liebendes Universum – das kann man sich eigentlich nicht vorstellen, oder besser: man kann es sich nur mit Phantasie vorstellen, erklären aber kann man es nicht. Denn wenn wir anfangen zu erklären, das hatte ja Kant gezeigt, geraten wir in die Welt der blind wirkenden Naturgesetze, wo für die Liebe kein Platz ist.

Schleiermacher führt in gut romantischer Art die Phantasie als jene Kraft ein, mit deren Hilfe wir bemerken, daß der schöpferische Prozeß in der Natur zusammenstimmt mit der eigenen Schöpferkraft: *Ihr werdet wissen daß Phantasie das höchste und ursprünglichste ist im Menschen ... Ihr werdet es wissen, daß Eure Phantasie es ist, welche für euch die Welt erschafft.*

Nicht nur dieses Lob der Phantasie und der Sinn und Geschmack für das Unendliche mußten Anklang finden bei den Romantikern. Auch die romantische Ironie konnte man in verwandelter Gestalt bei Schleiermacher wiederfinden. Bei ihm ist es die *heilige Wehmut,* die, wie die Ironie, das unfaßbare Hinausgehen über jede fixierte Gestalt begleitet. Das religiöse Gefühl ist ein Gefühl über alle Gefühle, jeder bestimmte Ausdruck geht darin unter, löst sich auf. Das gilt auch für jede historische Gestalt der Religion. Wahrhafte Religion ist Religion der Religion, wie wahrhafte Poesie, nach Schlegel, die Poesie der Poesie ist. Dieses Transzendieren jeder Gestalt ist auch ein Abschied von jeder Gestalt. Das kann ironisch geschehen oder mit Wehmut. Schleiermachers Religion ist eine Transzendentalreligion, so wie für Schlegel die wahre Poesie Transzendentalpoesie ist.

Schleiermachers »Reden« wurden in romantischen Kreisen begeistert aufgenommen, was nicht verwunderlich war. Auch nicht verwunderlich war die harsche Kritik der Orthodoxen und der Rationalisten. Schleiermachers Mentor, der Hofprediger Sack, war entsetzt. Er las die »Reden« als eine *geistvolle Apologie des Pantheismus, eine rednerische Darstellung des Spinozismus,* die auf der Kanzel nicht am Platze sei. Da er im übrigen Schleiermacher auch weiterhin persönlich schätzte, ließ er ihn gewähren und machte keine amtlichen Schwierigkeiten. Schleiermacher mußte Berlin dann doch verlassen, aber nicht der »Reden« wegen. Er hatte sich in die Frau eines Amtsbruders an der Charité verliebt. Es kam zu peinlichen

Verwicklungen, und darum ließ er sich 1802 als Hofprediger nach Stolp versetzen. Auch bei den strengen Kantianern waren die »Reden« nicht gut angesehen, sie galten als zu schwärmerisch. Als Schleiermacher dann noch Schlegels Roman »Lucinde« im »Athenäum« verteidigte, fühlte man sich in dem Vorurteil bestätigt, wonach dieser Prediger nur darum eine Gefühlsreligion verkünde, weil es ihm an sittlichem Ernst und moralischer Standfestigkeit mangele.

Auch in Weimar war man auf die »Reden« nicht gut zu sprechen. Man konnte sich mit einer so gestaltlosen und alle Gestalt ausdrücklich auflösenden Religion nicht anfreunden; das widersprach dem hier herrschenden Formbewußtsein. Es gab einen ästhetischen Vorbehalt und, natürlich, auch einen religiösen. Schiller hatte sich vor der Religion, die er überwiegend als dogmatische und obrigkeitliche kennengelernt hatte, auf den Boden der Kunst gerettet, wo er hinreichenden Ersatz für sie gefunden hatte. Sein diesbezügliches Glaubensbekenntnis hatte er in den »Briefen über die ästhetische Erziehung« abgelegt. Er war nicht geneigt, sich von der *Schlegelei*, so nannte er die Romantiker, wieder ins Religiöse hinüberziehen zu lassen. Er warf Schleiermachers Buch ärgerlich zu den übrigen Erzeugnissen der Berliner Schule. Er habe, schreibt er an Goethe, in den »Reden« wenig neue Ausbeute und viel Prätention gefunden, die ihm auch sonst bei den Erzeugnissen der Schule übel aufstoße. Goethe seinerseits rühmte zunächst die *Bildung und Vielseitigkeit* der Schrift. Als er weiterlas, setzte sich dann sein Heidentum doch durch, und seine anfängliche Teilnahme ging *in eine gesunde und fröhliche Abneigung* über.

Schleiermacher hatte seine »Reden« über Religion an *die Gebildeten unter ihren Verächtern* adressiert. Goethe und Schiller jedenfalls gehörten zu denjenigen gebildeten Verächtern, bei denen Schleiermacher nicht viel ausrichten konnte.

Gleichwohl, die »Reden« sollten sich in der Folgezeit noch als überaus wirkungsmächtiges Gründungsdokument einer neuen, einer romantischen Frömmigkeit erweisen.

Achtes Kapitel

Das Schöne und die Mythologie. Das älteste Systemprogramm des
deutschen Idealismus. Mythologie der Vernunft. Von der Vernunft der
Zukunft zur Wahrheit des Ursprungs. Görres, Creuzer, Schlegel und
die Entdeckung des Ostens. Die andere Antike. Hölderlins Götter. Ihre
Gegenwart und Vergänglichkeit. Im Bild verschwinden.

Mit Schleiermachers Auftreten im romantischen Kreis drängte eine
Frage zur Entscheidung: Was behält in der ästhetischen Religion
schließlich das Übergewicht: das Ästhetische oder das Religiöse?
Für August Wilhelm Schlegel, der sich eingestandenermaßen nicht
für einen religiösen Virtuosen hält, sind die Dinge klar. Warum,
schreibt er in einer Betrachtung zu Dantes »Göttlicher Komödie«,
bereitet uns das Werk Vergnügen, und warum ist es als große Kunst
anzusehen? Nicht, weil es katholische Wahrheiten illustriert, sondern weil es schön ist. Man vergißt gerne, schreibt er, *daß für die*
Poesie alles Schöne wahr ist. Weil es schön ist, und nicht weil es katho-
lisch ist, kann Dantes Werk als wahr gelten. August Wilhelm Schlegel legt der Kunst einen eigenen Wahrheitswert bei, der mit der
Schönheit identisch ist. Deshalb braucht die Kunst nicht bei der Religion in die Schule zu gehen. Der Künstler sollte auch nicht seine
Inspiration mit einer religiösen Offenbarung verwechseln. Bei Gelegenheit einer Rezension der »Herzensergießungen eines kunstliebenden Klosterbruders« warnt er ausdrücklich davor. Er lobt den
Text, beklagt aber die Selbstmystifikation, die den künstlerischen in
einen *religiösen Antrieb* umdeutet. A.W. Schlegel war in diesen Jahren auch von der katholisch-christlichen Malerei und Poesie angezogen und gab dem Katholizismus den Vorzug vor dem Pro-
testantismus, aber eben ausdrücklich aus künstlerischen Gründen.
Die protestantische Unsinnlichkeit der Gottesverehrung gibt dem
Künstler wenig zu tun. Anders in der katholischen Welt. Hier soll

die Schönheit das Göttliche verherrlichen, und darum findet der Schönheitssinn reiche Nahrung, auch wenn er am eigentlich Religiösen kein Interesse nimmt. In diesem Sinne schrieb A.W. Schlegel zusammen mit Caroline die im dritten Stück des »Athenäum« veröffentlichte Lobpreisung der christlichen Malerei in der Dresdener Bildergalerie. Dabei fühlte er sich dem Katholizismus genausowenig verbunden wie etwa Schiller in seinem Gedicht »Die Götter Griechenlands« der heidnischen Religion. In beiden Fällen ging es um das ästhetische, nicht um das religiöse Interesse.

Mit Schleiermachers Definition des Religiösen als *Sinn und Geschmack fürs Unendliche* wurden aber die Grenzen zwischen dem Ästhetischen und dem Religiösen verwischt. War die romantische Poesie mit ihrem Sinn für das Unheimliche und Wunderbare nicht schon unmittelbar religiös? Und war sie nicht um so religiöser, je poetischer sie war, das heißt je entschiedener sie jeden platten Realismus von sich wies? *Alles Beschränkte als eine Darstellung des Unendlichen hinnehmen, das ist Religion*, hatte Schleiermacher geschrieben. Aber das könnte auch genau die Definition der romantischen Poesie sein: die Darstellung des Unendlichen im Beschränkten. Deshalb hatte auch Schleiermacher die Kunst, besonders die seiner romantischen Freunde, dicht an die Religion herangerückt, wie umgekehrt die Romantiker die Nähe zur Religion suchten, oder genauer: ihr Schaffen selbst als eine Art Religion ansahen. Es war gar nicht nötig, Heiligenlegenden nachzudichten, wie es Tieck mit der Genoveva tat. Den Romantikern galten allein schon ihre poetischen Phantasien, Sprachspiele, Bilder und Symbole als *Mittler* (Novalis), als Fenster zum Unendlichen.

Schleiermachers Religionsbegriff war so geräumig, daß er nicht nur der Kunst und Poesie Unterkunft bot, sondern auch Mythos und Mythologie anders verstehen lehrte. Es war nicht mehr nötig, das Christliche gegen das Heidnische schroff abzugrenzen. Es kam vielmehr darauf an, den religiösen Kern auch in den alten Mythen und ihren Systemen, der Mythologie, freizulegen. Schleiermacher stützte sich dabei auf seine Definition der religiösen Erfahrung, für die gilt: *das Universum ist in einer ununterbrochenen Tätigkeit und offenbart sich uns jeden Augenblick.* Mit Bezug auf die alten Griechen folgert er: *es war Religion, wenn sie für jede hilfreiche Begebenheit, wobei die ewigen Gesetze der Welt sich im Zufälligen auf eine einleuchtende Art offenbarten, den Gott, dem sie angehörte, mit einem eigenen Beinamen begabten und einen eignen Tempel bauten; sie hatten eine Tat des Universums aufgefaßt, und bezeichneten so ihre Individualität und ihren Charakter.*

Es können die einzelnen Triebkräfte der Natur und die im Menschengeflecht wirkenden Antriebe zur Darstellung kommen, die Götter des Wassers, des Luftreichs, der Erde, des Waldes, des Kampfes, der Liebe, der List, der Bewegung, des Todes. So entsteht, als Spiegelung der Grundkräfte im Numinosen, die Mythologie des Polytheismus. Die Mythologien lassen sich danach unterscheiden, ob sie aus dem Gefühl der Freiheit oder der Unfreiheit entspringen, ob sie also das Universum als blinden Mechanismus oder als lebendigen Organismus verstehen, in dem die Tätigkeit des Einzelnen und die des Ganzen sinnvoll, wenn auch nicht immer harmonisch, aufeinander bezogen sind. Dem wirklichen Geheimnis des schöpferischen Universums angemessen ist für Schleiermacher nur eine Mythologie, die aus der Erfahrung der Freiheit entspringt und in sie zurückführt.

Was aber bedeutet diese Verbundenheit der Mythologie mit dem Gefühl der Freiheit? Ganz einfach: Frei ist jene Mythologie, die den Menschen belebt, seine schöpferischen Kräfte anspornt; die ihn nicht an seine Ursprünge bannt, sondern ihn sich aus den Ursprüngen befreien läßt zu neuen Entwürfen und Wandlungen, die den Bann des Immergleichen brechen, kurz: die das Individuum einstimmt auf ein schöpferisches Universum, dessen mitschöpferischer organischer Teil es ist. Die griechischen Göttergeschichten erzählen von solchen Befreiungen und Verwandlungen. Zeus stürzt die Titanen in den Orkus, Prometheus bringt den Menschen das Feuer, Herakles befreit den an den Felsen geschmiedeten Prometheus. Die Büchse der Pandora öffnet sich, Übel und Elend kommen über das Menschengeschlecht, aber auch die Hoffnung. Diese Geschichten sind Fenster ins Unendliche. Sie sind Ausdruck der Erfahrung des Menschen, der von ungeheuren Kräften berührt wird und sich dagegenstemmt. Die Mythologie entartet indes zur *leeren Mythologie,* wenn man beginnt, *von den Abstammungen dieser Götter eine wunderbare Chronik zu halten.*

Der religiöse Kern im Mythos ist für Schleiermacher also genau dort zu suchen, wo beides miteinander verbunden ist: die Beziehung zum ungeheuren Ganzen und die Weckung des Bewußtseins von Individualität, und das bedeutet die Erfahrung der Freiheit. Schleiermachers Begriff des Unendlichen ließ keinen Ursprungsmythos zu. Es konnte sich für ihn nicht darum handeln, daß der Mensch zurückgebunden wird an einen Ursprung. Das Unendliche ist offen, es schließt Vergangenheit und Zukunft in sich ein.

Zwei Jahre vor Schleiermachers »Reden« hatte es bereits einen ersten Versuch gegeben, die Möglichkeit einer solchen zukunftsoffenen und damit die Freiheit in Anspruch nehmenden Mythologie zu erkunden. Das geschah in einem kühnen Textentwurf von 1797, den man erst 1927 gefunden hat und der abwechselnd Hölderlin, Schelling oder Hegel zugeschrieben wird. Wenn auch vieles für die Verfasserschaft Hegels spricht, so ist doch unumstritten, daß der damals noch freundschaftliche Austausch zwischen den Dreien den Geist dieses Entwurfes, den man später »Das älteste Systemprogramm des deutschen Idealismus« nannte, maßgeblich bestimmte.

Die erste Idee, so heißt es am Anfang des Textes, *ist natürlich die Vorstellung von mir selbst als einem absolut freien Wesen* ... und weiter: *Zuerst werde ich hier von einer Idee sprechen, die, so viel ich weiß, noch in keines Menschen Sinn gekommen ist – wir müßten eine neue Mythologie haben, diese Mythologie aber muß im Dienste der Ideen stehen, sie muß eine Mythologie der Vernunft werden.*

Mythologie der Vernunft – das Vernünftige an dieser Mythologie sollte im identitätsphilosophischen Ansatz liegen, also in der Annahme, daß in Gesellschaft und Natur dieselbe Vernunft waltet wie im menschlichen Geist. Da aber die subjektive Vernunft ein Merkmal der Freiheit ist, so wird der Gesamtprozeß, in den der Mensch verwickelt ist, freiheitsanalog verstanden. Hegel und Schelling werden auf verschiedenen Wegen diesen Ansatz später entfalten, Schelling im Blick auf die Natur, Hegel im Blick auf Geschichte und Gesellschaft.

So weit das Vernünftige, was aber ist das Mythologische an der *Mythologie der Vernunft*? Die Antwort ist eher ernüchternd. Das Mythologische ist nichts Substantielles, sondern lediglich eine ästhetische Einkleidung. Daran ändert nichts, daß im Text davon die Rede ist, *daß der höchste Akt der Vernunft, der, in dem sie alle Ideen umfaßt, ein ästhetischer Akt ist*: Das *Mythologische*, verstanden als *ästhetischer Akt*, wird doch nur als eine Form der Popularisierung aufgefaßt. *Ehe wir die Ideen ästhetisch, d. h. mythologisch machen, haben sie für das Volk kein Interesse und ehe die Mythologie vernünftig ist, muß sich der Philosoph ihrer schämen. So müssen endlich Aufgeklärte und Unaufgeklärte sich die Hand reichen ...*

Hier wirkt noch das traditionell aufklärerische Denken, dem die Mythologie als uneigentliche Bilderrede gilt (weshalb man übrigens daran zweifeln kann, ob Hölderlin, dem die Poesie ja mehr bedeutet als ein Gedankenkleid, wirklich so großen Anteil an diesem Text hat). Die Autoren wollen eine Mythologie, in deren Gewand sie ihre anderweitig gewonnenen Gedanken hüllen, um eine bessere Wirkung beim Publikum zu erzielen. Gedacht war an den Gebrauch von Symbolen, Bildern und anschaulichen Erzählungen, wodurch die abstrakten Ideen die kollektive Phantasie beschäftigen und sie im Geiste von Vernunft und Freiheit besser würden beflügeln können. Vom Sinn und Geschmack fürs Unendliche ist hier noch wenig zu spüren. Die Ideen, die ins mythologische Gewand gekleidet werden sollen, sind, jedenfalls für die Autoren, klar und bestimmt. Sie sollen mit Hilfe der Bilderrede anschaulicher gemacht werden.

Das Dokument, von dem man heute in der Regel großes Aufhebens macht, ist nicht viel mehr als ein volkspädagogisches Projekt. Die Autoren halten sich noch für zu schlau, sie fühlen sich noch zu begriffsmächtig, um sich vom romantischen Geist erfüllen zu lassen. Noch ist bei ihnen das Fenster zum Unendlichen nicht geöffnet. Das wird sich, wenigstens bei Hölderlin und Schelling, noch ändern.

Romantisch indes ist die Kühnheit, mit der die Autoren zu Werke gehen. Sie fühlen sich als große Ichs, die sich mit revolutionärem Selbstbewußtsein zutrauen, etwas zu bewirken, das man heute »Paradigmenwechsel« nennt. *Mit dem freien, selbstbewußten Wesen tritt zugleich eine ganze Welt aus dem Nichts hervor, die einzig wahre und gedenkbare Schöpfung aus dem Nichts.* Das ist auch politisch gemeint. Es wirkt hier ein anarchischer Impuls. Der gegenwärtige Staat, heißt es in dem Text, ist wie eine Maschine gebaut, nicht wie ein Organismus. Die Individuen sollen funktionieren, aber nicht in sich selbst die Idee des Ganzen, also das Element der Freiheit, tragen. *Wir müssen also auch über den Staat hinaus! – Denn jeder Staat muß freie Menschen als mechanisches Räderwerk behandeln; und das soll er nicht; also soll er aufhören ...*

Es reicht also nicht aus, wenn sich die Poeten ihre private Mythologie verfertigen. Das ist noch keine Mythologie, die diesen Namen verdient. Sie muß öffentlich werden, gemeinschaftsbildend. Mythologie ist eine gesellschaftlich vereinigende Macht. Die Mythologie der Vernunft soll die Poesie aus den privaten Nischen herausholen, wo sie, zur schönen Nebensache heruntergekommen, nur noch dazu dient, das gesellschaftliche Übel privat zu kompensieren. Eine selbstbewußte, starke Öffentlichkeit muß erst geschaffen werden, und das trauen sich die Hölderlin, Hegel, Schelling im Jahre 1797 durchaus zu.

Nur wenige Jahre später, 1804, nach dem Untergang des alten Reiches und unter napoleonischer Vorherrschaft in Deutschland, schreibt Schelling: *Wo alles öffentliche Leben in die Einzelheit und Mattheit des Privatlebens zerfällt, sinkt mehr oder weniger auch die Poesie herab in diese gleichgültige Sphäre ... Mythologie ist nicht in der Einzelheit möglich, kann nur aus der Totalität einer Nation, die sich als solche zugleich als Identität – als Individuum – verhält, geboren werden.*

Zu diesem Zeitpunkt, da Schelling sich dem Problem des Bösen und damit auch der religiösen Sphäre zuzuwenden beginnt, ist Hegel dabei, seine Version einer Mythologie der Vernunft auszuarbeiten, jene große philosophische Erzählung, die davon handelt, wie der Geist in Natur und Geschichte zuerst bewußtseinslos wirkt, um dann im Menschen zum Bewußtsein seiner Freiheit durchzubrechen. So wird Hegels Philosophie, welche die alten Götter der Geschichte entmachtet, selbst zur gesellschaftlich-geschichtlichen Mythologie, die auch später in ihrer marxistischen Umwandlung mächtig ausstrahlen wird.

Über den Dritten im Bunde, über Hölderlin, wird sogleich noch zu reden sein.

Schleiermachers *Sinn und Geschmack fürs Unendliche* war zugleich Symptom und Motiv einer Bewegung, die bezüglich Mythologie, Kunst und Religion über den im Kern noch rationalistischen Ansatz des »Systemprogramms« hinausging. Zwei Bereiche sind dafür besonders charakteristisch.

Um 1800 entwickelte sich eine neue Art der Mythenforschung und, eng damit verbunden, veränderte sich das von Winckelmanns Klassizismus geprägte Bild der Antike. Das gemeinsame Resultat dieser Neuerungen wird sein, daß in der Ferne und zugleich in der Tiefe der Vergangenheit der geistige Kontinent des Ostens heraufdämmert, der »Orient«, wie man damals sagte, womit vor allem das alte Indien, China und Ägypten gemeint waren. Der Orient wirft seine Schatten auf den Okzident. Das begann nur wenige Jahre, nachdem Napoleon seine Ägypten-Expedition hatte abbrechen müssen. Das abendländische Selbstverständnis wird untergraben. Neben Zoega, Kanne und Welcker zieht es insbesondere Joseph Görres, Friedrich Schlegel und Georg Friedrich Creuzer in diese räumliche und geistige Ferne hinaus. Görres veröffentlicht 1810 die »Mythengeschichte der asiatischen Welt«. Im selben Jahr beginnt das monumentale Werk Creuzers, die »Symbolik und Mythologie der alten Völker, besonders der Griechen«, zu erscheinen. Friedrich Schlegel, der bereits in seiner »Rede über die Mythologie« von 1799

erklärt hatte: *Im Orient müssen wir das höchste Romantische suchen*, erlernt in Paris Sanskrit und bringt 1808 den Band »Über Sprache
und Weisheit der Indier« heraus.

Diese Generation der romantischen Mythenforscher unterscheidet sich von ihren Vorläufern dadurch, daß sie sich eben nicht
von vorneherein als klüger und wissender empfanden als die Mythologien, die sie erforschten. Diese Romantiker suchten nach den
verschollenen fernen Spuren früher Erfahrung mit dem Ungeheuren und Unendlichen. Sie fühlten sich als Arbeiter in den
Weinbergen des mythischen Menschheitsgedächtnisses. Der Sinn
fürs Unendliche fand Geschmack an der Tiefe der Vergangenheit,
an den Abgründen der Vorgeschichte. Das Auftreten des Christentums galt ihnen als wichtiger Einschnitt, aber doch als ein Ereignis mit ungeahnter Vorgeschichte; und was die Antike betraf, so
schrumpfte sie fast zur Episode zusammen, vor allem aber enthüllte
sie dem forschenden und nicht nur bewundernden Blick schauerliche Widersprüche.

Creuzer ging von West nach Ost. Görres suchte den Osten, um
von dort, von der Rückseite her, wieder in den Westen zu gelangen.
Für beide aber, wie auch für Friedrich Schlegel, war maßgeblich die
Einsicht, die Friedrich Ast 1808 so formulierte: *Solange wir den Orient
noch nicht erkannt haben, ist unser Wissen vom Okzidente grund- und
zwecklos.*

Görres und die anderen waren geistige Morgenlandfahrer geworden. Schon Novalis wollte seinen Heinrich von Ofterdingen
in ein zauberisches Morgenland, zu den *Quellen der Weisheit*, schik-
ken. Diese Morgenlandfahrer suchten die kulturelle Wiege der
Menschheit, mit Sinn und Geschmack fürs Unendliche glaubten
sie, daß in dieser Vorzeit Himmel und Erde sich noch inniger berührt hätten. *Kennt ihr das Land*, so beginnt Görres auf Goethes
Mignon-Vers anspielend, *wo die junge Phantasie zuerst in den Blüten-
düften sich berauschte und in dem süßen Rausche der ganze Himmel in
zauberische Visionen sich ergoß? Nach dem Morgenlande, an die Ufer des
Ganges und des Indus hin, da fühlt unser Gemüt von einem geheimen Zug*

sich hingezogen, dahin deuten alle die dunklen Ahndungen, die in seinen Tiefen liegen, und dahin gelangen wir, wenn wir dem stillen Strome, der in Sagen und heiligen Gesängen durch die Zeiten fließt, bis zur Quelle folgen.

Neue Grenzen, neue Horizonte; das Sehnsuchtsland der Klassik, der Süden, ist überboten. Schopenhauer, der in seiner Jugend von der Romantik geprägt war, wird es als die schönste Bestätigung seiner Philosophie empfinden, als er in seinem Begriff der Vorstellung die indische »Maya« und in seiner Ethik der Willensverneinung das indische »Nirwana« wiedererkennt. Es war Friedrich Schlegel, der den deutschen Kulturkreis und damit auch Arthur Schopenhauer mit den »Upanishaden« bekannt machte.

Wie einst Herder überkommt die Romantiker das Gefühl, in einem ungeheuren Zeitstrom zu treiben, der von weither kommt und ins Unbestimmte hinausführt. Die Dinge schwanken, es läßt sich kein ruhiger Beobachtungspunkt im Außerhalb finden, man ist Geschichte und wird von ihr mitbewegt. Aber in den wenigen Jahren seit der Revolution und den Enttäuschungen, die sie den von ihr einst Begeisterten bereitet hat – Görres war auch ein Jakobiner gewesen, ehe er Morgenlandfahrer wurde –, hat sich die Aufmerksamkeit verlagert: Man hört auf das Raunen der Vergangenheit und achtet nicht mehr so sehr auf die Verheißungen der Zukunft. Für das neue romantische Geschichtsbewußtsein trägt nun der Anfang die Wahrheit, und es geht davon ein fernwirkender Zauber aus. Es erwacht ein mächtiges Heimweh nach der Vergangenheit. Joseph Görres, der mit dieser Haltung zur Zentralfigur der Heidelberger Romantik um 1807 wird, schreibt im Nachwort seiner »Mythengeschichte der asiatischen Welt«, die Richard Wagner und Friedrich Nietzsche später fleißig nutzen werden: *So reich war jene vergangene Welt, sie ist versunken, die Fluten sind darüber hingegangen, da und dort ragen die Trümmer noch hervor, und wenn sie die Trübe der Zeitentiefe klärt, sehen wir am Grunde ihre Schätze liegen. Wir sehen aus großer Ferne in den wundervollen Abgrund nieder, wo alle Geheimnisse der Welt und des Lebens verborgen ruhen ... Es zieht hinab den Blick in die Tiefe, es locken*

die Rätsel aus der Ferne, aber nach aufwärts drängt die Strömung und wirft
den Taucher aus in die Gegenwart.

Als Görres diese vergangenheitstrunkenen Sätze schreibt, sind
erst zehn Jahre vergangen, seit Schelling, Hölderlin und Hegel ihr
revolutionäres Programm einer Mythologie der Vernunft entwik-
kelt haben. Für sie lag die Wahrheit in der Zukunft, für Görres sind
die *Geheimnisse der Welt* verborgen in der *Tiefe* der Vorzeit. Görres
sucht nach dem Mythos des Ursprungs. Aber der humanistische
Universalismus ist in ihm immerhin noch so mächtig, daß er für die
mythische Vorzeit die Hypothese aufstellt, die Geschichte aller Völker fange an *mit Weltgeschichte, nicht mit spezieller Landesgeschichte.* Bei
dem Versuch, den Ursprung der Geschichte und damit der menschlichen Kultur freizulegen, vergleicht Görres, auf den Spuren Herders,
die Mythologien Japans, Chinas und des europäischen Nordens, stellt
Verbindungen zu griechischen, ägyptischen und indischen Überlieferungen her und kommt zu dem Schluß, daß die *ersten Blätter in
dem großen Buch der Weltgeschichte* zwar in verschiedenen Buchstaben
geschrieben sind, aber überall dieselbe Geschichte erzählen, und
Görres seinerseits erzählt sie in Analogie zur individuellen Geburt
aus dem Mutterleibe. Der universelle Mythos des Ursprungs, so
Görres, erinnert an das allmähliche und auch schmerzhafte Erwachen der *somnambülen* Menschheit aus der noch traumverlorenen
Naturbefangenheit. Der Geist hat zwar die *Kreise der Naturgewalt*
durchbrochen, er ist aus der bergenden Höhle herausgetreten, aber
anders als vor der Geburt ist der eigene Kreislauf noch nicht vollendet. Dem Menschen damals schlug zwar schon das Herz in der eigenen Brust, aber das *wahre Herz* ist ihm noch jenes, das im Universum
schlägt. Der frühe Mensch steht noch unter der Gewalt der Erde,
aber indem er ins Offene hervorkommt und zur Bewußtheit erwacht, wird er zu einem Wesen, das sich die künstliche Höhle der
Kultur schafft, eine Höhle voller Erinnerungsspuren an die verlorene Einheit mit Himmel und Erde. Erst im Übergang vom Mythos
zur Kultur splittert sich das Universelle auf, und es entstehen die
Vielfalt und der Eigensinn. Erst von diesem Augenblick an gibt es

Landesgeschichte und ihre speziellen lokalen Mythen, die aber dem eigentlichen Ursprung schon fern liegen.

Goethe wird es unbehaglich. Er spürt eine Flut steigen, die ihm das kulturelle Haus unterspült. An Sulpiz Boisserée schreibt er am 16. Januar 1818: *Winckelmanns Weg, zum Kunstbegriff zu gelangen, war durchaus der rechte ... sehr bald aber zog sich die Betrachtung in Deutung über und verlor sich zuletzt in Deuteleien; wer nicht zu schauen wußte fing an zu wähnen, und so verlor man sich in ägyptische und indische Fernen, da man das Beste im Vordergrunde ganz nahe hatte ... man hatte nun immerfort an den unseligen dionysischen Mysterien zu leiden.*

Die Vordergründe, die Goethe empfahl, genügten den Romantikern nicht. Nicht umsonst hatte schon Novalis die Nacht besungen. Jetzt aber ist es die geheimnisvolle Nacht des Geburtsschoßes der Menschheit und der Zeitenferne, die fasziniert. Den Entsprungenen lockt der Ursprung, wo Geburt und Tod sich einen. *Auf den Grabeshügel der Vergangenheit*, schreibt Görres in der Einleitung zu seinen »Teutschen Volksbüchern«, *werden wir geboren; wie eine Feuerflamme ist das Leben durch die Erde durchgeschlagen, aber die Tiefe nur gibt der Flamme Nahrung, und unten wohnt in dunkler Höhle die Sibylle und hütet die Mumien, die zur Ruhe gegangen sind, und sendet die Andern hinauf, die aufs neue in des Lebens Kreis treten, und läutet die Totenglocke, die dumpf aus den Tiefen den Geschlechtern ruft, die niedersteigen sollen in das nächtliche dunkle Reich.*

Görres fragt: Wie hat es mit der Menschheit angefangen? So gerät man in die vermeintlichen Uranfänge. Wenn man nicht so weit zurückgehen will, sondern bei dem Ursprung der *Landesgeschichte* haltmacht, lautet die entsprechende Frage: Wie hat es mit den Deutschen angefangen, wovon sind sie geprägt, wie verhält es sich mit ihrem kulturellen Ursprung, und vor allem, welche Aspekte der deutschen Kulturvergangenheit können, falls man sich ihrer erinnert, ein Selbstbewußtsein schaffen helfen, das der Selbstbehauptung in der krisenhaften Situation dient? Das sind dann die Fragen, die sich der Heidelberger Romantik aufdrängen und zwischen 1806 und 1815, nach dem Zusammenbruch Preußens und in den Jahren der antinapoleonischen Kriege, politisches Gewicht bekommen. Aus der ehemaligen Zukunftsbezogenheit und der Vergangenheitsseligkeit bildet sich ein neues kritisches Bewußtsein. Die Gegenwart, so heißt es dann, ist in einem Wahn befangen, wenn sie glaubt, sie stünde am Anfang der Zeit, mit ihr begänne eine neue Zeit. Wer nur nach vorne blickt, setzt sich über die Erfahrungen, die Weisheit und das Gedächtnis der Vergangenheit hinweg. Die Toten sollen nicht mehr mitreden dürfen. Friedrich Carl von Savigny, der auch zum Heidelberger Kreis gehörte, warnt. Man wird bald bemerken, erklärt er, daß die ignorierte Vergangenheit sich rächt, daß sie, wenn sie nicht bewußt ergriffen und fortgebildet wird, als blinder Zwang sich hinter dem Rücken der Akteure durchsetzt, daß man also die erhoffte Zukunft nicht gewinnt, wenn man die Verbindung zur Vergangenheit zerstört.

Die Vergangenheit, mit der man verbunden bleiben wollte, war für das klassische Bewußtsein vor allem die ästhetisch vorbildliche Antike. Diese wird nun unter neuen Aspekten gesehen und nimmt dabei ein anderes Aussehen an. *Edle Einfalt, stille Größe* – das war Winckelmanns Bild. Görres äußert die Vermutung, daß man die Antike so hat sehen können, weil die Statuen inzwischen farblos und die Augenhöhlen leer waren. Mit romantischen Augen angesehen, blickt die Antike anders zurück. Friedrich Schlegel hatte bereits in seinen frühen Schriften über die Antike auf den wilden, dionysischen Zug hingewiesen: *Orgiasmus, festliche Raserei in gesetzlichen Gebräuchen, die einen geheimen heiligen Sinn umhüllt, war ein wesentlicher Bestandteil des mystischen Götterdienstes.* Die Romantiker hatten noch vor Nietzsche diese dionysische Unterströmung des Griechentums gespürt und fühlten sich davon angezogen. Novalis spricht, auf seine sanfte Art, vom *Geist der bacchantischen Wehmut.*

Winckelmann hatte geschrieben: *Der Wind, der von den Gräbern der Alten herweht, kommt mit Wohlgerüchen wie über einen Rosenhügel.* Nein, sagen die Romantiker, es sind nicht nur Wohlgerüche und Rosenhügel, es ist auch die Ahnung von Trauer und einer entsetzlichen Grausamkeit. Wie schauerlich ist doch das Geschick des Ödipus, und wie entsetzlich sind die Leiden des an den Felsen geschmiedeten Prometheus, dem ein Adler die Leber frißt. Welche Raserei bei Medea, die ihre Kinder ermordet. Und auch bei den schönen Stellen und Figuren – *woher denn der durchherrschende melancholische Ton in der ganzen griechischen Kunst? Woher der trübe Anstrich ihrer sinnlich schönsten Gestalten der jugendlichen Heroen, selbst des Apollon ...?* fragt Karl Wilhelm Ferdinand Solger und gibt die Antwort, daß die Griechen, gerade weil sie ihre Schönheitskultur so hoch trieben, den Abstand zum animalischen Leben zu einem Abgrund gesteigert hatten, in den sie immer wieder hineinstürzen mußten; die Angst vor dem Absturz und die Angst vor dem Tod wurden sie nicht los. Das berührt sich mit dem Gedanken von Novalis aus den »Hymnen an die Nacht«: die Griechen hätten die Nacht so sehr gefürchtet, daß sie sich in sie so stürzen mußten, wie man sich einem Feind ergibt. *Die Hellenen*, schreibt der Historiker August Böckh, *waren im Glanze der Kunst und in der Blüte der Freiheit unglücklicher als die meisten glauben.* Ernst Moritz Arndt will noch nicht einmal diese *Blüte der Freiheit* gelten lassen: *Freiheit war bei ihnen durch Sklaverei genährt und erhalten ...*

Wie aber verhielt es sich bei den Griechen mit dem religiösen Sinn und Geschmack fürs Unendliche? Die Romantiker neigten dazu, in den Dionysien, im Rausch, im Orgiastischen den Versuch zu sehen, in der Dimension der entfesselten Sinnlichkeit das Unendliche zu spüren. Das lehnten die einen aus sittlichen Gründen ab, die anderen nahmen es mit wohligem Schauer auf. Man solle sich nicht zu sehr darein vertiefen, schreibt Solger, sonst ergehe es einem wie dem König Pentheus, der die rasenden Mänaden, unter ihnen seine Mutter, im Gefolge des Dionysos heimlich beobachten will und von ihnen zerrissen wird.

Für die Romantiker, sofern sie fromm waren oder es wurden, war die Sache klar. Der inzwischen katholische Friedrich Schlegel entdeckt in der Antike die *heidnische Signatur*. Es war eine geniale Kultur, aber unerlöst, noch fern vom Heil. Das Beispiel einer begabten Menschheit, die es nur zu einem flackernden Glück bringt, das bald verlöscht, und die in Wut oder Wehmut darüber gerät. Böckh bringt die Deutung der frommen Romantiker auf den Punkt: *Rechnet man die großen Geister ab, die in der Tiefe ihres Gemütes eine Welt einschließend sich selbst genug waren, so erkennt man, daß die Menge der Liebe und des Trostes entbehrte, die eine reine Religion in die Herzen der Menschen gegossen hat.* Das Heidnische wird zum Dämonischen. In Eichendorffs Erzählungen und Gedichten erwachen in dämmernden und verwilderten Parks die Marmorstatuen der Venus zu unheimlichem Leben.

Goethe aber will sich von den Romantikern seine Antike nicht verleiden lassen. *Das bißchen Heiterkeit, was die Griechen sollen in die Welt gebracht haben, wird von den tristen ... Nebelbildern ganz und gar verdüstert.*

Es war Friedrich Hölderlin, der sich diese *Heiterkeit* des Griechentums ebenfalls bewahren wollte, aber anders als Goethe. Nicht nur ästhetisch, sondern religiös. Auch Hölderlin war von der religiösen Bewegung der Romantiker ergriffen. Andere suchten ihr Heil in Indien oder wieder im Christentum oder in beidem, er aber wandte sich dem Griechentum zu, mit gläubiger Hingabe und poetischer Kraft. Doch das nahm kein gutes Ende. Denn es war für ihn immer weniger möglich zu unterscheiden, ob es die Poesie der Religion war oder die Religion der Poesie, was ihn anzog. Lebten die Götter noch, die er besang, oder lebten sie nur noch im Gesang, wie es in Schillers »Die Götter Griechenlands« heißt. Nein, sie sollten nicht nur im Gesang leben. Wie aber sonst und wo?

Zunächst jedoch, wie sollte es anders sein, lernt er sie kennen durch den Gesang. Er liest griechische Texte, Homer, Pindar, Sophokles, schon in der Schule, später im Tübinger Stift. Er liest mehr als die Lehrpläne vorschreiben. Seine philologischen Kenntnisse werden gerühmt. Auf diesem Gebiet überflügelt er seine Stubengenossen Schelling und Hegel. Besonders einer dieser griechischen Götter ist für ihn von besonderer Bedeutung: Dionysos. Die

Freunde, Hegel, Schelling und Hölderlin, hatten schon im Tübinger Stift einen privaten Kult mit ihm getrieben, und die dionysischen Mysterien der Wiedergeburt und Erneuerung hatten ihre Phantasie beschäftigt. Dionysos ist der Gott des Weines, der entfesselten Sinnlichkeit, der Lust, ein Gott aber auch, der zerrissen wird, stirbt, um wiederzukommen. Natürlich erinnert dieser Gott die Theologiestudenten im Tübinger Stift an den gekreuzigten und wieder auferstandenen Christus, Dionysos aber ist exotischer, aparter und regt die Phantasie stärker an. Die Tübinger Freunde erwählen sich ihn um 1790 zum revolutionären Schutzpatron, zum Symbol für die Hoffnung auf gesellschaftliche Erneuerung und überhaupt für den jugendlichen Geist der Wiedergeburt der Natur im Frühling. Hölderlin wird Dionysos den *kommenden Gott* nennen: *Dort ins Land des Olymps, dort auf die Höhe Cithärons, / Unter die Fichten dort, unter die Trauben, von wo / Thebe drunten und Ismenos rauscht, im Lande des Kadmos, / Dorther kommt und zurück deutet der kommende Gott.*

Zuerst also hatten die Freunde dem Dionysos gehuldigt, dann entwickelten sie 1797 ihr Programm einer »Mythologie der Vernunft«, und Hölderlin war es, der es poetisch umsetzte. Es ist bei ihm Vernunft im Spiel, insofern das Gefühl der Freiheit vorherrscht; Mythologie, weil die Mächte der Natur und Geschichte von Hölderlin tatsächlich als göttlich und numinos erlebt werden; Poesie, weil es die Sprache ist, die den sakralen Raum schafft, in dem sich das Göttliche zeigen kann.

Die mythische Phantasie ist bei ihm ein Organ der Wahrnehmung. Erst durch sie ist ihm das Leben wahrhaft erschlossen und gedeutet. Diese Art der Phantasie hat sich bei ihm gebildet durch die Verbindung von Kindheitserinnerungen und Bildungserlebnissen. Das Reich der Kindheit, ihre Landschaft und ihre Stimmen, wird ihm zur mythischen Welt, die als vergangene immer noch in ihm lebt. In der Nähe und doch so fern und deshalb mit Wehmut bedacht: *Wo tönt sie uns einmal wieder, die Melodie unsers Herzens in den seligen Tagen der Kindheit?* Und was die frühen Bildungserlebnisse betrifft, so spielt neben den antiken Klassikern Schillers Gedicht »Die Götter Griechenlands« eine besondere Rolle.

Es war dieses Gedicht, das Hölderlin zu seinen eigenen Versuchen der Wiederbelebung des mythischen Bewußtseins inspirierte. Er wird sich auf die Suche machen nach einer lyrischen Sprache für die mythische Erfahrung, von der er glaubt, daß sie den Griechen selbstverständlich war und den *Heutigen* verlorengegangen ist. Mythische Erfahrung? Er versteht darunter ein Gespür für tiefere Bedeutung. Wir aber zerstören solche Bedeutsamkeit durch die *Wut* des Erklärens. Man dringt in die Wirklichkeit ein, statt sich ihr zu öffnen und sie *aufgehen* zu lassen. Deshalb *sieht* man die Erde nicht mehr, *hört* nicht mehr den Vogellaut, und die Sprache zwischen den Menschen ist *verdorrt*. Diesen Zustand nennt Hölderlin *Götternacht*, und er warnt vor der *Scheinheiligkeit*, mit der mythologische Themen und Namen zum bloß artistischen Spiel mißbraucht werden.

Bei Schillers Beschwörung der griechischen Götterwelt waren allerdings die artistischen Züge nicht zu übersehen. Über weite Strecken liest sich das Gedicht wie ein Who is Who der griechischen Götterwelt. Man merkt dem Gedicht bisweilen an, daß sein Autor das damals gängige Nachschlagewerk, Benjamin Hederichs »Gründliches mythologisches Lexikon«, intensiv genutzt hat: Um die Einzelheiten des Gedichtes zu verstehen, muß man nun das Lexikon zu Rate ziehen. Schon Körner hatte die beflissene Gelehrsamkeit des Gedichtes bemängelt, und Goethe fand es ansprechend, aber zu lang und zu überladen.

Daß die im Gedicht beschworenen Götter gegenwärtige Mächte jenseits der poetischen Welt sein könnten, daran glaubten weder Schiller noch Goethe. Hölderlin hatte Schiller über alles bewundert, als er aber 1795 in Jena einige Zeit in der Nähe seines Meisters lebte, verkrampfte er sich und brachte kaum eine Zeile zu Papier. Warum? Weil er in Schillers Nähe fürchten mußte, seinen Glauben zu verlieren. Nehmt ihr mir meine Götter, sagte er einmal, so tötet ihr mich.

Die Götter waren für die Antike-Begeisterten – von Winckelmann bis Moritz, Schiller, Goethe und Schlegel – künstlerische Sinnbilder. Für Hölderlin aber treten die Götter aus ihren antiken Bildern, für ihn ist es ausgemacht, daß sie nicht nur im *Dichterlande* (Schiller) leben. Sie sind ihm gegenwärtig, und zwar nicht nur in historischer Erinnerung.

Das gewaltige Element habe ihn *beständig ergriffen, und* er könne *wohl sagen, daß* ihn *Apollo geschlagen.* Das schreibt Hölderlin nicht in einem Gedicht, sondern in einem Brief vom November 1802 an Böhlendorff. Die Rede ist von einem realen Ereignis, das ihm widerfuhr bei der winterlichen Fußwanderung über das Massif Central nach Bordeaux.

Was geschieht nun eigentlich, wenn Hölderlin das »Göttliche« oder die »Götter« erfährt?

Vielleicht könnte man hier, mit Nietzsche, von den *Verzückungsspitzen* sprechen: überwältigende oder still verzaubernde Natureindrücke, *mächtiger Äther! und du, / Erd' und Licht! ihr einigen drei, die walten und lieben, / Ewige Götter! mit euch brechen die Bande mir nie.* Freundschaft, Liebe, hochgestimmte Geselligkeit gehören auch dazu. Solche Augenblicke der gesteigerten Intensität glänzen, auf sie fällt ein Licht, das sie aus dem Grau und dem Dunklen des sonstigen Lebens heraushebt. Wo etwas auf so berückende Weise gelingt, da *wohnt ein Gott,* und darum gibt es so viele Götter, weil in jedem einzelnen gelungenen Lebensmoment ein ganz eigener Gott wohnt. An seinen Bruder schrieb Hölderlin einmal: *So müssen wir auch der Gottheit, die zwischen mir und Dir ist, doch wieder von Zeit zu Zeit das Opfer bringen; das leichte, reine, daß wir nämlich zueinander sprechen . . .* Ein Gott bewohnt auch den Raum zwischen ihm und dem Bruder, es ist der gute Geist, der zwischen ihnen herrscht in der beglückenden Vertrautheit, im Verstehen und der wechselseitigen Teilnahme. Und auch ein Gott ist es, der den Raum eröffnet zwischen ihm und seiner geliebten Susette Gontard. Seinem Freund Neuffer schreibt er darüber: *Ach! ich könnte ein Jahrtausend lang in seliger Betrachtung mich und alles vergessen bei ihr . . . alles ist in und an ihr zu einem göttlichen Ganzen vereint* ... Und so geht das fort: In jedem gesteigerten Augenblick des Lebens spürt er einen Gott wirken, deshalb gibt es für ihn so viele Götter, deshalb die antiken Götter mit ihren besonderen Zuständigkeiten und nicht der flächendeckende und darum vielleicht auch verflachende einzige Gott des Christentums, der den Menschen am Ende nur noch ins moralische Gewissen fährt.

Hölderlin fühlt nicht christlich, aber auch nicht pantheistisch. Die Natur wird nicht mit Gott gleichgesetzt, sondern es sind besonderen Gelegenheiten, Situationen, Beziehungen, die als göttlich erlebt werden. Göttlich ist ein Leben, das aus seiner Wurzel wächst, seine ihm angemessene Gestalt findet und dann gesättigt zur Erde zurückkehrt. Ein Leben, dem es vergönnt ist, einen solchen Zyklus zu vollbringen, steht unter göttlicher Obhut. Es ist *ganz, was es ist, und darum ist es so schön.* Es ist auserwählt, die *Parzen* sind ihm freundlich gesonnen. Sie schneiden den Faden erst ab, wenn die Frucht reif ist.

Göttlich können auch Landschaften sein. Hyperion, voll Trauer über die verschwundene Antike, betritt wieder griechischen Boden, griechische Landschaft, und plötzlich ist alles wieder da, der Geist der Orte ergreift ihn. Es leben noch die Götter in den Hainen, im leichten Wind, der vom Meer her weht, in den Frauen, die mit Körben über die Hügel kommen, in den Männern, die ruhig am Meer sitzen oder ihre Netzte flicken. *Endlich ... merkt' ich mehr auf, und mein ganzes Wesen öffnete sich der wunderbaren Gewalt, die auf einmal süß und still und unerklärlich mit mir spielte.* Nicht in der ganzen Natur, sondern in bestimmten Landschaften und Konfigurationen des Menschengeflechtes *west* das Göttliche. Es kommt und geht, ein unaufhörliches Spiel von Anwesenheit und Entzug, Erscheinen und Verschwinden. Das Unendliche im Endlichen, das Ewige im Augenblick.

Das Göttliche zeigt sich in den Augenblicken großer Gelöstheit. Es lebt im Dazwischen, es ist eröffnend, und sein Ort ist das Offene: *Komm! ins Offene, Freund! ... / Trüb ist's heut, es schlummern die Gäng' und die Gassen und fast will / Mir es scheinen, es sei, als in der bleiernen Zeit ...*

Göttliches ist im Spiel, wo das Leben feiert. Es ist das Belebende schlechthin. Es lebt in der Beziehung und stirbt mit ihr. Das geschieht, wenn der Eigennutz den Zwischenraum zerstört, wo das *Heilige* sich zeigen kann. Für Hölderlin ist dies das Merkmal der Gegenwart, eine Zeit des *schlauen Geschlechtes*, das die Natur zu kennen glaubt und sie ausbeutet, indem sie die in ihr waltenden göttlichen Mächte zu *Knechten* macht und dadurch selbst zum *Knechte* wird. Das Göttliche stirbt, wenn die Menschen sich wechselseitig zum Ding machen. Dann ist uns, als ob ein *Nichts* über uns waltet, *daß wir geboren werden für Nichts, daß wir lieben ein Nichts, um allmählich überzugehen ins Nichts.*

Man muß das Göttliche in seine Obhut nehmen und bewahren, es ist so zerbrechlich. Auch das Schöne muß sterben. *Wir standen einmal,* heißt es im »Hyperion«, *des Abends zusammen auf der Brücke, nach starkem Gewitter, und das rote Berggewässer schoß, wie ein Pfeil, unter uns weg, aber daneben grünt' in Ruhe der Wald, und die hellen Buchenblätter regten sich kaum. Da tat es uns so wohl, daß uns das seelenvolle Grün nicht auch so wegflog, wie der Bach, und der schöne Frühling uns so still hielt, wie ein zahmer Vogel, aber nun ist er dennoch über die Berge ... So sollte auch unsre eigne Seligkeit dahingehn, und wir sahen's voraus ... wer darf denn sagen, er stehe fest, wenn auch das Schöne seinem Schicksal so entgegenreift, wenn auch das Göttliche sich demütigen muß, und die Sterblichkeit mit allem Sterblichen teilen!*

Nichts ist flüchtiger als die Götter, schreibt Hölderlin einmal an Böhlendorff, sie wechseln ihre Wohnstätten und lassen Asche zurück, unter der wir noch eine späte Glut finden können. Es sind die Dichter, die sie vielleicht wieder anfachen können. Der Ort muß ihnen gewogen sein und die Zeit, und es muß ihnen das *atmende Wort* gelingen.

Wenn das Göttliche vergänglich ist, so kommt alles darauf an, ihm eine gewisse Dauer zu geben. Das soll also in der Sprache, im Gedicht geschehen. Hölderlin versetzt die Götter, die ihm aus den

Bildern getreten sind, wieder in die Bilder der Sprache, damit sie von dort aus erneut ins Leben treten können. Frühere Generationen haben das salbungsvoll Hölderlins »Sehertum« genannt.

Von Gottfried Benn stammt der boshafte Satz: Menschen, die ihrer Weltanschauung sprachlich nicht gewachsen sind, nenne man in Deutschland »Seher«. In diesem Sinne war Hölderlin gewiß kein »Seher«. Denn welches immer seine Weltanschauung gewesen sein mag – sprachlich war er ihr gewachsen. Sein Problem ergab sich umgekehrt daraus, daß seine lyrische Sprache ihn zu etwas forttrug, das er mit seinem sonstigen Leben nicht mehr verbinden konnte. Bei ihm war Sprache mächtiger als alle anderen Lebensmächte. Auf dem Höhepunkt seiner dichterischen Kraft um 1800 hat Hölderlin in dem großen Gedicht »Archipelagus« sich zugetraut, die ganze griechische Götterwelt wieder neu hervorzubringen, sie im beschwörenden Wort neu zu erfinden, damit sie ihn finden möge. *Köstliche Frühlingszeit im Griechenlande! wenn unser / Herbst kömmt, wenn ihr gereift, ihr Geister alle der Vorwelt! / Wiederkehret und siehe! des Jahres Vollendung ist nahe! / Dann erhalte das Fest auch euch, vergangene Tage! / Hin nach Hellas schaue das Volk, und weinend und dankend / Sänftige sich in Erinnerungen der stolze Triumphtag!*

Hölderlin lebte und webte in seinen Gedichten, in deren sprachlicher Sphäre er seinen epiphanischen Augenblicken Dauer und Haltbarkeit geben wollte. Das mag ihm gelungen sein. Aber er wollte mehr. Er wollte etwas ganz Einfaches, etwas, das man sehr gut nachvollziehen kann. Er wollte nämlich, daß der Geist, der ihn beseelte, aus den Grenzen des Gedichtes heraustreten und sich gewissermaßen veralltäglichen sollte. Die Grenze zwischen dem, was dichtet, und dem, was lebt, sollte von der Dichtung her beseitigt werden, ehe das Umgekehrte geschah, daß nämlich die sogenannte harte Realität ihm sein Dichten untergrub und verdarb.

Hölderlin wußte, daß seine Götter in seiner Sprache lebten und daß sie vielleicht nur solange lebten, wie seine sprachliche Kraft sie vergegenwärtigen konnte. Die erhabene Formulierung dieses Gedankens über die *Himmlischen* lautet: *Denn nicht immer vermag ein schwaches Gefäß sie zu fassen, / Nur zuzeiten erträgt göttliche Fülle der Mensch.* Die weniger erhabene findet sich in einem Brief an Schiller vom 4. September 1795: *ich fühle nur zu oft, daß ich eben kein seltener Mensch bin. Ich friere und starre in dem Winter, der mich umgibt. So eisern mein Himmel ist, so steinern bin ich.*

Wenn also für Hölderlin die Götter aus ihren antiken Bildern getreten waren und wenn er sie in seinen Bildern festhalten wollte, so mußte er erfahren, daß diese Götter vom Auf und Ab, von der Konjunktur seiner sprachlichen Kraft lebten. Aber er wollte mehr, er wollte, daß das Heilige der Dichtung mit dem Nüchternen des sonstigen Lebens irgendwie zu verbinden war. Er prägte in dem Gedicht »Hälfte des Lebens« den Ausdruck *heilignüchtern.* Aber heilignüchtern wurde er nicht, es blieb bei diesem erstaunlichen sprachlichen Bild. Kein Wunder, daß ihn schließlich das Verlangen ergriff, nur noch in seinen Bildern zu leben. Im Bild verschwinden. Das war es vielleicht, was mit Hölderlin am Ende geschah.

Um kein romantisierendes Mißverständnis aufkommen zu lassen: Hölderlin brach zusammen, sein Geist war wohl wirklich zerstört und krank geworden. Der Schreiner Zimmer, der ihn viele Jahre im Tübinger Turm mit Hingabe pflegte, hat es auf seine schwäbische Weise gesagt: *Bei ihm ischt es die Schwärmerei für das blanke Heidentum gewese, das ihn hat überschnappen lasse. Und mit all seine Gedanke ischt er bei Ein'm Punkt stehe gebliebe, und um den dreht er sich noch immer ...*

Der Punkt aber, an dem er stehengeblieben war, war das eigene Werk. Der »Hyperion« lag fast all die Jahre aufgeschlagen auf seinem Tisch, und unablässig las er darin, als suchte er dort sein Zuhause.

Hölderlin mußte es am eigenen Leib erfahren, daß der Mythos eine Gemeinschaft braucht. *Mythologie ist nicht in der Einzelheit möglich*, hatte Schelling in seiner Würzburger Vorlesung von 1804 erklärt. Und bei Hölderlin heißt es: *Vater Aether! so rief's und flog von Zunge zu Zunge / Tausendfach, es ertrug keiner das Leben allein; / Ausgeteilet erfreut solch Gut und getauschet, mit Fremden, / Wird's ein Jubel ...*

Hölderlin ist mit seinen Göttern schließlich allein geblieben. Götter aber, die nicht mehr geteilt werden, verschwinden. Er konnte sie alleine nicht festhalten, und so ist er ihnen nachgefolgt.

Zuerst waren ihm die Götter aus den antiken Bildern getreten und gegenwärtig geworden; dann hatte er sie in die Bilder seiner Sprache versetzt, und schließlich ist er in ihnen verschwunden.

Neuntes Kapitel

Poetische Politik. Von der Revolution zur katholischen Ordnung.
Romantische Reichsidee. Schiller und Novalis über die Kulturnation.
Fichtes Nation. Vom Ich zum Wir. Mutterleib Gesellschaft. Adam Müller
und Edmund Burke. Volkstümlichkeit. Heidelberger Romantik.
Befreiungskrieg. Romantik in Waffen. Haß auf Napoleon. Kleist als
Genie des Hasses.

Die Romantiker, die Schlegel-Brüder, Tieck, Novalis, Schleiermacher hatten die Französische Revolution mit Begeisterung begrüßt. Das Politische war für kurze Zeit zu einem Gegenstand des Enthusiasmus geworden. Das Denken über die Bestimmung des Menschen, die Einbildungskraft und die Lust am Experiment fanden in der Politik Herausforderungen und Gelegenheiten. *Ich werde glücklich sein, wenn ich erst in der Politik schwelgen kann*, schrieb Friedrich Schlegel an seinen Bruder 1796. Das war, als er an seinem »Versuch über den Begriff des Republikanismus« arbeitete, wo gegen Kants Konzept des Völkerbundes (in der Schrift »Vom ewigen Frieden«, 1795) die Idee einer demokratisch gewählten Weltrepublik entwickelt wird. Drei Jahre später, 1799, als Napoleon sich anschickte, das Erbe der Französischen Revolution in eine imperiale Ordnung zu überführen, ist es mit Friedrich Schlegels politischer Leidenschaft schon wieder vorbei. Im »Athenäum« schreibt er: *Nicht in die politische Welt verschleudere du Glauben und Liebe, aber in der göttlichen Welt der Wissenschaft und der Kunst opfre dein Innerstes in den heiligen Feuerstrom ewiger Bildung.*

Schlegel spielt auf seinen Freund Novalis an, der unter dem Titel »Glauben und Liebe oder Der König und die Königin« Aphorismen hatte erscheinen lassen, die Friedrich Wilhelm III. und seine Gemahlin Luise eigenwillig verklären, denn sie werden als Verkörperungen eines wahrhaften Republikanismus dargestellt. Das Volk, schreibt Novalis, könne sich in ihnen wiedererkennen, und zwar in erhöhter Gestalt. Der Monarch lebt vor, was der freie Mensch vermag. Er ist Vorbild einer Souveränität, die als Anlage in jedem schlummert. *Alle Menschen sollen thronfähig werden. Das Erziehungsmittel zu diesem fernen Ziel ist ein König.* Novalis war sich durchaus bewußt, daß seine Überlegungen nicht von politischem Realismus getragen sind. Er treibe *nichts als Poesie*, heißt es in einem Brief.

Poesie und nicht Politik war im wesentlichen auch sein »Christenheit«-Aufsatz. Dort gibt es allerdings einen politischen Gedanken, der für die politische Romantik der Folgezeit sehr charakteristisch ist. Es handelt sich um die These, daß bei *Vertrocknung des heiligen Sinns* die Eigensucht im Menschen so stark wird, daß ein Staat, der auf dieser Eigensucht gründet, sich nicht dauerhaft wird halten können, sondern in permanente Revolutionen, Unfrieden und Gewalttätigkeit ausartetet, woraus folgt: Der Staat darf nicht nur in der Erde verankert, er muß auch an den Himmel geknüpft werden: *Ruhig und unbefangen betrachte der ächte Beobachter die neuen staatsumwälzenden Zeiten. Kommt ihm der Staatsumwälzer nicht wie Sisyphus vor? Jetzt hat er die Spitze des Gleichgewichts erreicht und schon rollt die mächtige Last auf der andern Seite wieder herunter. Sie wird nie oben bleiben, wenn nicht eine Anziehung gegen den Himmel sie auf der Höhe schwebend erhält. Alle eure Stützen sind zu schwach, wenn euer Staat die Tendenz nach der Erde behält, aber knüpft ihn durch eine höhere Sehnsucht an die Höhen des Himmels, gebt ihm eine Beziehung auf das Weltall, dann habt ihr eine nie ermüdende Feder in ihm, und werdet eure Bemühungen reichlich gelohnt sehn.*

Auch diese Vision eines christlich geeinten Europas versteht sich als Antwort auf Kants Überlegungen zum »Ewigen Frieden«. Kant kommt ohne religiöse Begründung aus. Zwar sieht auch Kant das *radikal Böse* im Menschen, aber er hält es für beherrschbar, erstens durch die moralische Vernunft und zweitens durch das Zusammenspiel von republikanischer Verfassung, politischer Öffentlichkeit und Welthandel. Dadurch wird der Einzelne wenigstens äußerlich zivilisiert und kann sich als guter Bürger erweisen, ohne doch zuvor zum guten Menschen geläutert worden zu sein. Kant war von der segensreichen Wirkung dieser Dreifaltigkeit aus Republik, Öffentlichkeit und Welthandel so sehr überzeugt, daß er schließlich sogar erklärte: *Das Problem der Staatseinrichtung ist, so hart es auch klingt, selbst für ein Volk von Teufeln (wenn sie nur Verstand haben) auflösbar.* Die *Teufel* sind verständig, wenn sie sich rational und berechenbar verhalten im Sinne des Eigennutzes und der Selbsterhaltung. Nur dann, das gibt Kant zu, kann die Rechnung aufgehen.

Die Romantiker aber haben tiefer in die Abgründe der Menschen geblickt. Deshalb bringen sie der Rationalität der Selbstbehauptung und des Eigennutzes weniger Vertrauen entgegen. Die moralische Vernunft und das verständige System aus Republik, Öffentlichkeit und Welthandel sind für sie nur weltliche Kräfte, die noch einer zusätzlichen religiösen Stützung bedürfen. *Es ist unmöglich*, schreibt Novalis, *daß weltliche Kräfte sich selbst ins Gleichgewicht setzen, ein drittes Element, das weltlich und überirdisch zugleich ist, kann allein diese Aufgabe lösen.* Dieses *dritte Element* ist die universelle katholische Kirche. Nur sie gewährleistet eine menschenwürdige innere und äußere Ordnung. Der Krieg im Inneren und im Äußeren wird nie aufhören, schreibt er, *wenn man nicht den Palmzweig ergreift, den allein eine geistliche Macht darreichen kann.*

Man merkt: Die anfängliche revolutionäre, republikanische Begeisterung geht bei Novalis, wie später auch bei Schlegel, in religiöse Ordnungsvorstellungen über. In dem Augenblick, als das alte Reich unterging, verklärten sie es zum Mythos, und es wurde daraus die Vision eines friedlichen Zusammenlebens der Völker unter dem Schirm einer christlichen Schutzmacht, deren Mandat nicht auf das protestantische Preußen übergehen sollte, sondern beim katholischen Habsburg zu bleiben hätte. Warum Habsburg und nicht Preußen? Weil ihnen Habsburg als Bewahrer der Reichsidee und darum als übernationale Macht erschien. Sie ahnten das Unheil, das der entfesselte Nationalismus bringen würde. Sie träumten von einem Reich, das mehr sein sollte als ein zum Imperium erweiterter Nationalstaat. Vertraut mit der mittelalterlichen Geschichte, kannten sie jene mit dem Reichsmythos verbundene Tradition, für die das Imperium Romanum und seine Fortsetzung als Imperium Christianum das vom Buch Daniel prophezeite vierte Weltreich darstellt, mit dessen Zusammenbruch die Welt untergehen würde, weshalb diesem Reich aus endzeitlicher Sicht die Rolle des ›katechon‹ zufiel, die Kraft, die dem zweiten Thessalonicher-Brief des Paulus zufolge den Widersacher Christi und damit den Weltuntergang noch aufhalten konnte.

Realpolitisch gedacht war das natürlich nicht, aber es war nach wie vor revolutionär inspiriert, wenn auch im Sinne einer konservativen Revolution. Denn im napoleonischen Europa würde eine Rückkehr zu jener imaginierten alten Ordnung ebenfalls umstürzlerisch sein müssen. Die Romantiker blieben unruhig, wenn sie zur Ruhe zurück wollten. *Vielleicht,* schreibt Novalis 1798, *lieben wir alle in gewissen Jahren Revolutionen, freie Konkurrenz, Wettkämpfe und dergleichen demokratische Erscheinungen. Aber diese Jahre gehen bei den Meisten vorüber – und wir fühlen uns von einer friedlicheren Welt angezogen, wo eine Zentralsonne den Reigen führt, und man lieber Planet wird, als einen zerstörenden Kampf um den Vortanz mitkämpft.*

Das schöpferische Individuum stand nach wie vor im Mittelpunkt, und über ihm wölbte sich immer noch ein Himmel, der aber institutionell gefestigt sein sollte. Die Romantiker hatten in ihren privaten Nischen kühne Experimente angestellt mit Freundschaftsbünden, Liebesverhältnissen, Zeitschriftenprojekten, sie hatten Literatur, Philosophie und Religion für den eigenen Gebrauch revolutioniert und sie hatten bei alledem eine Verbindung hergestellt zwischen extremem Individualismus und ausschweifendem Universalismus. Dieses Universelle war zunächst eine nicht fixierbare Transzendenz, *Sinn und Geschmack fürs Unendliche.* Die Politisierung färbte aber allmählich auch auf diese Transzendenz ab. Bei einigen nahm sie die Farbe der katholischen Kirche und Habsburgs an; andere wurden patriotisch, preußisch, national.

Weil Novalis sich an der versöhnenden Macht der universellen Kirche orientierte, hatte er es nicht nötig, die politische Nation zur neuen Religion zu erheben. Allerdings ist ihm der nationale Gesichtspunkt nicht völlig fremd. Das kann auch kaum anders sein, weil seit der Französischen Revolution der Begriff Nation für das öffentliche Bewußtsein unvermeidlich geworden war.

Die Französische Revolution hatte eine ›Grande Nation‹ hervorgebracht, die als waffenstarrende Macht Europa überflutete. Diese Erfolgsgeschichte wirkte ansteckend. Deshalb beginnt man auch in Deutschland, das noch längst keine staatlich geeinte politische Nation ist, danach zu fragen, was ›Deutschland‹ eigentlich bedeutet. Ist es überhaupt erstrebenswert, den politischen Weg zur Nation zu beschreiten? Soll man den anderen großen Nationen nacheifern, oder ist diesem Lande mit ungewissen Grenzen und verwickelter Geschichte ein anderer, ein Sonderweg vorgezeichnet? Auch Novalis hat sich diese Fragen vorgelegt und sie so beantwortet: *Deutschland geht einen langsamen aber sichern Gang vor den übrigen europäischen Ländern voraus. Während diese durch Krieg, Spekulation und Parteigeist beschäftigt sind, bildet sich der Deutsche mit allem Fleiß zum Genossen einer höheren Kultur, und dieser Vorschritt muß ihm ein großes Übergewicht über die anderen im Laufe der Zeit geben.*

Das ist der Gedanke der deutschen Kulturnation, den zur selben Zeit auch Friedrich Schiller entwickelte. In dem Entwurf zu dem nicht fertiggestellten Gedicht »Deutsche Größe« heißt es: *Darf der Deutsche in diesem Augenblicke, wo er ruhmlos aus seinem tränenvollen Kriege geht ... darf er sich seines Namens rühmen und freun? ... Ja er darf's! ... Deutsches Reich und deutsche Nation sind zweierlei Dinge. Die Majestät des Deutschen ruhte nie auf dem Haupt seiner Fürsten. Abgesondert von dem politischen hat der Deutsche sich einen eigenen Wert gegründet, und wenn auch das Imperium unterginge, so bliebe die deutsche Würde unangefochten ... Sie ist eine sittliche Größe, sie wohnt in der Kultur.*

Deutschland ist in der großen Politik nicht vertreten, aber seine *Würde* zeigt sich in der Kultur. Diese Überzeugung teilte man im Kreis der Romantiker, und hier dachte man ebenso wie Schiller. Als politische Nation kommen die Deutschen verspätet in der Geschichte an, doch läßt sich aus dieser Verspätung Gewinn ziehen.

Endlich / Muß die Sitte und die Vernunft siegen, / Die rohe Gewalt der Form erliegen – / Und das langsamste Volk wird alle / Die schnellen flüchtigen einholen, heißt es bei Schiller, und Novalis rechnet unverhohlen mit einem künftigen kulturellen *Übergewicht über die anderen.* Der Nachteil der Verspätung wird zum Vorteil: Man wird nicht vorzeitig durch Machtkämpfe verschlissen. Während andere sich in Tageskämpfen aufreiben, auch wenn sie von Sieg zu Sieg eilen, wird Deutschland *an dem ewigen Bau der Menschenbildung* (Schiller) arbeiten oder sich zum *Genossen einer höheren Kultur* (Novalis) ausbilden. Wenn das geschehen ist, wird sich endlich zeigen, worin der Sinn der Langsamkeit besteht: *Jedes Volk / Hat seinen Tag in der Geschichte, doch / Der Tag des Deutschen ist die Ernte der / Ganzen Zeit.*

Novalis glaubt mit Schiller, daß es der *Weltgeist* ist, der die Deutschen *erwählt* hat für jene große Mission, Freiheit und schöne Humanität in Europa zu befördern, und beide haben sich nicht träumen lassen, daß aus der Verspätung der Nation statt demokratischer und kultureller Reife besondere Hysterien und Ressentiments entspringen würden, daß die langsam gewachsene Kultur und Bildung nicht kräftig genug sein würde, um eine spätere Barbarei zu verhindern, und daß diese Kultur sich sogar würde gebrauchen lassen für die Zwecke der Barbarei.

Der Gedanke der Kulturnation ist bei Novalis und Schiller noch im Geiste einer universalistischen Mission formuliert, die Wertschätzung des Eigenen ist noch nicht verbunden mit der Verachtung des Fremden.

Bei Fichte aber kann man beobachten, wie aus dem Universalismus schließlich ein Nationalismus wird. Die »Grundzüge des gegenwärtigen Zeitalters« von 1805 sind noch universalistisch; dort erklärt er, daß der *sonnenverwandte Geist,* der nach Freiheit, Recht und entwickelter Kultur strebt, nicht auf Gedeih und Verderb an eine bestimmte Nation gebunden ist, denn die Nation kann durch ein schlechtes politisches System degenerieren und den freiheitlichen und schöpferischen Geist hemmen. In diesem Falle wird er sich dorthin wenden, *wo Licht ist und Recht.* Fichte will nicht zu den

Erdgeborenen gehören, die nur *in der Erdscholle, dem Fluß, dem Berg ihr Vaterland erkennen.* Der *sonnenverwandte Geist* ist nicht bodenständig und verwurzelt, er sucht sich sein Vaterland dort, wo die Freiheit eine Chance hat, er ist kosmopolitisch. Der Ausgangspunkt ist und bleibt das Individuum und sein Verlangen nach Freiheit und Selbstverwirklichung.

Ein Jahr später aber, in den in Berlin gehaltenen »Reden an die Deutsche Nation« von 1807/08, ist das Vaterland nicht nur der äußere Rahmen, sondern das eigentliche Subjekt der Freiheit. Es geht ihm auch weiterhin um die Freiheit im Gemeinwesen, aber der Akzent verlagert sich von der inneren auf die äußere Freiheit, auf die Selbstbehauptung der Nation, für die das von Napoleon besiegte Preußen in die Pflicht genommen wird. Fichte spricht über das Volk wie über ein großes Individuum. Die erfreulichen Eigenschaften des Einzelnen – Freiheit, Tatkraft, Geist, Kultur – werden jetzt dem Volk zugeschrieben, und folglich ist das Erziehungskonzept, das Fichte in seinen »Reden« entwickelt, darauf zugeschnitten, den Einzelnen zu einem guten Volksgenossen zu machen. Dieses deutsche Volk insgesamt aber wird zum *Urvolk* des *germanischen* Freiheitsverlangens verklärt. Damit verschwindet der kosmopolitische, universalistische Grundzug der frühen Romantik.

Der Horizont verengt sich. Der verspielte freie Geist, der mit der Leidenschaft für das Unendliche über jede Grenze hinausging, beginnt die Transzendenz in die politische Sphäre zu ziehen; zuerst vorsichtig bei Novalis, der überirdisch-irdischen Schutz bei der Kirche sucht, dann robuster und entschlossener bei anderen, die, wie Fichte, sich auf Volk, Vaterland und Staat fixieren.

Nach 1800 nimmt bei den Romantikern die Tendenz zu, auf das Kollektiv hin zu denken. Das geschieht aktivistisch und zukunftsbezogen wie bei Fichte, der das Ich und seine *Tathandlungen* zum großen Ich des Volkes steigert.

Das geschieht aber auch im Stil des Bewahrens. Das neu erwachte Interesse an Mythos und Religion läßt an Ursprünge denken, an eine Geschichte, die man nicht macht, sondern von der man getragen wird. Es genügt nicht mehr, sich selbstbewußt die eigene Welt zu bilden, man fragt vielmehr: Worin bin ich enthalten, wozu gehöre ich, was bestimmt mich, welches sind meine Wurzeln? Man entdeckt die schöpferische Macht der Geschichte, die *durch innere, stillwirkende Kräfte, nicht durch die Willkür eines Gesetzgebers* (Savigny) wirkt.

Die romantische Metaphysik des Unendlichen wird zur Metaphysik der Geschichte und der Gesellschaft, der Volksgeister und der Nation, und es wird für den Einzelnen immer schwieriger, sich der Suggestion des ›Wir‹ zu entziehen. Zwischen den Einzelnen und die große Transzendenz (Gott, das Unendliche) schiebt sich in Gestalt von Geschichte und Gesellschaft eine Art mittlere Transzendenz. Vorher gab es einen Gott der Geschichte, jetzt wird die Geschichte selbst zum Gott. Sie erstrahlt in neuem mythischen Glanz und spendet Sinn und Bedeutung. Das hat Folgen auch für die Wahrnehmung von Gesellschaft. Sie erscheint nun weniger als Projekt und Produkt eigenen Handelns, sondern als das schlechthin Umfangende. Man dürfe sich nicht der Einsicht entziehen, erklärt Adam Müller, daß wir aus dem Mutterleib nicht ins Freie, sondern in den Gesellschaftsleib hineingeboren würden und daß dem Menschen alles fehle, *wenn er die gesellschaftlichen Bande oder den Staat nicht mehr empfindet.*

Adam Müller, der große Protagonist der Gesellschaftsromantik, steht unter dem Einfluß Edmund Burkes, dessen »Betrachtungen über die Französische Revolution« (1790) den antirevolutionären Diskurs um 1800 überall in Europa maßgeblich prägten. Burke hatte den politischen Anschauungen der Aufklärung – Menschenrechte, Gesellschaftsvertrag, abstraktes Naturrecht – die im gesellschaftlichen Leben Englands verwurzelte Überzeugung entgegengesetzt, daß Staatsverfassung und Gesellschaftsordnung organisch gewachsene Gebilde seien, Ausdruck eines Bündnisses zwischen den Toten, den Lebenden und den Ungeborenen. Die Tradition mit ihren Institutionen und Regeln, so Burke, sei die Verkörperung der Weisheit von Jahrhunderten und sei deshalb den Erkenntnissen fehlbarer Individuen und den wechselnden Stimmungen der Nation überlegen. Im Geiste Burkes fragt Adam Müller: *Treffen nicht alle unglücklichen Irrtümer der Französischen Revolution in dem Wahne überein, der Einzelne könne wirklich heraustreten aus der gesellschaftlichen Verbindung, und von außen umwerfen und zerstören?*

Es ist bemerkenswert, daß dieses Denken, das geschichtsfromm die Gesellschaft zum stabilen Organismus verklärt, Konjunktur hat ausgerechnet in einem historischen Augenblick politischer Katastrophen und Krisen.

Um eine Krise handelte es sich tatsächlich. Das Heilige Römische Reich Deutscher Nation war 1806 unter den Schlägen Napoleons am Ende sang- und klanglos untergegangen. Die Rheinbundstaaten, von Bayern bis Westfalen, standen unter französischer Hegemonie. Preußen war nach der Niederlage von Jena und Auerstedt von einer europäischen Großmacht wieder zur Mittelmacht geschrumpft. Von einer politisch geeinten Nation war Deutschland weiter entfernt denn je.

Der Wille zur Selbstbehauptung veranlaßte eine angestrengte Suche nach dem, was man heute ›deutsche Identität‹ nennt. Schillers Konzept der Kulturnation empfand man inzwischen als ungenügend, weil es zu hoch, nämlich bei den allzu Gebildeten ansetzte, man suchte nach volkstümlichen Traditionen. Ausgerechnet A.W. Schlegel, ein Repräsentant raffinierter Geisteskultur, erklärt 1802, die *hohen gebildeten Stände unserer Nation hätten keine Literatur*, in der sich das Leben einer Nation widerspiegele, *aber der gemeine Mann hat eine.* Er meint die »Volksbücher« und verweist auf Tieck, der sie den Gebildeten unter ihren Verächtern nahezubringen versucht. *Alle wahrhaft schöpferische Poesie*, schreibt Schlegel, *kann nur aus dem inneren Leben eines Volkes und aus der Wurzel dieses Lebens, der Religion, hervorgehen.*

Heidelberg wurde zwischen 1806 und 1808 zum Hauptquartier dieses neuen, auf Märchen, Mythen, Volkslieder und andere historische Überlieferungen gerichteten romantischen Interesses. *Heidelberg ist selbst eine prächtige Romantik; da umschlingt der Frühling Haus und Hof und alles Gewöhnliche mit Reben und Blumen, und erzählen Burgen und Wälder ein wunderbares Märchen der Vorzeit, als gäb es nichts Gemeines auf der Welt* ... (Eichendorff) Es waren zuerst die Professoren Savigny und Creuzer, die nach der Neugründung der Universität 1803 zielstrebig darauf hinarbeiteten, Heidelberg, nach Jena, zum Sammelpunkt der Romantiker zu machen. Creuzer schrieb am 17. April 1804 an Brentano: *In der Tat, wann ich jetzt bei meinen einsamen Wanderungen in den mächtigen Ruinen des hiesigen Schlosses unsere neuteutsche Kleinheit fühle, empfinde ich lebhaft, daß diese Stadt ein Ort für Männer sei, die das alte große Teutschland in ihren Herzen tragen – für wahre Poeten wie Sie und Tieck – die den alten Romantischen Gesang in seiner Tiefe aufzufassen und auf eine würdige Weise wieder zu beleben vermögen.*

Brentano kam mit der Schriftstellerin Sophie Mereau, die er kurz zuvor geheiratet hatte. Er zog seinen Freund Achim von Arnim nach. Die Freunde bildeten mit Joseph Görres, der als Privatdozent lehrte, das berühmte »Dreigestirn« von Heidelberg, über das Eichendorff, der damals in Heidelberg studierte, noch im hohen Alter ins Schwärmen kam: *Ein prächtiges nächtliches Gewitter, hier verhüllte Abgründe, dort neue ungeahnte Landschaften plötzlich aufdeckend, und überall gewaltig, weckend und zündend fürs ganze Leben.* Neben Görres hätten *zwei Freunde und Kampfgenossen* gestanden: Achim von Arnim und Clemens Brentano. *Sie bewohnten im ›Faulpelz‹, einer ehrbaren aber obskuren Kneipe am Schloßberg, einen großen luftigen Saal, dessen sechs Fenster mit der Aussicht über Stadt und Land die herrlichsten Wandgemälde, das herüberfunkelnde Zifferblatt des Kirchturms ihre Stockuhr vorstellte.* Es blieb Eichendorff unvergeßlich, wie Brentano, klein, geschmeidig und schwarzgelockt, auf der Fensterbank sitzend und auf den Neckarstrom hinausblickend, aus dem Stegreif Lieder zur Gitarre sang – *wahrhaft zauberisch.* In dem Freundespaar war Brentano das kokette Mädchen und Achim von Arnim der schöne Mann. Er war so schön, daß eine Berlinerin bei seinem Anblick in das geistreiche Wortspiel ausbrach: »Ach im Arm ihm ...!« In Heidelberg brachten die Freunde die Liedersammlung »Des Knaben Wunderhorn« heraus, nach Tiecks »Franz Sternbald« damals das zweite Kultbuch der Romantik, dem sogar Goethe Lob spendete.

Nach Heidelberg hatte es aber auch Johann Heinrich Voß, den Altphilologen und Homer-Übersetzer, gezogen, so als wolle er seinen geschworenen Feinden, den Romantikern, möglichst nahe sein. Er sparte auch nicht mit Invektiven und Zornausbrüchen. Die Liedersammlung der Freunde nannte er einen *zusammengeschaufelten Wust, voll mutwilliger Verfälschungen, sogar mit untergeschobenem Machwerk.* Die Abneigung beruhte auf Gegenseitigkeit. Voß galt hier als Gespenst eines überlebten Rationalismus. Voß, so spottete man, werde noch an seiner Trockenheit eingehen, und Görres eröffnete eine Vorlesung mit den Worten: *Meine Herren, es gibt nur zwei Klassen von Menschen: erstens die mit poetischem Geist gesalbt sind, zweitens die Philister.* Daß Voß als ihr Häuptling zu gelten habe, verstand sich von selbst. Es war eine belebte, aber auch bittere Zeit. Sophie Mereau starb im Kindbett, und Brentano verlor fast den Verstand vor Verzweiflung. Karoline von Günderrode beging Selbstmord, als Creuzer, ihr Geliebter, sein Versprechen, sich von seiner Frau zu trennen, nicht einlöste. Am Ende blieb nur Achim von Arnim, der 1808 ein Jahr lang die »Zeitung für Einsiedler« herausgab. *Das selten gewordene Blatt,* erinnert sich Eichendorff, *war eigentlich ein Programm der Romantik; einerseits die Kriegserklärung an das philisterhafte Publikum ... andererseits eine Probe- und Musterkarte der neuen Bestrebungen: Beleuchtung des vergessenen Mittelalters und seiner poetischen Meisterwerke ... Die merkwürdige Zeitung hat nicht lange gelebt, aber ihren Zweck als Leuchtkugel und Feuersignal vollkommen erfüllt.*

Achim von Arnim hatte die »Zeitung« ganz in den Dienst seiner Bemühungen um die Wiederbelebung der alten Volkspoesie gestellt. Programmatisch äußerte er sich über sie in einem Aufsatz, der die Liedersammlung abschloß: *Dem, der viel und innig das Volk berührt ... ist die Weisheit in der Bewährung von Jahrhunderten ... in die Hand gegeben, daß er es allen verkünde ... Er sammelt sein zerstreutes Volk ... singend zu einer neuen Zeit unter seiner Fahne ... denn wir suchen alle etwas Höheres, das Goldne Vlies, das allen gehört ... das Gewebe*

langer Zeit ... was sie begleitet in Lust und Tod: Lieder, Sagen, Kunden,
Sprüche, Geschichten, Prophezeiungen und Melodien ...

Die Romantiker romantisierten die Volkspoesie oder das, was
sie dafür hielten. Im Genie, hatte Schelling erklärt, schafft die unbewußte Natur. Das wendete man nun auf den *Volksgeist* an, von dem
man glaubte, er bringe seine Märchen, Lieder und Mythen ebenfalls unbewußt hervor. *Die Volkspoesie lebt gleichsam im Stand der*
Unschuld, die Kunst hat das Bewußtsein. Das Unbewußte galt inzwischen als das Tiefe. Hatte nicht auch Görres die frühe Menschheit
als *somnambülisch* bezeichnet? Die Volkspoesie, schreibt Görres,
ist wie das *leise Murmeln* eines Traumversunkenen. Die kollektive
Seele drückt sich darin aus. Das Bewußtsein der Gegenwart ist ein
schlechter Dolmetscher dafür, schreibt Jacob Grimm. *Nichts ist*
verkehrter geblieben, als die Anmaßung, epische Gedichte (im Sinne der
Volkspoesie) *dichten oder gar erdichten zu wollen, als welche sich nur*
selbst zu dichten vermögen.

Schiller hatte in seiner Schrift »Über naive und sentimentalische
Dichtung« davor gewarnt, mit Künstlichkeit das Natürliche, mit
Raffinement das Naive nachzuahmen. Das gebrochene, das reflek-
tierte Bewußtsein kann die Unschuld, die es verloren hat, nicht einfach durch Einfühlung und Nachahmung wiedergewinnen. Genau
dies aber versuchte man. Ludwig Tieck erzählt im Ton der alten
Volksbücher die Legende von den »Haimonskindern«, Brentano
und Achim von Arnim mischen eigene Gedichte unter ihre Volks-
liedsammlung »Des Knaben Wunderhorn«, und die Brüder Grimm
haben den Stil ihrer Märchen eher erfunden als gefunden.

Über den politischen Hintergrund dieser neuen Liebe zur Volkspoesie kann es keinen Zweifel geben. Görres hat sich später, nach
den Befreiungskriegen, dazu deutlich geäußert: *Als in der jüngst verflos-*
senen Zeit Deutschland in tiefer Erniedrigung gelegen, als die Fürsten dien-
ten, der Adel nach fremden Ehren lief ... die Gelehrten den eingebrachten
Götzen opferten, ist das Volk allein ... sich selbst treu geblieben ... Für
solche Bewährung hat es sich wohl ein Recht erworben, daß jene die zu sei-
nen Führern erkoren sind, auf seine Neigung und die Gesinnung seines

Herzens hören; daß sie die Stimme, die in seiner Mitte als Volkslaut aus den Lauten aller zusammenfließt, als das äußere Gewissen ihres Staates ehren.

Geschehen war inzwischen folgendes: Das geschlagene Preußen mußte zwar nicht dem Rheinbund beitreten, ihm waren aber gewaltige Kriegskontributionen auferlegt, die französische Besatzung wurde nur zögernd aufgehoben. In Deutschland war es nur noch das habsburgische Österreich, das sich seine Unabhängigkeit bewahrte. Und nur von Wien aus wurde, noch ohne Rußland, das sich zurückhielt, der Kampf gegen Napoleon fortgesetzt. In Wien war man dazu übergegangen, die patriotischen Kräfte von unten zu mobilisieren. In Tirol kämpften, nach dem Vorbild des Guerillakrieges in Spanien, die Tiroler unter Führung Andreas Hofers gegen die französische Herrschaft. Der leitende Minister Stein in Preußen hatte zunächst (1807/08) gegenüber Napoleon Erfüllungs- und Koexistenzpolitik betrieben und gehofft, in diesem Rahmen den Wiederaufbau des zerstörten Landes bewerkstelligen zu können. Aber als er merken mußte, daß ihm Napoleon keinen Spielraum gewährte, wurde er, auch unter dem Eindruck der spanischen Erfolge im antinapoleonischen Kampf, zum Widerstandspolitiker. Zusammen mit Gneisenau nahm er seit 1808 das bisher Undenkbare in Angriff: eine Volkserhebung im nördlichen Deutschland gegen die napoleonische Herrschaft auszulösen. Damit das Volk aber Gründe hatte zu kämpfen, mußten eine Bauernbefreiung, eine Gemeindereform und eine Verfassung mit demokratischen Komponenten anvisiert werden. Seine Aufstandspläne gerieten in die Hände der französischen Geheimpolizei. Preußen mußte Stein entlassen. Napoleon erklärte ihn zum Feind Frankreichs, ließ seine Güter beschlagnahmen, drohte ihm Verhaftung und Erschießung an. Stein flüchtete sich nach Böhmen und wirkte von dort aus als Symbol des Widerstandes gegen Napoleon. Seine Reformpläne wurden dann in abgemilderter Form von Hardenberg umgesetzt. Die von Stein und Gneisenau entwickelten Ideen des Volks- und Nationalkrieges griff man auf, wenn auch zögernd, als Preußen nach dem gescheiterten Rußlandfeldzug Ende 1812 von Napoleon abfiel.

Die preußische Niederlage von 1806 war noch im Stil der alten Zeit mit den Worten bekannt gemacht worden: *Der König hat eine Bataille verloren. Jetzt ist Ruhe die erste Bürgerpflicht.* Wie weit die patriotisch-nationale Mobilisierung inzwischen gediehen war, zeigt sich in dem Aufruf der preußischen Regierung von 1813: *Aber welche Opfer auch von einzelnen gefordert werden mögen, sie wiegen die heiligen Güter nicht auf, für die wir sie hingeben, für die wir streiten und siegen müssen, wenn wir nicht aufhören wollen, Preußen und Deutsche zu sein.*

Das ist die Stunde der politischen Romantik. Die Arbeit am deutschen Identitätsbewußtsein mit der Beschwörung der Volksgeister und der germanischen Mythologie, die Sammlung der Volkspoesie, die nationalen Erziehungsvisionen Fichtes – das alles kann jetzt zusammenströmen und eine öffentliche Stimmung schaffen, die auf aktive Teilnahme der nationalen und patriotischen Kräfte drängt. Auf deutschem Boden ereignet sich in diesen Monaten des antinapoleonischen Befreiungskrieges die Geburt der politischen Propaganda. Stein empfiehlt, gegen die Überschwemmung Deutschlands mit *prahlerischen und lügenhaften Bulletins und Proklamationen* aus Napoleons Felddruckerei einen Damm aus hausgemachter patriotischer Propaganda zu errichten. Die Macht Napoleons, behauptet Ernst Moritz Arndt, beruht nicht zuletzt auf der Furcht, die er verbreitet, und deshalb muß man das Volk über seine eigene Stärke aufklären. Das sollen die Schriftsteller leisten, die nun, geradezu offiziell, mit einem politischen Mandat ausgestattet werden. Stein: *Bei einer so leselustigen Nation bilden die Schriftsteller eine Art Macht durch ihren Einfluß auf die öffentliche Meinung.* In Wien begründet Metternich die Zeitung »Österreichischer Beobachter« und bestellt Friedrich Schlegel, der zehn Jahre zuvor in der »Lucinde« die öffentliche Meinung noch als *häßliches Untier* bezeichnet hatte, zum leitenden Redakteur. Schlegel zieht Adam Müller nach.

Die Gesellschaft, der Inhaber der materiellen Kräfte, verkündet Fichte in den turbulenten Tagen des März 1813 in Berlin, solle sich zur kollektiven Tathandlung aufraffen. Er selbst will Feldprediger im preußischen Hauptquartier werden, dort lächelt man darüber und winkt ab. Im Januar 1814 stirbt der wackere Mann am Nervenfieber, das die Verwundeten des Befreiungskrieges eingeschleppt hatten. Am 28. März 1813 wird mit einem Gottesdienst, wie sich das gehört, der Krieg gegen Napoleon offiziell eröffnet. Schleiermacher auf der Kanzel, das Publikum in Uniform lauschend, zum Abzug bereit, die Büchsen lehnen draußen an der Kirchenwand, hinter der Sakristei grasen die Pferde. *In frommer Begeisterung, von Herzen redend, drang er in jedes Herz*, berichtet ein Zeitgenosse. Im April 1813 wird mit der Organisation des Landsturms begonnen. Wer nicht waffenfähig ist, den schickt man zu den Schanzarbeiten vor die Stadt. Dort kann man jetzt ganze Fakultäten der neugegründeten Berliner Universität am Werk sehen. Die Nachwuchswissenschaftler aber sind bewaffnet. Solger, der Theoretiker der romantischen Ironie, widmet sich der Organisation einer Witwen-Unterstützungkasse, seine Braut schickt er zur Sicherheit nach Schlesien; leider ist das die falsche Richtung, dort ist nämlich der Feind postiert. Die Nervosität ist eben groß. Bettina von Arnim, die in dem zum Feldlager verwandelten Berlin ausharrt, gibt in einem Brief eine anschauliche Schilderung der romantischen Gelehrtenkohorten. *Auch war es seltsam anzusehen, wie bekannte Leute und Freunde mit allen Arten von Waffen zu jeder Stunde über die Straßen liefen, so manche, von denen man vorher sich's kaum denken konnte, daß sie Soldaten wären. Stelle Dir zum Beispiel in Gedanken Savigny vor, der mit dem Glockenschlag 3 wie besessen mit einem langen Spieß über die Straße rennt ... der Philosoph Fichte mit einem eisernen Schild und langen Dolch, der Philologe Wolf mit seiner langen Nase hatte einen Tiroler Gürtel mit Pistolen, Messern aller Art und Streitäxten angefüllt ... bei Arnims Kompagnie fand sich jedesmal ein Trupp junger Frauenzimmer, die fanden, daß das Militärwesen ihm von vorn und hinten gut anstand ...*

Achim von Arnim, Theodor Körner, Eichendorff, Ernst Moritz Arndt wurden zu Barden der neuen patriotischen Bewegung, unterstützt von zahlreichen anderen dichtenden Schulmeistern, Advokaten und Sanitätsbeamten. *Der Gott, der Eisen wachsen ließ, der wollte keine Knechte*, dichtet Arndt; bei Eichendorff heißt es: *Mein*

Gewehr im Arm steh' ich auf der Wacht; am berühmtesten wurde wohl Körners Freikorps-Gedicht über *Lützows wilde verwegene Jagd*. Es werden die romantischen Gefühle und Naturbilder mobilisiert, das *Waldesrauschen*, die Bäume, die wie *Recken* stehen, die Lagerfeuer in der Mondnacht, *so zündet nun die Feuer in Gottes Namen an*. Mit wahrer Inbrunst wird jetzt der Feind gehaßt. Auch das ist neu. *Ich will den Haß gegen die Franzosen*, schreibt Ernst Moritz Arndt, *nicht bloß für diesen Krieg, ich will ihn für lange Zeit, ich will ihn für immer . . . Dieser Haß glühe als die Religion des deutschen Volkes, als ein heiliger Wahn in allen Herzen und erhalte uns immer in unserer Treue, Redlichkeit und Tapferkeit . . .*

Vor allem richtet sich dieser Haß gegen Napoleon. In dieser Angelegenheit sind die Romantiker Renegaten, denn zunächst hatten sie ihn bewundert. Die Schlegel-Brüder, Tieck, Schleiermacher hatten ihn als Verkörperung der heiligen Revolution gefeiert. Beethoven wollte ihm seine Dritte Sinfonie widmen. Sie alle sahen in ihm einen der ihren, von gewöhnlicher Herkunft, wie sie wird er von revolutionären Gefühlen geleitet. Seine atemberaubende Karriere gibt ihnen die Gewißheit: Die Naturgewalt des Genies setzt sich durch, kommt hoch, zerbricht alles Herkommen. Er ist das Fleisch gewordene transzendentale Subjekt der Geschichte; die feingesponnene Systemkategorie sitzt nun zu Pferde, *ich sah sie hinausreiten*, berichtet Hegel 1806 aus Jena, *diese Weltseele*. Für die Geistreichen in Jena und Berlin verkörperte dieser Mann den romantischen Künstler par excellence: Er hat die ganze Weltgeschichte in ein ironisches Kunstwerk verwandelt, er spielt mit dem Material der Geschichte wie der romantische Autor mit seinen Stoffen und Formen. Überall wird Napoleons Büste verkauft. Goethe kann nicht genug davon bekommen. Tieck besitzt sie, Jean Paul, der sie gerne verschenkt, die Brüder Schlegel, die sie überall hin mitnehmen. Doch nach Jena und Auerstedt 1806 beginnt der Umschwung. Napoleon, der neben mancher Modernisierung auch viel Unterdrükkung und Demütigung bringt, büßt in den Augen der Zeitgenossen zwar nichts von seinem Genie ein, er bleibt die Verkörperung des

Weltgeistes, aber es ist jetzt ein böser, ein dämonischer Geist, der in ihm und durch ihn wirkt: der Widergeist, die Hölle, die gefallene Natur, eine Mischung aus Prometheus und Mephisto.

Selten ist jemand mit solcher Inbrunst gehaßt worden wie dieser Napoleon. Alle geistigen Strömungen haben ihren eigenen Napoleon-Haß entwickelt: Die einen hassen den Despoten, die anderen den Revolutionär, wieder andere den Verräter der Revolution; man haßt in ihm den Furor des Rationalismus, dem keine Bindung heilig ist; den Geist des gesinnungslosen Machtzynismus; man haßt in ihm die hybride Gestalt des entfesselten Ichs, dem die übrige Welt zum Nicht-Ich und Material wird; und natürlich haßt man in ihm denjenigen, der die eine Nation groß gemacht hat, um die andere, die deutsche, zu knechten. Napoleons Größe – Goethe sagte: *Der Mann ist euch zu groß* – mußte dem Haß eine geschichtsphilosophische Wendung geben. Die Geschichte oder Gott, gleichviel, müssen ihn mit einem dunklen Auftrag versehen haben. *Die Natur*, schreibt Arndt, *die ihn geschaffen hat, die ihn so schrecklich wirken läßt, muß eine Arbeit mit ihm vorhaben*. Napoleon, so Adam Müller, ist der *notwendige Zerstörer*, der das *Evangelium des Todes* bringt. Die allmächtige Natur wirkt in ihm, aber nicht die rousseauistisch helle, die einst im Sturm und Drang verherrlicht wurde. Natur zeigt ihr anderes Gesicht, Napoleon ist ihr Medusenhaupt.

In dieser allgemeinen Erregung findet E. T. A. Hoffmann, der sich ihr auch nicht entziehen kann, ein spezielles Thema: Napoleon wird für ihn zur monumentalen Gestalt aus der Nachtwelt des ›tierischen Magnetismus‹, der damals als medizinische Praktik und als naturphilosophische Spekulation die Zeitgenossen, die nach Wundern und Geheimnissen verlangen, zu faszinieren beginnt. Napoleon also als großer Magnetiseur, der einen ganzen Erdteil mit seinen magnetischen Strichen in Schlaf und Taumel versetzt, ein Gott des leeren Himmels und der neuen Zeit, in der gilt: Die Politik ist das Schicksal.

Als einer der größten Hasser zeigt sich Heinrich von Kleist. Man rechnet ihn gewöhnlich nicht zu den Romantikern. Aber legt man die Definition Carl Schmitts zugrunde, wonach Romantiker Leute sind, welche die jeweilige Wirklichkeit – *occasionalistisch* – zum Anlaß nehmen, um ihr eigenes Ich imaginär zu entfesseln, dann war Kleist, insbesondere in jenen politisch erregten Zeiten, mit dem Extremismus seiner Gefühle und dem Absolutismus seines Ichs einer der genialen Romantiker. Aber auch ein gefährlicher Romantiker.

Denn es zeigt sich an seinem Beispiel, wie eine ganze imaginäre Welt, die im Werk vollkommenen Ausdruck gefunden hat, unvermittelt in die politische Sphäre durchbricht und dort einen beklemmenden Fanatismus erzeugt. Der Haß ist ein starkes Gefühl, wie Kleist überhaupt ein Meister der starken und überwältigenden Gefühle ist. Das müssen nicht nur die zerstörerischen, es können auch die zärtlichen, sanften, träumerischen Gefühle sein. Käthchen von Heilbronn ist eine sanfte Schwester der rasenden Penthesilea. Kleist ist ein Meister darin, die Gefühle bis zum Siedepunkt oder zur absoluten Gelöstheit zu treiben. Im Werk werden sie wie das Insekt im Bernstein eingeschlossen und so gemeistert. Nicht so im Leben, und schon gar nicht in der Politik.

Im Jahr 1809, als Kleist Verbindungen unterhält mit den Kräften in Preußen und Österreich, die den allgemeinen Aufstand gegen Napoleon in Gang setzen wollen, schreibt er in der Ode »Germania an ihre Kinder«: *So verlaßt, voran der Kaiser, / Eure Hütten, eure Häuser; / Schäumt, ein uferloses Meer, / Über diese Franken her! / Alle Plätze, Trift' und Stätten / Färbt mit ihren Knochen weiß; / Welchen Rab und Fuchs verschmähten, / Gebet ihn den Fischen preis; / Dämmt den Rhein mit ihren Leichen.*

In demselben Jahr verfaßt Kleist das Theaterstück »Die Hermannsschlacht«, eine einzige leidenschaftliche Verherrlichung des totalen Vernichtungskrieges. Unter dem Schutz der politischen Gesinnung schwelgt Kleist in Vernichtungsphantasien, die unverständlich bleiben müßten, wenn man sie nur einem politischen Motiv, einer politischen Leidenschaft zuschreiben wollte. Kleist selbst muß das geahnt haben, als er in seiner Ode »Germania an ihre Kinder« in bezug auf Napoleon reimte: *Schlagt ihn tot! Das Welt-*

gericht / Fragt euch nach den Gründen nicht! Diese in die politischen Leidenschaften gemengten Zerstörungsphantasien verweisen auf eine eigentümliche Lust an der imaginären Grausamkeit, die auch sonst bei Kleist zu spüren ist. Kein anderer Schriftsteller des 19. Jahrhunderts hat so lustvoll genau den Akt des Tötens dargestellt wie Kleist. Das gilt für Michael Kohlhaas, der mit einem Gefühl der Wollust stirbt, weil er seinen Widersacher, den Kurfürsten von Sachsen, ins Verderben stürzen kann; das gilt für die Schlußszene der »Penthesilea«, wo die Amazonenkönigin den geliebten Achill mit den Zähnen zerfleischt. Im »Erdbeben von Chili« wird genau geschildert, wie der Mörder einen kleinen Jungen hoch im Kreise um sich schwingt und so lange an einen Kirchenpfeiler schmettert, bis das *aus dem Hirn hervorquellende Mark* zu sehen ist.

Kleists Tötungsphantasien resultieren nicht nur aus der Verfeindung mit dieser oder jener Wirklichkeit, sondern mit der Wirklichkeit überhaupt, sofern sie seinem Verlangen nach Intensität widersteht. Er fühlte sich lebendig nur in der Anspannung aller Kräfte der Aufmerksamkeit, der Empfindung, des Schaffens. Es verfolgte ihn eine panische Angst vor der Leere, die ihn gleichermaßen von innen wie von außen anfallen konnte. *Ich bin untätig in meinem Zimmer umhergegangen, ich habe mich an das offene Fenster gesetzt … ich drückte mein Haupt auf das Kissen des Sofa, eine unaussprechliche Leere erfüllte mein Inneres, auch das letzte Mittel, mich zu heben, war fehlgeschlagen,* schrieb er am 22. März 1801 an Wilhelmine von Zenge. Der horror vacui war Kleists ständiger Begleiter, und dieses »sich heben«, um nicht abzustürzen, war die Anstrengung seines Lebens. Nur das selbstvergessene Versunkensein in eine Tätigkeit, einen Traum, ein Gefühl bot ihm Schutz. Auch sprechen konnte er nur mit höchster Intensität und sehr rasch, oder er geriet ins Stottern und dann in stilles Brüten. Wie ihn nichts interessierte, was ihn nicht ausschließlich beschäftigen konnte, so verlangte er auch umgekehrt von den anderen diese Ausschließlichkeit. Seine Braut Wilhelmine von Zenge sollte sich an nichts freuen, als was sich auf ihn bezog, und er schrieb ihr, obwohl er zeitweilig Haus an Haus mit ihr wohnte, täglich die leidenschaftlichsten Briefe und erwartete auch solche von ihr. Es war bei allen seinen Unternehmungen so, als dürfe es keine Lücke, keine Ritze geben, durch die etwas eindringen könnte, was die gegenwärtige Hingabe oder Befangenheit stören könnte. Charakteristisch für diese Haltung war auch sein 1799 entworfener sogenannter Lebensplan. *Ich habe mir ein Ziel gesteckt*, schreibt er am 12. November an seine Schwester, *das die ununterbrochene Anstrengung aller meiner Kräfte und die Anwendung jeder Minute Zeit erfordert, wenn es erreicht werden soll.* Die leidigen *Zufälle*, die einen vom Wege abbringen können, gilt es zu entmachten. Gegen die Fremdbestimmung die Selbstbestimmung, gegen den Zufall den Plan, gegen die Vergeudung der Lebenszeit ihre rastlose Verwertung, gegen die Zerstreuung die Sammlung aller Kräfte auf einen Punkt. Bei allem, was er tat, mußte er bis an die Grenze gehen, so als ob, wenn er vorher schon innehielte, alles zusammenstürzen müßte, das Gefühl, der Gedanke, das Werk. Man hat, schreibt er in seinem Marionettenaufsatz, durch das Bewußtsein die paradiesische Unbefangenheit verloren, also muß das Bewußtsein aufs höchste gesteigert werden, durch ein *Unendliches hindurchgehen*, um wieder jene Anmut des Anfangs zu erreichen. Er strebte stets nach ultimativen Lösungen. Deshalb hat er mehrfach Freunde, Geliebte, aber auch nur Bekannte zu überreden versucht, sich mit ihm zusammen umzubringen. Schließlich hat sich auch eine Frau gefunden, die bereit war, sich von ihm erschießen zu lassen, damit er sich daraufhin selbst töten konnte.

Was hat das alles mit seiner Politik zu tun?

Bei seinem Haß auf Napoleon und die Franzosen erklärt er selbst, man solle nicht nach dem *Grund* fragen. Es geht allein um die Intensität, die um so größer ist, je weniger Grund sie hat. Wenn etwas begründet ist, gibt es einen rationalen Rückbezug, der immer etwas Abklärendes, Moderierendes hat. Der Haß ist bei Kleist wie die Liebe, eine Ekstase der Hingabe. Um ihre Intensität nicht an den gewöhnlichen Lauf der Dinge, an die Zufälle, zu verlieren, muß er sich in seine Leidenschaften hineinsteigern. Natürlich hat Kleist auch politisch argumentiert, aber daß es ihm zuletzt doch nicht auf politische Ziele und Motive ankommt, merkt man, wenn die Begründungen allmählich in den Irrsinn übergehen. Als Antwort auf die Frage *Was gilt es in diesem Krieg?* werden Gründe dafür genannt, weshalb die Gemeinschaft, die es zu verteidigen gilt, so kostbar sei. Die Reihung der Gründe nach dem Prinzip der Steigerung führt schließlich ins unfreiwillig Komische oder Absurde. *Eine Gemeinschaft mithin gilt es ... die die Wilden der Südsee noch, wenn sie sie kennten, zu beschützen herbeiströmen würden; eine Gemeinschaft ... die nur mit Blut, vor dem die Sonne erdunkelt, zu Grabe gebracht werden soll.* Man merkt, auch hier ist eine Raserei am Werk. Eine Gemeinschaft wird verklärt, die ihn dann so lange mit Gleichgültigkeit gequält hat, bis er sie verließ und nach Frankreich ging, um dort den *schönen Tod der Schlachten* zu sterben, aber nicht etwa im Kampf gegen Napoleon, sondern in den Reihen seiner Armee. Es mag sein, daß er die Franzosen und ihren Kaiser auch darum so gehaßt hat, weil sie ihm damals nicht erlaubten, sich an ihn wegzuwerfen.

Wahrscheinlich hat Nietzsche das Richtige getroffen, als er über die Folgen dieser Gleichgültigkeit schrieb: *Heinrich von Kleist ging an dieser Ungeliebtheit zu Grunde, und es ist das schrecklichste Gegenmittel gegen ungewöhnliche Menschen, sie dergestalt tief in sich hinein zu treiben, daß ihr Wiederherauskommen jedesmal ein vulkanischer Ausbruch wird.*

Zehntes Kapitel

Romantisches Unbehagen an der Normalität. Aufgeklärte Ernüchterung.
Das Rationale und das Rationelle. Stolz und Leiden der Künstler. Kreisler.
Philisterkritik. Verlust der Mannigfaltigkeit. Geist der Geometrie. Lange-
weile. Der romantische Gott gegen das große Gähnen. Das lyrische Als Ob.

Die Romantiker eint das Unbehagen an der Normalität, am gewöhnlichen Leben. Was ist ihr Leben in Deutschland um 1800?
Zunächst einmal: Es ist das gewöhnliche Leben von Schriftstellern,
von Leuten also, für die geistige Angelegenheiten nicht eine schöne
Nebensache, sondern Hauptsache sind und denen das Geistige noch
mit dem Geistlichen verbunden ist. Kein Wunder, stammen doch
viele von ihnen aus Pfarrhäusern. Zwar hat auch bei ihnen die Aufklärung den alten Glauben ausgehöhlt. Eben darum halten sie, um
das gewöhnliche Leben vor der Entzauberung zu schützen, Ausschau nach neuen Quellen des Geheimnisvollen. Die finden sie im
poetischen Geist, in der Phantasie, in der philosophischen Spekulation und manchmal auch in der Politik, allerdings einer phantastisch
zurechtgemachten Politik.

Mit ihrem Unbehagen an der Normalität nehmen die Romantiker jenes Unbehagen an der *Entzauberung der Welt durch Rationa-
lisierung* vorweg, das Max Weber ein Jahrhundert später in seiner
berühmten Münchener Rede über den »Beruf zur Wissenschaft«
(1919) kritisch zur Sprache bringen wird.

Die *Entzauberung der Welt* bedeutet nach Max Weber zweierlei.
Zum ersten, daß mit dem Siegeszug der empirischen Wissenschaften wachsende Anteile der Wirklichkeit als *prinzipiell* erklärbar, also
als rational, zu gelten haben. Zum zweiten, daß die Lebens- und
Arbeitsbereiche zunehmend *rationell* organisiert sind. Das Rationale
und das Rationelle zusammen verdichten sich zu dem, was Weber
das *stahlharte Gehäuse* der Moderne nennt.

Ganz so *stahlhart* war das Gehäuse zu Zeiten der Romantiker noch nicht. Aber man konnte bereits einiges ahnen, besonders wenn man so sensibel war wie sie. Sie spürten schon die Zunahme des Rationalen und des Rationellen. Das Rationale war die selbstbewußte Aufklärung, an der sie sich abarbeiten mußten. Das Rationelle begegnete ihnen im pragmatischen bürgerlichen Nützlichkeitsdenken, das damals mächtig emporkam.

Die empirisch-technischen Naturwissenschaften steckten noch in den Anfängen, aber ihr Prinzip begann hervorzutreten in Gestalt der Idee, daß der Natur ein Mechanismus zugrunde liegt, den man erkennen und, was noch wichtiger war, den man für die eigenen Zwecke benutzen kann. Eichendorff schreibt, man habe *die Welt wie ein mechanisches, von selbst fortlaufendes Uhrwerk sich gehörig zurechtgestellt*. Bei Novalis heißt es, die Natur sei *zur einförmigen Maschine ... erniedrigt worden*. Man erblickte im Kreislauf der Welt das Walten einer verläßlichen, berechenbaren und den Bestand der Dinge garantierenden Gesetzlichkeit; trotz Wechsel, Entwicklung und Katastrophen glaubte man in der Natur etwas Immergleiches, Verläßliches am Werke zu sehen, einen Mechanismus. Die moderne Denkart machte, wie Novalis sagt, *die unendlich schöpferische Musik des Weltalls zum einförmigen Klappern einer ungeheuren Mühle.*

Tiecks Lovell klagt darüber, daß die Moderne allen Zauber dreist *enträtselt* habe und daß die geheimnisvolle Dämmerung einem künstlichen Tageslicht gewichen sei. *Ich hasse die Menschen, die mit ihrer nachgemachten kleinen Sonne in jede trauliche Dämmerung hineinleuchten und die lieblichen Schattenphantome verjagen, die so sicher unter der gewölbten Laube wohnten. In unserem Zeitalter ist eine Art von Tag geworden, aber die romantische Nacht- und Morgenbeleuchtung war schöner, als dieses graue Licht des wolkigen Himmels.*

Dieses *graue Licht* der gewöhnlichen Aufklärung gab es für die Romantiker nicht nur in den Köpfen, sondern auch in der gesellschaftlichen Wirklichkeit. Sie wurde von ihnen als eine zunehmend reglementierte und uniformierte erlebt.

In Hoffmanns Märchen »Klein Zaches« wird erzählt, wie in dem

Land, in dem die Geschichte spielt, der junge Herrscher Paphnutius die Aufklärung einführt. Vorher glich das Ländchen einem *wunderbar herrlichen Garten*, worin *verschiedene vortreffliche Feen* angesiedelt waren, weshalb sich *beinahe in jedem Dorf, vorzüglich aber in den Wäldern, sehr oft die angenehmsten Wunder begaben.* Die Einführung der paphnutischen Aufklärung bedeutet nun aber nicht nur: *die Wälder umhauen, den Strom schiffbar machen, Kartoffeln anbauen, die Dorfschulen verbessern ... Chausseen anlegen und die Kuhpocken einimpfen lassen,* sondern es müssen auch die ominösen Feen, falls sie nicht *zu nützlichen Mitgliedern des aufgeklärten Staates* umgeschaffen werden können, ausgebürgert werden, denn *sie treiben ein gefährliches Gewerbe mit dem Wunderbaren und scheuen sich nicht, unter dem Namen der Poesie ein heimliches Gift zu verbreiten, das die Leute ganz unfähig macht zum Dienst in der Aufklärung.*

Praktische Aufklärung wurde erlebt als das immer machtvollere Regime der ökonomischen Nützlichkeit. *Kein Staat*, schreibt Novalis bedauernd, *ist mehr als Fabrik verwaltet worden als Preußen, seit Friedrich Wilhelm des Ersten Tode.*

Die Durchdringung des Lebens mit dem Prinzip der Nützlichkeit ist für die Romantiker besonders ärgerlich, wenn auch die Kunst und das Künstlertum vor das Forum der Nützlichkeit, der gesellschaftlichen, ökonomischen oder politischen, gezogen werden. Eine bittere Satire auf die damit verbundenen Zumutungen findet sich in Hoffmanns Darstellung der Leiden des Kapellmeisters Kreisler.

Der Schauplatz dieser Leiden sind die musikalischen Soireen in den besseren Häusern, wo der genialische, aber gedemütigte Kapellmeister als musikalischer Animateur und Handlanger zu agieren hat. *Sie sind alle fortgegangen* – so beginnt die Schilderung einer dieser Soireen im Hause des Geheimen Rats Röderlein, der seinen Gästen neben *Tee, Punsch, Wein, Gefrorenem* immer auch etwas *Musik* präsentiert, die *von der schönen Welt ganz gemütlich ... eingenommen wird.* Diesmal endet der Abend mit einem Eklat, den Kreisler provoziert hat. Mit dem Spiel der Bachschen Goldberg-Variationen, die zu schwer fürs Vergnügen waren, hat er die Gesellschaft auseinandergetrieben. Jetzt sitzt Kreisler alleine am Klavier und spielt und schreibt sich die Qualen dieses Abends von der Seele. Schon diese Ausgangssituation gibt in Umrissen die ganze Problematik: der einsame Künstler, der sein Publikum nicht versteht und es gerade darum provoziert; der vor ihm flüchtet und der es gleichzeitig in die Flucht schlägt; der in seinen Diensten steht und doch sich ihm himmelhoch überlegen weiß. Kreisler befindet sich im Kriegszustand, die Bachschen Variationen sind seine Waffe. Was aber haben ihm die Leute angetan? Nun, sie haben ihn zur musikalischen Unterhaltung herangezogen. Man will sich in angenehme Stimmung versetzen. Dazu putzt man sich heraus, nimmt Getränke und Speisen, dazu singt man und spielt den »Dessauer Marsch« und anderes Einschlägige, wobei man nie den Zweck der Zusammenkunft, nämlich die *angenehme Unterhaltung und Zerstreuung*, aus dem Auge verliert. Und diesem obersten Zweck ist natürlich auch die Musik untergeordnet, *gut gewählt, hat sie durchaus nichts Störendes.* Also muß das Erhabene, die hohe Kunst, dem Niedrigen dienen, so sieht es Kreisler. Zu diesen Niederungen gehören auch die Konkurrenz- und Selbstbehauptungskämpfe, die solche Geselligkeiten unterpflügen. Näher besehen geht es immer um *Verdienst und Gewinn*, aber bei unterhaltsamen Gelegenheiten. Es wird an Karrieren gearbeitet, wenn die besseren Töchter zum Singen abgerichtet werden. Und das hat der arme Kreisler zu besorgen. Als Berufsmusiker ist er ein Funktionär des bürgerlichen Unterhaltungs- und Selbstdarstellungsinteresses, er leistet entfremdete Arbeit und ist im übrigen *als ganz untergeordnetes Subjekt* zu betrachten. Der einzige Mensch, mit dem sich der Kapellmeister versteht, ist denn auch der Hausdiener Gottlieb. Ihm und sich selbst ruft er am Ende zu: *Wirf ihn ab, den verhaßten Bedientenrock!*

Gegen das bürgerliche Verständnis der Kunst als Dienstleistung setzt Kreisler eine Kunstmetaphysik, die ihn zur Würde des Priestertums emporhebt. Er glaubt, *die Kunst ließe dem Menschen sein höheres Prinzip ahnen und führe ihn aus dem törichten Tun und Treiben des gemeinen Lebens in den Isistempel, wo die Natur in heiligen, nie gehörten und doch verständlichen Lauten mit ihm spräche.*

Es bleibt bei Hoffmann immer ein Unterton von Ironie bei solchen emphatischen Bekenntnissen zur Himmelfahrt der Kunst. Daß man sich wegen der Kunst mit dem Rest der Welt verfeinden kann, daß Kunstliebe in Menschenhaß umschlagen kann, ist ihm, weil er selbst diese Anwandlung kennt, nicht nur nachvollziehbar, sondern auch fragwürdig. Darum läßt er in seiner vielleicht berühmtesten Erzählung »Das Fräulein von Scuderi« den Goldschmied Cardillac zum Mörder werden. Ihm ist es nämlich unmöglich, seine Geschmeide, an die er seine ganze Liebe und sein ganzes Können wendet, in fremden Händen und an fremden Hälsen zu wissen, bei Leuten, die nichts anderes damit anfangen, als ihrer Eitelkeit zu schmeicheln und ihren galanten Abenteuern aufzuhelfen. Kreisler beschimpft sein Publikum, bei Cardillac wird daraus eine Publikumsermordung im großen Stil. Auch so läßt sich der Konflikt der Kunst und des Künstlers mit dem bürgerlichen Nützlichkeitsprinzip ausfechten, auch so kann der emphatische Ausdruckswert der Kunst gegen ihren Tauschwert wüten.

Aus der Perspektive des Künstlers erscheint die bürgerliche Welt mit ihrem Prinzip von *Gewinn und Verlust,* dem ökonomischen und gesellschaftlichen Nützlichkeitsdenken, als eine einzige Sphäre des Unheiligen, weshalb auch der Ritter Gluck in der gleichnamigen Erzählung E. T. A. Hoffmanns im Blick auf den Zwang, sich auf dem Kunstmarkt verkaufen zu müssen, erklärt: *Ich verriet Unheiligen das Heilige.*

Auch in Tiecks »Sternbald«-Roman geht es um dieses Motiv der Heiligung der Kunst im Gegenzug zu ihrer Bedrohung durch bürgerliche Normalität. Tiecks romantischer Roman geht in die Offensive und ist doch eine kompensatorische Antwort auf die Entzauberung des künstlerisch Erhabenen durch bürgerliches Nützlichkeitsdenken. Dabei forcierten die Romantiker ihre Kunstreligion, um ihre Selbstzweifel zum Schweigen zu bringen.

In der Geschichte »Vom braven Kasperl und dem schönen Annerl« läßt Clemens Brentano einen Schriftsteller auftreten, der sich, wenn er einem gewöhnlichen Menschen seinen Beruf erklären soll, dafür schämt, ein Schriftsteller zu sein. Es ist dies ein Gefühl, so der Erzähler, *welches jeden befällt, der mit freien und geistigen Gütern, mit unmittelbaren Geschenken des Himmels Handel treibt.* Das ist eine Scham, die noch das Gefühl für die Erhabenheit der Kunst voraussetzt. Doch es kommt noch schlimmer, denn den Künstler beschleicht der Verdacht, daß sein Tun eigentlich etwas Krankes und Perverses sein könnte. Wenn er sich mit den Augen eines Normalmenschen ansieht, kommt er sich vor wie eine Gans, der man eine übergroße Leber angemästet hat: *Ein jeder Mensch hat, wie Hirn, Herz, Magen, Milz, Leber und dergleichen, auch eine Poesie im Leibe; wer aber eines dieser Glieder überfüttert, verfüttert oder mästet und es über alle andre hinüber treibt, ja es gar zum Erwerbszweig macht, der muß sich schämen vor seinem ganzen übrigen Menschen. Einer, der von der Poesie lebt, hat das Gleichgewicht verloren, und eine übergroße Gänseleber, sie mag noch so gut schmecken, setzt doch immer eine kranke Gans voraus.*

Im Spannungsverhältnis zur bürgerlichen Normalität kann es also geschehen, daß die romantischen Künstler das vitale Zutrauen zu sich selbst verlieren, daß sie Ausschau halten nach dem *gediegenen, in seinen Zwecken befestigten Leben,* wie Hegel süffisant bemerkt. Auch unter den selbstbewußten Romantikern gerät das Künstlertum immer wieder in die Defensive gegenüber dem Geist der Realitätstüchtigkeit und der Nützlichkeit. Von einem tüchtigen Kommerzienrat erzählt E. T. A. Hoffmann, daß er nach dem Anhören einer Sinfonie seinen sichtlich hingerissenen Nachbarn fragt: *Und was, mein Herr, beweiset uns das ...?*

Denjenigen, der sich ganz der Nützlichkeit verschreibt, nennen die Romantiker *Philister*. Ein Romantiker ist stolz darauf, keiner zu sein, und ahnt doch, daß er, wenn er älter wird, es kaum vermeiden kann, selbst einer zu werden. Der Ausdruck »Philister« kommt aus dem Studentenjargon und bezeichnet damals abschätzig den Nicht-Studenten oder ehemaligen Studenten, der im normalen bürgerlichen Leben steckt ohne die studentischen Freiheiten. Für die Romantiker wird der »Philister« zum Inbegriff des Normalmenschen schlechthin, von dem sie sich abgrenzen wollen. Der Philister ist nicht schon jemand, der das Normale, Regelhafte schätzt – das wird auch der Romantiker zuzeiten tun –, sondern einer, der das Wunderbare, Geheimnisvolle, heruntererklärt und auf Normalmaß zu bringen versucht. Der Philister ist ein Mensch des Ressentiments, der das Außerordentliche gewöhnlich nimmt und das Erhabene kleinzumachen versucht. Es handelt sich also um Leute, die sich das Staunen und die Bewunderung verbieten. Es ist der Umkreis ihrer lieben Gewohnheiten, *in welchem sie sich ewig herumdrehen*. Nicht nur fehlt es ihnen an Phantasie, ihnen ist auch jeder suspekt, von dem sie glauben, daß er zuviel davon hat. Sie wollen ganz einfach *in demselben Geleise forttraben*. Sie gehen immer den Mittelweg. Auch die Romantiker brauchen eine Mitte, es ist aber, wie Schleiermacher es ausdrückt, nicht die philiströse Mitte, *welche man nie verläßt*, sondern die *wahre Mitte*, die man auf den *exzentrischen Bahnen der Begeisterung und der Energie* mitnimmt.

Läßt man sich doch einmal auf das *Exzentrische* ein, dann nur von sicherem Boden aus, am besten blickt man aus dem Fenster hinaus, aber bleibt im Hause und läßt sich nicht dauerhaft zur Ferne verführen. *Der wiegte gar bald ein Bübchen, / Und sah aus heimlichem Stübchen / Behaglich ins Feld hinaus* (Eichendorff). Der Sicherheitsabstand ist beim Philister entscheidend. Eine ordentliche Lebensökonomie erlaubt nur wohldosierte Ausschweifung. Novalis über die Philister: *Poesie mischen sie nur zur Notdurft unter, weil sie nun einmal an eine gewisse Unterbrechung ihres täglichen Laufs gewöhnt sind. In der Regel erfolgt diese Unterbrechung alle sieben Tage, und könnte ein poetisches Septanfieber heißen*. Dem Philister ist die Poesie nützlich, sofern sie als auffrischende Unterbrechung die gewöhnliche Arbeitsfähigkeit wiederherstellt. Die Philister sind Menschen ohne Transzendenz, *sie tun alles, um des irdischen Lebens willen*. Dieses irdische Leben aber will der Philister immer als derselbe durchleben, seine Identität ist ihm kostbar, er möchte unter allen Umständen für sich selbst und für die anderen berechenbar bleiben.

Diesen Drang nach überraschungsloser Identität repräsentieren bei E. T. A. Hoffmann zum Beispiel all jene braven Bürger, die sich nicht *vexieren* lassen wollen. Im »Goldnen Topf« sind es Typen wie der Registrator Heerbrand, der sogar noch im Traum verlorene Aktenstücke sucht und findet. Sie kennen keine Verwandlungslust, sie machen höchstens Karriere, eine bürgerliche Schwundstufe von Verwandlung. Sie meiden es auch, nähere Bekanntschaft mit sich selbst zu machen, es würde sie langweilen. Sie sitzen *im Kristall*, wie es im »Goldnen Topf« heißt. Dort wird der schwärmerische Anselmus, als er vorübergehend zu *einiger Vernunft* gelangt und den Glauben an das Wunderbare und an die verwandelnde Kraft der Phantasie verloren hat, wodurch er mit den aufgeklärten Philistern auf dieselbe Stufe gerät, vom Archivarius Lindhorst, dem zauberischen Salamanderfürsten, zur Strafe in eine Kristallflasche gebannt. Anselmus findet sich wieder auf einem Regal. Zu seiner Überraschung entdeckt er zahllose Flaschen um sich herum, in denen manche seiner Kommilitonen und sonstige Bekannte eingesperrt sind. Die bemerken ihre Gefangenschaft gar nicht. *Sie sitzen ja doch ebenso gut eingesperrt in gläsernen Flaschen als ich*, sagt Anselmus, und seine Leidensgenossen, die gar nicht leiden, antworten: *Sie faseln wohl … nie haben wir uns besser befunden als jetzt.* Da seufzt Anselmus: *Ach … sie wissen nicht, was Freiheit und Leben in Glauben und Liebe ist, deshalb spüren sie nicht den Druck des Gefängnisses, in das sie der Salamander bannte ihrer Torheit, ihres gemeinen Sinnes wegen.*

Der Philister weiß nicht, daß er einer ist. Wüßte er es, wäre er schon einmal über sich hinausgegangen. Aber ist nicht jeder schon einmal über sich hinausgegangen, als er noch nicht wußte, wer er ist, also in seiner Kindheit? Gewiß, und darum gehört es zum Philister, daß er die Träume seiner Kindheit vergessen hat oder Verrat an ihnen übt, und umgekehrt versuchen die Romantiker, den Träumen ihrer Kindheit treu zu bleiben, sie beherzigen die wunderbare Mahnung des Marquis Posa an Don Karlos: *Sagen Sie / Ihm, daß er für die Träume seiner Jugend / soll Achtung tragen, wenn er Mann sein wird …*

Das Prinzip der traumvergessenen Nützlichkeit in der bürgerlichen Welt ist der eine Grund für das romantische Unbehagen an der Normalität. Ein anderer Grund für die Romantiker, mit der Wirklichkeit zu hadern, ist eine Entwicklung, die Hoffmann *Verlust der Mannigfaltigkeit* nennt. In Hoffmanns Erzählung »Brautwahl«, die im alten Berlin des 16. Jahrhunderts spielt, findet sich die Bemerkung, *daß damals unser Berlin bei weitem lustiger und bunter sich ausnahm, als jetzt, wo alles auf einerlei Weise ausgeprägt wird, und man in der Langeweile selbst die Lust sucht und findet, sich zu langweilen.*

Friedrich Schlegel entdeckt in dem Verlust der Mannigfaltigkeit die epochale Wirkung der Französischen Revolution. Er sieht *eine revolutionäre Gleichheit* bedrohlich heraufkommen, und die Tendenz gehe dahin, schreibt er, *alles eigentümlich Lokale in Sitten und Provinzialeinrichtungen* zu *verschmelzen.* Auch Eichendorff beklagt die neue Einförmigkeit: *Es wandelt den Reisenden eine niederschlagende Langeweile an, wenn ihm, wie er auch die Deichsel richtet, überall dieselbe Physiognomie der Städte und Sitten wiederbegegnet ... Anstatt dieser reichen Mannigfaltigkeit von Formen und Richtungen sehen wir also jetzt nur eine Form und fast nur eine Hauptrichtung: die militärische. Aber Einerleiheit ist nicht nur keine Einheit, sondern gerade die Verhinderung derselben.* Wo es früher historisch gewachsene *Eigentümlichkeit* gab, dominiert jetzt die *Gleichförmigkeit.* Achim von Arnim beginnt seine Erzählung »Die Majoratsherren« von 1820 mit den Sätzen: *Wir durchblättern eben einen älteren Kalender, dessen Kupferstiche manche Torheiten seiner Zeit abspiegeln. Liegt sie doch jetzt schon wie eine Fabelwelt hinter uns! Wie reich erfüllt war damals die Welt, ehe die allgemeine Revolution, welche von Frankreich den Namen erhielt, alle Formen zusammenstürzte; wie gleichförmig arm ist sie geworden! Jahrhunderte scheinen seit jener Zeit vergangen, und nur mit Mühe erinnern wir uns, daß unsere früheren Jahre ihr zugehörten.*

Von Monotonie und Langeweile ist in diesen Schilderungen häufig die Rede. Es drängt sich den Romantikern der Eindruck auf, daß es womöglich der Geist der Geometrie sei, welcher das gegenwärtige Leben durchdringt. Tieck schreibt in »Der junge Tischlermeister«: *Die gerade Linie, weil sie immer den kürzesten Weg geht, weil sie so scharf und bestimmt ist, schien mir das Bedürfnis, die erste prosaische Grundbasis des Lebens auszudrücken.* Dagegen verschwinden die *krummen* Linien, die Arrangements, welche auf die *Unerschöpflichkeit des Spiels, der Zier, der sanften Liebe* hinweisen und wo die *unendlichen Schwingungen* des Lebens noch möglich sind. Das Unübersichtliche, auch Dunkle zieht an, wenn es nur Abschweifungen und Aus-schweifungen erlaubt, Überraschungen bereit hält und eine *reizende Verwirrung* (Eichendorff) ermöglicht. Auch deshalb verklärt man die verwinkelte mittelalterliche Stadt und zieht die wilden Gärten dem abgezirkelten französischen Park vor. E.T.A. Hoffmann spottet über die Aufklärung, wenn er Berlin, ihren Hauptort, in der Erzählung »Irrungen« als einen *öden Raum* von Begradigungen beschreibt: *Die Stadt ist im ganzen schön gebaut mit schnurgeraden Straßen und großen Plätzen, hin und wieder trifft man Alleen von halbverdorrten Bäumen, die, wenn der unheimlich sausende Wind dichte Staubwolken vor sich hertreibt, ihr fahlgraues Laub traurig schütteln.*

Das Gerade und Abgezirkelte, auch wenn es äußerlich geräumig sein mag, hat die paradoxe Wirkung, daß es ein Gefühl von Enge hervorruft. *Obgleich der Raum breit scheinen möchte*, heißt es bei E.T.A. Hoffmann, *so wird er doch für unseresgleichen durch die vernünf-tigen Leute, recht furchtbarlich eng gemacht.* Das liegt daran, daß die Regelmäßigkeit im Raum dieselbe Wirkung hat wie die Wiederho-lung in der Zeit. Sparsam dosiert geben sie ein Gefühl von Rhyth-mus, Gliederung, sogar Schönheit; im Übermaß eingesetzt aber las-sen sie jedes Überraschungsmoment verschwinden, der Eindruck von Monotonie und Gleichförmigkeit stellt sich ein, was dann als Beengung durch das Immergleiche erlebt wird. So werden für die Romantiker der geometrisierte Raum und die geometrisierte Zeit zum Schreckbild einer schlechten Aufklärung. Die weite Welt schrumpft, wenn die Vernunft, als Lebensklugheit oder als rationale Welterklärung, das Ungewöhnliche gewöhnlich und das Unvor-hersehbare berechenbar gemacht hat, und deshalb lautet das bereits zitierte romantische Gegenprogramm bei Novalis: Es kommt darauf an, *dem Gewöhnlichen ein geheimnisvolles Ansehn, dem Bekannten die Würde des Unbekannten, dem Endlichen einen unendlichen Schein geben.*

Es ist dies ein Programm gegen die Langeweile und das, was sie im Gefolge hat: das Bewußtsein von Leere, Nichtigkeit und Nichts. Diese Langeweile ist für die aus dem alten Glauben herausgefallene, von der Vernunft nicht befriedigte, aber durch die Französische Revolution zu den kühnsten Aufschwüngen der Einbildungskraft ermunterte Generation der wahre Feind und die wirkliche Bedrohung. Das Unbehagen an der Normalität zieht sich zusammen zur Angst vor der Langeweile. Sie ist, als Drohung, in den Werken der Romantiker allgegenwärtig. In Tiecks »William Lovell« findet sich eine eindringliche Schilderung dieses Gefühls: *Langeweile ist gewiß die Qual der Hölle, denn bis jetzt habe ich keine größere kennengelernt; die Schmerzen des Körpers und der Seele beschäftigen doch den Geist, der Unglückliche bringt doch die Zeit mit Klagen hinweg, und unter dem Gewühl stürmender Ideen verfliegen die Stunden schnell und unbemerkt: aber so wie ich dasitzen und die Nägel betrachten, im Zimmer auf und nieder gehn, um sich wieder hinzusetzen, die Augenbrauen reiben, um sich auf irgend etwas zu besinnen, man weiß selbst nicht worauf; dann wieder einmal aus dem Fenster zu sehen, um sich nachher zur Abwechslung aufs Sofa werfen zu können, – ach ... nenne mir eine Pein, die diesem Krebse gleichkäme, der nach und nach die Zeit verzehrt, und wo man Minute vor Minute mißt, wo die Tage so lang und der Stunden so viele sind, und man dann noch nach einem Monat überrascht ausruft: Mein Gott, wie flüchtig ist die Zeit!*

Bei den Romantikern beginnt die Karriere der Langeweile als großes Thema der Moderne.

Kant definierte die Langeweile als *Anekelung seiner eigenen Existenz aus der Leerheit des Gemüts an Empfindungen, zu denen es unaufhörlich strebt.* Diese *Anekelung* kann sich sogar zum *Grauen* steigern, Kant nennt es den *horror vacui*. Kant vermeidet es, wie zuvor Pascal, von jener Leere zu sprechen, die eine Folge der Entfernung Gottes ist. Wenn Gott das Erhabene ist, so ist die empfundene Leere sein Schatten: das negativ Erhabene, das Nichts. In der Langeweile, so Pascal, fühlt der Mensch *in der Tiefe seiner Seele* dieses Nichts, diese

Leere. Sie kann er *ohne Leidenschaft, ohne Tätigkeit, ohne Zerstreuung* gar nicht aushalten. Und so entsteht, Pascal zufolge, die moderne Hektik und Betriebsamkeit.

Die *Großen*, schreibt beispielsweise Montesquieu, sind so sehr in ihre Machtspiele und ihren Repräsentationsaufwand verstrickt, daß ihnen die *seelischen Freuden* des Tätigseins verschlossen bleiben. *Ihre Größe zwingt sie, sich zu langweilen.* Und er resümiert diesen Gedanken lakonisch: *Alle Fürsten langweilen sich: ein Beweis dafür ist, daß sie auf die Jagd gehen.* Andere haben sich noch schärfer geäußert, indem sie erklärten: Da die großen Herren sich langweilen, führen sie Krieg. Dieses Denkmotiv, das in der Langeweile eine elitäre Krankheit sieht, wird von Rousseau, von dem sich dann seinerseits Kant anregen läßt, aufgegriffen: *Das Volk langweilt sich nicht; es führt ein tätiges Leben ... Der Wechsel zwischen langer Arbeit und kurzer Muße ist die Würze der Vergnügungen seines Standes. Die große Geißel der Reichen ist die Langeweile. Inmitten vieler und kostspieliger Zerstreuungen, mitten unter so vielen Leuten, die sich Mühe geben, ihnen zu gefallen, langweilen sie sich zu Tode. Sie verbringen ihr Leben damit, die Langeweile zu fliehen und sich von ihr wieder einholen zu lassen.*

Man kommt also zwischen Pascal und Kant bei der Analyse der Langeweile allmählich davon ab, den negativen Gottesbezug zu bemühen. Das Nichts der Langeweile hatte zeitweilig seine depressive Erhabenheit verloren. Das ändert sich nun wieder dramatisch in der Romantik. Warum?

Die Romantiker waren durch die Schule der Empfindsamkeit, der Reflexionsphilosophie und des Ich-Kultes gegangen. Dadurch wurde alles mehr ein Ich-Erlebnis als ein Wirklichkeitserlebnis. Diese Subjektivierung mußte Folgen haben. In den pseudonymen »Nachtwachen« des Bonaventura wird die Langeweile eindringlich als die Katerstimmung der Ich-Euphorie beschrieben: *Ich hatte jetzt aufgehört alles andre zu denken, und dachte nur mich selbst! Kein Gegenstand war ringsum aufzufinden, als das große schreckliche Ich, das an sich selbst zehrte, und im Verschlingen stets sich selbst wieder gebar. Ich sank nicht, denn es war kein Raum mehr, ebensowenig schien ich emporzuschwe-*

ben. *Die Abwechslung war zugleich mit der Zeit verschwunden, und es herrschte eine fürchterliche ewig öde Langeweile. Außer mir – versuchte ich mich zu vernichten – aber ich blieb und fühlte mich unsterblich.* Schon fast parodistisch wird der romantische Selbstbezug, der sich seiner Teilhabe am unsterblichen Geist vergewissert, ad absurdum geführt: man mag sich unsterblich fühlen, aber eben unsterblich langweilig.

Die von ihrer Bewußtheit gelangweilten Romantiker beginnen sich nach Bewußtlosigkeit zu sehnen. *Es gibt nichts Höheres im Menschen*, heißt es in Tiecks »Lovell«, *als den Zustand der Bewußtlosigkeit; dann ist er glücklich, dann kann er sagen, er sei zufrieden.* Die Romantiker träumen vom einfachen Leben, das im gleichmäßigen Rhythmus schwingt. Was sonst als Monotonie erlebt wird, plötzlich erscheint es wie ein fernes Glück. Hölderlin: *Vor seiner Hütte ruhig im Schatten sitzt / Der Pflüger, dem Genügsamen raucht sein Herd. . . . / Es leben die Sterblichen / Von Lohn und Arbeit; wechselnd in Müh' und Ruh' / Ist alles freudig . . .* Im Kontrast dazu empfindet der Dichter seine Unruhe und Erregungen als Mangel: *warum schläft denn / Nimmer nur mir in der Brust der Stachel?*

Diese entlastenden Lebensordnungen glaubt man in traditionshaltigen Milieus entdecken zu können. Die neuen, moderneren Lebensformen der Städte stehen demgegenüber unter Monotonie- und Sinnlosigkeitsverdacht. In Eichendorffs Roman »Ahnung und Gegenwart« von 1815 wird ein solches Stadtleben so geschildert: *Wohl ist der Weltmarkt großer Städte . . . der getreuste Spiegel ihrer Zeit. Da haben sie den alten, gewaltigen Strom in ihre Maschinen und Räder aufgefangen, daß er nur immer schneller und schneller fließe, da spreitet denn das arme Fabrikenleben in dem ausgetrockneten Bett seine hochmütigen Teppiche aus, deren inwendige Kehrseite ekle, kahle, farblose Flächen sind . . . das Gemeine und das Größte, heftig aneinander geworfen, wird hier zu Wort und Schlag, die Schwäche wird dreist durch den Haufen, das Hohe ficht allein.*

Die Stadt erscheint als leerer Umtrieb der Zeit und damit als Stein gewordene Langeweile. So antizipieren die Romantiker die Schreckbilder vom ›rasenden Stillstand‹, die im 20. Jahrhundert Konjunktur haben werden.

Die eindrucksvollste romantische Schilderung des leeren Zeitumtriebs bezieht sich allerdings nicht auf die Stadt, sondern versetzt uns in ein märchenhaft-symbolisches Umfeld. Es handelt sich um einen Text von Wackenroder: »Ein wunderbares Morgenländisches Märchen von einem nackten Heiligen«. Der Heilige des Märchens hört unaufhörlich *das Rad der Zeit seinen sausenden Umschwung* nehmen und muß deshalb immerzu die heftigen Bewegungen eines Menschen vollführen, *der bemüht ist, ein ungeheures Rad umzudrehen.* Dieser nackte Heilige macht den Begriff der modernen Arbeitsgesellschaft vollkommen sinnfällig: Es kommt nicht mehr auf die Ergebnisse an, auf das Produkt, sondern auf den Arbeitsprozeß selbst; alles muß ihm dienen, der Konsum, der Kapitaleinsatz, die produktive Zerstörung. Beschäftigt sein ist alles. Wer aus dem sausenden Umschwung des Arbeitsprozesses herausfällt, fällt aus der Welt. Ebensowenig wie der nackte Heilige, der das *ungeheure Rad* dreht, darf man sich beim Arbeitsprozeß fragen: Wozu das Ganze? Wie der Heilige muß man darauf achten, *dem tobenden … Umschwunge mit der ganzen Anstrengung seines Körpers zu Hülfe* zu kommen, *damit die Zeit ja nicht in die Gefahr komme, nur einen Augenblick stillzustehn.* Die Kulturkritiker aber, die palavernd beiseite stehen und kritisierend zusehen, kann dieser heilige Beschäftigungspolitiker nur schwer ertragen, er *wütete, wenn er sah, daß die Wanderer, die zu ihm wallfahrteten, ganz ruhig standen, und ihm zusahen, oder hin und wieder gingen und miteinander sprachen. Er zitterte vor Heftigkeit, und zeigte ihnen den unaufhaltsamen Umschwung des ewigen Rades, das einförmige, taktmäßige Fortsausen der Zeit; er knirschte mit den Zähnen, daß sie von dem Getriebe, in dem auch sie verwickelt und fortgezogen würden, nichts fühlten und bemerkten; er schleuderte sie von sich, wenn sie ihm in der Raserei zu nahe kamen.*

Die Romantiker haben es gehört, dieses *rauschende Rad der Zeit.* Sie erfinden Konstellationen und Personen, die einen hineinstürzen lassen in die große Leere, wo man das Grundrauschen der Existenz hört, sie fixieren Augenblicke, da es um nichts mehr geht, kein Weltgehalt sich anbietet, woran man sich festhalten oder mit dem man sich füllen kann, Augenblicke des leeren Verstreichens der Zeit, die Zeit pur, ihre reine Anwesenheit, Momente also, da man bemerkt, wie die Zeit vergeht, weil sie gerade nicht vergehen will, da man sie nicht vertreiben, nicht herumbringen, nicht, wie es heißt, sinnvoll ausfüllen kann. Die einschlägigen Schilderungen sind nicht einfach psychologisch, sondern metaphysisch, denn sie zeigen: Wenn man nichts mit sich anzufangen weiß, ist die Folge, daß es das Nichts ist, das nun etwas mit einem anfängt. Dann fürchtet man, unablässig auf das weiße Rauschen der Zeit hören zu müssen, wie der *nackte Heilige* in Wackenroders Märchen.

Wie kann man sich diesem suggestiven, umtriebigen Nichts entziehen, wie kommt man aus der Wüste der Langeweile heraus?

Novalis empfiehlt die *Gemüterregungskunst*, seine Technik des *Romantisierens*, was im Kern bedeutet: sich hinaufstimmen. Als autosuggestivem Genie standen ihm diesbezüglich erhebliche Mittel zur Verfügung. Es war ihm ja, als er seiner Sophie nachsterben wollte, auch fast gelungen, lebendigen Leibes im Jenseits Fuß zu fassen. Nicht allen Romantikern gelangen solche Aufschwünge. Aber einig war man sich darin, daß gegen die Wüste der Entzauberung nur wieder die zauberischen Geheimnisse helfen. Und so wird vollends deutlich, wogegen die Romantiker eigentlich kämpfen, wenn sie das Geheimnis verteidigen: Es ist die Gefahr des modernen Nihilismus.

Über lange Zeit hin brauchte das Geheimnis keine besondere Verteidigung. Man war, solange die empirische Erforschung der äußeren Wirklichkeit noch nicht so weit entwickelt war, vom Unerklärlichen, Dunklen, Numinosen geradezu eingehüllt. Solange die Versicherungssysteme durch Wissen, Technik und Organisation noch rudimentär waren, kam es vor allem darauf an, soviel wie möglich vom Geheimnis zu lüften, im übrigen aber sich das Geheimnisvoll-Göttliche irgendwie gewogen zu machen. Wenn moderne Gesellschaften beginnen, besser für die Sicherheit zu sorgen, wird naturgemäß die religiöse Bindung schwächer. Dann erst kann das Bedürfnis aufkommen, das Geheimnis verteidigen zu wollen, aus dem einfachen Grunde, weil es nicht mehr so bedrohlich ist. In dieser Situation wird etwas anderes bedrohlich, nämlich die Sinnlosigkeitsgefühle und die Langeweile angesichts eines vermeintlich taghell ausgeleuchteten, versicherten und reglementierten Lebens. Dann ist nicht mehr der Gott für die Sicherheit, sondern ein Gott gegen die Langeweile gefragt.

Dieser Gott gegen die Langeweile ist der romantische. Die Romantiker brauchen einen ästhetischen Gott. Nicht so sehr einen Gott, der hilft und schützt und die Moral begründet, sondern einen Gott, der die Welt wieder ins Geheimnis hüllt. Nur so läßt sich das große Gähnen angesichts der bis zum Nihilismus entzauberten Welt vermeiden. Die Romantiker, und das macht ihre Modernität aus, waren metaphysische Unterhaltungskünstler in einem sehr anspruchsvollen Sinn, denn sie wußten nur zu genau: Unterhalten oder genauer: unter-gehalten werden müssen die Absturzgefährdeten. So aber empfanden sich die Romantiker: als absturzgefährdet, und das macht sie zu unseren Zeitgenossen. Das vormoderne Bewußtsein konnte sich nicht vorstellen, aus der Welt zu fallen. Irgendein Jenseits gab es immer. Erst die Moderne sieht sich ohne metaphysischen Rückhalt mit der Endlichkeit konfrontiert, sie weiß sich nicht mehr selbstverständlich von einem sinngesättigten Kosmos getragen. Das Ungeheure der Räume, in denen man sich selbst als Atom verliert; das Rauschen der Zeit; die Gleichgültigkeit der Materie gegenüber unserem Sinn suchenden Bewußtsein, die anonymen Mechanismen des gesellschaftlichen Lebens − alles dies gibt wenig Halt, es könnte einen lähmen oder in die Verzweiflung abstürzen lassen − wenn nicht etwas dagegen aufgeboten wird. Alltäglich sind es Arbeit und Gewohnheit, die den Blick verengen und die deshalb auch schützen. Den Romantikern ist das zu wenig, gegen die drohende Langeweile setzen sie die schöne Verwirrung, die sie das »Romantisieren« nennen.

Aber die ironische Romantik weiß auch: Das Romantisieren ist eine Verzauberung durch den Irrealis. Und darum deckt die Romantik dort, wo sie am meisten romantisch ist, auch ihr Betriebsgeheimnis auf − dieses ironische ›Als ob‹.

Eichendorffs »Mondnacht«-Gedicht beginnt: *Es war, als hätt' der Himmel / Die Erde still geküßt / Daß sie im Blüten-Schimmer / Von ihm nun träumen müßt'*. Und es endet: *Und meine Seele spannte / Weit ihre Flügel aus, / Flog durch die stillen Lande, / Als flöge sie nach Haus.*

Elftes Kapitel

Romantische Aufbrüche und Abbrüche. Eichendorff: Frische Fahrt.
Sirenengesänge. Gottvertrauen. Am Fenster. Dichter und ihre Gesellen.
Poesie des Lebens. Fromme Ironie. Taugenichts – der Narr in Christo.
E. T. A. Hoffmann: Mit leichter Hand. Nicht festgewurzelt. Der Spieler.
Ästhetik des Schreckens. Das Paradies ist nebenan, aber auch die Hölle.
Prinzessin Brambilla und das große Lachen. Skeptischer Phantast.

Wenn die Wirklichkeit das langweilige Aussehen eines *bettelhaften Winkeltheaters* annimmt, wie Tieck William Lovell schreiben läßt, dann fällt den Romantikern etwas ein, sie suchen das Geheimnis, jenes Gefühl, *das uns in ferne unbekannte Regionen hinüberdrängt,* wobei es geschehen kann, daß man sich vergreift, daß man, wie Lovell, den Verheißungen einer ominösen Geheimgesellschaft folgt und dabei seine Freiheit verliert und zur mechanischen Marionette für obskure Drahtzieher wird. Die Gefahren der Geheimnislust waren den Romantikern sehr wohl bekannt. Trotzdem hüteten sie sich auch vor der anderen Versuchung, nämlich dem platten Realismus nachzugeben und sich einzuhausen in einer Welt, die sich der phantasielosen Nützlichkeit verschreibt und den Menschen ihr Talent für Transzendenz und Imagination verdächtig macht. Unsere Gedanken, Zweifel und Berechnungen, *die alles vertilgen und gleichsam durch eine ungeheure Leere streifen, durch ein Land, das sie selbst entvölkert haben,* müssen, wenn die Wüste nicht wachsen soll, auch wieder jenes Gefühl aufkommen lassen, *das die verlaßne Wüste anbaut.*

In E. T. A. Hoffmanns »Lebensansichten des Kater Murr« gibt es eine Episode, wo erzählt wird, wie Kreisler einmal in einem Garten, zu Tode erschrocken, seinen Doppelgänger zu sehen glaubt. Als er aber bemerkt, daß die Erscheinung nur die Wirkung eines verborgenen Hohlspiegels ist, ärgert er sich, *wie jeder, dem das Wunderbare, woran er geglaubt, zu Wasser gemacht wird. Dem Menschen behagt das*

tiefste Entsetzen mehr als die natürliche Aufklärung dessen, was ihm ge-
spenstisch erschienen, er will sich durchaus nicht mit dieser Welt abfinden
lassen ...

Und so brechen sie denn auf, in der Literatur jedenfalls, diese romantischen Künstler, Träumer, Wanderburschen und Taugenichtse auf der Suche nach dem vielversprechenden Geheimnis, sehnsuchtsvoll dem Posthorn lauschend, wenn *Aurora flammend weht* und über dem Horizont die Sonne aufgeht, wenn die Ferne lockt mit ihren *mondbeglänzten Zaubernächten,* ihren verwunschenen Gärten, ihren beschaulichen, verwinkelten Städten, aus deren Häusern der Rauch aufsteigt und wo die Menschen abends vor den Türen oder um eine Linde sitzen, wo die Burgen von den Bergen grüßen und die Brunnen rauschen. *Wem Gott will rechte Gunst erweisen, / Den schickt er in die weite Welt, / Dem will er seine Wunder weisen / In Berg und Wald und Strom und Feld,* dichtet Eichendorff. Im »Ofterdingen« wird es Heinrich eng, nachdem er von der blauen Blume geträumt hat. Er will das Schicksal seines Vaters vermeiden, der resigniert und lustlos seiner Arbeit nachgeht. Heinrich bricht auf zu einer Reise ins Unabsehbare. Gefragt, wohin er unterwegs sei, antwortet er: *immer nach Haus.* Es ist das größere, das ungeheure Zuhause, das er sucht, und Novalis wollte es ihn auch finden lassen, vielleicht im fünften oder sechsten Band des als riesenhafter Zyklus geplanten Romans. Aber er starb darüber. Und so blieb der Roman ein Torso der romantischen Aufbruchsbewegung.

Das vorzeitige Ende des Aufbruchs kann sich auch anders einstellen. In Eichendorffs Roman »Dichter und ihre Gesellen« ermuntert Fortunat seinen inzwischen seßhaft gewordenen Studienfreund Walter mitzuziehen, aber der bleibt bei der nächsten Station schon wieder hängen, in einem Ehehafen, von wo aus sich jede weitere Ausfahrt verbietet. Der Roman ist ein einziges Kompendium von Aufbrüchen und von heiteren, resignierten, verzweifelten und gewaltsamen Abbrüchen. Victor, die heimliche und auch ein wenig unheimliche Hauptfigur des Romans, repräsentiert die größtmögliche aufbrechende Kraft. Er ist schlechterdings nicht zu halten, er ist ein Virtuose des Abschieds, für ihn hört das Morgenrot nimmer auf, kein Wunder, hat er sich doch am Ende seiner überirdischen Heimat verschrieben, der er nun in der Welt dienen will. Und so geht er wieder davon, die anderen bleiben zurück, noch einmal ein grandioser Ausblick in eine Landschaft, wie sie Caspar David Friedrich gemalt haben könnte, dann ist Victor verschwunden, und der Roman endet mit den bedenklichen Versen: *Wir ziehen treulich auf die Wacht, / Wie bald kommt nicht die ew'ge Nacht / Und löschet aus der Länder Pracht, / Du schöne Welt, nimm dich in Acht!*

Die vielversprechenden Horizonte, zu denen aufgebrochen wird, können auch täuschen. Das Sirenenmotiv ist in der romantischen Literatur allgegenwärtig. In dem Gedicht »Frühlingsfahrt« mißt Eichendorff die Spannbreite der Aufbruchsbewegungen aus: *Es zogen zwei rüst'ge Gesellen / Zum ersten Mal von Haus, / So jubelnd recht in die hellen / Klingenden, singenden Wellen / Des vollen Frühlings hinaus ...* Den ersten trägt das Verlangen nicht sehr weit, *der fand ein Liebchen, / Die Schwieger kauft' Hof und Haus; / Der wiegte gar bald ein Bübchen, / Und sah aus heimlichem Stübchen / Behaglich ins Feld hinaus.* Der zweite aber ist unbescheidener, sein Verlangen grenzenloser und mit realitätstüchtigen Angeboten nicht zu stillen, ihm *sangen und logen / Die tausend Stimmen im Grund, / Verlockend' Sirenen, und zogen / Ihn in der buhlenden Wogen / Farbig klingenden Schlund. // Und wie er auftaucht vom Schlunde, / Da war er müde und alt, / Sein Schifflein das lag im Grunde, / So still war's rings in die Runde / Und über die Wasser weht's kalt.*

Und dennoch: keine Warnung vor Exzessen, der Aufbruch wird nicht philiströs denunziert, die Risiken aber auch nicht geleugnet. Aufbruch ist Lebendigkeit, man muß ihn riskieren, alles weitere wird dem Gottvertrauen anheimgestellt: *Es singen und klingen die Wellen / Des Frühlings wohl über mir; / Und seh ich so kecke Gesellen, / Die Tränen im Auge mir schwellen – / Ach Gott, führ uns liebreich zu Dir!*

Nicht alle Romantiker hatten dieses fast kindliche Gottvertrauen. Das ist das Besondere bei Eichendorff. Mit seinem Gott ist er seit der Kindheit bekannt geblieben, es ist der Gott seiner heimatlichen Wälder, kein Gott der Spekulation und Philosophie. Es ist ein Gott, den man nicht zu erfinden braucht, man kann ihn wiederfinden, wenn man den Träumen seiner Kindheit die Treue hält. Unter dem Schutz dieses Gottes kann man fromm sein und frech, voller Heimweh und Fernweh, zugleich entfesselt und gebunden; vielleicht entfesselt, weil gebunden. So war es bei Eichendorff.

Seine Gebundenheit zeigt sich in der Vorliebe für das Fenstermotiv. Nicht nur die Philister blicken aus heimlichem Stübchen, auch der Sehnsüchtige blickt aus dem Fenster und hört Wanderer singen von Aufbrüchen, die in eine Ferne führen, wo wiederum in *dämmernden Lauben* Mädchen *am Fenster lauschen* und in eine noch weitere Ferne blicken. Fenster öffnen den Blick auf geöffnete Fenster, Bilderfluchten ins Unabsehbare, und wer da dem *Posthorn im stillen Lande* lauscht, das zum Aufbruch bläst, der möchte in solchen Bildern verschwinden. Aber er bleibt am Fenster. Warum? Vielleicht, weil es mit den Fenstern kein Ende nimmt, es bleibt immer ein Abstand, was aber kein Grund ist, sitzen zu bleiben, wenn das Posthorn erschallt. *Offen stehen Fenster, Türen, / … Wohl da hilft kein Widerstreben, / Tief im Herzen muß ich's spüren: / Liebe, wunderschönes Leben, / Wieder wirst du mich verführen!*

Ein Gesang über den verführerischen Sirenengesang ist das Gedicht »Frische Fahrt«, mit dem Eichendorff die späte Sammlung seiner Lyrik eröffnet, so als wolle er damit für manche Zaghaftigkeit und manchen Biedersinn schon im voraus Abbitte leisten. *Laue Luft kommt blau geflossen, / Frühling, Frühling soll es sein! / Waldwärts Hörnerklang geschossen, / Mut'ger Augen lichter Schein; / Und das Wirren bunt und bunter / Wird ein magisch wilder Fluß, / In die schöne Welt hinunter / Lockt dich dieses Stromes Gruß. // Und ich mag mich nicht bewahren! / Weit von euch treibt mich der Wind / Auf dem Strome will ich fahren, / Von dem Glanze selig blind! / Tausend Stimmen lockend schlagen, / Hoch Aurora flammend weht, / Fahre zu! Ich mag nicht fragen, / Wo die Fahrt zu Ende geht!*

Dieses Gedicht setzt die Motivtradition der großen Ausfahrten und Irrfahrten fort, die mit der Odyssee und der Argonautensage beginnt und über die Narrenschiff-Geschichten des Mittelalters und den Fliegenden Holländer bis in die Neuzeit reicht. Die Romantiker machen daraus die Fahrt ohne Ankunft und Ziel, die unendliche Fahrt eben, und Rimbaud wird sie fortsetzen mit seinem »Trunkenen Schiff«. Diese unendlichen Fahrten sind dionysisch inspiriert, und es ist erstaunlich, daß Eichendorff, der konservativ lebte, eines der schönsten Gedichte romantischer Entfesselung geschrieben hat. Die Hingabe ans unendlich aufgeschobene Reiseziel ist das Einverständnis mit der unendlich aufgeschobenen Sinnerfüllung. Eichendorff ist kein Dichter der Heimat, sondern des Heimwehs, nicht des erfüllten Augenblicks, sondern der Sehnsucht, nicht des Ankommens, sondern der Abfahrt.

Eichendorff, 1788 geboren, war auf den Familiengütern in Oberschlesien aufgewachsen, hatte dort eine Kindheit erlebt, so schön, daß man nie aus ihr vertrieben werden dürfte. Aber natürlich geschah es, der Vater verspekulierte sich, die Güter gingen verloren; der neu entstandene Kapitalmarkt war ihm zum Verhängnis geworden, und Eichendorff mußte sich von nun an im bürgerlichen Leben als preußischer Beamter behaupten. In den antinapoleonischen Befreiungskriegen ist er bei den Lützowschen Freikorps dabei, und man hat den Eindruck, daß er dort nichts anderes verteidigt als die Welt seiner versunkenen Kindheit und Jugend in den Wäldern Oberschlesiens. *O Täler weit, o Höhen, / O schöner, grüner Wald, / Du meiner Lust und Wehen / Andächt'ger Aufenthalt! / Da draußen, stets betrogen, / Saust die geschäft'ge Welt, / Schlag noch einmal die Bogen / Um mich, du grünes Zelt.*

Schließlich begreift er – und deshalb bleibt er konservativ, ohne reaktionär zu werden –, daß Vergangenes sich doch nur im poetischen Eingedenken retten läßt. Es sind dann nicht mehr die wirklichen Orte der Kindheit, die man bewahrt, sondern die Art des Erlebens, die mit diesen Orten verbunden ist. *Ich hör die Bächlein rauschen / Im Walde her und hin, / Im Walde in dem Rauschen / Ich weiß nicht, wo ich bin.*

Der verarmte Baron und preußische Regierungsrat beschwört eine heimatliche Landschaft herauf, die es so nie gegeben hat, die aber durchs Wort immer neu entstehen kann. Eine Landschaft, die nirgendwo anders verzeichnet ist als im Atlas der Poesie.

In welchem Verhältnis steht die Poesie zur Wirklichkeit, wo hat sie ihren legitimen Ort in der Gesellschaft? Diese Fragen haben bereits den jungen Edelmann beschäftigt, der es vermied, aus seinem Dichtertum eine *Profession*, einen bürgerlichen Beruf also, zu machen. *Das Spiel der Poesie genügt mir nicht. Gott laß mich was Rechtes vollbringen*, notierte er in seiner Wiener Studienzeit, als er an seinem ersten Roman »Ahnung und Gegenwart« schrieb. Eichendorff reflektiert auf gut romantische Art über den Sinn der Poesie, doch sind seine Antworten nicht mehr so selbstbewußt wie die der Frühromantiker, die das Projekt der *Universalpoesie* verfolgten, die also mit Hilfe des poetischen Geistes das ganze Leben umgestalten wollten. *Das Spiel der Poesie genügt mir nicht* – dieser Satz wird auch noch für den alten Eichendorff gelten, der in seinem letzten Roman »Dichter und ihre Gesellen« die Frage nach der Bedeutung der Poesie für das individuelle und für das gesellschaftliche Leben in den Mittelpunkt stellt. Eichendorff läßt dort eine ganze Reihe von Dichtern und solchen, die sich dafür halten, auftreten. Da ist der Graf Victor von Hohenstein, ein anerkannter und von allen verehrter Dichter, dem auf der Höhe seines Ruhmes die Poesie als bloßer Schein fragwürdig wird und der sich deshalb mit bitterer Selbstironie unter die Schauspieler mischt. Dann wird er Eremit und am Ende tatkräftiger Streiter für die Verbreitung des Christentums. Er wechselt vom poetisch Geistigen zum Geistlichen. Das Christentum wird für ihn zu einer Art real existierender Poesie. Diese Vorstellung lag dem alt gewordenen Eichendorff nicht fern, auch wenn ihm darin die Spannung zwischen Poesie und Leben allzu einfach aufgelöst erschien. Deshalb gibt er Victors Verschwinden einen legendenhaften Zug.

Die Gegenfigur zu Victor ist Dryander, der von keinen Selbstzweifeln geplagte Virtuose der Inszenierung. Er macht viel Lärm um Nichts. Man läßt ihn den Unterhaltungskünstler und Effektmacher spielen, er ist damit zufrieden, mehr verlangt er nicht. Er ist der *Interessante*, der für kurze Zeit fesselt. Dann geht man wieder zur Tagesordnung über, Dryander muß sich etwas Neues einfallen lassen. Poesie ist bei ihm nichts anderes als die Kunst, befristete Aufmerksamkeit zu erregen. Er wird nicht verächtlich, sondern ironisch dargestellt. Er ist ein Spieler, mehr nicht, aber auch nicht weniger, warum sollte sich die Kritik eine allzu ernste Miene geben ...

Da ist Otto, der auf Kosten der Lebensklugheit und Lebenstüchtigkeit überaus ernsthaft seinem poetischen Ehrgeiz folgt und den schließlich die Welt der Wörter vom wirklichen Leben abschneidet mit der Folge, daß dieses wirkliche Leben ihn zuerst zum Narren hält und dann in der Arbeit wie in der Liebe elend scheitern läßt.

Fortunat, Dichter und zugleich Lebenskünstler, kommt dem Wunschbild Eichendorffs wohl am nächsten. Eines Morgens macht er sich daran, eine Novelle zu Papier zu bringen. *Aber da geht es ihm wunderlich. Der lustige Morgenwind wirft ihm die Blätter ins Gras, wo sich die Hühner drum raufen, hinter ihm aber stimmen die Wipfel ihr uraltes Lied wieder an, das in keine Novelle paßt, die Waldvögel singen ganz fremde Noten dazwischen und Wolken fliegen über das Land und rufen ihm zu: Menschenkind, sei doch kein Narr! Und zog dann gar der Förster unten zur Jagd ... da warf er gewiß Feder und Papier fort und schwang sich auf seinem Pferde mit in den frischen, glänzenden Morgen hinaus.*

Die Poesie des Lebens, das soll diese Szene zeigen, ist allemal stärker als die Poesie, wie sie im Buche steht. Fortunat hat einen poetischen Augenblick erlebt, danach versucht er ihn in einem Gedicht festzuhalten: *Ich wollt' im Walde dichten / Ein Heldenlied voll Pracht, / Verwickelte Geschichten / Recht sinnreich ausgedacht / Da rauschten Bäume, sprangen / Vom Fels die Bäche drein / Und tausend Stimmen klangen / Verwirrend aus und ein. / Und manches Jauchzen schallen / Ließ ich aus frischer Brust, / Doch aus den Helden allen / Ward nichts von tiefer Lust. // Kehr ich zur Stadt erst wieder / Aus Feld und Wäldern kühl, / Da kommen all die Lieder / Von fern durchs Weltgewühl, / Es hallen Lust und Schmerzen / Noch einmal leise nach, / Und bildend wird*

im Herzen / Die alte Wehmut wach, / Der Winter auch derweile / Im
Feld die Blume bricht – / Dann gibt's vor Langeweile / Ein überlang Ge-
dicht!

Poesie kommt immer zu spät oder zu früh, eine kräftige lebendige Gegenwart macht ihr den Platz streitig. Und das ist gut so,
meint Eichendorff, man soll zuerst die Poesie im Leben entdecken,
ehe man sie in die Wörterwelt einsperrt. Aber Eichendorff weiß
auch, daß es die Vergänglichkeit ist, die der Poesie unaufhörlich
neue Nahrung zuführt. *Es zog eine Hochzeit den Berg entlang, / Ich*
hörte die Vögel schlagen, / Da blitzten viel' Reiter, das Waldhorn klang, /
Das war ein lustiges Jagen! // Und eh ich's gedacht, war Alles verhallt, /
Die Nacht bedecket die Runde, / Nur von den Bergen noch rauschet der
Wald / Und mich schauert im Herzensgrunde. Das Flüchtige wird in
der Poesie zur Form, die dauert. Es ist das Wunder der Poesie, daß in
ihr bleibt, was sonst nicht bleiben kann.

Eichendorff sah sich als Gelegenheitsdichter, allerdings in dem
ausgezeichneten Sinne, den auch Goethe für sich geltend gemacht
hatte. Dichten, wenn es an der Zeit ist, zu den großen Gelegenheiten, in den eher seltenen, schöpferischen Augenblicken. Die Amtsgeschäfte, als Regierungsrat in Königsberg, Danzig und zuletzt in
Berlin, durften keinesfalls darunter leiden. Eichendorff versah sie gewissenhaft, mit persönlicher Liberalität und konservativen Grundsätzen. Anmaßung und wichtigtuerisches Gehabe lagen ihm fern,
er bildete sich für seine Amtsgeschäfte keine besondere Mission ein,
er behielt ironische Distanz. In »Dichter und ihre Gesellen« läßt er
Fortunat zu dem in Amt und Würden befestigten Walter sagen: *Ja,*
ich habe schon oft nachgedacht über den Grund dieser zärtlichen Liebe so
Vieler zum Staatsdienst. … Ich fürchte es ist bei den Meisten der Reiz der
Bequemlichkeit, ohne Ideen und sonderliche Anstrengung gewaltig und mit
großem Spektakel zu arbeiten, die Satisfaktion, fast alle Stunden etwas
Rundes fertig zu machen, während die Kunst und die Wissenschaften auf
Erden niemals fertig werden, ja in alle Ewigkeit kein Ende absehen.

Was für die Amtsgeschäfte galt, sollte für das Dichten nicht minder gelten. Im Gedicht »Der Isegrimm« verspottet er die Über-

schätzung beider Metiers: *Aktenstöße nachts verschlingen, / Schwatzen nach der Welt Gebrauch / Und das große Tretrad schwingen / Wie ein Ochs, das kann ich auch. // Aber glauben, daß der Plunder / Eben nicht der Plunder wär, / Sondern ein hochwichtig Wunder, / Das gelang mir nimmermehr. // Aber andre überwitzen, / Daß ich mit dem Federkiel / Könnt den morschen Weltbau stützen, / Schien mir immer Narrenspiel.*

Was sowohl das Dichten als auch den bürgerlichen Beruf letztlich in seiner Bedeutung relativieren konnte, war für Eichendorff der religiöse Glaube. Er war wirklich ein frommer Mensch, und dies ganz ohne romantische Exaltationen, wovon Friedrich Schlegel, Brentano oder Görres in ihren späteren Jahren nicht frei waren. Diese schlichte Frömmigkeit – *Ach Gott führ uns liebreich zu dir!* – erweckte bei manchen den Eindruck, Eichendorff sei eher Biedermeier als Romantik. Man traute ihm den »Taugenichts« gar nicht zu. Die ihn besser kannten, fanden es nicht mehr erstaunlich, daß dieser fromme Mann die geniale Geschichte des poetischen Anarchisten, Tagträumers, Arbeitsverweigerers und Landstreichers, der sich jeder bürgerlichen Ordnung entzieht, hat schreiben können. Denn der Taugenichts hat aus Gottvertrauen *sein Sach' auf Nichts gestellt.* Auch für ihn gilt: *Fahre zu! Ich mag nicht fragen, / Wo die Fahrt zu Ende geht!* Er bewahrt sich nicht, doch wird er bewahrt. Sohn eines Müllers, rebelliert er gegen den Zwang zur Arbeit, er überläßt sich Genüssen, Eindrücken, Liebeleien; ein Papageno mit der Geige. Für kurze Zeit wird er seßhaft als Zolleinnehmer, da sitzt er dann im *roten Schlafrock mit gelben Punkten*, raucht seine Pfeife und läßt die Leute ihres Wegs ziehen. *Die Kartoffeln und anderes Gemüse, das ich in meinem kleinen Gärtchen fand, warf ich heraus und bebaute es ganz mit den auserlesensten Blumen.* Aber dann brennt es ihm wieder an seinen Reiseschuhen, verliebt ist er auch. Und so bricht er erneut auf, ohne Ziel, springt auf Kutschen auf, ist Trittbrettfahrer und Gärtner bei adligen Damen, läßt sich von vermummten Reitern mitschleppen, natürlich nach Italien, und findet sein Auskommen schließlich mit seiner Liebsten auf einem kleinen Schloß, das er zum Geschenk erhält. Gelegentlich befällt ihn Schwermut, *da kam mir die Welt auf einmal so entsetzlich weit und groß vor, und ich so ganz allein darin, daß ich aus Herzensgrunde hätte weinen mögen.* Er greift nach der Geige, ein paar Striche, ein Dreher, und der Leichtsinn hat ihn wieder. Ohne Musik wäre das Leben vielleicht doch ein Irrtum. Solange sie erklingt, hat man nichts zu fürchten. Die Erzählung schließt mit dem Satz: *von fern schallte immerfort die Musik herüber, und Leuchtkugeln flogen vom Schloß durch die stille Nacht über die Gärten, und die Donau rauschte dazwischen herauf – und es war alles, alles gut!*

Eichendorff nahm sich die Freiheit zum Närrischen, nicht nur weil er Poet, sondern vor allem weil er fromm war. Der Taugenichts ist ein Narr in Christo. Eine fromme Ironie hüllt alles ein, was sich selbst zu wichtig nimmt, und versetzt es in den Schwebezustand des ›Als ob‹ – die Poesie wie das bürgerliche Leben.

War Eichendorff schon ein Romantiker des ›Als ob‹, so war es E. T. A. Hoffmann in noch radikalerem Sinne, weil er nämlich ohne religiösen Glauben auskommen mußte. Hoffmann hatte nicht wie Eichendorff das Glück einer idyllischen Kindheit, die ihm den Stoff für seine romantischen Träume und Phantasien hätte geben können. Er wächst ohne Vater in einem bürgerlich-pedantischen Haushalt in Königsberg auf, umgeben von Onkeln und Tanten und Großeltern, die auf Pflicht, Anstand und Pünktlichkeit achten, geistig aber wenig bieten können. Der Junge träumt von der Künstlerexistenz, schreibt Romane für die Schublade, komponiert. Unwillig, aber folgsam geht er den Weg, der ihn nach dem Wunsch der Familie unter den juristischen *Brotbaum* führt, beglückt nur von seinen künstlerischen Ausbruchsphantasien. Er wird Jurist, sogar ein brillanter, amtet als Regierungsrat in Posen, Warschau und zuletzt am Kammergericht in Berlin. Nach dem Zusammenbruch Preußens versucht er sich als Kapellmeister in Bamberg, Dresden und Leipzig. Von diesem Zwischenspiel abgesehen hat Hoffmann das Komponieren, Malen, Schreiben immer nur als Nebentätigkeit ausgeübt, und er mußte lange auf den Erfolg warten. Er ist siebenundzwanzig, als 1809 zum ersten Mal etwas Gedrucktes von ihm erscheint, der *Ritter Gluck*. Er ist Mitte Dreißig, als die aufgestauten

Massen musikalischer und literarischer Phantasien losbrechen. Jetzt gibt es kein Halten mehr. Es dauert nur wenige Wochen, dann redet das ganze literarische Deutschland von ihm. Bald nennt man ihn den ›Gespenster-Hoffmann‹. Er wird der Star der Frauentaschenbücher. Es beginnen seine Berliner Tage und Nächte um den Gendarmenmarkt herum. Man geht zu ›Lutter und Wegner‹, um den kleinen Gnom mit den beweglichen Gesichtszügen dort sitzen und zechen zu sehen, zusammen mit dem unvermeidlichen Schauspieler Devrient. Die beiden werfen sich die Bälle ihrer Einfälle zu, mischen Ernst und Spiel, ironisieren und imitieren die Leute und sich selbst, machen sich Geständnisse, geben Trost, führen ihre Nachtgespenster vor. In den Nächten mit Devrient hatten Hoffmanns Erzählungen Premiere. Als Kammergerichtsrat ist er bei den Liberalen in der Stadt hoch angesehen, denn bei den sogenannten ›Demagogenverfolgungen‹ nach 1817 verteidigte er hartnäckig rechtsstaatliche Grundsätze gegen seine Vorgesetzten und zog sich deshalb sogar ein Disziplinarverfahren zu. Hoffmann ist berühmt und bei manchen berüchtigt. Ein anderer Wunsch erfüllt sich. Endlich hat er auch als Komponist Erfolg. Seine Oper »Undine« kommt in Berlin auf die Bühne. Aber nur achtmal wird sie dort aufgeführt, dann brennt das Opernhaus ab, Schinkels Bühnenbilder sind vernichtet. Eine Geschichte, wie sie Hoffmann erfunden haben könnte. Auf dem Höhepunkt seines Ruhmes reibt er sich verwundert die Augen. Und das soll es nun gewesen sein? Er macht weiter, muß aber nun mehr Wein zugießen. Er liebt das Leben und stirbt unter Protest.

In der »Prinzessin Brambilla«, jenem bezaubernden Märchen von karnevalistischer Lust, heißt es: *Nichts ist langweiliger, als, festgewurzelt in den Boden, jedem Blick, jedem Wort Rede stehen zu müssen!*

Nicht *festgewurzelt* in der Literatur, nicht im juristischen Beruf, nicht als Komponist und Maler. Der Preis, den Hoffmann bezahlte: Er wurde nirgends ganz ernst genommen. Er entschädigte sich, indem er auch seinerseits nichts ganz ernst nahm. Bei den großen Autoritäten war er deshalb schlecht angesehen. Goethe hielt von ihm genauso wenig wie der preußische Polizeiminister Schuckmann, der Hoffmann einen *Wüstling* nannte, der *hauptsächlich für den Erwerb seines Weinhauslebens arbeitete.* Ganz unrecht hatte der übelmeinende Bürokrat nicht: Die künstlichen Paradiese des Rausches wollte Hoffmann nicht missen, und sein berühmtes Märchen »Der goldne Topf« wird die Punschterrine ins Allerheiligste der Literatur tragen.

Wenn es jemanden gab, der dem romantischen Ideal des Spielers, in Leben und Werk, wirklich nahe kam, so war es Hoffmann. Was er tat – das Schreiben, die Amtsgeschäfte, das Komponieren –, geschah sehr gewissenhaft, aber fast immer mit der Leichtigkeit des Nebenher; es lag nicht das ganze Schwergewicht darauf. Die berühmte Erzählung »Der Sandmann« konzipierte er beispielsweise während einer langweiligen Sitzung im Berliner Kammergericht. Er konnte auf vielen Hochzeiten tanzen und aus vielen Augen auf die Wirklichkeit blicken. Nur so, mit Perspektivenreichtum und Phantasie, läßt sich die Wirklichkeit erfassen, die eben immer noch phantastischer ist als jede Phantasie.

Eine seiner letzten Erzählungen, »Des Vetters Eckfenster«, führt uns in die Stube eines gelähmten Schriftstellers, dem nur noch der Blick aus dem Fenster hinaus auf das bunte Gewühl des Marktes bleibt. *Aber dieses Fenster,* so erklärt er seinem kerngesunden Besucher, der bei dem Sterbenden in die Schule des Lebens geht, *aber dieses Fenster ist mein Trost, hier ist mir das bunte Leben aufs neue aufgegangen, und ich fühle mich befreundet mit seinem niemals rastenden Treiben. Komm, Vetter, schau hinaus!*

Bei Eichendorff schaut man aus dem Fenster in die unabsehbare Ferne. Bei Hoffmann schaut man auch in die Nähe, die dadurch zur Ferne wird. Aber dazu muß man bereit sein, sich überraschen zu lassen, man muß von vorgefertigten Urteilen und Sehgewohnheiten Abschied nehmen, denn sie engen das Blickfeld ein und machen das Gewöhnliche erst wirklich gewöhnlich. Das eine Mal entdeckt Hoffmann hinter der glatten Fassade des Wirklichen mittels der Phantasie das Ungeheure, das andere Mal verschafft ihm die

Phantasie den Abstand gegenüber dem real existierenden Ungeheuren.

Bei einer Redoute in Bamberg erlebte Hoffmann 1812, wie ein
Tänzer plötzlich tot zusammenbricht. Sogleich fertigte er eine
Zeichnung davon an und zeigte sie seinen Freunden, die sich dar-
über empörten, wie Hoffmann, so berichtet sein Verleger Kunz,
einen *Vorfall, der ein Schrecken aller Anwesenden war*, mit der *heitersten
Laune* aufgreifen konnte. Man merkt solcher *Heiterkeit* natürlich das
Forcierte, das Absichtsvolle an. Angesichts des Schreckens übt sich
Hoffmann in der Kunst des *wunderbaren Heraustretens aus sich selbst*,
wie es in den »Elixieren des Teufels« heißt. So wahrt er Abstand und
bewahrt sich die Neugier.

Neugierig betritt Hoffmann während der Befreiungskriege ein
Schlachtfeld bei Dresden, mit dem Weinglas in der Hand. Die Ästhetik des Schreckens als Reaktion auf das Grauen. Entweder ist er
Voyeur, oder er weicht aus, beide Male ist Phantasie im Spiel. Während noch die Schlacht um Dresden tobt, beginnt er 1813 mit dem
»Goldnen Topf«, dem »Märchen aus der neuen Zeit«, wie es im Untertitel heißt.

Der Student Anselmus sitzt an der Elbe bei Dresden unter einem
Holunderbusch und träumt von den Genüssen im Biergarten und
bei den hübschen Mädchen dort, die ihm entgehen, weil er sein
Geld verloren hat. Und so träumt er sich aus der Wirklichkeit hinaus und in eine andere Wirklichkeit hinein. Er begegnet dem Archivar Lindhorst und dessen schöner Tochter Serpentina. Lindhorst
gehört zu jenen Leuten, die, wenn man sich von ihnen mit einem
festen Händedruck verabschiedet hat, in der hallenden Gasse noch
eine Weile zu hören sind, bis sie in einiger Entfernung sich erheben,
um wie ein Adler in der Abenddämmerung davonzufliegen. Oder
doch eher wie ein riesiger Feuersalamander? Jedenfalls ist Lindhorst
jemand, der *das alltägliche Leben ganz gewöhnlicher Menschen ins Blaue
hinausrückte*. Anselmus möchte am liebsten hinterherfliegen. Am
Ende bekommt er seine Serpentina und verschwindet nach Atlan-
tis. Zurück bleibt der Erzähler, traurig und matt. Es will ihm nicht

gelingen, seinem Protagonisten hinterherzuschreiben. Ernüchterung ist eingekehrt, es fehlt ein Schluck. Doch Lindhorst alias Salamander läßt ihn nicht auf dem Trockenen sitzen. Er erscheint *mit einem schönen goldnen Pokal in der Hand, aus dem eine blaue Flamme hoch emporknisterte. ›Hier‹, sprach er, ›bringe ich Ihnen das Lieblingsgetränk Ihres Freundes, des Kapellmeisters Johannes Kreisler. – Es ist angezündeter Arrak ... Nippen sie was weniges davon.‹* Das läßt sich der Erzähler nicht zweimal sagen. So erlauben die Künste des Salamanders einen ganz und gar künstlichen Blick hinüber. Das Paradies ist nebenan.

Aber auch die Hölle, die Seelenabgründe. Für die Phantasie ebenfalls erreichbar. Kurz nach dem »Goldnen Topf« schreibt Hoffmann den Roman »Die Elixiere des Teufels«. Hier taucht er ein in eine Sphäre eines teils drastischen, teils sublimen Grauens. Auf Publikumswirkung bedacht, übernimmt er Handlungselemente aus den damals viel gelesenen Schauerromanen, aber was er daraus macht, psychologisch und poetisch, ist für seine Zeit beispiellos.

Erzählt wird die Lebensgeschichte des Mönchs Medardus. Dieser, von rätselhafter Herkunft und seit seiner Kindheit für das Klosterleben bestimmt, wird zum gefeierten Kanzelredner. Im Beichtstuhl verliebt er sich; das Kloster wird ihm zu eng, er verläßt es, um die Geliebte zu suchen, begegnet einem Doppelgänger, glaubt ihn getötet zu haben, schlüpft in dessen Rolle, begeht einige weitere Morde, fast hätte er auch, aus Versehen, die Geliebte getötet. Flieht, wird in eine Irrenanstalt gesteckt, zweifelt, ob er die grausigen Taten überhaupt begangen hat, gerät in Intrigen und dann in die Verliese des Vatikan, kehrt ins heimatliche Kloster zurück, will büßen, wird Zeuge, wie sein Doppelgänger, der plötzlich wieder auftaucht, die Geliebte tötet, entsagt der Welt, findet zuletzt nur noch die Kraft, sein ganzes grausiges Geschick zu erzählen – seine letzte Bußübung.

Es ist die Geschichte einer Persönlichkeitsspaltung. So einfühlsam war sie bis dahin noch nie beschrieben worden. Hoffmann kannte sich hier aus, denn er lebte in der Furcht, wahnsinnig zu werden, wenn seine Phantasien ihn überwältigten. Im Roman schildert er einen dieser grauenhaften Augenblicke der schizophrenen Selbstbegegnung: Medardus sitzt unter Mordanklage im Kerker. Unter dem Boden pocht es, ruft es, kratzt es. Da will jemand herauf. Medardus hat Angst, und doch beginnt er, Steine aus dem Boden zu brechen: *Der, der unten war, drückte wacker herauf . . . da erhob sich plötzlich ein nackter Mensch bis an die Hüften aus der Tiefe empor und starrte mich gespenstisch an mit des Wahnsinns grinsendem, entsetzlichem Gelächter. Der volle Schein der Lampe fiel auf das Gesicht – ich erkannte mich selbst – mir vergingen die Sinne.*

Medardus wird seinen Doppelgänger nicht mehr los. Der wird ihm auf den Schultern hocken und ihn durch die dunklen Wälder treiben. Hoffmann selbst konnte diesem Schicksal entrinnen. Es gelang ihm immer wieder, das Ineinander von Phantasie und Wirklichkeit zu entwirren. Er war Realist genug, und deshalb konnte er sich die Lust an der Verwirrung erlauben. Am schönsten hat er sie inszeniert in der »Prinzessin Brambilla«.

Die Anregung zu diesem *tollen Capriccio* erhielt er durch Callots radierte Folge der »Balli di Sfessania«, welche die stehenden Typen der Commedia dell'arte darstellen. Es sollte, wie Hoffmann in einem Brief schreibt, das *kühnste* seiner Märchen werden.

Manche konnten Hoffmann nicht mehr auf den ausgelassenen und verwirrenden Streifzügen seiner Phantasie folgen. Andere wie Heine oder Baudelaire hielten die »Brambilla« für das Genialste, was Hoffmann geschrieben hat. Heine sagte, wer über der »Prinzessin Brambilla« nicht den Verstand verliere, habe keinen zu verlieren.

In dieser Erzählung verwirren sich Phantasie und Wirklichkeit – aber alles wird überstrahlt von der heiteren Erkenntnis der *Duplizität allen Seins.* In ihrem Licht kann ein Spiel beginnen, das die Bodenhaftung behält und doch nicht auf die Höhenflüge, auf die verwandelnde Phantasie verzichtet.

Dieses Spiel ist alt, Hoffmann hat es nicht erfunden. Es ist das verwandelnde Spiel des Karnevals. Die Zumutungen des Äußeren abwehrend und vertraut mit den Abgründen des Inneren, wird

Hoffmann zu dem großen Karnevalisten in der Literatur des 19. Jahrhunderts.

Der Magier und Scharlatan Celionati alias Fürst Bastianello di Pistoja führt Regie. Während des römischen Karnevals inszeniert er ein Theater, das keine Rampe kennt und worin die mitspielenden Figuren nicht wissen, daß sie mitspielen. Es ereignet sich ein kleines Welttheater auf dem römischen Corso, den man in einer Stunde durchmißt. Es liegt alles hübsch beisammen. Gegeben wird das alte Spiel der Liebe, *es entzweien und versöhnen sich zwei Liebende, sie scheiden und finden sich wieder* – so schildert Goethe das römische Karnevalstreiben in der »Italienischen Reise«.

In der »Prinzessin Brambilla« ist die Pointe dieses Spiels, daß die beiden Liebenden, der Schauspieler Giglio und die Putzmacherin Giacinta, sich entzweien, weil sie wechselseitig dem Traumbild nachjagen, das sie voneinander haben. Der Scharlatan Celionati sorgt mit karnevaleskem Aufwand dafür, daß die beiden ihr jeweiliges Traumbild als Wirklichkeit erleben. Der Traum, den sie voneinander haben, *tritt ins Leben*, und da sie sich nun von ihrem Traumbild geliebt fühlen, so verwandelt sich jeder in das, wofür ihn der andere träumerisch hält. Celionati verhindert eine Weile lang, daß sie Traumbild und Wirklichkeit zusammenbringen können. So fliehen sie voreinander, um sich zu suchen. Sie finden sich schließlich, wenn sie lachend im Traumbild die Wirklichkeit und in der Wirklichkeit das Traumbild entdecken. Das ganze verwirrende Spiel ist eine Inszenierung des Humors, er nur kann *den Schmerz des Seins in hohe Lust verkehren*.

Welchen *Schmerz des Seins*? Es ist die Erfahrung, daß in jeder Person viele Personen stecken. Giglio wird ganz konfus davon: *Eben daher, weil ich in solch kleinem Behältnis eingeschlossen, verwirren sich auch die vielen Figuren und schießen und kopfkegeln durcheinander, so daß ich zu keiner Deutlichkeit gelange.*

Das ist zum Verrücktwerden. Wie kann man darüber lachen? Der Karneval kann es, er erlaubt die multiple Person. Die Verwandlungslust, im bürgerlichen Alltag unter dem Zwang zur widerspruchsfreien Identität niedergehalten, jetzt darf sie gelebt werden. Das Lachen des Karnevals erlöst von diesem Zwang.

Worüber lacht der Karneval? Er lacht, und das ist entscheidend, über alles. Sein Gelächter ist universell. Er lacht über die Moral und die Sitten. Die Flicken sind seine liebste Tracht, und vor Entblößung schreckt er nicht zurück. Er lacht über die Macht, er travestiert sie: Ein Narrenkönig wird gewählt, die Messe ist ein Mummenschanz. Er verlacht, was sonst schreckt und ängstigt. Der Teufel wird als Harlekin zum Gespött. Aber auch die ihn vertreiben wollen, die Geistlichen, werden komisch. Der Karneval treibt sein umkehrendes Spiel mit Oben und Unten, Gut und Böse, Schön und Häßlich, Mann und Frau. Die Nase kann nicht lang genug sein, die Tollheit geht auf Händen, mit der Gesichtsmaske am Hinterkopf. Der Karneval enthüllt die Wahrheit der umgestülpten Welt. Hierarchien verschwinden in der großen Familie des Karnevals. Man ist exzentrisch: Die Mitte des Lebens, die Normen und was man sonst für sein Ich hält verlieren ihre Kraft. Was sonst zusammengehört, wird getrennt, und das nicht Zusammengehörige macht sich gemein. Der Karneval zieht alles in das Spiel seines fröhlichen Relativismus, auch die Grundgegebenheiten des Lebens: Geburt, Liebe, Tod.

Im Milieu dieses Karnevals lernen Giglio und Giacinta das Lachen über ihr Leben, über ihre Liebeshändel, über den Abgrund zwischen Sehnsucht und Erfüllung. Sie bemerken, wie sie sich verwandeln und doch nicht von sich selbst und voneinander loskommen können. Sie machen *Faxen*, aber sie leben, und vielleicht leben sie gerade deshalb, weil sie *Faxen* machen. Ein vitalistischer, heiterer Nihilismus fegt jede zynische Verbitterung beiseite als Wirkung eines Humors, den Hoffmann definiert als eine *wunderbare, aus der tiefsten Anschauung der Natur geborene Kraft des Gedankens, seinen eigenen ironischen Doppelgänger zu machen, an dessen seltsamlichen Faxen er die seinigen und – ich will das freche Wort beibehalten – die Faxen des ganzen Seins hienieden erkennt und sich daran ergetzt.*

Hoffmanns Humor läßt sich auf das Leben ein, er hält es sich nicht vom Leibe. Er ist nicht entsagungsvoll. Auch wenn am Ende der Sehnsucht vielleicht die Enttäuschung wartet, verzichtet er doch nicht auf die hochfliegenden Wünsche; er begnügt sich aber auch nicht mit dem Schmachten, das immer schon den Verzicht auf die Erfüllung enthält. Damit man über sich und die Welt lachen kann, muß man etwas gewagt haben; damit man merkt, wer man ist, muß man aus sich heraus gekommen sein. Die Lust an der Verwandlung ist nicht die schlechteste Art, sich zu erkennen. Giglio und Giacinta werden in solcher heiteren Selbsterkenntnis geschult. Der Kostümschneider ist dabei unentbehrlich. Er *mit seiner schöpferischen Nadel* ist es, *der uns zuerst*, so Giglio, *in der Gestalt, wie sie durch unser innerstes Wesen bedingt ist, auf die Bühne brachte.*

Auf dem Höhepunkt des karnevalistischen Treibens begegnen sich Giglio und Giacinta, ohne sich zu erkennen, doch sie tanzen miteinander, und dieser Tanz ist eine ekstatische Entfesselung, ein wahrer Dionysos-Tanz. Sie spielen mit den Gravitationskräften des Ichs. *Was hältst du von diesem Sprunge, von dieser Stellung, bei der ich mein ganzes Ich dem Schwerpunkt meiner linken Fußspitze anvertraue?* Sie verstehen sich auf die Kunst des Loslassens, diese lebendige Nähe der Liebenden. *Nichts ist langweiliger, als, festgewurzelt in den Boden, jedem Blick, jedem Wort Rede stehen zu müssen!*

Die Verwandlungslust triumphiert über den Willen zur Selbstbewahrung. Ein nicht ungefährlicher Triumph, dessen Lockung auch Eichendorff kennt: *Und ich mag mich nicht bewahren* ... Bei Eichendorff gibt es eine Entfesselung mit Gottvertrauen, bei Hoffmann mit großem Gelächter.

Humor und Ironie waren zu Hoffmanns Zeiten bekanntlich Kategorien, an denen philosophische Bleigewichte hingen. Eine große Ernsthaftigkeit hatte sich ihrer angenommen, beispielsweise bei Friedrich Schlegel: *Die vollendete absolute Ironie hört auf Ironie zu sein und wird ernsthaft.* Die romantische Ironie, ihre *transzendentale Buffonerie* schiele nach dem Himmel: *Das Irdische muß verzehrt werden.* In der Lachkultur früherer Jahrhunderte ging es hingegen unverhohlen um Profanierung. Gerade die Himmelfahrten und Idealismen waren Zielscheibe der karnevalistischen Erniedrigungen und Erdungen. Die umgestülpte Welt der Lachkultur verschlingt die Transzendenz. Das pantagruelische Gelächter bei Rabelais hat diesen Sinn. Es verweist auf die Blamage des Geistes vor der unendlichen Zeugungskraft der Erde und des Leibes. Anders die romantische Ironie. Sie zieht es nicht hinunter, sondern hinauf. Schlegel: *Auf jeden Himmel läßt sich einer draufsetzen . . .*

Bei Hoffmann aber ist noch etwas zu spüren von dem pantagruelischen Gelächter, das aus der ›Erdung‹, aus der Profanierung, aus dem Spott über die Himmelsflüchtigkeit kommt. Wohl kennt auch Hoffmann einen Himmel. Er ist nichts anderes als die *Diamantengrube in unserem Innern.* Wenn bei Hoffmann am Ende gelacht wird, so deshalb, weil man trotz dieses inneren Himmels ein *Söldling der Natur* bleibt und man auch mit diesem inneren Reichtum wohl doch nicht mehr zustande bringt als – *Faxen.*

Giacinta und Giglio irren durch die Straßen des Karnevals, fliehen sich, suchen sich, verirren sich wunderbar im Labyrinth der Tänze und Verwandlungen – und alles läuft doch auf das eine hinaus: Sie bekommen sich und werden dann wohl Nachkommen bekommen. So bleiben sie am Gängelband des Naturzwecks. Es ist schon zum Lachen: Himmel und Erde in Bewegung, um eine Ehe zu stiften.

Das Gelächter, mit dem die »Prinzessin Brambilla« ausklingt, hat in Schopenhauers Metaphysik der Geschlechterliebe seine angemessene Philosophie gefunden: *Die Sehnsucht der Liebe,* welche *in zahllosen Wendungen auszudrücken die Dichter aller Zeit unablässig beschäftigt sind . . . diese Sehnsucht, welche an den Besitz eines bestimmten Weibes die Vorstellung einer unendlichen Seligkeit knüpft und einen unaussprechlichen Schmerz an den Gedanken, daß er nicht zu erlangen sei, – diese Sehnsucht und dieser Schmerz der Liebe können nicht ihren Stoff entnehmen aus den Bedürfnissen eines ephemeren Individuums; sondern sie sind der Seufzer des Geistes der Gattung, welcher hier ein unersetzliches Mittel zu seinen Zwecken zu gewinnen oder zu verlieren sieht und daher tief aufstöhnt.*

Die verwandelnde Kraft der Liebe ist der große Aufwand, den

die Natur mit uns treibt, um ihre einfachen *Zwecke* durchzusetzen. Darüber lachen Giacinta und Giglio, nachdem sie sich im Labyrinth des Karnevals und ihrer Phantasie entdeckt und gefunden haben. Mit ihrer Heiterkeit zeigen sie sich auf der Höhe jener Einsicht, die Hoffmann im Gespräch der Serapionsbrüder einmal so formuliert: *Es gibt eine innere Welt und die geistige Kraft, sie in voller Klarheit, in dem vollendeten Glanze des regsten Lebens zu schauen, aber es ist unser Erbteil, daß eben die Außenwelt, in der wir eingeschachtet, als der Hebel wirkt, der jene Kraft in Bewegung setzt.*

Der *Hebel der Außenwelt* – das ist die Natur, die Giacinta und Giglio aufeinander zu treibt. Doch auch der prächtige Funkenflug ihrer inneren Welt – die beim Karneval zur äußeren wird – ist eine Realität. Im Lachen werden beide Realitäten festgehalten: die, daß man ein *Söldling der Natur* ist und bleibt, und die, daß eine *unversiegliche Diamantengrube in unserem Innern* verborgen liegt, die einem das Gefühl gibt, über alle Zwecke unendlich hinausgehoben zu sein.

E. T. A. Hoffmann, mit dem die Romantik als Epoche abschließt, war ein großer Phantast und darum so romantisch, wie man sich das nur vorstellen kann. Aber er war mehr als das. Er blieb durch einen liberalen Realismus geerdet. Er war ein skeptischer Phantast.

Zweites Buch

Das Romantische

. . .

daß wir nicht sehr verläßlich zu Haus sind
in der gedeuteten Welt.   *Rilke*

Zwölftes Kapitel

Rückblicke auf das Ideenchaos. Hegel als Kritiker der Romantik.
Kommandoworte des Weltgeistes und anmaßliche Subjekte. Biedermeier
und Junges Deutschland. Auf dem Weg zur wirklichen Wirklichkeit.
Entlarvungswettkämpfe. Kritik des Himmels, Entdeckung der Erde und
des Leibes. Romantische Zukunft, prosaische Gegenwart. Strauß.
Feuerbach. Marx. Heine zwischen den Fronten. Abgesang auf die
Romantische Schule und Verteidigung der Nachtigallen. Soldat im
Befreiungskrieg der Menschheit und nichts als ein Dichter.

Die große Epoche der Romantik war um die 20er Jahre des 19. Jahrhunderts vorbei. Das änderte nichts daran, daß romantische Werke weiterhin erschienen. Achim von Arnim und Joseph von Eichendorff blieben produktiv. Friedrich de la Motte Fouqué hörte nicht auf, seine Geschichten von Rittern, Burgfräulein und Kobolden zu schreiben und nordische Sagen umzuschreiben. Er kam damit beim großen Publikum sehr gut an, wurde viel gelesen, ebenso wie E. T. A. Hoffmann, der im damaligen Berlin den Spuk umgehen ließ. Das Zauberische, das Mittelalterliche, das Gespenstische, auch das Frömmelnde hatten weiterhin Konjunktur. Die einschlägigen Motive waren jetzt abgesunken in die Niederungen der Leihbibliotheken und Frauentaschenbücher. Bei den Ambitionierten lächelte man darüber. Und der revolutionäre, innovative und selbstbewußte Anstoß war aufgebraucht.

Bei den anderen Künsten kamen die romantischen Impulse sogar erst jetzt zur vollen Wirkung. In der Musik bei Schumann und Schubert und in der Malerei zum Beispiel bei den ›Nazarenern‹, sehr zum Ärger Goethes, der 1818 die Gelegenheit ergriff, mit der ganzen Richtung abzurechnen, obwohl er die Gebrüder Schlegel einst sehr geschätzt und auch gefördert hatte. Zusammen mit Johann Heinrich Meyer, seinem Kunstadlatus, verfaßte er den Aufsatz

»Neu-deutsche religios-patriotische Kunst«. Es wird sowohl den religiösen wie auch den patriotischen Bestrebungen in der Kunst eine schroffe und auch spöttische Absage erteilt. Es ist einfach nicht wahr, heißt es dort, daß *andächtige Begeisterung* und *religiöse Gefühle* ... *unerläßliche Bedingungen des Kunstvermögens* seien. Vielmehr sind handwerkliches Geschick, Formbewußtsein, Sinn für Natur und ein unverdorbenes *Gemüt* hinlängliche Voraussetzungen der Kunst. Religion könne allenfalls ihren Beitrag leisten, wenn sie, wie in der Antike, sinnenfroh das Irdische heiligt und nicht im Übersinnlichen schwelgt, wo dem Künstler wenig zu tun bleibt. Und was das Patriotische betrifft, so sei die Kunst in ihrem Ursprung zwar ortsgebunden, aber gerade dadurch ausgezeichnet, daß sie im Einzelnen das Universelle zur Darstellung bringt.

Mit dieser Abfuhr, der eine ähnlich wirkungsvolle rationalistische Romantikkritik von Johann Heinrich Voß vorangegangen war, setzte sich in einem Teil der Öffentlichkeit das poetische Bild einer frömmelnden, mittelalterfixierten, katholisierenden und deutschtümelnden Romantik durch. Daß Friedrich Schlegel und Adam Müller inzwischen bei Metternich für die ›Heilige Allianz‹ tätig waren, paßte in dieses Bild, das die experimentellen, phantastischen, hochreflexiven, sogar revolutionären Züge der Romantik vergessen ließ. Friedrich Schlegel selbst war eifrig bemüht, sie zu retuschieren oder zu denunzieren. Es sei einem damals, schreibt Schlegel 1820 in der »Signatur des Zeitalters«, *ergangen wie immer, wenn das Blut und die ganze Lebenskraft zu sehr zu Kopfe steigen*: Der Einzelne nimmt sich mit seinen Ideen und Einfällen zu wichtig. Gut, daß nur ein *Ideenchaos* daraus hervorgegangen ist und nichts Schlimmeres. Zum Glück gab es Ordnungsmächte und Traditionen, die stärker waren als *subjektive Willkür*. Und darum sind eben nur die Begriffe auf den Kopf gestellt worden, nicht aber die Völker. Es ist gut, wenn sie es vorziehen, nicht ihrem Kopf, sondern den bewährten Autoritäten zu folgen.

Dafür war in den Jahren nach 1815 in Deutschland gesorgt. In Berlin war es Hegel, der seine romantischen Anfänge zu einem eindrucksvollen Ordnungsdenken umarbeitete und dabei ebenfalls nicht mit Kritik an Willkür und romantischem Subjektivismus sparte.

Der preußische Unterrichtsminister Altenstein, ein vergleichsweise liberaler Politiker, zählte zu den Bewunderern des Philosophen und setzte sich für dessen 1818 erfolgte Berufung nach Berlin ein. Altenstein schätzte an Hegel, was auch sonst Aufsehen erregte und faszinierte bei einem Publikum, das sich von den Turbulenzen der letzten Jahre ausruhen wollte: die bezeichnende Art, in der Hegel die Modernisierungsimpulse seit der Französischen Revolution verarbeitete und zugleich verband mit einer konservativen, staatsfrommen Einstellung. Als 1820 Hegels »Philosophie des Rechts« mit jenem berühmten Satz aus der Vorrede: *Was vernünftig ist, das ist wirklich; und was wirklich ist, das ist vernünftig* erschien, da gratulierte Altenstein dem Autor mit den Worten: *Sie geben ... der Philosophie ... die einzig richtige Stellung zur Wirklichkeit, und so wird es Ihnen am sichersten gelingen, Ihre Zuhörer vor dem verderblichen Dünkel zu bewahren, welcher das Bestehende, ohne es erkannt zu haben, verwirft und sich besonders in Bezug auf den Staat in dem willkürlichen Aufstellen inhaltsleerer Ideale gefällt.*

Die Romantiker hatten einst die *progressive Universalpoesie* gefordert, und Hegel war nun dabei, seine progressive Universalphilosophie zu entwickeln, aber immer mit deutlicher Kritik an der *Willkür anmaßlicher Subjekte*, die er mit dem romantischen Geist gleichsetzte. So bezeichnete Hegel beispielsweise den von den Staatsbehörden verfolgten Philosophen und Fichte-Schüler Fries als einen *Heerführer dieser Seichtigkeit, die sich Philosophie nennt* und die sich anmaßt, den Staat, diesen in ausdauernder *Arbeit der Vernunft* gebildeten Bau, in den *Brei des Herzens, der Freundschaft und Begeisterung zusammenfließen zu lassen.*

Bei Hegel vertrug sich solche machtgeschützte Polemik gegen subjektive Romantik durchaus mit einer Gesinnung, die ihn noch bis ans Ende seiner Tage jedesmal am 14. Juli ein Glas Rotwein zur Erinnerung an die Französische Revolution trinken ließ. Damals hatte er ja mit Schelling und Hölderlin auf der Neckarwiese einen Freiheitsbaum aufgepflanzt und damit begonnen, eine Philosophie der Vergesellschaftung durch Liebe zu entwerfen. Die Revolution blieb für ihn ein *herrlicher Sinnenaufgang*, die *ungeheure Entdeckung über das Innerste der Freiheit*. Noch 1822, zur selben Zeit, da er die preußischen Behörden aufforderte, gegen ein Literaturblatt einzuschreiten, worin seine Philosophie kritisiert wurde, sagt er über die Französische Revolution: *So lange die Sonne am Firmament steht und die Planeten um sie herum kreisen, war das nicht gesehen worden, daß der Mensch sich auf den Kopf, das ist auf die Gedanken stellt, und die Wirklichkeit nach diesen erbaut.*

Revolutionäres Handeln und romantisches Träumen von *anmaßlichen Subjekten* wird von Hegel verworfen, dafür nimmt er den revolutionären und phantastischen Impuls hinein ins pochende Herz des Weltgeistes, der seine Arbeit verrichtet, ohne daß der Philosoph sich einmischen müßte. Er muß und kann nur in Begriffen entfalten, was ohnehin geschieht. Das ist der notwendig fortschrittliche Prozeß, eine Geschichte vom Zu-sich-selbst-Kommen des Geistes in der materiellen Wirklichkeit des gesellschaftlichen Lebens. Das Ganze ist das Wahre, weil das Ganze das Wahre wird, und wenn es vollbracht ist, kann die Philosophie sich nachträglich darin wiedererkennen. *Die Eule der Minerva beginnt erst mit der einbrechenden Dämmerung ihren Flug.* Für Hegel ist die Geschichte tatsächlich das Weltgericht. Sie macht allem Überlebten, allem, was dem Selbstverwirklichungsdrang des Geistes widerstrebt, den Prozeß. Dazu braucht es keine Rebellen, Romantiker und Demagogen. Die richten sich nur selber zugrunde. Daher Hegels Loyalitätsbekundungen für einen Staat, der soeben dabei ist, die ›Demagogen‹ aus dem Verkehr zu ziehen. *Ich halte mich daran*, schreibt er an Niethammer, *daß der Weltgeist der Zeit das Kommandowort zu avancieren gegeben; solchem Kommandowort wird pariert; dies Wesen schreitet wie eine gepanzerte, festgeschlossene Phalanx unwiderstehlich und mit so unmerklicher Bewegung, als die Sonne schreitet, vorwärts, durch dick und dünn; unzählbar leichte Truppen gegen und für dasselbe flankieren drum herum, die meisten wissen gar von nichts, um was es sich handelt, und kriegen nur Stöße durch den Kopf wie von einer unsichtbaren Hand.* Man muß wohl die Romantiker zu diesen *leichten Truppen* rechnen, die einen Schlag vor den Kopf bekommen.

Hegel konspiriert mit dem Weltgeist und braucht sich nicht in das Tagesgeschäft einzumischen. Einst, als Napoleon in Jena einmarschierte und Hegel an den letzten Sätzen seiner »Phänomenologie des Geistes« schrieb, mußte er sich Hals über Kopf aus dem brennenden Jena retten. Der Weltgeist hatte ihm arg zugesetzt, aber schon damals ließ er sich nicht davon abbringen, ihn zu bewundern: *Es ist in der Tat eine wunderbare Empfindung, ein solches Individuum zu sehen, das ... auf einem Pferde sitzend, über die Welt übergreift und sie beherrscht.*

Auch für den Weltgeist gilt: Wo gehobelt wird, da fallen Späne. In Jena gehörte Hegel noch zu den Spänen. In Berlin ist er inzwischen denen, die hobeln, bedeutend näher gerückt.

Die politisch-gesellschaftliche Atmosphäre, in der Hegel seine Erfolge feierte, war die der Windstille und des Arbeitseifers ohne sonstigen Enthusiasmus. Hegels Philosophie, die den Weltgeist ja auch als einen arbeitenden vorführt, paßt gut zu dieser Stimmung. Auf die Arbeit folgt die Erholung. Um die Kunst, die mehr sein will als Erholung, steht es schlecht. Schlechte Zeiten also für das Erhabene und für romantische Höhenflüge. Gute Zeiten für Theater und Oper, sofern es dem Publikum leicht gemacht und auf große und grobe Effekte gesetzt wird. Als Napoleon die Welt in Atem hielt, tauchte in Deutschland die Schicksalstragödie auf. Als Napoleon stürzte, hörte mit den großen Taten und dem großen Verhängnis auch das Spiel mit solchen Gewichten auf. Das Leichte wurde immer leichter. Schauspieler feierten Triumphe in Affenrollen. Die Kulissen aber wurden immer prächtiger. Hoffmanns »Undine« profitierte davon. Überboten wurde die Pracht von der Aufführung des »Freischütz« von Carl Maria von Weber. Am gewaltigsten aber ging es bei Spontini zu. Hier kamen sogar Elefanten auf die Bühne, und es wurden Kanonen abgefeuert.

Man will sich von den Anstrengungen der letzten drei Jahrzehnte erholen. Wie im Foyer des Theaters während der Pause gibt es ein Stimmengewirr, in dem die jüngsten Erregungen abebben. Hegels große Philosophie wirkt hier wie eine behagliche Rezension von Ereignissen, die einmal alle in Atem gehalten haben und jetzt vorbei sind. Zeit der Ernte, man überblickt und bewahrt seine Bestände. Biedermeierzeit.

Aber der Zeitgeist ist doch raffinierter, als es zunächst den Anschein hat. Die Politik der Restauration nach 1815 will das Leben in die Ordnung des 18. Jahrhunderts hineinzwängen, so als wäre nichts geschehen. Es war aber zuviel geschehen. Das Vertrauen in die Haltbarkeit und Verläßlichkeit des Überkommenen hat etwas Forciertes, Absichtsvolles. Man läßt sich aufs Gegebene ein mit dem leisen Gefühl von Doppelbödigkeit. Überzeugungen beginnen zu blinzeln, die Moral schielt. Man duckt sich, zieht den Kopf ein, macht es sich auch bequem und blickt *aus heimlichem Stübchen* (Eichendorff) gerne ins Freie hinaus, wo es abgründig zugeht, wo *Zwielicht* herrscht. Kein Wunder, daß Hoffmanns Erzählungen Konjunktur haben. Hegel zählt auch ihn zu der *leichten Truppe*, auch er verdiene es, vor den Kopf gestoßen zu werden: *Vorzüglich jedoch ist in neuester Zeit die innere haltlose Zerrissenheit, welche alle widrigsten Dissonanzen durchgeht, Mode geworden und hat einen Humor der Abscheulichkeit und eine Fratzenhaftigkeit der Ironie zuwege gebracht, in der sich Theodor Hoffmann z. B. wohlgefiel.*

Eine andere Art subjektivistischer romantischer Willkür machte Hegel bei Kleist aus, dessen Werk erst in den 20er Jahren zu einiger Bekanntheit gelangte. *Kleist leidet an der gemeinsamen, unglücklichen Unfähigkeit, in Natur und Wahrheit das Hauptinteresse zu legen, und an dem Triebe, es in Verzerrungen zu suchen.* Also auch bei ihm *willkürlicher Mystizismus*, der nur dadurch entstehe, daß ein Individuum sich von substantiellen Zwecken und objektiven sittlichen Gehalten absondert und seinem Selbst noch ein tieferes Inneres unterschiebt, ein inwendiges *fremdartiges Jenseits*, aus dem dann *höhere Herrlichkeiten des Gemüts* hervorleuchten sollen. Damit aber, so Hegel, werde die Poesie *in das Nebulose, Eitle und Leere hinübergespielt.* Wozu das führt, das sehe man beim Prinzen von Homburg, der in sich hineinträumt statt auf die Instruktionen vor dem Gefecht zu hören. Das sei *abgeschmackt* und tauge nicht zum Motiv für eine Tragödie.

Die Wahrheit liegt für Hegel zu jener Zeit beim Gediegenen, das merkt man. Das Abenteuerliche, Aufregende ist für ihn Vergangenheit. Nicht für die Gegenwart, sondern für die Vergangenheit gilt: *Das Wahre ist der bacchantische Taumel, an dem kein Glied nicht trunken ist.* Er richtet seine Energie darauf, ein System der geschichtlichen Vernunft zu entwerfen, das die Gegenwart als gelungenes Resultat eines langen Prozesses ausweist und für die weitere Zukunft enttäuschungsfest macht. Es kommt darauf an, reif zu werden für die Komplizenschaft mit der objektiven Vernunft. Auch so kann man sich geistig einhausen.

Auf schwankendem Boden, bei dem man so tut, als sei es ein fester, beginnt ein großes Palaver. Noch nie hat es so viel gemütliche Geselligkeit gegeben. In Berlin schießen die Klubs, Vereine, Tafelrunden und Kränzchen aus dem Boden. Es gibt die ›Gesetzlose Gesellschaft‹, die keine andere Tendenz hat, als auf *gut deutsche Art Mittag zu essen,* auch Hegel ist dort bisweilen dabei. Die ›Gesellschaft der Maikäfer‹ verlegt sich aufs *Dichten und Trachten.* Der Bund der ›Philarten‹ will *die Seele vom Schlafe erwecken,* und in der Friedrichstraße trifft sich der ›Disputierverein zur Behandlung schwebender Fragen‹. Das sind zum Teil auch politisch hintersinnige Geselligkeitsformen, die der polizeilichen Aufsicht entgehen wollen. Aber mehr noch geht es um ein Behagen und die wechselseitige Versicherung, daß man sich auf festem Boden befindet. Diejenigen, die sich als Rädchen und Schräubchen fühlen, bleiben immerhin neugierig genug, um wissen zu wollen, wie die Maschinerie funktioniert und was das Ganze soll. Aber man treibt die Neugier nicht bis zur Bereitschaft, sich beunruhigen zu lassen. Solche risikoscheue Neugier läßt sich in Hegels Kolleg gut befriedigen. Deshalb strömen auch Veterinärmediziner, Assekuranzmakler, Verwaltungsbeamte, Operntenöre und Handelskontoristen in seine Vorlesungen.

Man wird Hegel nicht sonderlich gut begriffen haben, aber es reichte ja aus, zu begreifen, daß da einer ist, der alles begreift und es für gut befindet.

Im Oktober 1829 war Hegel in Berlin zum Rektor der Universität gewählt worden. Das Vertrauen der Regierung in ihn war so groß, daß man ihm auch das im Zusammenhang der ›Demagogenverfolgung‹ geschaffene Amt des staatlichen Bevollmächtigten für die Kontrolle der Universität übertrug. Mit dieser Personalunion verkörperte Hegel eine bemerkenswerte Synthese: Er repräsentierte die Autonomie des universitären Geistes und zugleich ihre Aufhebung.

In Hegels Rektoratszeit fällt die französische Julirevolution von 1830, eine Zäsur auch für die geistige und politische Kultur in Deutschland. Während Hegels Rektorat bis Ende 1830 war nur ein einziger Student eingesperrt worden, weil er eine französische Kokarde getragen hatte. Die übrigen Verletzungen der Disziplin gaben zu keinen ernsthaften Befürchtungen Anlaß: Da rauchten zwölf Studenten, wo es nicht gestattet war, drei duellierten sich, fünfzehn wollten sich schlagen, dreißig hatten in Kneipen randaliert – alles aber war ohne politische Motive geschehen. So sah es vorerst an der Oberfläche aus, aber die Ereignisse von 1830, die zweite große Revolution jenseits des Rheins, wirkten in die Tiefe. Sie werden zu den von nun an nicht mehr abreißenden Versuchen führen, Hegel vom Kopf auf die Füße zu stellen, sie werden dazu führen, daß eine neue Generation, auch eine neue politische Romantik, das Erbe der Hegelschen Metaphysik in ein zukunftsschwangeres Diesseits investiert.

Das kündigt sich im Anwachsen der politischen Debatten an, worüber Hegel in einem seiner letzten Briefe klagt: *Doch hat gegenwärtig*, schreibt er am 13. Dezember 1830, *das ungeheure politische Interesse alle anderen verschlungen – eine Krise, in der alles, was sonst gegolten, problematisch gemacht zu werden scheint.* So war es, doch die Methode des Problematisierens, die berühmte Dialektik, bezog man von Hegel, der im Herbst 1831 an der Cholera starb.

Im Sommer 1830 begrüßt Heine, zu jener Zeit auf Helgoland, die französischen Ereignisse mit den Sätzen: *Ich kann gar nicht mehr schlafen, und durch den überreizten Geist jagen die bizarrsten Nachtgesichte. Wachende Träume ... zum Verrücktwerden ... vorige Nacht lief ich solchermaßen durch alle deutschen Länder und Ländchen, und klopfte an den Türen meiner Freunde, und störte die Leute aus dem Schlafe ... Manche dicke Philister, die allzu widerwärtig schnarchten, stieß ich bedeutungsvoll in die Rippen, und gähnend frugen sie: ›Wie viel Uhr ist es denn?‹ In Paris, liebe Freunde, hat der Hahn gekräht; das ist alles was ich weiß.* Für die nächsten anderthalb Jahrzehnte wird der Hahn nicht mehr aufhören zu krähen – auch in der Philosophie. 1844 wird Karl Marx die Einleitung seiner »Kritik der Hegelschen Rechtsphilosophie« mit dem Fanfarenstoß beenden: *Die Philosophie kann sich nicht verwirklichen, ohne die Aufhebung des Proletariats, das Proletariat kann sich nicht aufheben ohne die Verwirklichung der Philosophie. Wenn alle inneren Bedingungen erfüllt sind, wird der deutsche Auferstehungstag verkündet werden durch das Schmettern des gallischen Hahns.*

Es geht bei Marx wie auch sonst in der kulturellen Szene nach 1830 um ›Verwirklichung‹. Die neue Generation – Gutzkow, Wienbarg, Heine, Börne, Mundt – reißt sich los vom *Luftreich des Traums* (Heine). Die Romantik habe die Wirklichkeit poetisiert, sagen sie, es kommt nun darauf an, die Poesie zu verwirklichen. Bei den Philosophen heißt es dementsprechend: Bisher habe man die Welt nur interpretiert, es komme nun darauf an, sie zu verändern. Gutzkow, ein Sprecher jener Bewegung, die sich ›Junges Deutschland‹ nennt, reimt in seinem Schauspiel »Nero«: *Daß endlich statt der leeren Phantasie / Aus falschem Geisterscheine / Sophistisch traumverwirrte Zeit / Sich aufbaue eine wahre, reine / Und bessere Wirklichkeit.*

Die Grundfigur der Kritik ist diese: In Philosophie und Poesie haben wir schon den Traum einer Wahrheit, die wir nur noch auf die Erde herabziehen müssen. Wovon wir geträumt haben, das müssen wir endlich tun. Die an den Himmel verschleuderten Schätze müssen wir zurückholen und zu unserem Eigentum machen. Das geht aber nur, so weiß es die Bewegung, wenn wir drei Dinge begreifen.

Wenn wir erstens begreifen, daß wir uns selbst unterdrücken. Dagegen wird die Losung ausgegeben: Emanzipation des Fleisches. *Ich habe große Ehrfurcht vor dem menschlichen Körper, denn die Seele ist darin*, schreibt Theodor Mundt in seiner »Nackten Venus«.

Zweitens müssen wir begreifen, daß die Herstellung des richtigen Lebens ein Unternehmen ist, das sich nicht vor einer Tradition zu verantworten braucht und sich auf keine Zukunft vertrösten lassen darf. Alles muß sich hier und jetzt entscheiden. *Modern* zu sein, ist das Panier der Bewegung. *Das Alte ist gestorben, und was wahr ist, ist modern*, heißt es bei Glaßbrenner. Die *Zustände der Gegenwart begeistern uns*, der *Augenblick übt seine Rechte*, schreiben andere. Goethe, der 1832 stirbt, gilt in diesen Kreisen deshalb wenig. Man hatte genug von den Maßhalte-Appellen des *Stabilitätsnarren* (Börne) und *Fürstenknechts* (Wienbarg).

Die Humanitätsforderung, wonach man sich zur *Persönlichkeit* ausbilden soll, genügt nicht, denn das Dritte, was man zu begreifen hat, ist dieses: Befreiung ist nicht auf eigene Faust zu haben, sondern ist ein kollektives Unternehmen. Und so begegnet man nun ständig dem Schlagwort von der Literatur der Bewegung. *Wir, die Männer der Bewegung*, schreibt leicht ironisch Heine in der »Romantischen Schule«. In den 40er Jahren verdichtet sich das Bewegungsgefühl zum Parteibewußtsein. Man fragt sich wechselseitig die Standpunkte ab, gibt die Losung aus: *Partei ergreifen!*, der Kopf soll das Herz der Bewegung suchen – zunächst einfach das *Volk*, bei Marx dann das *Proletariat*. In der Zwischenzeit hat sich allerdings tatsächlich eine soziale Bewegung gezeigt, beim Hambacher Fest 1832, beim Weberaufstand 1844. Doch andererseits tragen die Bauern Büchners »Hessischen Landboten«, der sie zum Aufstand aufruft, zum nächsten Polizeiposten . . .

Die Aktivisten der 40er Jahre blicken verächtlich auf die Feuilletonisten der 30er Jahre zurück: das waren doch Stürme im Wasserglas, Eitelkeit, Selbstüberschätzung. Freiligrath, der Feuilletonist, hatte noch verkündet: *Der Dichter steht auf einer höhern Warte / Als auf den Zinnen der Partei*. Ihm antwortet Herwegh, der Aktivist, mit seinem Gedicht »Die Partei«, darin es heißt: *Partei! Partei! Wer sollte sie nicht nehmen, / Die noch die Mutter aller Siege war! / Wie mag ein Dichter solch ein Wort verfemen, / Ein Wort, das alles Herrliche gebar.*

Man vermeidet jetzt eher die persönliche Note, man kreidet sie beispielsweise Heine übel an, der als unzuverlässig und eitel gilt. In dieser streitlustigen Zeit antwortet Heine: *Weil ich so ganz vorzüglich blitze, / Glaubt Ihr, daß ich nicht donnern könnt! / Ihr irrt Euch sehr, denn ich besitze / Gleichfalls fürs Donnern ein Talent.*

In den 40er Jahren kommt es zu einem regelrechten Wettstreit der Radikalismen. Da gibt es die notorischen Verdopplungen: die kritische Kritik und dann noch einmal, bei Marx, die Kritik der kritischen Kritik. Die wirkliche Wirklichkeit. Der wahre Sozialismus. Der Wettstreit wird mit außerordentlicher Verbissenheit ausgetragen. Die ›Parteien‹ fallen übereinander her. Herwegh verurteilt Freiligrath. Engels zieht gegen Heine zu Felde. Heine gegen Börne und umgekehrt. Feuerbach kritisiert Strauß, Bauer kritisiert Feuerbach. Stirner will sie alle überbieten, doch dann kommt Marx, der sie alle in den Sack steckt: »Deutsche Ideologie«.

Im Jahr 1835 wird nicht nur die erste Eisenbahnlinie in Deutschland zwischen Nürnberg und Fürth eröffnet, auch in der Welt des Geistes gibt es zwei Ereignisse von durchschlagender Modernität. Es sind, wie sollte es anders sein, Enthüllungs-Ereignisse. Verhüllungen werden beiseite gerissen, man stößt zur wirklichen Wirklichkeit vor.

Das eine Mal handelt es sich um Gutzkows Roman »Wally die Zweiflerin«. Hier geht es um die *Emanzipation des Fleisches.* Wallys Liebhaber zu der Geliebten: *Zeige mir, daß du kein Geheimnis vor mir hast, keines, und wir waren eins, und ich habe die Weihe für mein ganzes Leben!* Wally und der Autor sträuben sich. Dann geben beide nach. Und so läßt der Autor seine Wally vor der versammelten Lesergemeinde eine Zeitlang *entblößt* an einem Fenster stehen. Solche Obszönität indes verzeiht der Deutsche Bund dem Autor nicht. Der Roman wird verboten, und bei dieser Gelegenheit werden auch gleich alle übrigen Schriften des »Jungen Deutschland« auf den Index gesetzt.

Das Verbot war nicht nur mit dem Hinweis auf unstatthafte Entblößung begründet worden, auch Wallys Zweiflertum wirkte anstößig. Wally hatte sich ja nicht nur in der Fensterszene als Parteigängerin der Natürlichkeit gezeigt, sondern auch in Religionsdingen. Sie ist für die Religion des Herzens und gegen die Dogmen des kirchlichen Glaubens: *Wir werden keinen neuen Himmel und keine neue Erde haben; aber die Brücke zwischen beiden, scheint es muß von neuem gebaut werden,* schreibt Wally in ihr Tagebuch.

Das zweite große Enthüllungs-Ereignis bezieht sich nun ausschließlich auf dieses, eben das religiöse Thema: 1835 erscheint »Das Leben Jesu« von David Friedrich Strauß. Kaum ein anderes Buch im 19. Jahrhundert hat eine vergleichbare Wirkung hervorgerufen.

Strauß, ein Schüler Hegels, zog aus dessen Religionsphilosophie eine radikale Konsequenz. Hegel hatte gelehrt: Die Philosophie *stellt sich über die Form des Glaubens, der Inhalt ist derselbe.* Das bedeutet: Die philosophische Reflexion nimmt die Religion als Ausdruck eines Geistes, der auch dem Menschen innewohnt. Mit anderen Worten: Der menschliche Geist kann selbst darauf kommen, er benötigt keine Offenbarung aus einem Jenseits. Aus diesem Gedanken zieht Strauß so radikale Konsequenzen, wie es Hegel, der auf Ausgleich mit den Mächten des Bestehenden bedacht ist, nicht getan hat. Hegel hatte noch von einer *Selbstoffenbarung des Geistes* im Menschen gesprochen und damit noch irgendein Offenbarungsgeschehen zugestanden. Anders Strauß. Für ihn gibt es überhaupt keine Offenbarung, sondern nur auf der einen Seite den historischen Jesus und auf der anderen Seite den Mythos vom ›Christus‹, der aber nichts anderes ist als ein Produkt des menschlichen Geistes, ein Bild, worin die Menschen sich ihre bessere Natur und geschichtliche Aufgabe zum Verständnis bringen. Mit der Methode der seit der Romantik entwickelten historischen Textkritik schält Strauß aus der biblischen Überlieferung den historischen Jesus heraus und setzt davon den Mythos ›Christus‹ ab. Ein Mythos, der auch seine Wahrheit enthält, die er in gut hegelscher Manier erfaßt. In Christus, so Strauß, spricht sich die Idee der Gattung Mensch aus, so wie Christus soll und kann der Mensch werden. Die Wunder, die Christus tut, sind auch nur symbolisch zu verstehen, sie verweisen darauf, *daß der Geist sich immer vollständiger der Natur bemächtigt.* Die Sündlosigkeit Christi bedeutet für die Menschheit, daß der *Gang ihrer Entwicklung ein tadelloser ist, die Verunreinigung immer nur am Individuum klebt, in der Gattung aber und ihrer Geschichte aufgehoben ist.* Der Kreuzestod ist Sinnbild, daß der Fortschritt selbstlose Hingabe, auch Opfer, verlangt; und die Himmelfahrt ist nichts anderes als das mythische Versprechen einer gloriosen Zukunft.

Das »Leben Jesu« wurde über Nacht zum Hausbuch des gebildeten Bürgertums, das erstarkt war im Glauben an seine diesseitige Zukunft. Die epochale Wirkung des Buches (nach wenigen Jahren waren weit über hunderttausend Exemplare verkauft) beruht auf der zeittypischen Verbindung zweier Komponenten: Da ist zum einen der Geist der Enthüllung. Es wird zu einem ›wirklichen‹ Kern vorgestoßen, also Entmystifikation betrieben. Zum anderen wird etwas als zugrundeliegende ›Wirklichkeit‹ entdeckt, was zu Optimismus Anlaß gibt: die Idee eines Menschheitsfortschritts. Von Strauß ging jene große Ermunterung aus, die Feuerbach wenig später in die Worte kleidete: Die *Kandidaten des Jenseits* sollten endlich zu *Studenten des Diesseits* werden.

Nietzsche wird ein Menschenalter später Strauß als schlimmen antiromantischen Philister karikieren und über ihn spotten, er hause sich mit seiner *schleichenden Filzsocken-Begeisterung* ein in einer Welt, von der er nicht aufhört zu glauben, daß sie ihm zuliebe da sei.

Tatsächlich aber wird bei Strauß der romantische Enthusiasmus nicht zerstört, sondern er holt ihn, jedenfalls dem eigenen Selbstverständnis nach, vom Himmel auf die Erde herunter. Auf Strauß folgt Ludwig Feuerbach, der erklärt: *Gott war mein erster Gedanke, die Vernunft mein zweiter, der Mensch mein dritter und letzter Gedanke.* Auch das darf man nicht als Desillusionierung mißverstehen, auch hier ist Enthusiasmus für den Menschheitsfortschritt im Spiel. Bei Strauß war er noch moderat im Ton, bei Feuerbach wird er überschwenglich. Der Mensch, lehrt er, ist ein Virtuose der Entfremdung. Seine besten Kräfte projiziert er in ein Gottesbild, macht daraus also eine Gewalt, die über ihn herrscht. Er macht sich sein eigenes Können fremd, er entfremdet sich. Dieser Mechanismus ist uns selbst verborgen. Wir müssen ihn enthüllen. Das wird unsere Befreiung sein. Der Mechanismus der Entfremdung – Feuerbach nennt ihn gut hegelianisch ›Dialektik‹ – wirkt auf verschiedenen Ebenen. Es gibt die Gesellschaft, den Leib und das ›Du‹. In diesen drei Sphären wirkt Entfremdung. Die schöpferische Kraft der vergesellschafteten Menschen wird im Bilde Gottes entfremdet. Aber wir haben auch Angst vor unserem Leib und seinen Bedürfnissen, weil wir uns ihm entfremdet haben, indem wir ihn als Außending, als Körper erfassen. Man muß den Körper, den man hat, wieder zum Leib machen, der man ist. Wir haben Angst vor den Anderen, weil wir die Anderen nicht als Du, sondern nur als Abweichung von unserem Ich erleben und also entfremden. Begreifen wir doch, daß das Du uns die Chance für das Abenteuer der Liebe und der Gemeinschaft eröffnet!

Für Feuerbach ist der Weg von Gott über die Vernunft zum leibhaftigen Menschen ein Weg ins Licht. Mit sakralem Pathos spricht er von seinem Allerheiligsten – Leib, Du, Gemeinschaft – und zeigt damit, daß er in gewissem Sinne diesen Weg von Gott zum Menschen doch auch wieder zurück gegangen ist: vom Menschen zum Göttlichen, genauer: zum vergöttlichten Menschen. Die körperlichen Sinne beispielsweise nennt er das *Organ des Absoluten*, und über das *Du* und die *Gemeinschaft* schreibt er: *Einsamkeit ist Endlichkeit und Beschränktheit, Gemeinschaftlichkeit ist Freiheit und Unendlichkeit. Der Mensch für sich ist Mensch (im gewöhnlichen Sinn); der Mensch mit Mensch – die Einheit von Ich und Du ist Gott.*

Und dann Karl Marx. Auch er gehört in die Geschichte jener Bewegung, die auf der Suche nach der wirklichen Wirklichkeit das romantische Jenseits vom Himmel herunterholt und es ins Diesseits, genauer: in die Zukunft versetzt.

Wie Feuerbach den Leib, das Du, die Gemeinschaft entdeckt, so entdeckt Marx den Gesellschaftskörper und seinen Brennpunkt: das

Proletariat. Es ist eine philosophische Leidenschaft, die sich dem sozialen Leiden zuwendet. Es ist der Gedanke, der zur Wirklichkeit drängt. Vom Proletariat ist der Bürgersohn angezogen, weil er ihm eine philosophische Rolle zugedacht hat. Sowenig man bei Feuerbach das Gefühl hat, daß er vom wirklichen Leib spricht, sondern man stets den Leib in einer philosophischen Rolle vorgeführt bekommt, sowenig handelt es sich bei Marx um das wirkliche Proletariat, sondern um eine Kategorie mit zahllosen Beinen. Marx hatte zwar erklärt, die Philosophen hätten *die Welt nur verschieden interpretiert*, es komme darauf an, *sie zu verändern*, aber diese intendierte Veränderung ist Fortsetzung der Philosophie mit anderen Mitteln. Wäre Marx als Sozialpolitiker bezeichnet worden, er hätte das nur als Beleidigung verstehen können.

Der Marx der 40er Jahre ist vollauf damit beschäftigt, sich von Hegel zu befreien. Bei Hegel, erklärt er, bestimmt der Geist das Sein. Es ist aber umgekehrt: *Das Sein bestimmt das Bewußtsein.*

Was aber ist das – Sein? Bei Marx ist es der Mensch im Stoffwechsel mit der Natur, der arbeitende und der durch Arbeit vergesellschaftete Mensch. In der Arbeit äußert der Mensch seine Wesenskräfte, bringt er sich selbst und die Gesellschaft hervor. Aber die Arbeit vollzieht sich in *entfremdeter* Form, *naturwüchsig*. Es herrscht ein blinder Mechanismus, der Markt. Die Produkte, die der Mensch herstellt, und die gesellschaftlichen Beziehungen, die er eingeht, haben Gewalt über ihn und sind ihm darum *entfremdet*. Feuerbachs Kritik der Religion kehrt hier wieder. Die Dialektik, durch die das Eigene als fremde Gewalt konstituiert wird, überträgt Marx auf den Gesellschaftskörper und seine Logik. Es wird, nach Marx, nicht nur ein Gott projiziert, sondern ein gesellschaftlicher Mechanismus gebildet, der als Markt und Warenfetisch wie eine *verhexende* Naturgewalt über die Menschen herrscht. Von seinem eigenen theoretischen Unternehmen sagt Marx, er wolle von der Kritik der heiligen Entfremdung zur Kritik der unheiligen Entfremdung durchstoßen: *Es ist also die Aufgabe der Geschichte, nachdem das Jenseits der Wahrheit verschwunden ist, die Wahrheit des Diesseits zu etablieren ... Die Kritik des Himmels verwandelt sich damit in die Kritik der Erde.*

Ein romantischer Furor arbeitet in dieser Kritik, aber es ist auch eine Kritik, die sich für die letzte hält. Zum letzten Mal Philosophie, und dann kann Philosophie im verwirklichten Glück verschwinden. Bei Hegel hatte die Eule der Minerva zum Fluge angesetzt, nachdem die Wirklichkeit sich fertiggemacht hat. Bei Marx soll die Eule der Minerva der Morgendämmerung entgegenfliegen: *Die Kritik hat die imaginären Blumen an der Kette zerpflückt, nicht damit der Mensch die phantasielose, trostlose Kette trage, sondern damit er die Kette abwerfe und die lebendige Blume breche.*

Die *lebendige Blume* – Novalis hatte sie im Traum gesucht. Und Marx, die Romantik überbietend, verkündet: *Die Reform des Bewußtseins besteht nur darin, daß man die Welt ... aus dem Traum über sich selbst aufweckt, daß man ihr ihre eigenen Aktionen erklärt ... Es wird sich dann zeigen, daß die Welt längst den Traum von einer Sache besitzt, von der sie nur das Bewußtsein besitzen muß, um sie wirklich zu besitzen.*

Man muß die träumende Romantik aufwecken, nicht um sie zu ernüchtern, sondern um aus der geträumten Blume die wirkliche zu machen. Marx will die Fortsetzung der Romantik mit wachen Mitteln. Noch jeder Traum wird vom wirklichen Besitz überboten, das ist das große Versprechen seiner Philosophie.

Die Verwirklichung eines romantischen Traumes ist das Ziel, aber davor liegen die Mühen der Ebene. Dort geht es ganz und gar unromantisch zu. Für das Denken am Anfang des Maschinenzeitalters beginnt die Geschichte der Befreiung selbst wie eine Art Maschine zu funktionieren. Ihr kann man die Herstellung des gelingenden Lebens anvertrauen, unter der Voraussetzung allerdings, daß man sich funktionsgerecht verhält. Die Bourgeoisie produziere *vor allem ihren eigenen Totengräber. Ihr Untergang und der Sieg des Proletariats sind gleich unvermeidlich*, heißt es bei Karl Marx. Dieser Sieg wird *unvermeidlich* sein, wenn man die Maschine der historischen Gesetzmäßigkeit ungestört arbeiten läßt. Dafür sorgen die *Doktoren der Revolution* (Heine), die man sich als Gesellschafts-Ingenieure vorzustellen hat. Empörungen und Zukunftsvisionen müssen sachgerecht heruntergekühlt und störende Faktoren müssen ausgeschaltet werden. Wirre und spontane Bewegungen müssen sich zur Partei formieren. Man muß mit längeren Fristen rechnen, Strategien und Taktiken entwickeln, man muß, wie man das später mit einem Begriff Lenins nennen wird, eine *stählerne Romantik* entwickeln. Das Erreichen der großen Ziele darf nicht durch Spontaneität leichtfertig aufs Spiel gesetzt werden. Die Kämpfer müssen berechenbar sein. Deshalb die Polemik gegen unzuverlässige Elemente wie Heinrich Heine, gegen die Anarchisten und die Theoretiker der Sofort-Freiheit wie Max Stirner und Michail Bakunin.

Die Träume der allseitigen Befreiung bleiben romantisch, das persönliche Verhalten aber darf es nicht sein. Das Romantische wird in den objektiven Prozeß investiert, die Subjekte aber müssen frei davon sein. So kommt es, daß in diesen Kreisen, die objektiv gesehen sozialromantisch sind, ›romantisch‹ zum Schimpfwort wird, zur Bezeichnung einer Einstellung, derer man sich wechselseitig verdächtigt und die entlarvt zu werden verdient.

Heinrich Heine lernte den einundzwanzig Jahre jüngeren Karl Marx im Dezember 1843 in Paris kennen. Er war von ihm ebenso fasziniert wie zwei Jahre zuvor Moses Heß, der an Berthold Auerbach schrieb: *Dr. Marx, so heißt mein Abgott, ist noch ein ganz junger Mann ... er verbindet mit dem tiefsten philosophischen Ernst den schneidendsten Witz; denke Dir Rousseau, Voltaire, Holbach, Lessing, Heine und Hegel in einer Person vereinigt, nicht zusammengeschmissen, so hast Du Marx.* Marx will Heine für seine diversen Publikationsorgane gewinnen, und Heine, dem dieses Werben durchaus schmeichelt, überläßt den größeren Teil seiner Arbeiten im Jahr 1844, darunter »Deutschland. Ein Wintermärchen«, dem neugewonnenen Freund zum Vorabdruck.

Das geschieht zu einer Zeit, da Heine sonst bei den *Revolutionsmännern* und Liberalen nicht gut angesehen ist. Nachdem Heine 1840 sein kritisches Buch über Börne, drei Jahre nach dessen Tod, hatte erscheinen lassen, war sein Ruf in diesen Kreisen endgültig ruiniert. Mißtrauisch war man gegen ihn allein schon deshalb, weil Heine dem Nationalismus, der in diesen Jahren auch bei den Liberalen aus dem Patriotismus erwuchs, sehr kritisch gegenüberstand. Börnes Vision eines demokratisch geeinten Deutschland ließ er noch gelten. Aber als der offizielle französische Chauvinismus 1840 wieder Ansprüche auf linksrheinische Gebiete zu erheben begann und im Gegenzug ein nationalistischer Stimmungsumschwung in Deutschland stattfand – überall sang man Beckers *Sie sollen ihn nicht haben, den freien deutschen Rhein* und Schneckenburgs »Die Wacht am Rhein« –, da warnte Heine vor einem Nationalismus, der für die Freiheit Deutschlands, nicht aber für die Freiheit der Deutschen kämpft. Außerdem war für ihn, den Juden, nicht zu übersehen, daß mit dem Anwachsen nationalistischer Stimmungen auch der Antisemitismus bedrohliche Formen annahm. Der *Franzosenfresser*, erklärte er, *frißt gewöhnlich einen Juden hinterher, um einen guten Geschmack zu haben*. Im »Wintermärchen« wird Heine sehr genau unterscheiden zwischen seiner Liebe zu Deutschland und seiner Verachtung der Untertanengesinnung: *Sie stelzen noch immer so steif herum, / So kerzengrade geschniegelt, / Als hätten sie verschluckt den Stock, / Womit man sie einst geprügelt.* Er spottet über den Wunsch nach politischer Einheit, der den Zollverein als äußeres und die Zensur als inneres Einigungsmittel hinzunehmen bereit ist. Die Franzosen, sagt Heine, soll man nicht bekämpfen, sondern überbieten bei der Schaffung *freier Institutionen*. In der Vorrede zum »Wintermärchen« bekennt er sich zu seiner Art des Patriotismus: *wenn wir das vollenden, was die Franzosen begonnen haben, wenn wir diese überflügeln in der Tat, wie wir es schon getan in Gedanken ... wenn wir die Dienstbarkeit bis in ihrem letzten Schlupfwinkel, dem Himmel, zerstören, wenn wir den Gott, der auf Erden im Menschen wohnt, aus seiner Erniedrigung retten ... und die geschändete Schönheit wieder in ihre Würde einsetzen, wie unsere großen Meister gesagt und gesungen ... ganz Frankreich wird uns alsdann zufallen, ganz Europa, die ganze Welt – die ganze Welt wird deutsch werden! Von dieser Sendung und Universalherrschaft Deutschlands träume ich oft, wenn ich unter Eichen wandle. Das ist mein Patriotismus.* Obwohl Heine hier dem linkshegelianischen Programm der Entgöttlichung des Himmels und der Vergöttlichung des Menschen folgt, traute man ihm nicht über den Weg. Es geht ihm, sagte man, mit allen diesen großen, wohltönenden Worten zuletzt doch nur um die *geschändete Schönheit.*

Er war und blieb für die *diensthabenden Patrioten* und für die *Doktoren der Revolution* ein eitler Artist, dem ein Witz, ein Reim, eine Metapher, ein Wohlklang wichtiger waren als die Imperative des sozialen Gewissens und die Politik der Befreiung. Er galt auch als Epikuräer, als Sinnenmensch, dem das Hemd des Genusses näher war als der Rock der sozialen Tat. Man hielt ihn sogar für bestechlich. Börne selbst hatte um 1832 geholfen, das Gerücht in Umlauf zu setzen, Heine werde von Preußen als Spitzel bezahlt. Tatsächlich aber erhielt Heine nicht von Preußen, sondern von der französischen Regierung, die ihn vor den preußischen Nachstellungen schützte, eine Unterstützung in Form einer Staatspension, welche die 40er Jahre über an ihn ausgezahlt wurde. Heine hat sich dadurch aber ebensowenig in eine Abhängigkeit begeben wie James Rothschild gegenüber, von dem er Geschenke annahm, ohne damit aufzuhören, ihn zu verspotten.

Von den üblen Gerüchten und Angriffen auf Heine hielt Marx wenig. Nach einem Bericht seiner Tochter, habe Marx *auf das Nachsichtigste* über die *politischen Schwächen* Heines geurteilt. *Dichter,* habe Marx erklärt, *seien sonderbare Käuze, die man ihre Wege wandeln lassen müsse. Man dürfe sie nicht mit dem Maßstab gewöhnlicher oder selbst ungewöhnlicher Menschen messen.* Marx schätzte den politisch unzuverlässigen Dichter so sehr, daß er bei seiner Ausweisung aus Paris Anfang 1845 an Heine schrieb: *Ich möchte sie gerne miteinpacken.* Anders Friedrich Engels, der etwa zur selben Zeit erklärte: *Nicht alle bleiben entnervt liegen wie der neue Tannhäuser Heine.*

Seit Ludwig Tieck und »Des Knaben Wunderhorn« ist der »Tannhäuser«, der dem Zauber des Venusbergs verfällt, eine erotische Symbolfigur der Romantik. Wenn Heine als *neuer Tannhäuser* bezeichnet wird, soll nicht nur der Romantiker getroffen, sondern der Lüstling und Sittenverderber denunziert werden. Noch ehe Heines Krankheit 1848 zum vollen Ausbruch kam, ging bereits das Gerücht um, Heine sei geschlechtskrank.

Heine hat sich nie gescheut, als erotischer Romantiker aufzutreten. Das *Dionysische*, wie es Nietzsche später nennen wird, war für ihn ein Lebenselement und ein poetischer Reiz, doch ironisch gebrochen, wie in seinem berühmten Loreley-Gedicht. Der Sirenengesang ergreift mit *wildem Weh* den Schiffer, doch die betörende Melodie des Gedichtes verwandelt sich in spöttische Nüchternheit: *Ich glaube, die Wellen verschlingen / Am Ende Schiffer und Kahn; / Und das hat mit ihrem Singen / Die Lore-Ley getan.* Aber noch in der Distanz bleibt die Verlockung. Heine hat, wie einst der listige Odysseus, nicht darauf verzichten wollen, dem Sirenengesang zu lauschen, und er wollte doch auch, wie Odysseus, der sich an den Mast binden ließ, Vorkehrungen treffen, um vom Sirenengesang nicht verschlungen zu werden. Ironie kann ein Mittel sein. Aber Heine weiß auch, daß man Ironie nicht auf Dauer stellen kann. In den »Elementargeistern« leitet er das alte Tannhäuser-Lied ein mit der Bemerkung: *Aber der Mensch ist nicht immer aufgelegt zum Lachen, er wird manchmal still und ernst, und denkt zurück in die Vergangenheit; denn die Vergangenheit ist die eigentliche Heimat seiner Seele, und es erfaßt ihn ein Heimweh nach den Gefühlen, die er einst empfunden hat, und seien es auch Gefühle des Schmerzes. So erging es namentlich dem Tannhäuser . . .* Im Kommentar zu diesem Lied heißt es: *Ich vernahm darin die Töne jener verketzerten Nachtigallen, die, während der Passionszeit des Mittelalters, mit gar schweigsamen Schnäblein sich versteckt halten mußten.* Hier kommt Heines Doppelbild der Romantik zum Vorschein.

Es gibt eine Romantik, der er die Treue hält, und eine, die er kritisiert. Seine Romantik ist die der *Nachtigallen*, die kritisch gesehene Romantik ist diejenige, welche die *Passionszeit des Mittelalters* verherrlicht, rückwärtsgewandt, christlich, sinnenfeindlich und entsagungsvoll. Wie das Junge Deutschland verurteilt auch er das sogenannte Reaktionäre an der historischen Romantik: die Heilige Allianz mit ästhetischen Mitteln. Aber im Unterschied zum Jungen

Deutschland weiß Heine, daß sich die Romantik keinesfalls darin erschöpft.

In seinem großen Essay über die »Romantische Schule« von 1835 hat Heine über sein Verhältnis zur Romantik Rechenschaft abgelegt. Romantik war, schreibt er dort, eine *Passionsblume, die dem Blut Christi entsprossen* ist, sie war jenseitsflüchtig, *schwindsüchtig* wie Novalis, der Spekulationsgeist trieb seine Blüten. Sie war politisch töricht und untertänig, als die Herrschenden den Patriotismus befahlen. Auch hierbei trieb man es bis zur *deutschen Tollheit*. Die Romantik der *Nachtigallen* aber, die er liebte, war anders: Dort gibt es eine Weltfremdheit, einen Willen zur Schönheit, eine Abneigung gegen die Nützlichkeit. Den lyrischen Zauber, die Entrückung, die phantastischen Exzesse, den Sinn für das Unheimliche etwa bei Achim von Arnim und E.T.A. Hoffmann, das ironische Spiel, die Lust des Fabulierens – das alles rechnete Heine zu einer Tradition, auf die er nicht verzichten wollte, weil er sich ihr verwandt fühlte und sie ihn zum eigenen Schaffen anregte. Er rechnete so mit der Romantik ab, daß es ihm möglich war, Romantiker zu bleiben, wenn er auch ahnte, daß die Zeichen der Zeit für diese Art Romantik nicht günstig standen. Am 3. Januar 1846 schreibt er an Varnhagen von Ense: *Das tausendjährige Reich der Romantik hat ein Ende, und ich selbst war sein letzter und abgedankter Fabelkönig.* Im »Atta Troll« (1841) habe er es noch einmal gewagt, sich *mit den alten Traumgenossen herum zu tummeln im Mondschein.* Es sei ein *Schwanengesang der untergehenden Periode.*

Von *Mondschein* beschienen und inmitten der *wilden Jagd der Traumgesichte* tappt die groteske Figur des Atta Troll herum, ein Bär. Er soll die gesinnungsstarken, aber untalentierten politischen Literaten des Börne-Kreises und des Jungen Deutschland verkörpern. Der Bär tanzt, aber er kann es nicht. Am Ende wird er erlegt. Aus der Bärenhaut wird ein Bettvorleger für Juliette, in der man unschwer Heines Mathilde erkennt. Geschrieben ist das Ganze *in der grillenhaften Traumweise jener romantischen Schule, wo ich meine angenehmsten Jugendjahre verlebt.*

Heine agiert mit der Romantik gegen die Romantik. In dem Buch »Ludwig Börne. Eine Denkschrift« prägt er für diese Konstellation die Formel: Griechen gegen Nazarener. *Alle Menschen sind entweder ... Menschen mit asketischen, bildfeindlichen, vergeistigungssüchtigen Trieben* (Nazarener), *oder Menschen mit lebensheiterem, entfaltungsstolzem und realistischem Wesen* (Griechen).

Heine fühlt sich als Romantiker in der griechischen Version, der von den neuen Nazarenern hart bedrängt wird. Diese verstehen sich selbst natürlich nicht als Romantiker, aber für Heine sind sie es. Die alten Romantiker waren vergangenheitsselig, die neuen sind zukunftsfromm, beide verfehlen die Gegenwart. Daß Heine seine Geistesrichtung ›realistisch‹ nennt, ist erläuterungsbedürftig. ›Realismus‹ bedeutet in diesem Zusammenhang nämlich nichts anderes als Geistesgegenwart im epikuräischen Sinne. Heine will sich den Reichtum der wirklichen und imaginären Genüsse zueignen gegen alle Vertröstungen auf eine überirdische oder irdische Zukunft und gegen jeden politischen Moralismus. Sogar dem Zauber des Mittelalters – die Zeit der Kathedralen, der Burgfräulein und der Minnesänger – vermag er sich hinzugeben, ohne restaurative Gesinnung und ohne Furcht, einer solchen bezichtigt zu werden. Wer A sagt, muß nicht B sagen. Konsequenz ist etwas für Doktrinäre nicht aber für – *Nachtigallen*.

Und doch war Heine auch ein politischer Kopf. Als er sein Buch über die »Romantische Schule« schrieb, stand er unter dem Einfluß des Saint-Simonismus, dessen Grundforderung, die Ausbeutung des Menschen durch den Menschen müsse abgeschafft werden, ihm ebenso einleuchtete wie die Erkenntnis, daß es keine Gesellschaft der Gleichen geben könne und daher Ränge und Hierarchien nach Fähigkeit und Leistung und nicht nach angeborenen Vorrechten zu vergeben seien. Daß im Saint-Simonismus den Poeten eine fast priesterliche Rolle zugedacht war, mußte zunächst anziehend auf ihn wirken. In der französischen Vorrede zu den »Reisebildern« schreibt Heine 1834: *Unser alter Kriegsruf gegen den Priesterstand ist ... durch eine bessere Losung ersetzt worden. Es handelt sich nicht mehr darum,*

die alte Kirche gewaltsam zu zerstören, sondern vielmehr darum, eine neue
aufzubauen, und weit davon entfernt, das Priestertum vernichten zu wollen,
wollen wir uns jetzt selbst zum Priester machen.

Heine war befreundet mit Prosper Enfantin, dem Führer der
Saint-Simonisten in Paris, er widmete ihm sogar 1834 die französische Fassung der »Geschichte der Religion und Philosophie in
Deutschland«. Heine konnte sich berechtigte Hoffnungen machen,
als *Priester* der neuen Kirche anerkannt zu werden. Als Heine dann
nicht nur die Doktrinen, sondern auch die Doktrinäre des Saint-
Simonismus näher kennenlernte, erschien ihm die Aussicht, dort
ein poetischer Priester zu werden, durchaus nicht mehr so verlok-
kend. In den »Briefen über die französische Bühne« (1837) spricht
er von den *irrigen Anforderungen der neuen Kirche* an die Künstler, die
ihre Werke dem Zweck der *Beglückung und Verschönerung des Men-
schengeschlechts* unterzuordnen hätten. *Ich nenne sie irrig,* fährt Heine
fort, *denn ... ich bin für die Autonomie der Kunst; weder der Religion
noch der Politik soll sie als Magd dienen, sie ist sich selber letzter Zweck,
wie die Welt selbst.*

Als Heine ein Jahrzehnt später mit den Kommunisten sympathi-
siert, stellt sich für ihn sehr bald dieselbe Spannung her zwischen
dem politisch-sozialen Utilitarismus und dem Anspruch auf *Autonomie der Kunst.* Wieder gerät er mit seinen romantischen *Nachtigallen* in Schwierigkeiten. Wenn die Gesichtspunkte des sozialen und
politischen Nutzens immer mächtiger werden, gerade weil er ihre
Berechtigung anerkennt, gerät der Eigenwert, die zarte Nutzlosigkeit der Poesie, unter Rechtfertigungszwang. Heine erlebt Anwandlungen von Kleinmut. Einmal schreibt er an Immermann: *Die
Poesie ist doch nur eine schöne Nebensache.* Das war nach einem festlichen Abendessen bei Rothschild, und nach dem Besuch einer
Versammlung der *Revolutionsmänner* in einem verräucherten Lokal
notiert er: Poesie ist nur ein *heiliges Spielzeug.* Von den *Volksmännern,*
denen er hier begegnet, erwartet er nichts Gutes. Er fürchtet sich
vor der Barbarei des Pöbels und der Ignoranz ihrer Wortführer.
Wenn Börne behauptet, im Falle, daß ihm ein König die Hand

drückt, würde er sie ins Feuer halten, um sie zu reinigen, so erklärt Heine, *daß ich, wenn mir das Volk die Hand gedrückt, sie nachher waschen werde.* Revolution ist erhaben nur, wenn man davon liest. In Wirklichkeit, schreibt er, ist sie schmutzig, der Schlamm kommt nach oben. Die Geschmacklosigkeit bekommt ein gutes Gewissen. Die Wut über Ungerechtigkeit verbindet sich mit dem Haß auf die Kultur. Man will zerschlagen, was einem bisher vorenthalten blieb. Aber haben die armen Leute nicht recht, kann man sie nicht ganz gut verstehen? Gewiß, doch ist ihnen damit gedient, wenn die *Nachtigallen* verschwinden?

Heine dreht sich im Kreis dieser Fragen. Börne bietet ihm ein abschreckendes Schauspiel. Dieser hatte sich für die Armen und Entrechteten eingesetzt und wenig erreicht. Und darum zog er sich am Ende *die Mütze über die Ohren und wollte fürder weder sehen, noch hören, und stürzte sich in den heulenden Abgrund.* Er hatte sich im *plebejischen Kot* gewälzt und die *banalen Manieren eines Demagogen* angenommen. Lohnt es sich also, die *Nachtigallen* zu verraten?

Ein Jahr vor seinem Tod, in der 1855 geschriebenen Vorrede zu »Lutetia«, legt Heine ein bemerkenswertes Geständnis ab. Er hat, schreibt er, die kommunistischen und sozialistischen Ideen unterstützt und weiß doch, daß sie, sollten sie erfolgreich sein, eine Zeit heraufbringen, in der es den Menschen materiell vielleicht besser geht, aber die *Nachtigallen* ausgesungen haben werden. *Nur mit Grauen und Schrecken denke ich an die Zeit wo jene dunklen Ikonoklasten zur Herrschaft gelangen werden: mit ihren rohen Fäusten zerschlagen sie alsdann alle Marmorbilder meiner geliebten Kunstwelt, sie zertrümmern alle jene phantastischen Schnurrpfeifereien, die dem Poeten so lieb waren … die Nachtigallen, die unnützen Sänger, werden fortgejagt, und ach! mein ›Buch der Lieder‹ wird der Krautkrämer zu Tüten verwenden, um Kaffee oder Schnupftabak darein zu schütten für die alten Weiber der Zukunft.*

Es sind zwei Stimmen in seiner Brust. Dies ist die eine. Die andere ist von einem *schrecklichen Syllogismus* behext: *kann ich der Prämisse nicht widersprechen: ›daß alle Menschen das Recht haben, zu essen‹, so muß ich mich auch allen Folgerungen fügen.* Die Folgerungen aber lauten: In einer Welt voller Übel und Ungerechtigkeit ist es ein elitärer Luxus, sich mit seiner Poesie auf eine Insel der Seligen zurückzuziehen. Wirkt in der zarten Poesie nicht eine Herzlosigkeit? Der junge Hofmannsthal wird diese künstlerischen Selbstzweifel aus sozialem Gewissen in die Verse kleiden: *Manche freilich müssen drunten sterben, / Wo die schweren Ruder der Schiffe streifen, / Andere wohnen bei dem Steuer droben, / Kennen den Vogelflug und die Länder der Sterne.*

Es ist die alte Theodizeefrage, übertragen auf die Kunst. Einst fragte man: Wie läßt sich angesichts der Übel in der Welt die Existenz Gottes rechtfertigen? Nun wird die Frage an die Kunst gerichtet und lautet: Wie läßt sich angesichts der Übel in der Welt das luxurierende Unternehmen der Kunst rechtfertigen? Ist nicht schon ihre bloße Existenz ein Ausdruck der Ungerechtigkeit in der Welt? Der Jammer der Welt und das Singen der Nachtigallen – wie soll das zusammenstimmen?

Mit diesen Fragen schlägt sich Heine herum. Schönheit, Geist, Poesie haben ihren Zweck in sich selbst, sie sind ein großes Spiel, sie sind nicht erst dadurch gerechtfertigt, daß sie irgendwelchen politischen, nationalen oder sozialen Zwecken dienen – das hält er sich immer vor Augen und es ist ihm auch eine Mahnung, daß einige Kollegen Verrat an der Kunst begehen aus Solidarität mit dem Elend. Die Einsicht, zu der Heine nach Zweifeln und Fragen immer wieder zurückkehrt, ist diese: Entweder ist die Kunst durch sich selbst gerechtfertigt, oder sie sucht Rechtfertigung durch andere Gesichtspunkte, soziale, politische, ökonomische. Dann aber hat sie schon verloren.

Einst hatte Heine geschrieben: *Aber ein Schwert sollt Ihr mir auf den Sarg legen; denn ich war ein braver Soldat im Befreiungskriege der Menschheit.* In seinen kurz vor dem Tod geschriebenen »Geständnissen« aber heißt es: *Ich habe es, wie die Leute sagen, auf dieser schönen Erde zu nichts gebracht. Es ist nichts aus mir geworden, nichts als ein Dichter.*

Der Romantiker Heine behält das letzte Wort.

Dreizehntes Kapitel

Der jungdeutsche Wagner. Rienzi in Paris. Romantischer Revolutionär
in Dresden. Verwirklichung der frühromantischen Träume: die neue
Mythologie. Der Ring des Nibelungen. Wie der freie Mensch die
Götterdämmerung bewirkt. Antikapitalismus und Antisemitismus. Das
mythische Erleben. Tristan und die romantische Nacht. Der symbolistische
Rausch. Generalangriff auf die Sinne.

Richard Wagner steht unter dem Einfluß der jungdeutschen Ideen
von Freiheit, nationaler Einheit und Fortschritt, als er 1838 an
»Rienzi« – seiner großen Oper über einen gescheiterten Revolu-
tionsversuch in Rom im Jahre 1347 – zu arbeiten beginnt. Er ist
Kapellmeister in Riga, dreifach gedemütigt, durch die elenden
Theaterverhältnisse am Ort, durch seine Gläubiger, die ihn bedrän-
gen; durch seine Frau Minna, die mit ihrem Liebhaber durchge-
brannt ist. Wie einst Herder verläßt auch Wagner fluchtartig Riga,
um nach abenteuerlicher Meerfahrt – furchtbare Stürme zwingen
zur Notankerung vor der norwegischen Küste – französischen Boden zu betreten, den noch nicht vollendeten »Rienzi« im Gepäck.
In Paris bleibt er bis 1842, es sind Jahre der inneren und äußeren
Kälte, der Verlorenheit, des Elends. Er freundet sich mit Heinrich
Heine an, der ihn finanziell unterstützt und mit romantischen Stoffen, der Geschichte vom Tannhäuser und der vom fliegenden Holländer, für spätere Arbeiten versorgt. Die glänzende Stellung Mey-
erbeers vor Augen, haßt er die Stadt immer mehr, die ihm nicht die
Anerkennung zuteil werden läßt, die er verdient zu haben glaubt.
Später schreibt er in einem Brief an Theodor Uhlig, *daß ich an keine*
andere Revolution mehr glaube, als an die, die mit dem Niederbrande von
Paris beginnt.

Das Paris von 1840 wird ihm zum Rom von 1347, wo Cola di
Rienzi, Sohn eines Gastwirtes, gestützt auf eine Volksbewegung ge-

gen die herrschende Aristokratie, eine Republik nach altrömischem Vorbild zu errichten versucht, dann aber erleben muß, wie das Volk sich von ihm abwendet. In Wagners Oper versucht Rienzi vom Balkon des Kapitols aus ein letztes Mal, die von einem päpstlichen Legaten gegen ihn aufgebrachte Menge zu gewinnen, erntet aber nur einen Steinhagel. Das Gebäude wird in Brand gesetzt, stürzt ein und begräbt Rienzi mitsamt seiner Utopie von Volksglück und Freiheit unter sich.

Rienzi und das verkommene Rom – in dieser Konstellation kann Richard Wagner, der musizierende Volkstribun, sein eigenes Schicksal ganz gut wiedererkennen. Und noch ein anderer wird sich im Rienzi wiedererkennen. Nach dem Besuch einer Aufführung der romantischen Oper in Linz 1906 gewinnt ein siebzehnjähriger junger Mann bei dieser *gottbegnadeten Musik* die überaus folgenreiche Überzeugung, *daß es auch mir gelingen müsse, das deutsche Reich zu einen und groß zu machen.* So hat es Adolf Hitler später Albert Speer erzählt.

Richard Wagners Oper über einen gescheiterten Revolutionär wird ein europäischer Erfolg. Theatralischer Pomp, Massenszenen, Kulissenzauber waren eine Herausforderung für große Bühnen, worauf es Wagner, der endlich aus dem *Winkelelend* herauskommen wollte, auch angelegt hatte.

Wagner verläßt 1842 Paris als ein berühmter Mann. Er wird Hofkapellmeister in Dresden. Bald ist er wieder unzufrieden. Sein Gehalt deckt nicht den aufwendigen Lebensstil. Wieder wächst der Schuldenberg. Er sieht sich selbst und den künstlerischen Betrieb im Würgegriff der Geldinteressen. Er entwirft ein Reformkonzept, durch das die Leistungsfähigkeit der Bühne erhöht und die gesamte Leitung in seinen Händen konzentriert werden sollte. Das Operntheater soll nicht nur dem Luxus und dem Vergnügen dienen, sondern fortschrittliche, demokratische Impulse geben. Doch er dringt mit seinen Reformvorschlägen nicht durch. Der Routinebetrieb ödet ihn an. Da sorgen die revolutionären Unruhen des Jahres 1848/49 endlich für Abwechslung. Auf die erregenden Monate zurückblickend, schreibt er an Minna am 14. Mai 1849: *So in höchster Unzufriedenheit mit meiner Stellung und fast mit meiner Kunst ... tief verschuldet ... zerfiel ich mit dieser Welt, hörte auf, Künstler zu sein ... und wurde – wenn auch nicht mit der Tat, so doch in der Gesinnung – nur noch Revolutionär, d. h. ich suchte nur in einer gänzlich umgestalteten Welt den Boden für neue künstlerische Schöpfungen meines Geistes.*

Richard Wagner wird Revolutionär, aber nicht nur in der Gesinnung, sondern auch tatkräftig. Er verfaßt Pamphlete gegen die Aristokratie und gegen die bürgerliche Geldherrschaft. Als im April 1849 der sächsische König mit offensichtlichem Verfassungsbruch die gewählte Regierung auflöst und mit preußischen Truppen droht und als deshalb die Bürgergarde alarmiert wird, nimmt Richard Wagner zusammen mit Bakunin, mit dem er sich inzwischen angefreundet hat, an den Vorbereitungen eines bewaffneten Aufstandes teil. Er soll sogar eine Anzahl Handgranaten beschafft haben. Wagners praktisches Organisationstalent beeindruckte Bakunin, der dem Freund die Komposition eines Terzetts vorgeschlagen hatte, bei dem der Tenor immerzu »Köpfet ihn«, der Sopran »Hängt ihn« und der Baß »Feuer! Feuer!« singen sollte. Doch Wagners künstlerische Ideen gehen in eine andere Richtung. Er trägt sich mit einem Drama über »Jesus von Nazareth«, der als Sozialrebell und Erlöser vom Privateigentum dargestellt werden sollte. In der revolutionären Situation ist Wagner von einem *großen, ja ausschweifenden Behagen* befallen und fühlt sich an die Empfindungen Goethes bei der Kanonade von Valmy erinnert. Es beginnt eine neue Epoche, und er kann sagen, er ist dabeigewesen, als der König und seine Minister Anfang Mai aus der Stadt fliehen und die aufständische Bevölkerung eine provisorische Regierung bildet. Wagner nutzt die Feuerpause zu einem waghalsigen Unternehmen. Er verteilt unter den Soldaten Handzettel, um sie zu veranlassen, mit der Bürgerwehr gemeinsame Sache zu machen. Vom Turm der Kreuzkirche aus beobachtet er die Kämpfe und versucht die Bewegungen der aufständischen Gruppen zwischen den Barrikaden zu dirigieren, die unter der fachkundigen Leitung des Architekten

Semper errichtet worden sind. Am 6. Mai geht das Alte Opernhaus in Flammen auf, später wird man behaupten, Wagner habe den Brand gelegt. Am 8. Mai 1849 wird die Dresdener Erhebung niedergeschlagen. Die Rädelsführer werden verhaftet, Richard Wagner kann entkommen, zuerst nach Weimar, wo die Orchesterproben zum »Tannhäuser« begonnen haben. Als am 16. Mai der Steckbrief erscheint, verhilft ihm Franz Liszt zur Flucht nach Zürich.

Während der revolutionären Monate hatte er einen ersten Entwurf seines Nibelungendramas angefertigt, das noch ganz auf die Figur des Siegfried konzentriert ist, der gleich Christus durch sein Opfer die Befreiung von einem falschen Weltzustand bringen soll.

Wagner will einen revolutionären *Mythos* dichten, mit dieser Absicht kommt er in Zürich an, und er verfolgt sie über zwanzig Jahre, bis 1874 der »Ring des Nibelungen« vollendet ist. Damit sind die frühromantischen Träume von einer neuen Mythologie endlich Wirklichkeit geworden.

Wir erinnern uns: Zwei Motive hatten die Suche nach einer neuen Mythologie damals in Gang gesetzt. Zum einen sollte die Kunst zur Nachfolgerin der kraftlos gewordenen öffentlichen Religion werden. Sie sollte einen neuen Mythos stiften, aus der *tiefsten Tiefe des Geistes* (Schlegel) heraus, also durchaus etwas Erfundenes und nicht etwas Offenbartes. Deshalb sprach man auch von der *Mythologie der Vernunft*. Das zweite Motiv lag in der Erfahrung der gesellschaftlichen Umbruchszeit am Anfang des 19. Jahrhunderts. Es fehlte eine übergreifende Idee vom gesellschaftlichen Leben, man sah geistlosen Egoismus und wirtschaftliches Nützlichkeitsdenken an deren Stelle treten, und darum sollte der Haupteffekt der neuen Mythologie darin bestehen, *die Menschen in einer gemeinschaftlichen Anschauung zu vereinigen*. Von der Tradition hatten die Romantiker gelernt, daß man ohne Mythen nicht auskommt, und der Geist der Moderne, der ein Geist des Machens ist, ermunterte sie, solche Mythen notfalls eben auch selber zu machen.

Die Vision von einer neuen Mythologie beginnt Richard Wagner ein halbes Jahrhundert später zu verwirklichen. Er greift auf die von den Romantikern wieder herausgegebene Nibelungen-Sage zurück, macht aber etwas sehr eigenes daraus. Vor allem aber knüpft er an die romantischen Überlegungen zur mythenbildenden und gesellschaftlich vereinigenden Funktion der Kunst in der Antike an.

In der Schrift »Die Kunst und die Revolution« von 1849 kontrastiert Wagner die idealisierte Kultur der antiken griechischen Polis mit den kulturellen Verhältnissen der modernen bürgerlichen Gesellschaft, gesehen aus der Perspektive eines frühsozialistischen Antikapitalismus. Wagner kennt sich dort aus, vielleicht hat er auch von Karl Marx etwas gelesen oder gehört. In der griechischen Polis, schreibt er, seien Gesellschaft und Individuum, öffentliches und privates Interesse miteinander versöhnt, und deshalb sei Kunst eine wahrhaft öffentliche Angelegenheit gewesen, ein Ereignis, durch das ein Volk sich den Sinn und die Prinzipien seines gemeinschaftlichen Lebens in festlichem, sakralem Rahmen habe vor Augen führen lassen. *Dieses Volk ... strömte von den Staatsversammlungen, vom Gerichtsmarkte, vom Lande, von den Schiffen, aus dem Kriegslager, aus fernsten Gegenden zusammen, erfüllte zu Dreißigtausend das Amphitheater, um die tiefsinnigste aller Tragödien, den ›Prometheus‹, aufführen zu sehen, um sich vor dem gewaltigsten Kunstwerke zu sammeln, sich selbst zu erfassen, seine eigene Tätigkeit zu begreifen, mit seinem Wesen, seiner Genossenschaft, seinem Gotte sich in die innigste Einheit zu verschmelzen, und so in edelster, tiefster Ruhe das wieder zu sein, was es vor wenigen Stunden in rastloser Aufregung und gesondertster Individualität ebenfalls gewesen war.*

Für die moderne Kunst, so Wagner, gebe es eine solche Öffentlichkeit nicht mehr. Sie sei zum Markt geworden und die Kunst unter die Zwänge der Kommerzialisierung und der Privatisierung geraten. Die Kunst müsse sich, wie andere Produkte auch, auf dem Markt als Ware anbieten und verkaufen. Auch der Künstler sei zum Produzenten geworden, der nicht um des Werkes, sondern um des Gelderwerbs willen produziere. Ein skandalöser Vorgang, da doch die Kunst als Ausdruck menschlicher Schöpferkraft eine selbstzweckhafte Würde besitzen sollte. Die Sklaverei des Kapitalismus entwürdige die Kunst, setze sie herab zum bloßen Mittel: *Unterhaltung für die Massen, Luxusvergnügen für die Reichen.* Gleichzeitig werde die Kunst in dem Maße privatisiert, *wie sich der Gemeingeist in tausend egoistische Richtungen zersplittert.* Auf den Künstlern laste der Zwang zur oberflächlichen Originalität. Wer etwas gelten wolle, müsse sich von seinen Konkurrenten unterscheiden. Und wie die einzelnen Künstler verließen auch die einzelnen Künste *den Reigen, in dem sie vereint sich bewegt hatten, um nun jede ihren Weg für sich zu gehen, sich selbständig, aber einsam, egoistisch fortzubilden.*

Zersplitterung der Künste, Zersplitterung der Künstler und die Auflösung des die schöpferischen Bestrebungen vereinigenden Bandes, das sei die Signatur des gegenwärtigen Zeitalters. Als einziges Band sei die *Industrie* übriggeblieben, das Kapital und die von ihm kommandierte Arbeit. Wagners Antikapitalismus ist dann auch der Ausgangspunkt seines berüchtigten Antisemitismus, von dem noch zu reden sein wird.

Die Industrie herrscht, das Geld, der Gewerbefleiß, die Orientierung am ökonomischen Nutzen. Das ist die Religion der Gegenwart, die nicht bindet, sondern atomisiert und in die Konkurrenz treibt. Nötig ist ein neues Band der Vereinigung.

Für Wagner, der zur Zeit noch ein Anhänger Feuerbachs ist, kann es nicht mehr die alte Religion sein, weder die der Griechen noch die christliche. Mit Feuerbach sieht er in den Göttern Projektionen der freien Schöpferkraft des Menschen, und darum muß die Idee des freien Menschen die Stelle der Religion einnehmen. Die Gestalt Siegfrieds ist ihm eine solche künstlerisch brauchbare Verkörperung der Freiheit. In ihr läßt sich anschaulich machen, was es mit dem Menschen, der sich von der Gewalt der Götter emanzipiert, auf sich hat. Im Blick auf die Antike hatte Wagner die Gestalt des Prometheus hervorgehoben. Siegfried ist für ihn ein neuer Prometheus, wie er auch ein neuer Christus ist. Was die Zersplitterung der Künste und Künstler betrifft, so träumt Wagner von einem Gesamtkunstwerk, das viele Künste wieder vereinigt, die Musik, die theatralische Darstellung, Literatur sowie die bildnerischen Künste der

Malerei und Plastik. Das Gesamtkunstwerk fordert den Gesamt-künstler. Ist eine kollektive Produktion möglich? Wohl doch nicht, die Verantwortung bleibt beim einzelnen Künstler, der sich aber als jemand begreifen sollte, bei dem sich die schöpferischen Kräfte des Volkes und seiner Traditionen sammeln. Auch für die Aufführungs-praxis nimmt er Maß am antiken Vorbild. Es sollen Festspiele sein, bei denen die Gesellschaft sich als Gemeinschaft, geeint durch ge-meinsame Werte, begreifen und feiern kann.

Noch ist der vom Scheitern der Revolution enttäuschte Wagner davon überzeugt, daß *ohne eine Revolution der Gesellschaft . . . auch die Kunst nicht zu ihrem wahren Wesen finden könne,* deshalb bleibt die Kunst auch weiterhin auf die Revolution angewiesen. Das bedeutet aber nicht, daß sie zur Magd der Politik erniedrigt wird, denn Kunst und Revolution stehen in einem Wechselverhältnis. Die Revo-lution braucht die Kunst, und die Kunst braucht die Revolution. Beide haben ein gemeinsames Ziel: *Dieses Ziel ist der starke und schöne Mensch: die Revolution gebe ihm die Stärke, die Kunst die Schönheit!* Die Kunst dient also ihrer eigenen Entfaltung, wenn sie der Revolution dient. Gerade nach der politischen Niederlage muß man an der re-volutionären Funktion der Kunst festhalten und Kunstwerke schaf-fen, die *dem Strome leidenschaftlicher sozialer Bewegung ein schönes und hohes Ziel* zuweisen, *das Ziel edler Menschlichkeit.*

Sein Kunstwerk, dem er diese Aufgabe zumißt, soll das Nibelun-gendrama werden, das sich in den folgenden Jahren zur Tetralogie auswächst.

Der steckbrieflich gesuchte Revolutionär in Zürich weiß aber, daß einstweilen nicht daran zu denken ist, in Deutschland eine an-gemessene Form der Aufführungspraxis zu finden. *Mit dieser meiner neuen Konzeption trete ich gänzlich aus allem Bezug zu unserem heutigen Theater und Publikum heraus: . . . An eine Aufführung kann ich erst nach der Revolution denken . . . Am Rhein schlage ich dann ein Theater auf und lade zu einem großen Feste ein: nach einem Jahre Vorbereitung führe ich dann im Laufe von vier Tagen mein ganzes Werk auf: mit ihm gebe ich den Menschen der Revolution dann die Bedeutung dieser Revolution, nach ih-*

rem edelsten Sinn, zu erkennen. Dieses Publikum wird mich verstehen; das jetzige kann es nicht. Wagner erwog sogar, nach dieser einmaligen Aufführung seines Zyklus nicht nur das Theater wieder abreißen zu lassen, sondern auch die Partitur zu verbrennen.

Wenn in der Folgezeit auch ohne vorherige Revolution der »Ring« aufgeführt wird, dann wird Wagner die Wirkung seines Dramas anders bestimmen müssen. Zunächst wollte er wenigstens die Notwendigkeit einer künftigen Revolution fühlbar machen. Dann aber, im letzten Jahrzehnt seines Lebens – politisch resigniert, doch als Künstler im Zenit seines Ruhmes –, traute er seiner Kunst zu, das Ausbleiben der gesellschaftlichen Umwälzung kompensieren oder gar ersetzen zu können. Das Kunsterleben wird, ausdrücklich dann im »Parsifal«, zum sakralen Augenblick der Erlösung, sogar zum Vorboten und Versprechen jener großen Erlösung am Ende aller Tage. Kunst wird Religion. Für Nietzsche dann der Anlaß, sich von Wagner zu trennen, empört und enttäuscht.

Doch noch ist es nicht so weit. Noch geht es Wagner darum, einen Mythos zu dichten, in dem die Götter sterben, wenn der freie Mensch erscheint. Religion ist das allenfalls im Sinne des vergöttlichten Menschen. Den Himmel überläßt Wagner, wie der Heine des »Wintermärchens«, den Spatzen.

Ein Vierteljahrhundert arbeitet Wagner am »Ring des Nibelungen«, beginnend mit der Prosaskizze »Der Nibelungenmythos« von 1848 bis zum Abschluß im November 1874. *Ich sage nichts weiter*, schreibt er auf die letzte Partiturseite der Tetralogie. 1876 wird der ganze »Ring« in vier Tagen zur Eröffnung des Festspielhauses in Bayreuth uraufgeführt.

Dargestellt wird die große Geschichte vom Untergang der Götter. Was sind diese Götter, und woran gehen sie zu Grunde? Die Prosaskizze von 1848 spricht es deutlich aus. Die Götter hätten ihre Absicht erreicht, heißt es dort, wenn sie durch die Schöpfung des Menschen *sich selbst vernichteten, nämlich in der Freiheit des menschlichen Bewußtseins ihres unmittelbaren Einflusses sich selbst begeben müßten.* Das ist noch ganz im Geiste Feuerbachs formuliert: Die Götter gehen nirgendwo anders unter als im menschlichen Bewußtsein, wenn es den Mechanismus entdeckt, mit dem die eigene Mächtigkeit in die Götterbilder projiziert wird. In den Machtspielen der Götter können die Menschen ihre eigenen Obsessionen der Macht erkennen. Und sie können erkennen, daß ihre Götter, wie sie selbst, die tiefere Wahrheit des Lebens verfehlen, nämlich die Versöhnung von Macht und Liebe. Auch die Götter bleiben in die verfeindeten Lebensmächte verstrickt. Wenn die Götter Macht und Liebe nicht vereinigen können, so heißt das, daß es die Menschen sind, die ihre Wesenskräfte noch nicht zusammengebracht haben. Im Schicksal der Götter können die Menschen die Gründe ihres eigenen Scheiterns erkennen. Somit erzählt der Mythos vom Untergang der Götter die sinnbildhafte Geschichte der Überwindung menschlicher Selbstentfremdung. Den Göttern, die in diesem Spektakel auftreten, muß man also den Glauben entziehen, damit jene sehr menschlichen Mächte zum Vorschein kommen können, deren phantastische Verkörperung sie sind.

Nun zum Mythos selbst, wie ihn Wagner erzählt und in Musik gesetzt hat.

Es beginnt mit dem berühmten Es–Dur–Dreiklang, der akustische Gedanke des Anfangs aller Dinge: das bewegte Urelement des Wassers. Aus der Auflösung des ersten Klanges entfaltet sich alles weitere. Der Schöpfungsaugenblick wird hörbar, wenn der die Sonne symbolisierende Klang hinzutritt. Das Feuer der Sonne läßt das Wasser zu Gold erglänzen. Das Gold wird zum Schatz am Grunde des Wassers. Die Rheintöchter hüten ihn. Er ist noch unberührt von der Gier nach Verwertung, noch nicht einbezogen in den verhängnisvollen Kreislauf von Macht und Besitz; er steht für die Unschuld und Einheit der natürlichen Welt. Der Schwarzalbe Alberich, ein Fürst der Finsternis und Herr der Nibelungen, hat keinen Sinn für die Schönheit des Schatzes, er will ihn besitzen, um seine Macht zu steigern. Die Liebe würde den Schatz und seine Schönheit auf sich beruhen lassen, sie würde das Sein sein lassen. Wer aber der Liebe entsagt, wird ihn rauben und verwerten wollen.

Alberich gelingt der Raub, weil seine Macht von keiner Liebe gehemmt wird. Diese Anfangsszene enthält bereits den ganzen Konflikt des Dramas. Das Spannungsverhältnis zwischen Macht und Liebe, Besitzgier und Hingabe, Spiel und Zwang wird den »Ring« bis zum Finale bestimmen.

Alberich versklavt die Nibelungen. Sie müssen für ihn arbeiten. Sie schmieden aus dem Goldschatz einen Ring, der seinem Träger unbegrenzte Macht verleiht. Kein Zweifel, daß Wagner im Nibelungenreich den dämonischen Geist des Industriezeitalters am Werke sieht. Zu Cosima bemerkte er unter dem Eindruck, den die Londoner Hafenanlagen auf ihn machten: *Der Traum Alberichs ist hier erfüllt. Nibelheim, Weltherrschaft, Tätigkeit, Arbeit, überall der Druck des Dampfes und Nebel.*

Auch Wotan, der Weißalbe und oberste Gott, hat sich in die Welt der Macht und des Besitzes verstricken lassen. Er läßt sich von den Riesen Fafner und Fasolt seine Götterburg Walhall bauen. Dadurch wird er ihnen vertragspflichtig und muß ihnen Freia, die Göttin der ewigen Jugend, verpfänden. Um sie auszulösen – denn ohne sie werden auch die Götter alt und grau –, raubt er den Schatz des Alberich, statt ihn den Rheintöchtern zurückzugeben. Durch die Verträge mit den Riesen gebunden, vermag er die alte Unschuld des Seins nicht mehr wiederherzustellen. Deshalb verweigert ihm Erda, die chthonische Ur-Mutter, die Anerkennung: *Du bist nicht / was du dich nennst.* Die Gier nach Besitz und Macht siegt über die naturhafte Seinsgerechtigkeit: *Der durch Verträge ich Herr, / der Verträge bin ich nun Knecht.*

Die mythische Welt hat also drei Ebenen: unten das ursprüngliche Sein von Schönheit und Liebe, verkörpert durch die Rheintöchter und die Erdmutter Erda; darüber die Welt der Nibelungen, wo es um Macht, Besitz und Sklaverei geht; und unheilvoll darin verstrickt die dritte Welt, die Welt der Götter, die sich ihren chthonischen Ursprüngen entfremdet haben. Am Ende von »Rheingold« klagen die Rheintöchter: *Traulich und treu / ist's nur in der Tiefe: / falsch und feig / ist was dort oben sich freut!*

Die Götter haben teil an der allgemeinen Korruption der Welt. Sie sind Fleisch vom Fleische. Von ihnen wird das Heil nicht kommen. Das kann nur der freie Mensch bringen, der aus dem verhängnisvollen Kreislauf von Macht, Besitz und Tauschverträgen ausbricht, der ohne göttliches Geheiß und nicht um des Besitzes willen den Drachen tötet, den Schatz gewinnt und ihn den Rheintöchtern zurückgibt. Der neue Anfang muß ohne die Götter gelingen. Die Götter, ermüdet von ihrer verfehlten Schöpfung, können sterben, wenn der Mensch der Liebe und der Schönheit erwacht. In Gestalt des Siegfried betritt er die Bühne. Er tötet den Drachen, nimmt arglos den Schatz, gibt Brünnhilde den Ring als Liebesgeschenk. Doch es fehlen ihm die Klugheit und das Wissen. Deshalb wird er das Opfer einer Kabale aus Neid, Machtwillen und Besitzgier. Hagen, der Sohn Alberichs, ermordet ihn. Siegfried ist der Durchbruch nicht gelungen, Brünnhilde vollendet sein Werk und gibt den Ring dem Rhein zurück. Walhall geht in Flammen auf, die Götter verbrennen. Brünnhildes Abgesang: *Nicht Gut, nicht Gold, / noch göttliche Pracht; / . . . nicht trüber Verträge / trügender Bund, / noch heuchelnder Sitte / hartes Gesetz: / selig in Lust und Leid / läßt – die Liebe nur sein.*

Der Mensch, der sich befreit, auch von der drückenden Last eines Götterhimmels; der es lernt, seinen Willen zur Macht durch die Kraft der Liebe in Schach zu halten – ihm wird im »Ring des Nibelungen« eine glanzvolle Bühne bereitet. Das Gegenbild, die entfremdete Welt von Macht und Besitz, findet sich im Reich Alberichs, bei den Nibelungen, wo das Gold und das Geld herrscht. Aber auch gegen diese Welt wird eigentlich kein Haß mobilisiert. Der Geist der Liebe und das Wohlwollen der Kunst würden es nicht erlauben.

Doch gab es bei Wagner viel Haß, der nicht direkt ins Werk einging, sondern sich andere Wege suchte. Für Wagner haben – es wurde bereits angedeutet – die Bewohner des finsteren Reiches von Alberich ein bestimmtes Gesicht: Es sind die Juden, für ihn die Personifikation des Geld- und Handelsgeistes nicht nur im Geschäftsleben, sondern auch im Kulturbetrieb.

Meyerbeer zum Beispiel, sein Konkurrent in den Pariser Jahren, wird für ihn zum Symbol dieses geschmacklosen Kulturkapitalismus. Bei Wagner wird diese Vorstellung vom jüdischen Geld-Geist sich steigern bis zur Wahnidee einer jüdischen Weltverschwörung aus dem Geiste des Geldes. Zur selben Zeit, da er über die Kunst und die Revolution und über das Kunstwerk der Zukunft nachdenkt, Anfang der 50er Jahre, veröffentlicht er den Aufsatz »Das Judentum in der Musik«, wo es heißt: *Der Jude ist nach dem gegenwärtigen Stand der Dinge dieser Welt bereits mehr als emanzipiert: er herrscht, und wird so lange herrschen, als das Geld die Macht bleibt, vor welcher all' unser Tun und Treiben seine Kraft verliert.*

Noch aggressiver äußerte sich Wagner in Gesprächen und Briefen. 1879 plädiert er, wie Cosimas Tagebucheintrag vom 11. Oktober zu entnehmen ist, für die Ausweisung der Juden aus dem Deutschen Reich. Man sollte, erklärt er ein andermal, die Assimilation rückgängig machen, sie sei ein gefährliches Versteck für die Juden. Wenn der lebendige Organismus einer Kultur sterbe, schreibt er in »Das Judentum in der Musik«, löse sich *das Fleisch dieses Körpers in wimmelnde Viellebigkeit von Würmern auf*. Das seien die Juden. Um den kulturellen Organismus zu retten, müsse man das tote Fleisch mit den Würmern herausschneiden. Schon hier bemerkt man, wie aus dem antikapitalistischen und kulturalistischen Antisemitismus ein biologisch-rassistischer wird. Gegen den Vorschlag, durch Mischehen die Integration der Juden zu befördern, wendet er 1873 ein: *Dann würde es künftig keine Deutschen mehr geben, das deutsche blonde Blut sei nicht kräftig genug, um dieser ›Lauge‹ zu widerstehen.*

In den letzten Jahren steigert sich Wagner in Phantasien über die endgültige Auslöschung des Judentums hinein. Im *heftigen Scherz,* so Cosima, bemerkt er gesprächsweise, *es sollten alle Juden in einer Aufführung des ›Nathan‹ verbrennen.* Am Schluß des in der »Parsifal«-Zeit verfaßten Aufsatzes »Erkenne dich selbst« wird unmißverständlich die mörderische Endlösung der Judenfrage ins Auge gefaßt. Wenn das deutsche Volk, heißt es dort, endlich sich selbst erkennt, wird es *keine Juden mehr geben. Uns Deutschen könnte ... diese große Lösung eher als jeder anderen Nation ermöglicht sein.* Und drohend fährt er fort: *Daß wir, dringen wir hiermit nur tief genug vor, nach der Überwindung aller falscher Scham, die letzte Erkenntnis nicht zu scheuen haben würden, sollte ... dem Ahnungsvollen angedeutet sein.* Wenn nach Wagners Tod die »Bayreuther Blätter« vollends zur Plattform eines fanatischen Rassismus und eliminatorischen Antisemitismus werden, geschieht das durchaus im Geiste des ›Meisters‹, der mit solcher Hetze begonnen hatte und doch Kunstsinn genug bewies, um sein Werk im allgemeinen davon frei zu halten.

Auf der Bühne ist die von Machtwillen und Besitzgier beherrschte Welt nicht die jüdische, sondern die bürgerlich-kapitalistische, und nicht der Haß, sondern die neue Welt aus Liebe und Schönheit bereitet ihr den Untergang. Wagner will das nicht nur zeigen wie ein Märchenerzähler. Er will mehr. Er will bei den Zuschauern und Zuhörern eine Umwendung des inneren Menschen erreichen, vergleichbar der religiösen Bekehrung. Auf nichts Geringeres hat er es abgesehen als auf die Gegenwart der Erlösung aus dem Geiste der Kunst, hier und jetzt. Wagner selbst spricht von einem *mythischen* Erlebnis, das er wachrufen will.

Wie soll man sich das vorstellen? Kann denn die mythische Geschichte, die der »Ring des Nibelungen« erzählt, anders aufgenommen werden denn als Fiktion? Hat Wagner nicht lediglich mythologischen Stoff, der inzwischen von keinem Glauben mehr beseelt ist, aus dem »Nibelungenlied«, aus der »Edda« und der »Deutschen Mythologie« von Jacob Grimm verarbeitet? Ist denn sein Werk nicht auf ästhetische Rezeption angelegt, und wird eine mythische Wirksamkeit dadurch nicht geradezu neutralisiert? Wagner war sich der Schwierigkeiten durchaus bewußt. Das belegen seine zahlreichen Aufsätze, die aber auch seine Absicht bekunden, die Grenzen des bloß Ästhetischen zu sprengen und jenes Bewußtsein zu erwirken, das er das *mythische* nennt. Daß damit nicht eine Wiederherstellung des Glaubens an die untergegangenen Götter gemeint sein kann, ist selbstverständlich, ist doch der Untergang der Götter gerade das Thema des »Rings«.

Nochmals, was ist mythisches Erleben? Es ist ein gesteigertes Erleben, dem sich eine ungeahnte Bedeutungsfülle auftut. Wagner grenzt es ab von wissenschaftlicher und alltäglicher Wahrnehmung. Hier ist die gegenständliche Einstellung maßgeblich. Die Distanz aber schwindet, wenn wir plötzlich als *teilnehmende Wesen* gefordert sind; dann geht uns etwas auf, und wir gehen in etwas auf, in Situationen, Menschen, Natureindrücken, Sprache, Musik. Lebensmächte, an denen das vereinzelte Bewußtsein, seine Grenze überschreitend, teilnimmt. Wagner nennt solche Augenblicke die *verdichtete Gestalt des wirklichen Lebens.*

Im Musikdrama will er sie unmittelbar anschaulich und hörbar machen. *Mythisch* nennt er also jene Haltung, in der die uns sonst so selbstverständliche Trennung zwischen Subjekt und Objekt zeitweilig aufgehoben ist, was berückend, beseligend, aber auch überwältigend wirken kann. Wie auch immer, es geht um eine andere, eine außeralltägliche Seinserfahrung. Ganz ausdrücklich bekennt sich Richard Wagner dazu, mit seinem Musikdrama einen anderen *Schauplatz des Seins* zu eröffnen – und zwar nicht bloß als gedanklich nachvollziehbares Konstrukt, sondern im Erleben, und das heißt: in realer Gegenwart. Zu solcher Gegenwart aber, so Wagner, kann es nur durch das Zusammenwirken aller Kräfte der Vergegenwärtigung kommen. Da ist die Musik, die für das Unsagbare eine Sprache findet, die nur das Empfinden versteht; da sind die Worte, die sich mit Musik verbinden und mit ihr zusammen eine neue Bedeutungssphäre bilden; da ist der Rhythmus in Handlung und Bewegung; da sind die Stellung der Personen zueinander, die Raumspannungen, die Kulissen und Bilderwelten des Hintergrundes, die Gestik und Mimik, die Verteilung von Licht und Schatten. Kein Element in diesem Ensemble des Sichtbaren und Hörbaren, das nicht in das große Bedeutungsspiel hineingezogen würde. Und dann ist da noch das Ritual der Aufführung, der Festspieltage, das Amphitheater des Festspielhauses, das dem Publikum die Fluchtwege abschneidet.

Das mythische Erleben ist außergewöhnlich, denn gewöhnlich

erleben wir anders, flüchtiger, oberflächlicher. Nicht nur das erlebende Subjekt verändert sich, auch das Objekt gewinnt Tiefe und Bedeutung. Wir werden anders, die Welt wird anders, sie erglänzt. In einem übertragenen Sinne kehren die Götter dann doch wieder. Sie thronen nicht über der Welt, sie gehen in das Leben und die Dinge als intensivierende Kraft ein, sie ›bewohnen‹ sie, wie man das einst in der Antike nannte. Nietzsche wird das auf die Formel bringen: Wagner gibt uns Augenblicke der *richtigen Empfindung*.

Die *richtigen Empfindungen* gehören zu einem Bereich, den Schopenhauer, der für Nietzsche wie für Wagner das entscheidende Bildungserlebnis darstellt, zur Sprache gebracht hat: die dunkle, triebhaft-dynamische Sphäre des Unbewußten und Halbbewußten. Die Welt des Willens bei Schopenhauer oder des Dionysischen bei Nietzsche. Es ist auch die romantische Welt des Nächtlichen. Die romantische Idee, daß der Lichtkegel unserer Erkenntnis nicht alle Bereiche unserer Erfahrung beleuchtet, daß unser Bewußtsein nicht unser ganzes Sein erfassen kann, daß wir inniger mit dem Lebensprozeß verbunden sind, als es unsere Vernunft wahrhaben will – diese Überzeugung, die in Schopenhauers Willensphilosophie so eindringlichen Ausdruck gefunden hat, wirkt bei Wagner und Nietzsche nach. Hier sind sie Romantiker, wie bereits Schopenhauer einer war.

Schopenhauer hatte den Gedanken von der gewissermaßen unterirdischen Lebensverbundenheit des Einzelnen mit dem Ganzen in das Bild gefaßt: *Denn, wie auf dem tobenden Meere, das, nach allen Seiten unbegrenzt, heulende Wasserberge erhebt und senkt, auf einem Kahn ein Schiffer sitzt, dem schwachen Fahrzeug vertrauend; so sitzt, mitten in einer Welt voll Qualen, ruhig der einzelne Mensch, gestützt und vertrauend auf das principium individuationis.* Für Schopenhauer war es ein Gefühl des *Grausens*, wenn das Individuum aus seinen Grenzen gerissen wurde und die Allverbundenheit mit dem Leben erfuhr. Für andere Romantiker, wie zum Beispiel Novalis, war es ein Entzücken, in dem *dunkel lockenden Schoß der Natur* zu versinken. Zumeist aber ist es ein gemischtes Gefühl aus Lust und Schmerz, Ekstase und

Lähmung, Todesgrauen und Lebensfeier, das solche Entgrenzung begleitet. Richard Wagner bringt es in Musik. *Das Orchester*, schreibt er, *ist ... der Boden unendlichen, allgemeinsamen Gefühls, aus dem das individuelle Gefühl des einzelnen Darstellers zur höchsten Fülle herauszuwachsen vermag.* An anderer Stelle vergleicht er den Orchesterklang mit dem Meer und die Melodie ist das Schiff, das darauf treibt.

Die Sphäre des Schopenhauerschen Willens ist aber bei Wagner vollkommen erotisiert, ähnlich wie bei Novalis. »Tristan und Isolde« zeigen Wagners Romantik, sein Spiel mit den ozeanischen Gefühlen, auf dem Höhepunkt. Die Liebenden werden die *Nachtgeweihten* genannt, sie sterben den Liebestod, lösen sich auf in das dynamische Grundgeschehen von ›Stirb und Werde‹.

So wirkungsvoll ist das alles in Szene gesetzt, daß man erst mit diesem Musikdrama, das zum europäischen Ereignis wird, auch außerhalb Deutschlands zu begreifen beginnt, was es mit der Deutschen Romantik auf sich hat. Wagner selbst schrieb an Mathilde von Wesendonk: *Kind! Dieser ›Tristan‹ wird was Furchtbares! Dieser letzte Akt!!! Ich fürchte, die Oper wird verboten – falls durch schlechte Aufführung nicht das Ganze parodiert wird ... Vollständig gute müssen die Leute verrückt machen ...*

Tatsächlich machte Wagner nicht wenige Leute verrückt. So in Frankreich etwa Baudelaire, der bereits den »Tannhäuser« wie einen Opiumrausch erlebte: *Beim Anhören dieser brünstigen, despotischen Musik scheint es bisweilen, als finde man, auf den Grund der Finsternis gemalt, die schwindelnden Spuren des Opium wieder ... Ich hatte ganz die Vorstellung einer Seele, die sich in einer lichthellen Umgebung bewegt, einer Ekstase, aus Wonne und Erkenntnis geboren und hoch und ferne schwebend – über der natürlichen Welt.*

Wagner wurde nicht nur in Frankreich zum Idol der artistischen Kosmiker und der entfesselten Symbolisten. Für die »Revue Wagnérienne« – eine Zeitschrift der Avantgarde, und nicht, wie die »Bayreuther Blätter«, ein antisemitisches Hetzblatt – war Wagner ein *Führer und Anreger auf schlechthin allen Gebieten.* Die Décadence und das Fin de siècle, ob in Paris, Wien oder München, fanden in

Wagner ihren Kosmos der umgestülpten Welt wieder, wo die Krankheit über die Gesundheit, der Tod über das Leben, Künstlichkeit über Natürlichkeit, Nutzlosigkeit über den Nutzen und Hingabe über vernünftige Selbstbehauptung triumphierten. Hier sah man die Welt wieder ins Geheimnis gehüllt, es zeigte sich das Dämonische und Dionysische, und man hörte die schmelzende Klage über die Ausnüchterung des bürgerlichen Zeitalters. Huysmans, D'Annunzio, der junge Thomas Mann, Schnitzler, Hofmannsthal, Mallarmé – sie alle waren fasziniert von den Motiven des Liebestodes und der Götterdämmerung, von dem dunkel klingenden Reich aus Schicksal, Eros und Thanatos. Die Orchesterstürme und die unendliche Melodie ließen einen versinken in die seelischen Untergründe und ihre dunklen Verheißungen. Man fühlte sich im Auge des Orkans, im Inneren der Formgewalten.

Auch wenn es um zarte und feine Dinge geht, Richard Wagner zieht immer alle Register seiner Wirkungsmächtigkeit, um aus dem Reservat der bloß schönen Künste herauszukommen und mythisches Erleben oder rauschhafte Verzückung möglich zu machen. Seine Kunst wird, wie es schon Zeitgenossen kritisch vermerkten, zum *Generalangriff auf alle Sinne.* Das verleiht seinem Werk, das gegen die kapitalistische Moderne protestiert, seine eigentümliche Modernität. Denn das Primat der Wirkung und der Wirkungsabsicht gehört zum Charakter dieser Moderne, in der die Öffentlichkeit sich als Markt organisiert. Dort müssen auch die Künstler gegeneinander konkurrieren, um Aufmerksamkeit zu gewinnen. Oft müssen sie mit lauten und groben Mitteln für die zarte Empirie ihrer Werke werben. Charles Baudelaire empfiehlt den Künstlern ganz unverhohlen, vom Geist der Reklame zu lernen: *Erregt ebensoviel Interesse mit neuen Mitteln ... verdoppelt, verdreifacht, vervierfacht die Dosis.* Der Markt hat das Publikum an die Macht gebracht. Es will umschmeichelt, verführt oder gar überwältigt werden. Es fordert in Politik und Kunst seine Heroen. Richard Wagner war ein solcher Held, er konnte als Napoleon des europäischen Musiktheaters gelten. Er, der auf das mythische Erlebnis einstimmte, verstand sich gut darauf, die eigene Person als öffentlichen Mythos zu etablieren. Wahrscheinlich gibt es hier einen Zusammenhang: Die Mythenproduktion in der Moderne erheischt die Selbstmythologisierung des Produzenten. Seinen Feldzug zur Eroberung des Publikums in Paris beginnt Wagner nicht mit der Aufführung seiner Werke, sondern mit der Anmietung einer prunkvollen Wohnung, die er sich eigentlich gar nicht leisten kann, die aber das Interesse an seiner Person weckt. Mit Wagner beginnt im großen Stil der Personenkult.

Die Götterdämmerung hatte Platz geschaffen für den vergöttlichten Künstler. Über die Grundsteinlegung auf dem Festspielhügel in Bayreuth am 22. Mai 1872 berichtet Adelheid von Schorn, eine Freundin Franz Liszts und eine Wagnerianerin der ersten Stunde: *Am Tag der Grundsteinlegung war so furchtbares Regenwetter, der Lehmboden auf dem Hügel so tief aufgeweicht, daß alles buchstäblich zu Wasser wurde ... Mich trieb es aber unaufhaltsam ... Ich stieg aus und trat unter das Holzgerüst – mit mir noch ein weibliches Wesen ... Wir beide haben hinter Richard Wagner gestanden, als er die drei feierlichen Schläge mit dem Hammer auf den Stein tat ... Als er sich umdrehte ... war er leichenblaß, und Tränen standen ihm in den Augen. Es war ein unbeschreiblich feierlicher Moment, den wohl keiner vergessen hat, der dabei war ...*

Vierzehntes Kapitel

Nietzsche über Wagner: die erste Weltumsegelung der Kunst. Der
unromantische Geist der Zeit: Materialismus, Realismus, Historismus.
Arbeitshaus. Die Romantik des Dionysischen. Weltsprache Musik.
Nietzsches Abwendung von Wagner: Erlösung vom Erlöser.
Der Erde treu bleiben. Heraklits und Schillers spielendes Weltkind.
Das Ende des ironischen Widerstandes. Zusammenbruch.

Als am 22. Mai 1872, Richard Wagners neunundfünfzigstem Ge-
burtstag, die feierliche Grundsteinlegung zum Festspielhaus in Bayreuth stattfand, war auch Friedrich Nietzsche dabei. *Es ist*, schreibt
er in der vierten »Unzeitgemäßen Betrachtung«, *die erste Weltumse-*
gelung im Reiche der Kunst: wobei, wie es scheint, nicht nur die neue Kunst,
sondern die Kunst selber entdeckt wurde.

Nietzsche und Wagner, eine lange, verwickelte Geschichte. Es
gab die glücklichen Tage von Tribschen, als der junge Professor
Nietzsche von Basel aus beim Meister ein und aus ging. Dieses Ely-
sium ist oft geschildert worden, die gemeinsamen Spaziergänge am
See, Cosima bei Nietzsche untergehakt; die geselligen Abende im
vertrauten Kreis, wenn der Meister, nach gemeinsamer Lektüre von
E. T. A. Hoffmanns »Der goldne Topf«, Cosima zur Wunderschlange
Serpentina, sich selbst zum dämonischen Archivar Lindhorst und
Friedrich Nietzsche zum verträumten und ungeschickten Studenten Anselmus ernennt; Nietzsches Beflissenheit, wenn er für Cosima in Basel Weingläser, Tüllstreifen mit Goldsternen und Pünkt-
chen, ein geschnitztes Christuskind und andere Püppchen besorgt
und mithilft beim weihnachtlichen Vergolden von Äpfeln und
Nüssen und die Korrekturfahnen von Richard Wagners Autobio-
graphie durchsieht; der Morgen des ersten Weihnachtstages 1870, als
ein kleines Orchester im Treppenhaus die später als »Siegfried-Idyll«
bekannte Komposition aufführt, als Geburtstagsgruß für Cosima;

Nietzsche am Klavier improvisierend, bei welcher Gelegenheit Cosima höflich zuhört und Richard Wagner mit zurückgehaltenem Lachen den Raum verläßt.

Es kam also schon bald zu Kränkungen, doch trotz allem, zunächst bleibt es für Nietzsche dabei: Wagner bedeutet ihm die *erste Weltumsegelung im Reiche der Kunst*. Er sieht die Kunst mit Wagner an ihren Ursprung in der griechischen Antike zurückkehren. Sie wird wieder zum gesellschaftlichen Sakralereignis, das die mythische Bedeutsamkeit des Lebens feiert. Sie gewinnt jenen Schauplatz zurück, wo eine Gesellschaft sich über sich selbst verständigt, wo für die gemeinschaftliche Anschauung der Sinn alles Tun und Treibens offenbar werden kann. Worin aber besteht dieser ›Sinn‹?

Nietzsche hält sich nicht lange auf bei den mythologischen Einzelheiten in Wagners Dichtung. Das Mythische der Wagnerschen Kunst entdeckt er fast ausschließlich in der Musik, die er die Sprache der *richtigen Empfindung* nennt. Man muß, sagt er, die Krankheit unserer Kultur durchlitten haben, um das Geschenk der Wagnerschen Musik dankbar empfangen zu können. Wagners Musikdrama also als romantische Antwort auf das große Unbehagen an einer flachen, eindimensionalen Kultur. Wagner habe bemerkt, schreibt Nietzsche, daß die Sprache erkrankt ist. Der Fortschritt der Wissenschaften habe die anschaulichen Weltbilder zerstört. Wir sehen die Sonne täglich aufgehen, wissen aber, daß sie das nicht tut. Das Reich der Gedanken reicht bis ins Unanschauliche im Großen wie im Kleinen. Und zugleich wird die Zivilisation immer komplexer und unübersichtlicher. Spezialisierung und Arbeitsteilung nehmen zu, die Handlungsketten, durch die jeder mit dem Ganzen verbunden ist, werden länger und verwirren sich. Wer versucht, das Ganze, in dem er lebt, zu erfassen, dem versagt schließlich die Sprache ihren Dienst. Sie erfaßt nicht mehr das Ganze, sie reicht aber auch nicht mehr in die Tiefe des Einzelnen. Sie erweist sich als zu arm und zu begrenzt. Gleichzeitig aber bringt es die dichtere Verknüpfung des gesellschaftlichen Gewebes mit sich, daß die Sprache einen öffentlichen Machtzuwachs erfährt. Sie wird ideologisch, Nietzsche nennt das den *Wahnsinn der allgemeinen Begriffe*, die den Einzelnen wie mit Gespensterarmen packen und hinschieben, wohin er nicht will. Wohin aber drängt der Geist der Zeit? Für Nietzsche besteht kein Zweifel daran, daß es eine Wüste ist, die da wächst, es sind die Schrecken eines Flachlandes, das sich unabsehbar vor einem ausdehnt. Verweilen wir noch einen Augenblick bei jener gesellschaftlichen Normalität um 1870, bei diesen Schrecken des Gewöhnlichen, gegen die Nietzsche die Romantik des Dionysischen aufbietet.

Nietzsche hat es mit einer Epoche zu tun, in der die Wissenschaft ungeheure Triumphe feiert. Positivismus, Empirismus, Ökonomismus in der Verbindung mit exzessivem Nützlichkeitsdenken bestimmen den Zeitgeist. Und vor allem ist man optimistisch. Da sieht man, Nietzsche notiert es mit Empörung, die deutsche Reichsgründung als *vernichtenden Schlag gegen alles ›pessimistische‹ Philosophieren* an. Nietzsche stellt seiner Epoche die Diagnose, sie sei *redlich* und *ehrlich*, aber auf pöbelhafte Weise. Sie sei *vor der Wirklichkeit jeder Art unterwürfiger, wahrer.* Sie suche überall nach Theorien, die geeignet seien, eine *Unterwerfung unter das Tatsächliche* zu rechtfertigen.

Nietzsche hatte hier noch den biedermeierlichen, auch kleinmütigen Aspekt dieses Realismus vor Augen. Aber seit der Mitte des 19. Jahrhunderts grassierte ein Realismus, der sich dem Tatsächlichen nur unterwarf, um es noch mehr beherrschen und in seinem Sinne umgestalten zu können. Der *Wille zur Macht*, den Nietzsche später verkündigen wird, feiert schon Triumphe, allerdings nicht auf der Gipfelhöhe von *Übermenschen*, sondern im ameisenhaft fleißigen Betrieb einer Zivilisation, die in allen praktischen Dingen an die Wissenschaft glaubt. Das galt für die bürgerliche Welt, aber auch für die Arbeiterbewegung, deren schlagkräftige Losung bekanntlich lautete: ›Wissen ist Macht‹. Bildung sollte gesellschaftlichen Aufstieg bringen und gegen Täuschungen jeder Art resistent machen: Wer etwas weiß, dem kann man so leicht nichts mehr vormachen, das Beeindruckende am Wissen ist, daß man sich nicht mehr beeindrucken zu lassen braucht. Bevorzugt wird ein Typ des Wissens, mit dem man sich vor den Versuchungen des *Enthusiasmus* bewahren kann. Nur keine Überschwenglichkeiten, wer trocken und sachlich seine Dinge erledigt, kommt weiter und kann einen Souveränitätsgewinn einstreichen. Man will die Dinge herunterziehen und aufs eigene womöglich kümmerliche Format bringen. Es ist schon erstaunlich, wie seit der Mitte des 19. Jahrhunderts, nach den idealistischen Höhenflügen des absoluten Geistes, plötzlich überall die Lust aufkommt, den Menschen kleinzumachen. Es beginnt die Karriere der Denkfigur: ›der Mensch ist nichts anderes als . . .‹ Für die Romantik hob bekanntlich die Welt zu singen an, wenn man nur das Zauberwort traf. Die Poesie und Philosophie der ersten Jahrhunderthälfte war das hinreißende Projekt, immer neue Zauberworte zu finden, überschwengliche Bedeutungen zu erfinden.

Stärker, als er es später billigen kann, gerät Nietzsche bei der Kritik der prosaischen Gesinnung seiner Zeit in romantisches Fahrwasser. Schon als Schüler hatte er sich mit einem Schulmeister angelegt, als er seinen Lieblingsdichter Hölderlin verteidigte. Der Geist der zweiten Jahrhunderthälfte war den Matadoren auf der Zauberbühne des Geistes nicht mehr günstig gesinnt; sie erschienen wie die Kinder, als die Realisten mit ihrem Tatsachensinn und bewaffnet mit der Formel des ›nichts anderes als‹ in der Tür standen. Die idealistische und romantische Spielschar hatte es toll getrieben, alles durcheinandergeworfen, aber jetzt geht es ans Aufräumen, nun beginnt der Ernst des Lebens, dafür werden die Realisten schon sorgen. Dieser Realismus der zweiten Hälfte des 19. Jahrhunderts wird das Kunststück fertigbringen, klein vom Menschen zu denken und doch Großes mit ihm anzustellen, wenn man denn die moderne wissenschaftliche Zivilisation, von der wir alle profitieren, ›groß‹ nennen will. Jedenfalls begann im letzten Drittel des 19. Jahrhunderts die jüngste Moderne mit einer Gesinnung, der alles Überspannte und Phantastische zuwider war. Nur wenige ahnten damals so wie Nietzsche, welche Ungeheuerlichkeiten der Geist der positivistischen Ernüchterung noch hervorbringen würde.

Die Trockenlegung des deutschen Idealismus hatte um die Mitte des Jahrhunderts ein Materialismus von besonders vierschrötiger Gestalt besorgt. Breviere der Ernüchterung wurden plötzlich bestsellerfähig. Da gab es Karl Vogt mit seinen »Physiologischen Briefen« (1845) und seiner Streitschrift »Köhlerglaube und Wissenschaft« (1854); Jakob Moleschotts »Kreislauf des Lebens« (1852), Ludwig Büchners »Kraft und Stoff« (1855) und Heinrich Czolbes »Neue Darstellung des Sensualismus« (1855). Czolbe hatte das Ethos dieses Materialismus aus Kraft und Stoß und Drüsenfunktion mit den Worten charakterisiert: *es ist eben ein Beweis von ... Anmaßung und Eitelkeit, die erkennbare Welt durch Erfindung einer übersinnlichen verbessern und den Menschen durch Beilegung eines übersinnlichen Teiles zu einem über die Natur erhabenen Wesen machen zu wollen. Ja gewiß – die Unzufriedenheit mit der Welt der Erscheinungen, der tiefste Grund der übersinnlichen Auffassung ist ... eine moralische Schwäche ... Begnüge dich mit der gegebenen Welt.*

Was war einer solchen Sinnesart nicht alles ›gegeben‹! Die Welt des Werdens und Seins – nichts anderes als Gestöber von Materieteilen und Umwandlungen von Energien. Nietzsche fühlt sich herausgefordert, die Welt des Atomisten Demokrit vor den zeitgenössischen Materialisten in Schutz zu nehmen. Man benötigt offenbar nicht mehr den Nous des Anaxagoras und die Ideen des Platon und selbstverständlich auch nicht mehr den Gott der Christen, nicht die Substanz des Spinoza, nicht das Cogito des Descartes, nicht das Ich Fichtes und nicht den Geist Hegels. Der Geist, der im Menschen lebt, ist nichts anderes als Gehirnfunktion, heißt es. Die Gedanken verhalten sich zum Gehirn wie die Galle zur Leber und der Urin zur Niere. *Etwas unfiltriert* seien diese Gedanken, bemerkte damals Hermann Lotze, einer der wenigen Überlebenden aus dem vormals starken Geschlecht der Metaphysiker.

Der Siegeszug des Materialismus war durch kluge Einwände nicht aufzuhalten, vor allem deshalb nicht, weil ihm ein besonderes Metaphysikum beigemischt war: der Glaube an den Fortschritt. Wenn wir die Dinge und das Leben herunteranalysieren bis auf seine elementaren Bestandteile, dann werden wir, so lehrt dieser

Glaube, das Betriebsgeheimnis der Natur entdecken. Wenn wir herausbringen, wie alles gemacht ist, sind wir imstande, es nachzumachen. Ein Bewußtsein ist hier am Werk, das allem auf die Schliche kommen will, auch der Natur, die man – im Experiment – auf frischer Tat ertappen muß und der man, wenn man weiß, wie sie läuft, zeigt, wo es langgeht.

Diese Geisteshaltung gibt auch dem Marxismus in der zweiten Hälfte des 19. Jahrhunderts Auftrieb. In mühevoller Kleinarbeit hatte Marx den Gesellschaftskörper seziert und dessen Seele herauspräpariert: das Kapital. Am Ende war dann nicht mehr ganz klar, ob denn die messianische Mission des Proletariats – Marxens Beitrag zum deutschen Idealismus vor 1850 – gegen die eherne Gesetzmäßigkeit des Kapitals – Marxens Beitrag zum deterministischen Geist nach 1850 – überhaupt noch eine Chance haben würde. Auch Marx will das vormals Hohe und Erhabene, den Geist, herunteranalysieren. Er führt ihn, als Überbau, auf die Basis der gesellschaftlichen Arbeit zurück.

Überhaupt die Arbeit. Noch weit über ihre praktische Bedeutung hinaus wird Arbeit zum Bezugspunkt, von dem her immer mehr Aspekte des Lebens interpretiert und bewertet werden. Der Mensch ist, was er arbeitet, und die Gesellschaft ist eine Arbeitsgesellschaft, und auch die Natur arbeitet sich gewissermaßen durch die Evolution voran. Arbeit wird zum neuen Heiligtum, eine Art Mythos, der die Gesellschaft zusammenhält. Das Bild der großen Gesellschaftsmaschine, die den Einzelnen zum Rädchen und Schräubchen macht, okkupiert die Selbstdeutungen der Menschen und gibt den Orientierungshorizont vor. Es ist gerade dieser Gesichtspunkt, den Nietzsche in seiner Kritik an David Friedrich Strauß, dem Popularaufklärer der zweiten Jahrhunderthälfte, in den Mittelpunkt rückt. David Friedrich Strauß, der mit seiner ersten Schrift »Das Leben Jesu« (1835) die rationalistische Kritik des Christentums, wie bereits dargestellt, in das breite Publikum getragen hatte und nun, als alter Mann, ein vielgelesenes Bekenntnisbuch »Der alte und der neue Glaube« (1872) veröffentlichte, war ein geschworener Feind von Wagners neuen Kunstmythen, überhaupt von allen Versuchen, die Kunst zur Ersatzreligion zu erheben. Darum wurde er von Wagner inständig gehaßt, und von dem ließ sich Nietzsche denn auch auf die Spur dieses Autors setzen, den er in der ersten seiner »Unzeitgemäßen Betrachtungen« als Symptom dieser ganzen arbeitsseligen Wissenschafts- und Nützlichkeitskultur abfertigt.

Die Botschaft von Strauß lautet: Es gibt viele Gründe, mit der Gegenwart und ihren Errungenschaften – die Eisenbahn, die Schutzimpfung, die Hochöfen, die Bibelkritik, die Reichsgründung, die Düngemittel, das Zeitungswesen, die Post – zufrieden zu sein. Warum sollte man vor der reichen Wirklichkeit in die Metaphysik und Religion ausweichen? Wenn die Physik das Fliegen lernt, müssen die Überflieger der Metaphysik abstürzen und sollen sich damit abfinden, die platte Erde anständig zu bewohnen. Realitätssinn ist gefordert. Er wird die Wunderwerke der Zukunft hervorbringen. Auch von der Kunst sollte man sich nicht betören lassen. Klug dosiert allerdings ist sie nützlich und gut, sogar unentbehrlich. Gerade weil unsere Welt eine große Maschine geworden ist, gilt doch auch der Satz: *es bewegen sich in ihr nicht bloß unbarmherzige Räder, es ergießt sich auch linderndes Öl.* Solches linderndes Öl ist die Kunst. Die Musik Haydns nennt Strauß eine *ehrliche Suppe,* Beethoven ist *Konfekt,* und wenn er die »Eroica« hört, dann drängt es Strauß, *über den Strang zu schlagen und ein Abenteuer zu suchen,* aber bald kehrt er wieder zurück zu den Wonnen der Gewöhnlichkeit im Gründungsfieber des vereinten Deutschlands, und Nietzsche gießt Hohn und Spott über diese *schleichende Filzsocken-Begeisterung.*

Man spürt bei Nietzsche die ganze Empörung eines Menschen, der bei der Kunst, insbesondere bei der Musik, sich im Herzen der Welt wähnt, der *im Banne der Kunst* sein wahres Sein findet und der deshalb gegen eine Gesinnung ankämpft, für welche Kunst eine schöne Nebensache, vielleicht sogar die schönste, aber eben doch nur eine Nebensache ist. Diese Empörung über die bürgerlichen Tempelschänder der Kunst, Nietzsche nennt sie die *Bildungsphilister,* haben wir bereits bei den romantischen Autoren als durchgängiges Motiv kennengelernt. In dieser Tradition der romantischen Publikumsbeschimpfung steht auch Nietzsche mit seiner Kritik an David Friedrich Strauß. Auch Nietzsche schwelgt in den Rachephantasien eines empörten Kunstfreundes: *wehe allen eitlen Magistern und dem ganzen ästhetischen Himmelreich, wenn erst der junge Tiger ... auf Raub ausgeht!* Der junge Tiger? Er hatte schon im Tragödienbuch seinen Auftritt, wo er den Geist der wilden dionysischen Kunst symbolisierte. Was Nietzsche so in Rage bringt: daß diese bildungsbürgerliche Gesinnung das Ungeheure ins Behagliche umdeutet.

Das gilt für die Kunst, aber auch für die Natur, denn auch der damals mächtig aufkommende Darwinismus wird bei Strauß verharmlost, und die ernsten Konsequenzen daraus werden, wie Nietzsche kritisch anmerkt, gerade nicht gezogen. Man übernimmt gerne von dorther den Atheismus; statt Gott ist jetzt der Affe das Thema, gewiß. Strauß kleidet sich zwar *in das zottige Gewand unserer Affengenealogie*, aber er scheut sich, die ethischen Folgerungen aus dieser Naturgenealogie zu ziehen. Wäre er mutig gewesen, hätte er *aus dem bellum omnium contra omnes und dem Vorrecht des Stärkeren Moralvorschriften für das Leben ableiten können*, mit denen er sofort die *Philister* gegen sich aufgebracht hätte. Um deren Bedürfnis nach Sicherheit und Bequemlichkeit zu befriedigen, vermeidet Strauß die nihilistischen Konsequenzen des Materialismus und gibt seinen Überlegungen eine gemütliche und gemütvolle Wendung, indem er in der Natur eine neue *Offenbarung der ewigen Güte* entdeckt. Für Nietzsche aber ist die Natur das schlechthin Ungeheure.

Nietzsche will, um sich vor solchem Philistertum zu bewahren, auf jeden Fall und immer geistesgegenwärtig das *Ungeheure* in Sichtweite behalten. Er ist der geschworene Feind jeder *Vergemütlichung*. Deshalb legt er sich auch mit dem Historismus an, der, neben Materialismus und Realismus ebenfalls mächtigen Tendenz des Zeitgeistes.

Im Deutschland der Gründerzeit hatte dieser Historismus eine besondere Färbung angenommen. Der Historismus blickte in die

Geschichte zurück, um sich ins Bewußtsein zu holen, wie herrlich weit man es doch gebracht habe. Zugleich aber galt es, eine Unsicherheit im Lebensgefühl und im Stil zu kompensieren. Man wußte doch nicht so genau, wer man war und worauf man hinauswollte. Und so verband sich dieser Historismus auch mit der Lust am Nachgemachten, am Unechten. Erneut triumphiert der Geist des ›Als ob‹. Eindruck machte, was nach etwas aussah. Jeder verwendete Stoff wollte mehr vorstellen, als er war. Es kam zu einer Inflation des Materialschwindels: Marmor war bemaltes Holz, schimmernder Alabaster war Gips; das Neue mußte nach alt aussehen, griechische Säulen am Börsenportal, die Fabrikanlage als mittelalterliche Burg, die Ruine ein Neubau. Man pflegte die historische Assoziation, Gerichtsgebäude erinnerten an Dogenpaläste, das bürgerliche Wohnzimmer beherbergte Luther-Stühle, Zinnbecher und Gutenberg-Bibeln, die sich als Nähnecessaire entpuppten. Nach der Ausrufung des ›Deutschen Kaisers‹ im Spiegelsaal von Versailles erstrahlte auch die politische Macht im Talmiglanz. Dieser Wille zur Macht war nicht ganz echt, mehr Wille als Macht. Man wünschte Inszenierung. Keiner wußte das so gut wie Richard Wagner, der alle Register des Theaterzaubers zog, um die germanische Vorzeit wirkungsvoll auf die Bühne zu bringen. Das alles vertrug sich mit der realitätstüchtigen Gesinnung. Gerade weil dieser Sinn so überaus tüchtig war, mußte ein wenig geschönt, geschmückt, drapiert, ziseliert werden, damit das Ganze nach etwas aussah und etwas galt.

Für Nietzsche ist der Verdacht nicht abzuweisen, daß der Historismus einen Mangel an Lebenskraft kompensieren soll. Und geschwächt ist diese Lebenskraft, gerade weil sie in der Sammelwut des Wissens die Orientierung verloren hat: *man denke sich eine Kultur, die keinen festen und heiligen Ursitz hat, sondern alle Möglichkeiten zu erschöpfen und von allen Kulturen sich kümmerlich zu nähren verurteilt ist – das ist die Gegenwart . . . Worauf weist das ungeheure historische Bedürfnis der unbefriedigten modernen Kultur, das Umsichsammeln zahlloser anderer Kulturen, das verzehrende Erkennenwollen, wenn nicht auf den*

Verlust des Mythus, auf den Verlust der mythischen Heimat, des mythischen Mutterschoßes?

Kein Zweifel, diese Welt des Realismus, der Nützlichkeit, des Arbeitseifers, des geheimnislosen Behagens und des Historismus ist der Ausgangspunkt des in Nietzsches Wagner-Aufsatz so genannten *Wahnsinns der allgemeinen Begriffe*, die den Einzelnen wie mit *Gespensterarmen* packen. Es ist der Wahnsinn der Plattheit, der die Verwundungen zufügt, von denen Nietzsche hofft, daß der Meister der Musik sie wird heilen können.

Wenn nun, schreibt Nietzsche, *in einer solchermaßen verwundeten Menschheit, die Musik unserer deutschen Meister erklingt, was kommt da eigentlich zum Erklingen? Eben nur die richtige Empfindung, die Feindin aller Konvention, aller künstlichen Entfremdung und Unverständlichkeit zwischen Mensch und Mensch: diese Musik ist Rückkehr zur Natur, während sie zugleich Reinigung und Umwandlung der Natur ist; denn in der Seele der liebevollsten Menschen ist die Nötigung zu jener Rückkehr entstanden, und in ihrer Kunst ertönt die in Liebe verwandelte Natur.*

Die richtige Empfindung ist für Nietzsche jenes Gefühl, das er als mythische Lebensmacht ansieht und dessen Namen wir schon kennen: das Dionysische. Schon die Romantiker hatten es ins Spiel gebracht, Friedrich Schlegel zum Beispiel, als er gegen die prosaische Alltagskultur des Rationalismus ausrief: *Die Zeit ist da ... alle Mysterien dürfen sich enthüllen!* Gemeint waren die dionysischen Mysterien der spirituellen Sinnlichkeit und des *schönen Chaos*. Eine Art trunkene Einheit mit der Weltsubstanz, mit dem Geheimnis des schöpferischen Seins. Ebenso verspricht sich Nietzsche von Wagners Musikdrama die dionysische Wiedervereinigung in den Tiefenschichten des Gefühls, jene Kommunion durch die Kunst, wie er sie in seinem Buch über die »Geburt der Tragödie aus dem Geiste der Musik« am griechischen Beispiel beschreibt. *Unter dem Zauber des Dionysischen schließt sich ... der Bund zwischen Mensch und Mensch wieder zusammen ... Jetzt ... fühlt sich Jeder mit seinem Nächsten nicht nur vereinigt, versöhnt, verschmolzen, sondern eins, als ob der Schleier der*

Maja zerrissen wäre und nur noch in Fetzen vor dem geheimnisvollen Ur-Einen herumflattere. Nietzsche erlebt Wagners Musikdrama als ein großes dionysisches Weltspiel. Um sich dieses Erlebnis zum Bewußtsein zu bringen, wendet er seine Unterscheidung des Apollinischen und Dionysischen auf Wagner an.

Das Apollinische sind die Schicksale und Charaktere der einzelnen Gestalten, ihr Sprechen und Handeln, ihre Konflikte und Konkurrenzen. Der tönende Untergrund aber ist das Dionysische; darin gibt es zwar auch Unterschiede – die Wagnersche Leitmotivtechnik betont sie ja ausdrücklich –, aber alles Differente wird doch immer wieder in das tönende Meer versenkt. Der dionysische Musikrausch löst die Charaktermasken auf zugunsten eines sympathetischen All- und Einheitsgefühls. Die Wagnersche Musik ist für Nietzsche ein mythisches Ereignis, weil sie die spannungsreiche Einheit des Lebendigen ausdrückt.

Nietzsche erfährt Wagners Musikdrama als Wiederkehr des Dionysischen, als ein Medium, das ihm einen Zugang zu elementaren Schichten des Lebens eröffnet, und seine Musikphilosophie im Anschluß an Wagner ist der Versuch, die musikalische Klangwelt als Offenbarung einer abgründigen Wahrheit über den Menschen zu verstehen. Nietzsche beginnt hier mit Erkundungen, an die später Claude Lévi-Strauss in seinem Hauptwerk »Mythologica« erinnert mit der Behauptung, in der Musik und insbesondere im Wesen der Melodie liege der Schlüssel zum *letzten Geheimnis des Menschen.* Die Musik sei die älteste Universalsprache, jedermann verständlich und doch unübersetzbar in jedes andere Idiom. Was soll man sich unter diesem *Geheimnis,* von dem Nietzsche und Lévi-Strauss sprechen, vorstellen?

Bedenkt man, daß heute die Musik, von Bach bis zur Popmusik, das einzige universelle Kommunikationsmedium darstellt, dann kann man sie jedenfalls als eine Macht ansehen, die über die babylonische Sprachverwirrung triumphiert. Die damit verbundene Vorstellung, daß die Musik dem Sein näher steht als alle anderen Erzeugnisse unseres Bewußtseins, ist uralt. Sie liegt den orphischen und pythagoreischen Lehren zugrunde. Sie hat Kepler geleitet bei der Berechnung der Planetenbahnen. Musik galt als Sprache des Kosmos, als figurierter Sinn, bei Schopenhauer dann als unmittelbarer Ausdruck des Weltwillens.

Wenn der Logos das Schweigen der sprachlosen Dinge bricht und ihr unerschöpfliches Sein dann doch im Begriff verfehlen muß und wenn es der Mythos ist, der das vom Logos nicht Erfaßbare sagen will, dann gehört die Musik in den mythischen Bereich. Sie hat sich als mythische Kraft behauptet und ist allgegenwärtig. Sie dringt überall ein, in alle Beziehungen und Nischen. Sie ist Klangteppich, Atmosphäre, Milieu.

Inzwischen ist sie zum Grundrauschen unserer Existenz geworden. Wer mit Stöpseln im Ohr in der U-Bahn sitzt oder durch den Park joggt, der lebt in zwei Welten. Apollinisch fährt oder joggt er, dionysisch hört er. Die Musik hat das Transzendieren vergesellschaftet und zu einem Massensport gemacht. Die Diskotheken und Konzerthäuser sind die gegenwärtigen Kathedralen. Ein erheblicher Teil der Menschheit zwischen Dreizehn und Dreißig lebt heute in den nichtsprachlichen und prälogischen dionysischen Räumen von Rock und Pop. Die Musikfluten kennen keine Grenzen, sie unterspülen die politischen Terrains und Ideologien, was sich in den Umwälzungen von 1989 gezeigt hat. Musik stiftet neue Gemeinschaften und versetzt in einen anderen Zustand. Musik eröffnet ein anderes Sein. Der Hörraum vermag den Einzelnen einzuschließen und die Außenwelt zum Verschwinden zu bringen, und doch schließt die Musik, auf einer anderen Ebene, die Hörenden zusammen. Sie mögen zu fensterlosen Monaden werden, aber sie sind nicht einsam, wenn ihnen dasselbe erklingt. Die Musik ermöglicht eine soziale Tiefenkohärenz in einer Schicht des Bewußtseins, die früher eben ›mythisch‹ genannt wurde.

Nietzsche zitiert Schillers *freche Mode*, welche die Menschen voneinander abtrennt und gegeneinander aufbringt, und äußert die Hoffnung, daß der *schöne Götterfunke* die große Vereinigung wiederbringt. Das traut er dem Wagnerschen Musikdrama zu: Es soll die *starren, feindseligen Abgrenzungen* beseitigen in einem neuen *Evangelium der Weltharmonie.*

Weltharmonie? Man darf sich die Angelegenheit nicht zu heiter vorstellen. Die Ekstase ist tragikumwittert. Die Euphorie der Weltharmonie schließt das Bewußtsein von Untergang und Opfer ein. Es ist ein Bewußtsein, dem das *Ur-Eine als das ewig Leidende und Widerspruchsvolle* aufgegangen ist und dem sich *das spielende Aufbauen und Zertrümmern der Individualwelt* zeigt als der *Ausfluß einer Urlust ... in einer ähnlichen Weise, wie wenn von Heraklit dem Dunklen die weltbildende Kraft einem Kinde verglichen wird, das spielende Steine hin und her setzt und Sandhaufen aufbaut und wieder einwirft.*

Der Zuschauer der Tragödie oder des Musikdramas identifiziert sich mit dem tragischen Helden, beispielsweise mit Siegfried, aber er sieht ihn im Vordergrund, als Lichtbild, auf dem dunklen Hintergrund des dionysischen Lebens, und von dort tönt *mächtig und lustvoll* die Musik; sie kommt aus dem Abgrund von Schmerz und Lust, ein *Musikorgiasmus.* Von solchem Orgiasmus konnten Friedrich Schlegel und Novalis nur träumen, wenn sie ihn mit trunkenen Begriffen und der poetischen Einbildungskraft herbeizuzaubern versuchten.

Nach romantischer Überzeugung, von Friedrich Schlegel bis Nietzsche, wirken in der Kunst dionysische Energien, die nicht auf ein strahlendes Jenseits, sondern auf das Helldunkel des ungeheuren, dynamischen Lebensprozesses gerichtet sind. Vom Standpunkt des gewöhnlichen Lebens handelt es sich um eine Transzendenz, aber eine abgründige aus Lust und Schmerz. Für Nietzsche tut sich das Abgründige unter zwei Aspekten auf: als das *furchtbare Vernichtungstreiben der sogenannten Weltgeschichte* und als *die Grausamkeit der Natur.* Dionysisches Bewußtsein läßt sich auf das Ungeheure des Lebens ein mit der durch künstlerische Darstellung erleichterten Einsicht, daß es keine irdische Auflösung der großen Dissonanz des Lebens gibt. Das Leben wird immer ungerecht sein gegen den Einzelnen, dem nur die entlastende Kommunion mit dem Lebensprozeß insgesamt bleibt. Das ist für Nietzsche *der metaphysische Trost,* den die Kunst gewährt. Er ist rein ästhetischer Natur, was sich allein schon daran zeigt, daß die Wirkung befristet bleibt. *Wie im Traume*, schreibt Nietzsche, *ist die Schätzung der Dinge, so lange wir uns im Banne der Kunst festgehalten fühlen, verändert.* Aber auch nur so lange. *Wir brauchen gerade den All-Dramatiker, damit er uns aus der furchtbaren Spannung wenigstens auf Stunden erlöse.* Der *metaphysische Trost* der Kunst ist keine Vertröstung auf eine jenseitige Welt mit ihren Entschädigungen und Entlastungen und ihrem Versprechen eines künftigen Reiches der großen Gerechtigkeit. Diesen religiösen Trost gibt es nicht. Es gibt nur den ästhetischen: *nur als ästhetisches Phänomen ist das Dasein und die Welt ewig gerechtfertigt.* Diese Art Rechtfertigung steht im scharfen Gegensatz zu einer Moral, die auf die Verbesserung der Welt und die Schlichtung ihrer Gegensätze hofft. Die Moral, sagt Nietzsche, ist zum wahrhaften *deus ex machina* der säkularisierten Moderne geworden. Es fehlt ihr an *dionysischer Weisheit*, sie riskiert nicht den schonungslosen Blick ins abgründige Leben. Anders die vom dionysischen Geist erfüllte Kunst. Eingesponnen in die Kunstillusion, kann sie darauf verzichten, sich Illusionen in bezug auf das Leben zu machen. Nietzsche verteidigt die Heiterkeit der Kunst, indem er ihren besonderen Ernst herausstellt.

Doch das zeitgenössische Publikum wird einen weiten Weg der Veredelung zurücklegen müssen, ehe es die Kunst so heiter-ernst nehmen wird, wie sie es, Nietzsche zufolge, verdient. Man muß nämlich tragisch gestimmt sein, um die ästhetische Heiterkeit wahrhaft würdigen zu können. Man muß illusionslos sein und doch leidenschaftlich ins Leben verliebt bleiben, auch wenn man dessen große Vergeblichkeit entdeckt hat. Nietzsche verlangt viel von einem, der für die Tragödie reif geworden ist. Er muß sich zuerst dem Entsetzen und dem Grauen geöffnet haben und dann diese *schreckliche Beängstigung* wieder verlernen können in der Erfahrung, daß schon *im kleinsten Augenblick, im kürzesten Atom seines Lebenslaufes* ihm etwas *Heiliges begegnen* kann. Der ästhetische Augenblick ist ein solches Glücksatom, das allen Kampf und alle Not aufwiegt. *Und wenn*, so schließt Nietzsche diesen Gedankengang ab, *die ganze*

Menschheit einmal sterben muß – wer dürfte daran zweifeln! – so ist ihr als höchste Aufgabe für alle kommenden Zeiten das Ziel gestellt, so ins Eine und Gemeinsame zusammenzuwachsen, daß sie als ein Ganzes ihrem bevorstehenden Untergange mit einer tragischen Gesinnung entgegengehe; in dieser höchsten Aufgabe liegt alle Veredelung der Menschen eingeschlossen.

Die höchste Aufgabe ist also das Hervorbringen oder Ergreifen von Augenblicken des höchsten Gelingens in einem Menschen, in einem Werk. Dafür hat Nietzsche in seinen Aufzeichnungen ein einziges Mal den eigenartigen Ausdruck gewählt: *die Verzückungsspitze der Welt.* Man soll sich dabei jenen Augenblick vorstellen, wenn bei höchster Gefahr, im *Hirn des Ertrinkenden* zum Beispiel, eine unendliche Zeit in einer Sekunde zusammengedrängt wird; höchste Verzückung, höchster Schmerz, wenn das ganze Leben noch einmal aufleuchtet, ehe es untergeht. Von dieser Art sind die Lichtbilder und Erleuchtungen des Genius. So wie der Einzelne in diesem Augenblick sein ganzes Leben begreift und als gerechtfertigt erleben kann, so wird auch eine ganze Menschheitsgeschichte vom Lichte dieser aufstrahlenden Bilder erhellt und gerechtfertigt. Die Aufgipfelung in eine solche *Verzückungsspitze* verwirklicht den Sinn der Kultur.

Eine solche *Verzückungsspitze* war für Nietzsche das Musikdrama Wagners und auch, zunächst jedenfalls, die Person Wagner. Er bewunderte die Kühnheit, mit der Wagner die Kunst an die Spitze aller möglichen Zweckreihen des bürgerlichen Lebens setzte; die Unbescheidenheit, mit der er sich weigerte, in der Kunst nur eine schöne Nebensache zu sehen; den Machtwillen, mit dem Wagner der Gesellschaft seine Kunst geradezu aufzwang. Zum Glück ist Wagner ein Napoleon der Kunst, und darum könnte es ihm gelingen, den Ungeist der Zeit zu besiegen, hofft Nietzsche. Kurz vor der Eröffnung der ersten Festspiele von Bayreuth beschreibt Nietzsche noch einmal den ganzen Verfall der Kunst in der bürgerlichen Welt: *Seltsame Trübung des Urteils, schlecht verhehlte Sucht nach Ergötzlichkeit, nach Unterhaltung um jeden Preis, gelehrtenhafte Rücksichten, Wichtigtun*

und Schauspielerei mit dem Ernst der Kunst von Seiten der Ausführenden,
brutale Gier nach Geldgewinn von Seiten der Unternehmenden, Hohlheit
und Gedankenlosigkeit einer Gesellschaft ... dies alles zusammen bildet
die dumpfe und verderbliche Luft unserer heutigen Kunstzustände.

Zu Nietzsches großer Enttäuschung wird sich durch Bayreuth
nichts an diesen Zuständen ändern. Im Gegenteil: Nietzsche, der
Ende Juli 1876 nach Bayreuth zu den Proben anreist und den ganzen Rummel erlebt – das Eintreffen des Kaisers, die Hofhaltung
Richard Wagners auf dem Festspielhügel und im Hause Wahnfried,
die unfreiwillige Komik der Inszenierung, das Klappern des Mythen-
apparates, die wohlgelaunte, saturierte und durchaus nicht erlösungs-
bedürftige Geselligkeit rund um das Kunstereignis, die Turbulenzen
bei der Erstürmung der Restaurants nach den Vorführungen – Nietzsche wird entsetzt, gekränkt und auch krank nach wenigen Tagen
schon wieder abreisen. *In Bayreuth ist auch der Zuschauer anschauens-*
wert, hatte er zuvor geschrieben, *hier findet ihr vorbereitete und geweihte*
Zuschauer, die Ergriffenheit von Menschen, welche sich auf dem Höhe-
punkte ihres Glücks befinden und gerade in ihm ihr ganzes Wesen zusam-
mengerafft fühlen, um sich zu weiterem und höherem Wollen bestärken zu
lassen. Solche Zuschauer sucht Nietzsche in Bayreuth vergeblich.
Schmerzlich muß er erfahren, daß er sie sich bloß ausgedacht hat.

Und hat er sich nicht bei der Wagnerschen Musik und dem Musikdrama überhaupt zuviel gedacht, hat er sich von ihr zuviel versprochen? Nach der Bayreuther Enttäuschung von 1876 wird
Nietzsche mit der Arbeit an dem Buch »Menschliches, Allzu-
menschliches« beginnen, um sich für die Zukunft enttäuschungsfest
zu machen.

Aber so weit ist es noch nicht, noch setzt er auf den *metaphysischen*
Trost der Kunst. Später wird er es als seine romantische Schwäche
bezeichnen, daß er überhaupt die *Kunst des metaphysischen Trostes* für
nötig befunden hatte. *Nein, dreimal nein! ihr jungen Romantiker: es*
sollte nicht nötig sein! schreibt er im »Versuch einer Selbstkritik« des
Tragödienbuches. Zu diesem Zeitpunkt, 1886, will er keinesfalls
mehr ein Romantiker sein und streitet es auch ab, wirklich einer

gewesen zu sein. Aber davon darf man sich nicht in die Irre führen lassen. Nietzsches Kritik des Romantischen und seine Absetzbewegung beziehen sich auf eine Romantik der Rückkehr zum Christentum. Es ist also nicht die frühe Romantik der *schönen Verwirrung* und des *geistigen Orgiasmus* (Friedrich Schlegel), die Nietzsche vor Augen hat, sondern allenfalls die spätere Romantik, die katholisierende und sich mit den politischen Ordnungskonzepten der heiligen Allianz identifizierende. Als Nietzsche zu schreiben begann, galt die Romantik als Geist der noch nicht lange überwundenen politisch-religiösen Reaktion. Und es ist dieser Begriff, den er bei seiner Abgrenzung zugrunde legt. Im Sinne der romantischen Rückkehr zum Christentum war er also keinesfalls ein Romantiker, aber er war es in der Art, wie er das Dionysische als das eigentliche Erregungszentrum des Wirklichen verstand. Wie die Romantiker eifert er gegen die Schlaffheit der konventionellen Moral, gegen die *harmonisch Platten*, die so unermüdlich geschäftig sind, *alles Göttliche und Menschliche in den Syrup der Humanität aufzulösen* (Friedrich Schlegel). Es ist das romantische Verlangen nach dem Wilden, Ungeheuren, das auch Nietzsche umtreibt. Das romantische Transzendieren, von Schlegel bis Nietzsche, geht nicht in die Richtung der großen Ruhe, sondern ins Abenteuer, das Bild der stürmischen Seefahrt, zu der man aufbricht, ist hier eher zuständig.

Wohin es die romantische Neugier trieb, läßt sich im Kontrast zu Kant gut illustrieren. Kant hatte in der »Kritik der reinen Vernunft« ein poetisches Bild für die Selbstbeschränkung der Vernunft, die von der Romantik gerade nicht hingenommen wird, gefunden. *Wir haben jetzt*, schreibt Kant, *das Land des reinen Verstandes nicht allein durchreiset ... sondern auch durchmessen, und jedem Dinge auf demselben seine Stelle bestimmt. Dieses Land aber ist eine Insel ... umgeben von einem weiten stürmischen Ozeane ... wo manche Nebelbank, und manches bald wegschmelzende Eis neue Länder lügt, und indem es den auf Entdeckungen herumschwärmenden Seefahrer unaufhörlich mit leeren Hoffnungen täuscht, ihn in Abenteuer verflechtet, von denen er niemals ablassen, und sie doch auch niemals zu Ende bringen kann.*

Kant war auf der Insel geblieben und hatte den *stürmischen Ozean* das ominöse *Ding an sich* genannt; Schopenhauer hatte sich schon weiter hinausgewagt, als er den Ozean auf den Namen des *Willens* taufte. Die Romantiker haben noch manche anderen Namen dafür gefunden, das *Chaos*, die *Saturnalien* des Seins, *schöpferische Natur*. Und bei Nietzsche ist die absolute Wirklichkeit das *Dionysische*, mit den Worten Goethes, die Nietzsche zitiert: *ein ewiges Meer, ein wechselnd Weben, ein glühend Leben*. Als würde er unmittelbar auf Kants Metapher vom Ozean des Unerkennbaren antworten, schreibt der Dionysiker Nietzsche in der »Fröhlichen Wissenschaft«: *endlich dürfen unsre Schiffe wieder auslaufen, auf jede Gefahr hin auslaufen, jedes Wagnis des Erkennenden ist wieder erlaubt, das Meer, unser Meer liegt wieder offen da, vielleicht gab es noch niemals ein so ›offenes Meer‹.*

Das Dionysische meint das *Ur-Eine*, das letztlich nicht begreifbare umgreifende Sein. Der Begriff des Dionysischen impliziert natürlich eine theoretische Entscheidung, die ihrerseits auf eine Grunderfahrung zurückgeht. Bereits für den jungen Nietzsche ist das Sein etwas Bewegtes, bedrohlich und verlockend zugleich. In *Blitz, Sturm und Hagel* erlebt er es, und schon früh taucht in seinen Aufzeichnungen das *Weltkind* Heraklits auf, das spielerisch Welten aufbaut und zerstört. Es ist dieselbe Einsicht, die in Schlegels Bemerkung in der »Lucinde« zum Ausdruck kommt, wo es heißt: *Vernichten und Schaffen, Eins und Alles.*

Das Romantische bei den jungen Romantikern und bei Nietzsche ist die Erfahrung des Seins als etwas Ungeheures, das zur lustvollen Selbstauflösung verlockt, die Erfahrung eines Seins jedenfalls, worin es dem zum Bewußtsein erwachten Leben nicht geheuer sein kann. Das Sein zeigt sich dionysisch, wenn das Heimische zum Unheimlichen wird.

Dionysische Weisheit nennt Nietzsche dann die Kraft, die so verstandene dionysische Wirklichkeit auszuhalten. Aushalten muß man dabei beides: eine *nie gekannte Lust* und einen *Ekel*. Die dionysische Auflösung des individuellen Bewußtseins ist eine Lust, denn damit verschwinden die *Schranken und Grenzen des Daseins*. Doch wenn dieser Zustand vorbei ist, wenn das Alltagsbewußtsein wieder Herr über das Denken und Erleben wird, dann überkommt den ernüchterten Dionysiker ein *Ekel*. Dieser Ekel kann sich steigern bis zum Entsetzen: *In der Bewußtheit der einmal geschauten Wahrheit sieht jetzt der Mensch überall nur das Entsetzliche oder Absurde des Seins.* Was geschieht hier? Wo zeigt sich das Entsetzliche? Ist die *geschaute Wahrheit* des Dionysischen das Entsetzliche, oder ist es die alltägliche Wirklichkeit, die ein entsetzliches Aussehen annimmt, weil und nachdem man die Wonnen der dionysischen Entgrenzung erlebt hat? Nietzsche meint das doppelte Entsetzen: Vom Alltagsbewußtsein her gesehen ist das Dionysische entsetzlich, und umgekehrt, vom Dionysischen her gesehen, ist die alltägliche Wirklichkeit entsetzlich. Das bewußte Leben bewegt sich zwischen beiden Möglichkeiten. Es ist dies aber eine Bewegung, die eher einem Zerrissenwerden gleicht. Hingerissen vom Dionysischen, mit dem das Leben Fühlung behalten muß, um nicht zu veröden; und zugleich angewiesen auf die zivilisatorischen Schutzvorrichtungen, um nicht der auflösenden Gewalt des Dionysischen preisgegeben zu sein. Es überrascht nicht, daß Nietzsche das Sinnbild dieser prekären Situation im Schicksal des Odysseus wiedererkennt, der sich an den Mast seines Schiffes fesseln läßt, um den Sirenengesang anhören zu können, ohne ihm zu seinem eigenen Verderben folgen zu müssen. Odysseus verkörpert dionysische Weisheit. Er hört das Ungeheure, aber, um sich zu bewahren, akzeptiert er die Fesselung durch die stabilisierenden Gewohnheiten der Kultur oder durch eine ordnungsstiftende und beruhigende Religion.

Und hier setzt nun also Nietzsches Kritik an der christlich gewordenen Romantik ein. Sie hat den Sirenengesang gehört, sie hat sich aber wieder fesseln lassen durch das positive Christentum. Sie ist schließlich doch in die Knie gegangen. In der »Fröhlichen Wissenschaft« definiert Nietzsche, was er unter solcher Romantik im Gegensatz zur dionysischen Weisheit versteht. Der Dionysiker ist aus der *Überfülle des Lebens* heraus stark genug, um auch die *tragische Ansicht und Einsicht in das Leben* ertragen zu können, während die

Romantiker die *Ruhe, Stille, glattes Meer, Erlösung von sich durch die Kunst und Erkenntnis suchen*. Das ist nun nicht mehr nur auf die historischen Romantiker gemünzt – sondern auf Richard Wagner, dem er nach dem »Parsifal« vorwirft, vom Dionysiker wieder zum Christen und damit zum Romantiker geworden zu sein.

Nietzsche selbst indes ist, trotz mancher Wendungen und Wandlungen, Dionysiker geblieben, der inzwischen vertiefte Einsichten in die Mythenproduktion gewonnen hat und weiß, daß der einzelne Mensch, aber auch ganze Kulturen einen *mit Mythen umstellten Horizont* offenbar nötig haben, um ihre Lebenswelt zur *Einheit* abzuschließen. Zu diesem Zweck kann man, wenn man nicht bei einem Gott Zuflucht findet, auch sogar Besitz, Technik und Wissenschaft zum sinnstiftenden Mythos erheben, aber vor allem kommt es darauf an, sich wenigstens ehrlich einzugestehen, daß man sich das alles zurechtgemacht hat. Diese Strenge und *Lauterkeit* aber vermißt er nun bei Wagner, den er für einen großen Schauspieler hält, der am Ende nicht mehr bemerken will, daß er einer ist; ein Zauberer, der sich schließlich selbst verzaubert.

Wagners »Ring« hatte Nietzsches Beifall auch darum gefunden, weil er auf metaphysischen Trost verzichtete. Das Mythische, worauf es Wagner abgesehen hatte, bedeutete ja eine Vergöttlichung des Lebens und seiner Freiheit und gerade nicht eine transzendente Zuflucht vor den tragischen Verwicklungen des Lebens. Doch es hatte sich, für Nietzsche unübersehbar, bei Wagner jene Entwicklung von der Artisten-Metaphysik zur künstlerischen Feier des christlichen Erlösungsmythos vollzogen. Im Jahre 1880, während der Arbeit am »Parsifal«, schreibt Wagner: *Man könnte sagen, daß da, wo die Religion künstlich wird, der Kunst es vorbehalten sei, den Kern der Religion zu retten. Der Kern der Religion aber liegt in der Erkenntnis der Hinfälligkeit der Welt und der hieraus entnommenen Anweisung zur Befreiung von derselben.*

Diese religiöse Wendung hatte auch Folgen für den Bayreuther Festspielbetrieb, der nun immer mehr zu dem wurde, was Wagner selbst *Bühnenweihfestspiele* nannte. Diese angestrengte Sakralität stieß

Nietzsche heftig ab, auch verabscheute er die Wagner-Gemeinde, die jetzt nach Bayreuth pilgerte. *Gesindel* nannte er diese Leute, die sich für zu klug hielten, um im herkömmlichen Sinne religiös zu sein, gleichwohl aber in der Kunst den religiösen Schick suchten.

Nietzsche trennte sich von Wagner in dem Augenblick, als er bemerkte, wie Wagner und mehr noch seine Gemeinde sich einer zweiten, einer künstlichen Naivität überließen, in der das Selbstgemachte, das Artifizielle verehrt wurde, als käme es vom Himmel: *Seien wir vorsichtig. Bekämpfen wir unseren Ehrgeiz, welcher Religionen stiften möchte.* Er wirft Wagner nicht nur vor, daß er *zu Kreuze kroch*, als er im »Parsifal« christlich-gnostische Erlösungsmythen wiederbelebte, sondern vor allem, daß er sich nicht mehr die artifiziell-ästhetische Dimension seines ganzen Erlösungsunternehmens eingestand. Nietzsche indes ermuntert dazu, sich vom Bedürfnis nach Erlösung zu erlösen und sich frei zu machen für das Artistentum, das am Mythos den Umstand zu schätzen weiß, daß man ihn selbst hervorgebracht hat, nicht aber, daß man ihm selbst zum Opfer fällt, was bedeutet: an ihn glaubt, damit er metaphysischen Trost spende.

Im »Versuch einer Selbstkritik« von 1886 heißt es: *Ihr solltet vorerst die Kunst des diesseitigen Trostes lernen, – ihr solltet lachen lernen, meine jungen Freunde, wenn anders ihr durchaus Pessimisten bleiben wollt; vielleicht daß ihr darauf hin, als Lachende, irgendwann einmal alle metaphysische Trösterei zum Teufel schickt – und die Metaphysik voran! Oder, um es in der Sprache jenes dionysischen Unholds zu sagen, der Zarathustra heißt: ... »Diese Krone des Lachenden, diese Rosenkranz-Krone: euch, meinen Brüdern, werfe ich diese Krone zu! das Lachen sprach ich heilig: ihr höheren Menschen, lernt mir – lachen!«*

Nietzsche lacht über einen Willen zur Wahrheit, der sich immer wieder blamiert vor dem Bedürfnis des Lebens nach *Schein, Kunst, Täuschung, Optik, Notwendigkeit des Perspektivischen und des Irrtums.* Nietzsche lacht über den *idealistischen Selbstbetrug* einer Kunst des *metaphysischen Trostes.* Er verspottet an ihr nicht den Schein, sondern den falschen Glauben an den Schein. Er kritisiert nicht, daß man sich etwas zurechtmacht, sondern nur, daß man sich etwas vormacht, also vergißt, daß man sich etwas zurechtgemacht hat. Natürlich soll das Leben seine Werte und Perspektiven hervorbringen, aber es soll diese nicht zu ewigen Wahrheiten umfälschen. Der Dionysiker Nietzsche hält an der Lebensmacht und dem Lebensreichtum des ›Scheins‹ fest, aber ohne die zweite Naivität, die er Wagner vorwirft. Nichts gegen die Einbildungskraft, aber man soll der Souverän seiner einbildenden Kraft bleiben. Nichts gegen den Mythos, wenn man sich eingesteht, daß man sein Schöpfer ist. Nur der uneingestandene Wille zum Schein und zur Täuschung ist Selbstbetrug. Eingestanden und in bewußte Regie genommen, wird der Wille zum Schein und zur Täuschung zum Element der Steigerung des Lebens.

Im vierten Buch der »Fröhlichen Wissenschaft«, dem letzten Werk, das den Auftritt des Zarathustra vorbereitet, wird dieser affirmative Wille zum Schein so geschildert: *Welche Mittel haben wir, uns die Dinge schön, anziehend, begehrenswert zu machen, wenn sie es nicht sind? . . . Hier haben wir von den Ärzten etwas zu lernen, aber noch mehr von den Künstlern, welche eigentlich fortwährend darauf aus sind, solche Erfindungen und Kunststücke zu machen . . . wir aber wollen die Dichter unseres Lebens sein, und im Kleinsten und Alltäglichsten zuerst.*

Mit der Figur des Zarathustra erfindet sich Nietzsche eine geistige Instanz, die er bewußt zur Gestaltung und Sinngebung des eigenen Lebens einsetzt. Mit seinem »Zarathustra« antwortet Nietzsche auf Wagners Rückkehr in den Schoß des traditionellen christlichen Glaubens. Gegen das christliche Dogma von der Schuldhaftigkeit und darum Erlösungsbedürftigkeit setzt Nietzsche im »Zarathustra« den Hymnus auf die göttliche Unschuld aller Dinge, auf das *Ja und Amen* zu allem, was lebt. Wer aber das Leben lieben will, muß bei sich selbst anfangen. *All die Schönheit und Erhabenheit, die wir den wirklichen und eingebildeten Dingen geliehen haben, will ich zurückfordern als Eigentum und Erzeugnis des Menschen: als seine schönste Apologie. Der Mensch als Dichter, als Denker, als Gott, als Liebe, als Macht.*

Im »Zarathustra« findet Nietzsche plastische Bilder für diesen Vorgang der Zurückforderung: Man ist zuerst ein *Kamel*, beladen mit lauter *Du sollst.* Das Kamel verwandelt sich in einen *Löwen.* Der Löwe kämpft gegen diese ganze Welt des *Du sollst.* Er kämpft, weil er sein *Ich will* entdeckt hat. Doch weil er kämpft, bleibt er negativ ans *Du sollst* gefesselt. Sein Seinkönnen verbraucht sich im Zwang, rebellieren zu müssen. Hier ist noch allzuviel Trotz und Selbstversteifung im Spiel, das darum eben noch kein gelöstes Spiel ist. Das wird es erst, wenn man wieder zum *Kinde* wird, auf neuer Stufe die erste Spontaneität des Lebendigen wieder erreicht: *Unschuld ist das Kind und Vergessen, ein Neubeginn, ein Spiel, ein aus sich rollendes Rad, eine erste Bewegung, ein heiliges Ja-Sagen. Ja, zum Spiele des Schaffens, meine Brüder, bedarf es eines heiligen Ja-Sagens.*

Auf die Heiligung des Diesseits kommt es an. Das unterscheidet Nietzsches Atheismus vom modernen Nihilismus, mit dem er sich ausdrücklich auseinandersetzt.

Der moderne Nihilismus, so wie Nietzsche ihn sieht, ist nur noch Ernüchterung. Man hat dem Leben einen transzendenten Sinn und Wert beigelegt. Wenn dieser Jenseitssinn schwindet, bleibt das entleerte Leben zurück. Man hat ein Jenseits geheiligt und bleibt nun auf dem profanierten Diesseits sitzen. Der moderne Nihilismus verliert die Werte des Jenseits, ohne das Diesseits als Wert zu gewinnen. Nietzsches »Zarathustra« aber unterweist in der Kunst, wie man gewinnt, wenn man verliert. Alle Ekstasen, alle Beseligungen, die Himmelfahrten des Gefühls, alle Intensitäten, die sich vormals ans Jenseits hefteten, sollen sich im diesseitigen Leben sammeln. Überschreiten und doch *der Erde treu bleiben* – das ist es, was Nietzsche seinem *Übermenschen* zumutet. Der Übermensch, so wie ihn Nietzsche entwirft, ist frei von Religion, nicht weil er sie verloren, sondern weil er sie in sich zurückgenommen hat.

Nietzsche will die heiligenden Kräfte fürs Diesseits retten. Zu diesem Zweck erfindet er seinen Mythos von der *ewigen Wiederkehr,* die er seinen Zarathustra verkündigen läßt. Indes ist die Idee von der in sich kreisenden und ihren begrenzten Weltinhalt immer wieder durchspielenden Zeit uralt. In indischen Mythen, bei den Vorsokratikern, in häretischen Unterströmungen des christlichen

Abendlandes taucht sie auf. Im Bilde der ewigen Wiederkehr drückt sich in der Regel eine resignative Weltmüdigkeit aus. Der kreisende Zeitumtrieb entleert das Geschehen bis zur Sinnlosigkeit.

Nietzsche aber gebraucht diesen Mythos als autosuggestive Formel für die Überzeugung, daß, wenn jeder Augenblick wiederkehrt, das Hier und Jetzt die Würde des Ewigen erhält. Die Wiederkehr entleert nicht, im Gegenteil: Sie verdichtet. *Wenn jener Gedanke über dich Gewalt bekäme, er würde dich, wie du bist, verwandeln und vielleicht zermalmen; die Frage bei Allem und Jedem: ›willst du dies noch einmal und noch unzählige Male?‹ würde als das größte Schwergewicht auf deinem Handeln liegen! Oder wie müßtest du dir selber und dem Leben gut werden, um nach Nichts mehr zu verlangen als nach dieser letzten ewigen Bestätigung und Besiegelung?*

Nietzsche, der alle *Du sollst* von sich werfen möchte, hier lehrt er doch auch ein neues *Du sollst:* Du sollst den Augenblick so leben, daß er dir ohne Grauen wiederkehren kann! Du sollst zu jedem Augenblick sagen können: Noch einmal!

Bilderwütig beschwört Nietzsche diese Beseligung im Jetzt unter der Perspektive der ewigen Wiederkehr. Um der Vorstellung das Lähmend-Lastende zu nehmen, denkt er sie mit dem Bilde des großen Weltspiels zusammen. Auch das Spiel basiert auf Wiederholung, aber wir erleben sie hier lustvoll. Für Nietzsche wird mit dem Tode Gottes der Wagnis- und Spielcharakter des menschlichen Daseins offenbar.

Übermensch ist, wer die Kraft und die Leichtigkeit hat, bis in diese Dimension des Weltspiels durchzudringen. Nietzsches Transzendieren geht in diese Richtung: zum Spiel als Grund des Seins. Nietzsches Zarathustra tanzt, wenn er diesen Grund erreicht hat, er tanzt wie der indische Weltengott Schiva.

Das ist auch eine überraschende Rückkehr zu jenem ersten Impuls der frühen Romantiker, zu jenem Satz von Schiller: *der Mensch ist erst da ganz Mensch, wo er spielt.* Ganz im romantischen Geist ermuntert Nietzsche dazu, das eigene Leben selbst zum Kunstwerk zu machen. Der ominöse Wille zur Macht hat zunächst diese Bedeutung: die Souveränität der Selbstgestaltung: *Du sollst Herr über dich werden, Herr auch über die eigenen Tugenden. Früher waren sie deine Herren; aber sie dürfen nur deine Werkzeuge neben anderen Werkzeugen sein. Du sollst Gewalt über dein Für und Wider bekommen und es verstehen lernen, sie aus- und wieder einzuhängen; je nach deinem höheren Zwecke. Du sollst das Perspektivische in jeder Wertschätzung begreifen lernen ...*

Kein Zweifel: In seinen besten Augenblicken gelingt Nietzsche eine spielerische Leichtigkeit der Sprache und des Gedankens, eine Beschwingtheit, die, auch unter Leiden und schwerer Gedankenfracht, zu tanzen versteht, eine Heiterkeit ›trotz allem‹, eine Mischung aus Ekstase und Gelassenheit. Blickpunkte werden erreicht, von denen aus das Leben als großes Spiel erscheint. Nietzsche spielt auch mit seinen Perspektiven, setzt sich Masken auf und probiert Rollen aus, versucht sich als *Freigeist, Prinz Vogelfrei, Zarathustra.* Solange Nietzsche geistig wach war, konnte er immer noch spielen und sich davor bewahren, von den eigenen Ideen überwältigt zu werden, zum Beispiel von der Idee des *Übermenschen,* der die *Entarteten* ausrottet. Mit dem persönlich und spielerisch gewendeten Willen zur Macht, verstanden als Herrschaft über sich selbst, konnte er seinen gigantomanischen Projekten in die Parade fahren. *Ich will kein Heiliger sein, lieber ein Hanswurst,* schrieb er dann, oder: *Es ist durchaus nicht nötig, nicht einmal erwünscht, Partei ... für mich zu nehmen: im Gegenteil, eine Dosis Neugierde, wie von einem fremden Gewächs, mit einem ironischen Widerstande, schiene mir eine unvergleichlich intelligentere Stellung zu mir* (an Carl Fuchs, 29. Juli 1888).

Verzweifelt kämpft Nietzsche bis zum Schluß um diesen *ironischen Widerstand* auch gegen sich selbst. Es ist die existentiell gewendete romantische Ironie, die hier gefordert ist. Die Tragödie beginnt, als Nietzsche sich mit sich selbst verwechselt und mit Leib und Leben in jene Bilder stürzt, die er sich ausgedacht hat. Aber noch in jenen ›Wahnsinnszetteln‹, die er im geistigen Zusammenbruch in die Welt hinausschickt, treibt der *ironische Widerstand* sein letztes, sein tolles Spiel. An Jakob Burckhardt, den väterlichen

Freund in Basel, schreibt er am 6. Januar 1889: *Zuletzt wäre ich sehr viel lieber Baseler Professor als Gott; aber ich habe es nicht gewagt, meinen Privat-Egoismus so weit zu treiben, um seinetwegen die Schaffung der Welt zu unterlassen. Sie sehen, man muß Opfer bringen, wie und wo man lebt.*

Fünfzehntes Kapitel

Leben, nichts als Leben. Jugendbewegung. Lebensreform. Landauer.
Einbruch einer Mystik. Hugo von Hofmannsthal, Rilke und Stefan
George. Wilhelminischer Kulissenzauber: stählerne Romantik des
Schlachtflottenbaus. Die Ideen von 1914. Thomas Mann im Krieg.
Die ethische Luft, der faustische Duft, Kreuz, Tod und Gruft.

Wenige Monate nach seinem Zusammenbruch wurde Nietzsche
von der geistigen und der mondänen Welt entdeckt. Das Finale im
Wahnsinn verlieh seinem Werk rückwirkend eine dunkle Wahrheit:
Da war offenbar jemand so tief ins Geheimnis des Seins eingedrun-
gen, daß er darüber den Verstand verloren hatte. Nietzsche hatte in
dem berühmten Stück aus der »Fröhlichen Wissenschaft« den Got-
tesleugner einen *tollen Menschen* genannt und war nun selbst toll
geworden. Das mußte eine Einbildungskraft erregen, die auf Geheimnisse aus war. Romantisch ist diese Neugier, denn die schau-
dernde Einfühlung in eine vielversprechende Welt an der Grenze
zum Wahnsinn ist reine Romantik. Nietzsches letzter Verleger, C. G.
Naumann, witterte das große Geschäft. Er brachte schon im Jahr
1890 neue Auflagen von Nietzsches Werken heraus, und endlich
fanden sie reißenden Absatz. Als die Schwester 1893 aus Paraguay
zurückkehrte, nahm sie geschickt und skrupellos die weitere Ver-
marktung ihres Bruders in die ·Hand. Sie begründete noch zu seinen Lebzeiten das Nietzsche-Archiv in Weimar und veranlaßte die
ersten Gesamtausgaben. Sie bewies ihren Willen zur Macht, denn
sie versuchte ein bestimmtes Bild ihres Bruders in der Öffentlichkeit durchzusetzen und scheute dabei vor Fälschungen nicht zurück. Das alles ist inzwischen zur Genüge bekannt. Sie wollte aus
Nietzsche einen deutsch-nationalen Chauvinisten, Rassisten und
Militaristen machen, und bei einem Teil des Publikums ist ihr das
gelungen, bis zum heutigen Tage. Aber auch den raffinierteren Be-

dürfnissen des Zeitgeistes wußte sie entgegenzukommen. In der ›Villa Silberblick‹ in Weimar, wo seit 1897 das Nietzsche-Archiv untergebracht war, hatte die Schwester ein Podium herrichten lassen, wo der vor sich hindämmernde Nietzsche dem Publikum als Märtyrer des Geistes vorgeführt wurde. Die Schwester war Wagnerianerin genug, um dem Schicksal ihres Bruders erhaben-schaudervolle Effekte abgewinnen zu können. In der ›Villa Silberblick‹ wurde vor Europas *Edelfäule* (eine Bezeichnung Gottfried Benns) ein metaphysisches Endspiel gegeben. Ein halbes Jahrhundert zuvor hatte Thomas Carlyle, der in diesen Kreisen geschätzt war, aber bei Nietzsche selbst nicht hoch im Kurs stand, das romantische Kalkül solcher Endspiele formuliert: *Wisse, daß dieses Universum das ist, was es zu sein vorgibt: ein Unendliches. Versuche nie im Vertrauen auf deine logische Verdauungskraft, es zu verschlingen; sei vielmehr dankbar, wenn du durch geschicktes Einrammen dieses oder jenes festen Pfeilers in das Chaos verhinderst, daß es dich verschlingt.* Nietzsche war also verschlungen worden, er hatte sich zu weit vorgewagt. Er hatte sich ans Ungeheure des Lebens verloren.

Nicht nur durch Nietzsche, aber durch ihn vor allem, bekam damals das Wort ›Leben‹ einen neuen Klang, geheimnisvoll und so verführerisch, daß diejenigen, die solide Werte forderten, vor der *bloß lebendigen Lebenszappelei* warnten. Dadurch aber konnte die Renaissance des romantischen Lebensbegriffs nicht aufgehalten werden. ›Leben‹ wurde zu einem Zentralbegriff wie vormals ›Sein‹, ›Natur‹, ›Gott‹ oder ›Ich‹, ein Kampfbegriff auch, gegen zwei Fronten gerichtet. Zum einen gegen den halbherzigen Idealismus der Pflicht, wie er auf deutschen Lehrstühlen, in der offiziellen politischen Rhetorik und von den bürgerlichen Moralkonventionen gepflegt wurde. Zum anderen richtete sich die Parole ›Leben‹ gegen einen seelenlosen Materialismus, die Erbschaft des ausgehenden 19. Jahrhunderts also. ›Leben‹ bedeutete die Einheit von Leib und Seele, Dynamik, Kreativität. Es wiederholte sich der Protest von Sturm und Drang und Romantik. Damals war ›Natur‹ beziehungsweise ›Geist‹ die Kampfparole gegen Rationalismus und Materialismus gewesen. Der Begriff ›Leben‹ hat jetzt dieselbe Funktion. ›Leben‹ ist Gestaltenfülle, Erfindungsreichtum, ein Ozean der Möglichkeiten, so unabsehbar und abenteuerlich, daß wir kein Jenseits mehr brauchen. Das Diesseits bietet uns genug. Leben ist Aufbruch zu fernen Ufern und doch zugleich das ganz Nahe, die eigene gestaltfordernde Lebendigkeit. ›Leben‹ wird zur Losung der Jugendbewegung, des Jugendstils, der Neuromantik, der Reformpädagogik. 1896 wurde die einflußreiche Zeitschrift »Jugend« begründet. Im Gründungsmanifest heißt es programmatisch: *Jugend ist Daseinsfreude, Genußfähigkeit, Hoffnung und Liebe, Glaube an die Menschen – Jugend ist Leben, Jugend ist Farbe, ist Form und Licht.* In diesen Jahren beginnt Hugo Höppener, der sich ›Fidus‹ nannte, seine sonnenanbetenden nackten Figuren zu malen und lebensreformerische Siedlungsprojekte zu gründen. Man liest den »Zarathustra«. Dessen Mahnung *Bleibet der Erde treu* wird mit Inbrunst gehört und befolgt. Auch die Sonnenanbeter und Nudisten können sich als Jünger des Zarathustra fühlen. In einem der vielen Auf- und Anbruchstexte des frühen Expressionismus heißt es: *Händefassen. / Bergentgegen gottesnackt empor. / . . . Aus meinen Händen alle Sonnen nimm dir zu. / Erhellt die Welt, / Die Nacht zerbricht. / Brich auf ins Licht! O Mensch, ins Licht.*

Zu Nietzsches Zeit wollte die bürgerliche Jugend noch alt aussehen. Damals war Jugendlichkeit eher ein Karrierenachteil. Es wurden Mittel empfohlen, die angeblich den Bartwuchs beschleunigten, und die Brille galt als Statussymbol. Man ahmte die Väter nach und trug den steifen Kragen, die Pubertierenden steckte man in Gehröcke und brachte ihnen den gemessenen Gang bei. Vormals galt ›Leben‹ als etwas Ernüchterndes, die Jugend sollte sich daran die Hörner abstoßen. Nun aber ist ›Leben‹ das Ungestüme und Aufbruchshafte und somit das Jugendliche selbst. ›Jugend‹ ist kein Makel mehr, der versteckt werden muß. Im Gegenteil: Das Alter muß sich nun rechtfertigen, es steht unter dem Verdacht, abgestorben und erstarrt zu sein. Eine ganze Kultur, es ist die wilhelminische, wird vor den *Richterstuhl des Lebens* (Wilhelm Dilthey) zitiert und mit der Frage konfrontiert: Lebt dieses Leben noch?

Zunächst einmal: Es gedieh prächtig, wenn man die politische Machtsteigerung Deutschlands nach der Reichsgründung ins Auge faßt sowie die industrielle Entwicklung, die Technik, das allgemeine Bildungsniveau, den erhöhten Lebensstandard auch bei den unteren Schichten, den Ausbau der sozialen Sicherung. In allen diesen Belangen war Deutschland inzwischen führend in Europa, und mit Stolz wurde das von den Repräsentanten des offiziellen Deutschland auch unablässig verkündet. Gegen Ende des Jahrhunderts läßt Werner von Siemens im Zirkus Renz, dem größten Versammlungsort Berlins, den Geist dieses Zeitalters, wie er ihn versteht, Revue passieren. Er wird damit bürgerlichen, aber auch proletarischen Kreisen aus der Seele gesprochen haben: *Und so, meine Herren, wollen wir uns nicht irre machen lassen in unserem Glauben, daß unsere Forschungs- und Erfindungstätigkeit die Menschheit höheren Kulturstufen zuführt, sie veredelt und idealen Bestrebungen zugänglicher macht, daß das hereinbrechende ... Zeitalter ihre Lebensnot, ihr Siechtum mindern, ihren Lebensgenuß erhöhen, sie besser, glücklicher und mit ihrem Geschick zufriedener machen wird. Und wenn wir auch nicht immer den Weg klar erkennen können, der zu diesen besseren Zuständen führt, so wollen wir doch an unserer Überzeugung festhalten, daß das Licht der Wahrheit, die wir erforschen, nicht auf Irrwege führen, und daß die Machtfülle, die es der Menschheit zuführt, sie nicht erniedrigen kann, sondern sie auf eine höhere Stufe des Daseins erheben muß.*

Zu den Voraussetzungen dieses Erfolges, so Siemens, gehört ein wacher Realitätssinn, also Abmagerung im Spirituellen und Neugier für Näherliegendes. Es gehört dazu auch die Bereitschaft, sich in die modernen Organisationsformen des technischen und ökonomischen Lebens einzufügen. So kann das *stählerne Gehäuse* (Max Weber) der Moderne zuletzt doch zum angenehmen Aufenthaltsort werden, vor allem wenn die Belohnung winkt, dereinst in noch größerem Ausmaß am gesellschaftlichen Reichtum partizipieren zu können, wenn man sich nur angemessen verhält.

Das angemessene Verhalten bestand für die sozialdemokratische Arbeiterbewegung, die stärkste Opposition im wilhelminischen

Deutschland, darin, die Widersprüche des kapitalistischen Industriesystems für sich arbeiten zu lassen und darauf zu setzen, daß sie schließlich zu Volksstaat und Gemeinwirtschaft führen würden – alles aber im Rahmen des Industriesystems, zu dem man sich keine Alternative vorstellen konnte. Bis dahin kam es darauf an, nicht nur Opposition zu betreiben, sondern einen Lebenszusammenhang zu bilden, der für die Gegenwart Sinn und für die Zukunft Zuversicht geben sollte. Für die ›vaterlandslosen Gesellen‹ der Sozialdemokratie wurde die Partei ihr neues Vaterland, das bald im übrigen Vaterland aufgehen würde, und Bebel war der ›Gegenkaiser‹. *Die rein politische oder wirtschaftliche Arbeiterbewegung*, schrieb ein Arbeiterschriftsteller 1888, *reicht nicht aus, um ihre Bedeutung zu erklären. Für Zehntausende ist sie auch eine neue seelische Heimat geworden, wurde sie rein menschlich zu lebendig freudvollem Daseinsinhalt.* Man wollte nicht nur Ziele erkämpfen, sondern schon jetzt das neue, das bessere Leben organisieren. Es ging um eine Lebensordnung mit Vereinswesen, Sterbekasse, Bildungsstätten, Nachbarschaften, Festen, Liedern. Dabei war eine ganz eigene Romantik im Spiel: *Mit uns zieht die neue Zeit . . .*

Handelte es sich bei der Arbeiterbewegung eher um einen gemächlichen Aufbruch, bei dem man mit längeren Fristen rechnete und davon überzeugt war, daß man sich auf ein vermeintlich objektives Gesetz des Fortschritts verlassen konnte – man wußte, *daß es ebensowenig in unserer Macht steht, diese Revolution zu machen, als in der unserer Gegner, sie zu verhindern* –, so waren die Aufbrüche der neuromantischen Freunde des Lebens und der Lebensreform ungeduldiger und, was die Umwandlung des inneren Menschen betraf, radikaler.

Die Arbeiterbewegung wollte die bürgerliche Welt nicht überwinden, sondern übernehmen. Der Arbeiter sollte seinen angemessenen Platz in ihr finden. An einen ›neuen Menschen‹ war nicht gedacht. Das galt als schlechte, kleinbürgerliche Romantik. Und umgekehrt hielt man bei den Lebensreformern, Aussteigern, Wandervögeln, Neusiedlern und Anarchisten von der sozialdemokratischen Arbeiterbewegung nicht viel. Man nannte sie die *Dampfma-schinensozialisten*. Gustav Landauer spottet in seinem »Aufruf zum Sozialismus«: *Der Vater des Marxismus ist der Dampf. Alte Weiber prophezeien aus dem Kaffeesatz. Karl Marx prophezeit aus dem Dampf.*

Gustav Landauer, heute fast gänzlich vergessen, war einer der bedeutendsten Figuren dieser neuromantischen Bünde in den 90er Jahren. Um Landauer und die Gebrüder Hart hatte sich um 1900 die ›Neue Gemeinschaft‹ gebildet, die sich nichts Geringeres zum Ziel setzte, als im Geiste des frühromantischen Aufbruchs eine Gemeinschaftsreligion zu schaffen, die auf Prinzipien, die man Fichte und Novalis zuschrieb, aufbauen sollte: Zuerst sollte man in sich gehen, seine mystische Mitte, sein wahres Ich finden – das galt als der Weg Fichtes; vom neu ergriffenen Ich aus sollte dann in sympathetischem Einheitsgefühl die neue Gemeinschaft geschaffen werden – im Geiste von Novalis. Das war als Abfolge gedacht: Man muß sich selbst durch Absonderung erst gefunden haben, um die gesellschaftliche Entfremdung überwinden und wieder gemeinschaftsfähig werden zu können. In einer Schrift mit dem programmatischen Titel »Durch Absonderung zur Gemeinschaft« schreibt Landauer: *Und wenn wir uns selber tiefst hinein versenken, dann finden wir schließlich, im innersten Kern unseres verborgensten Wesens, die urälteste und allgemeinste Gesellschaft: mit dem Menschengeschlecht und dem Weltall ... Fort vom Staat, soweit er uns gehen läßt oder soweit wir mit ihm fertig werden, fort von der Waren- und Handelsgesellschaft, fort vom Philistertum! Schaffen wir eine kleine Gemeinschaft in Freude und Tätigkeit, schaffen wir uns um als vorbildlich lebende Menschen ... Unser Stolz muß es uns wehren, von der Arbeit eben dieser Mitmenschen zu leben ... Lernen wir arbeiten, körperlich arbeiten, produktiv tätig sein.*

In der Nähe von Berlin, nicht gar so fern vom *Moloch Großstadt*, wurde eine Landkommune gegründet, mit bäuerlichem Betrieb, Handwerk und Bildungseinrichtung. Es gab Vorträge und Rezitationsabende, man dachte über ganzheitliche Erziehung der Kinder nach (Rudolf Steiner gehörte zum weiteren Kreis der »Neuen Gemeinschaft«); Fidus gestaltete die Räume und Henry van de Velde

entwarf Innendekorationen und Schmucksachen. Die ›Neue Gemeinschaft‹ verstand sich durchaus als ein *neues Kloster ohne die Be-
schränkung der Möncherei*, als ein *Orden vom wahren Leben*, der *ethisch-
religiös-ästhetisch das ganze Leben zu einem Kunstwerk gestalten sollte*
(Heinrich Hart). Die ›Neue Gemeinschaft‹ war berühmt für ihre
Feste, zu denen die Berliner Kulturschickeria hinauspilgerte. Da gab
es das ›Tao-Fest‹, die ›Neuen Dionysien‹, das ›Fest der Frühlings-
stürme‹ und zu Weihnachten das ›Fest der Selbsterlösung‹. In einem
Brief hat Landauer eines dieser Feste geschildert: *Ein schöner Moment
voll religiöser Stimmung war es, als wir uns an einer schönen Stelle am See-
ufer gelagert hatten; ein wundervolles Abendlicht auf dem See und den
Kiefern, Gewitterwolken am Himmel und fernes Donnern, während eine
Prologdichtung Heinrich Harts vorgetragen wurde, der ein … aus der Tiefe
schöpfender Vortrag Julius Harts folgte. Leben! Leben! klang aus diesen
Worten der beiden Brüder, und die Natur rief uns dasselbe zu.*

Die ›Neue Gemeinschaft‹ war eine von vielen Landkommunen,
die sich damals im Rahmen des Wandervogels und der Siedlungs-
bewegung bildete, sie war aber wohl die berühmteste. Vorbild ge-
bend und durch die Persönlichkeit Landauers besonders anziehend
für Künstler, Schriftsteller und Philosophen, die dem Leben wieder
eine romantische und von Nietzsche her inspirierte Bedeutung geben wollten.

Der Name Nietzsches war inzwischen auch sonst zum Erken-
nungszeichen der neuen Romantiker geworden: Wer das Leben
verteidigte gegen bürgerliche Konvention, Nützlichkeitsdenken,
Rationalismus, der berief sich gerne auf Nietzsche. Die bedeutenden künstlerischen Strömungen am Anfang des Jahrhunderts –
Symbolismus, Jugendstil, Expressionismus – sind alle von Nietzsche
inspiriert. In diesen Kreisen hatte damals jeder, der etwas auf sich
hielt, sein ›Nietzsche-Erlebnis‹. Harry Graf Kessler hat prägnant
formuliert, wie die Angehörigen seiner Generation Nietzsche ›erlebt‹ haben: *Er sprach nicht bloß zu Verstand und Phantasie. Seine Wirkung war umfassender, tiefer und geheimnisvoller. Sein immer stärker
anschwellender Widerhall bedeutete den Einbruch einer Mystik in die ratio-*

nalisierte und mechanisierte Zeit. Er spannte zwischen uns und dem Ab-
grund der Wirklichkeit den Schleier des Heroismus. Wir wurden durch ihn
aus dieser eisigen Epoche wie fortgezaubert und entrückt.

Der *Einbruch einer Mystik*, genau das ist es, was sich um 1900 er-
eignete, gegen die offizielle Kultur im wilhelminischen Deutschland. Da gab es zum Beispiel den Kreis der ›Kosmiker‹ um Alfred
Schuler in München. Auch Ludwig Klages und Stefan George gehörten zeitweilig dazu. Schuler stand unter dem Einfluß der Mythenforschung von Görres und Bachofen und hatte sich auch im
okkulten Schrifttum, von den frühen Gnostikern bis Svedenborg,
umgetan. Er fühlte sich aber nicht als Erforscher oder Rezipient der
einschlägigen Erkenntnisse, sondern als Medium. Bestimmte Gegenstände, ein antikes Kultgerät, eine Tonscherbe, bestimmte Personen, bestimmte Themen konnten ihn in Schwingung versetzen,
und es geschah dann, daß sich ein Redestrom über die Zuhörer
ergoß, der den Vertrauten kosmisch, den Fernstehenden aber bloß
komisch vorkam. Schuler predigte den Hetärismus und die Män-
nerliebe und empfahl als Heilmittel gegen die Krankheit der Zeit
die antiken Mysterien, deren Botschaft aber nur dem dionysisch
Berauschten und Entrückten verständlich sei. Er hatte ganz ernsthaft den Plan erwogen, den geisteskranken Nietzsche durch die
Vorführung korybantischer Tänze aus seiner Umnachtung zu erlösen. Er gab das Vorhaben nur deshalb auf, weil ihm das Geld fehlte,
die dafür notwendige kupferne Tanzrüstung anfertigen zu lassen.
Schuler erinnerte nicht nur an alte Botschaften und *Weistümer*, er
hatte auch seine eigenen, die er in halber Trance verkündete, etwa
die Lehre von der Urperiode, die man sich als lichtdurchflutet, dem
Pleroma der Gnostiker gleich, vorstellen durfte. Dieses goldene
Zeitalter sei untergegangen mit der Katastrophe der *Entlichtung*; es
folgte die Periode des *zerspaltenen Lebens*, der Entfremdung, der Ka-
stenbildung, des Zwanges. Die dunklen Mächte manifestieren sich
gegenwärtig vor allem im *Mammonismus*, übernehmen die Herrschaft. Sie entfesseln einen blindwütigen ökonomischen Aktivismus, der die Erde in eine Mondlandschaft zu verwandeln droht. Sie

verfolgen die Träger der noch verbleibenden Lichtfunken, die Bewahrer der *Blutleuchte*, mit ihrem Haß. Bei Schuler sind die *Lichträuber* noch nicht so sehr mit den Juden identifiziert. Das geschieht dann erst bei Ludwig Klages, der die Lehre seines Freundes weiterentwickelt.

Die Kosmiker suchten nach einer mythischen Alternative zur nüchtern modernen Welt, in philosophischen Spekulationen, in lyrischen Beschwörungen, in geheimbündlerischen Netzwerken und in rituellen Tathandlungen, die häufig unfreiwillig zum Faschingsulk gerieten. Allerdings auch freiwillig, denn die Kosmiker waren auch berühmt für Karnevalsfeste. Da trat Stefan George als Caesar auf, Schuler als Urmutter Gaia, Wolfskehl als Dionysos. Man tanzte im Bacchus-Reigen, blies die Panflöte, lagerte auf Tigerfellen und entzündete blau schimmernde Ampeln. Nymphen aus den Münchener Randbezirken wurden geladen, auch stämmige Bauernburschen, die zur Not den heidnisch-germanischen Urgeist verkörpern konnten. Mit Blick auf jenen mystischen Festrausch spricht Thomas Mann im »Doktor Faustus« von der *permanenten Maskenfreiheit* im Schwabing vor 1914.

Der *Einbruch einer Mystik* (Kessler), die Wiederkehr der romantischen Sehnsucht nach dem Geheimnisvollen, vollzog sich auch in sublimen Formen und ohne Mystagogen.

Am 17. und 18. Oktober 1902 wurde in der Berliner Zeitung »Der Tag«, einer der größten deutschsprachigen Tageszeitungen, Hugo von Hofmannsthals Erzählung »Ein Brief« veröffentlicht. Der vollständige Untertitel dieses fiktiven Schreibens lautet: *Dies ist ein Brief, den Philipp Lord Chandos, jüngster Sohn des Earl of Bath, an Francis Bacon, später Lord Verulam und Viscount St. Albans, schrieb, um sich bei diesem Freunde wegen des gänzlichen Verzichtes auf literarische Betätigung zu entschuldigen.*

Man hat den »Brief« später als ein Dokument moderner Sprachskepsis aus dem Geiste Fritz Mauthners und des jungen Wittgenstein und einer schöpferischen Krise der modernen Literatur gewertet, die bei einem ihrer Genies in der Atmosphäre des Wiener

Fin de siècle zum Ausdruck gekommen sei. Tatsächlich berichtet der »Brief« von einer Krise des Zerfalls von Sprache und Denken. *Es ist mir*, schreibt Lord Chandos nach einer selbstbewußten Rückschau auf sein reiches und erfolgreiches bisheriges Werk, *völlig die Fähigkeit abhanden gekommen, über irgend etwas zusammenhängend zu denken oder zu sprechen.*

Und doch ist dem Lord wie auch Hofmannsthal die Fähigkeit, zusammenhängend zu denken und zu sprechen, mitnichten abhanden gekommen. Der »Brief« selbst beweist glanzvoll das Gegenteil. Es wird darin schön geschrieben, in kunstvollen, weit schwingenden Perioden, und es wird darin genau und zusammenhängend gedacht, so zusammenhängend, daß genau der Punkt bezeichnet ist, an dem das herausfordernde Geheimnis beginnt und der ominöse *Einbruch einer Mystik* geschieht. Lord Chandos verstummt nicht, sondern schreibt darüber und dringt so ins Terrain des vermeintlich Unsagbaren vor. Hofmannsthal hat damit für die moderne Literatur einen neuen Kontinent entdeckt und zur nachfolgenden sprachlichen Besiedelung freigegeben.

Es wiederholt sich ein Vorgang aus der historischen Romantik. Auch damals begnügte man sich nicht mit dem Eingeständnis, daß es jenseits von Sprache und Denken das undurchdringliche Geheimnis gibt. Man wollte in die Dunkelzonen vordringen, und unter dieser Herausforderung mußten die Sprache und das Denken elastisch werden und sich dehnen. Man mobilisierte ein neues Heer von Metaphern. Was als irrational galt, sollte in die Netze einer erweiterten Rationalität eingefangen werden. Gewiß, angesichts des Ungeheuren blieb bisweilen nur noch ein kleistsches ›Ach‹ übrig. Aber auch das war immerhin ein Zeichen, war mehr als bloßes Verstummen. Auch bei Hofmannsthal gibt es in diesem Werk der Sprachkrise kein Verstummen, sondern es ist darin dieselbe Bewegung, derselbe Impuls der romantischen Landnahme. Welches Land?

Bevor wir dieses für die Sprache neu zu erobernde Land in den Blick nehmen, muß die Frage geklärt werden: Worauf bezieht sich die Krise und die damit verbundene Erfahrung des Sprachzerfalls, welches ist das Land der Erosion, das sich in eine Wüste verwandelt und das man deshalb verlassen sollte?

Der »Brief« benennt zwei kritische Zonen des Sprachzerfalls. Da sind zum einen die *religiösen Auffassungen*, die ihm inzwischen wie *Spinnetze* vorkommen, *durch welche meine Gedanken hindurchschießen, hinaus ins Leere.* Sprachzerfall also beim ganz Fernen, bei dem zuhöchst Allgemeinen, bei Gott. Dann aber auch Sprachzerfall bei der mittleren Allgemeinheit, bei den abstrakten Begriffen, die ganze Seinsbereiche zusammenfassen oder die gängigen Werturteile von Gut und Böse unter sich befassen. *Ich empfand ein unerklärliches Unbehagen, die Worte ›Geist‹, ›Seele‹ oder ›Körper‹ nur auszusprechen . . . Die abstrakten Worte, deren sich die Zunge naturgemäß bedienen muß, um irgendwelches Urteil an den Tag zu geben, zerfielen mir im Munde wie modrige Pilze.* Wenn er mit diesen Begriffen und Urteilen hantiert, kommt es ihm wie ein leeres Spiel vor, aus dem die Wirklichkeit gewichen ist. *Diese Begriffe, ich verstand sie wohl: ich sah ihr wundervolles Verhältnisspiel vor mir aufsteigen wie herrliche Wasserkünste, die mit goldenen Bällen spielen.*

Modrige Pilze also oder herrliche Wasserspiele – aber beide fern der Wirklichkeit. Welcher Wirklichkeit? Auch hier werden zwei Regionen genannt, auf die es eigentlich ankäme, die für die Sprache erst wieder zugänglich gemacht werden müßten. Es sind die Individualität der konkreten Dinge und Menschen und die Individualität des eigenen Selbst, zwei Sphären, die sich ins Geheimnis hüllen, obwohl sie doch so nahe sind. Da ist die Sphäre, die Lord Chandos nennt: *das Tiefste, das Persönliche meines Denkens*, und da ist die andere Sphäre der einzelnen Dinge und Wesen draußen in der Welt: *eine Gießkanne, eine auf dem Feld verlassene Egge, ein Hund in der Sonne, ein ärmlicher Kirchhof, ein Krüppel, ein kleines Bauernhaus . . .*

Die Überlegungen treiben auf den Punkt zu, den die philosophische Tradition des mittelalterlichen Nominalismus, die Hofmannsthal bei seinem philosophischen Lehrer Ernst Mach kennengelernt hat, so formuliert: individuum est ineffabile, das Individuum ist unaussprechbar. Hofmannsthal hat es mit dem alten Problem zu tun, das die Nominalisten die ›haecceitas‹ nannten, das ›dieses da‹. Die Wirklichkeit besteht aus lauter solchen ›Dies-da-heiten‹, auch man selbst ist ein solches ›dieses da‹. Das Jeweilige ist etwas Einmaliges an seinem Raum-Zeit-Punkt. Diese Einmaligkeit ist seine Individualität. Jeder Begriff, so argumentierten die Nominalisten, ist demgegenüber etwas abstraktes, ein bloßes Wort, das nicht auf die Ebene des Konkreten hinabreicht, aber auch nicht hinaufreicht zu dem überschwenglich Konkreten, das wir Gott nennen. Wir werden Gott nie erfassen können – aber auch nicht das Einzelne. Weder das eine noch das andere läßt sich erschöpfend darstellen. Unerschöpflich ist das ganz Ferne und das Nahe, deshalb beginnt das Mysteriöse bei den einzelnen Dingen, was es auch sei. Wenn Lord Chandos erklärt, die Gießkanne, das Bauernhaus, der Hund würden für ihn zum *Gefäß meiner Offenbarung*, dann ist das nicht nur seine intime, existentielle Erfahrung, sondern es liegt auch in der Logik der nominalistischen Sprach- und Begriffsskepsis, die bei Hofmannsthal wiederkehrt.

Hofmannsthals »Brief« ist die Programmschrift einer poetischen Mystik, die dem unsagbar Inwendigen und den sprachlosen Dingen draußen Sprache verleihen möchte. Sprache ermöglicht das *Hinüberfließen*. Wohin? Da sind zum Beispiel die Ratten in ihrem Todeskampf, ein Käfer, der in einer Gießkanne ertrinkt. Es ist nicht Mitleid, betont Lord Chandos, es ist zugleich mehr und weniger, es ist ein Eintauchen in das *Fluidum des Lebens und Todes*, aber auch ein lebendiges *Anteilnehmen* an den sogenannten toten Dingen, die sich uns so zeigen, als müßten sie von uns, die wir sie sehen und benennen, erst die Bestätigung ihres Seins empfangen, als wären sie erst da, wenn sie sich in unserem Blick und in unseren Worten spiegeln.

Der »Brief« reflektiert über eine Sprachkrise und will zugleich etwas Ungesagtes zur Sprache bringen. Der Mensch entdeckt sich inmitten der Natur als ein Wesen, das Sprache hat und dem deshalb die Dinge und Wesen als etwas erscheinen können, das danach drängt, benannt und besprochen zu werden, so, als seien es Worte der Erlösung. Der Mensch mit seiner Sprache gibt der Natur eine Bühne, auf der sie erscheinen kann; sie wäre sonst stumm in sich versunken. *Weil sie stumm ist, trauert die Natur*, heißt es in Walter Benjamins »Ursprung des deutschen Trauerspiels«, eine Schrift, die zwei Jahrzehnte nach dem »Brief« erscheint und von Hofmannsthal zustimmend aufgenommen wird.

Das Mysterium der sprachlosen Welt, darum geht es. Es ist ein Kinderspiel, sich einen Gott auszudenken, im Vergleich mit der Schwierigkeit, sich beispielsweise in einen Stein hineinzudenken. Nicht Gott ist das wahre Mysterium, sondern der Stein. Gott als geistiges Prinzip können wir, als geistige Wesen, ganz gut verstehen. Er ist von unserer Art. Nicht so der Stein. Ein Etwas, das nicht Geist und Seele ist, aber doch da ist, dieses Sein ohne Bewußtsein sich wirklich vorzustellen – das ist schier unmöglich. Was ist das für eine Welt, die wie die Steine, reines Sein ist ohne Bewußtsein? Wie kann sie da sein, wenn sie doch nicht weiß, daß sie da ist? Nicht vor Gott, sondern vor dem Sein ohne Bewußtsein, vor den Steinen, kapituliert das gewöhnliche Bewußtsein. Aber vielleicht doch nicht die Dichter. Hofmannsthal jedenfalls war bereit, diese Herausforderung anzunehmen: eine Welt zur Sprache zu bringen, *über die sonst ein Auge mit selbstverständlicher Gleichgültigkeit hinweggleitet.*

Genau in diesem Sinne hat auch der gleichaltrige Rilke die Aufgabe des Dichtens verstanden. Auch er kommt aus der Erfahrung der Sprachskepsis. Einige Jahre vor Hofmannsthals »Brief« entstand das Gedicht: *Ich fürchte mich so vor der Menschen Wort. / Sie sprechen alles so deutlich aus: / Und dieses heißt Hund und jenes heißt Haus, / Und hier ist Beginn und das Ende ist dort. // Mich bangt auch ihr Sinn, ihr Spiel mit dem Spott, / Sie wissen alles, was wird und war; / Kein Berg ist ihnen mehr wunderbar; / Ihr Garten und Gut grenzt grade an Gott. // Ich will immer warnen und wehren: Bleibt fern. / Die Dinge singen hör ich so gern. / Ihr rührt sie an: sie sind starr und stumm. / Ihr bringt mir alle die Dinge um.*

Es ist Vorsicht geboten beim Wortemachen, denn sie können die

Welt entleeren oder eng werden lassen bis zum Gefängnis; sie bezeichnen nicht nur, sondern deuten auch, und auch das kann zum Problem werden, wenn man bemerken muß, *daß wir nicht sehr verläßlich zu Haus sind / In der gedeuteten Welt.*

Ebenso wie bei Hofmannsthal entspringt auch bei Rilke aus der Krise und der Sprachskepsis eine poetische Mystik, die im Gedicht einen *Weltinnenraum* schafft, in dem die Dinge des äußeren Lebens auferstehen können. In der neunten »Duineser Elegie« heißt es: *Und diese, von Hingang / Lebenden Dinge verstehn, daß du sie rühmst; vergänglich, / Traun sie ein Rettendes uns, den Vergänglichsten, zu. / Wollen, wir sollen sie ganz im unsichtbarn Herzen verwandeln / In – o unendlich – in uns! Wer wir am Ende auch seien.*

Rilke zusammen mit Hofmannsthal und natürlich Stefan George, der große Dritte im Bunde – sie haben auch für eine größere Öffentlichkeit poetisches Selbstbewußtsein in einem Maße repräsentiert, wie es das seit dem Auftreten der Frühromantiker ein Jahrhundert zuvor nicht mehr gegeben hat. In dem »Gespräch über Gedichte« von 1903 schreibt Hofmannsthal, was die beiden anderen ebenfalls so hätten sagen können: *Wenn die Poesie etwas tut, so ist es das: daß sie aus jedem Gebilde der Welt und des Traumes mit durstiger Gier sein Eigenstes, sein Wesenhaftes herausschlürft, so wie jene Irrlichter in dem Märchen, die überall das Gold herauslecken.*

Hofmannsthal selbst, nicht nur sein fiktiver Lord Chandos, konnte, als er den »Brief« schrieb, bereits auf ein reiches Werk zurückblicken, das er, wie es schien, mit genial leichter Hand geschaffen hatte, Gedichte, kleinere Stücke, Essays. Ein ›Wunderkind‹ – die ersten Gedichte veröffentlichte er noch als Gymnasiast – mit bezaubernder Ausstrahlung, selbstverliebt und versunken in einer ästhetischen Welt, die er um sich schuf. Er war Mittelpunkt der Künstlerkreise in Wien, im Kaffeehaus Griensteidl hielt er Hof. Dort suchte Anfang der 90er Jahre Stefan George den jungen Dichter auf. George wird wohl auch ein wenig verliebt gewesen sein, vor allem aber war Hofmannsthal für George, der sich bereits als Meister fühlte, der einzige, den er als ebenbürtig ansah. George trat an den Tisch, wo Hofmannsthal seinen Kaffee trank und in einer Illustrierten blätterte, mit der recht schroff geäußerten Erklärung, es weise einiges darauf hin, daß der junge Mann einer *unter den wenigen in Europa sei (und hier in Österreich der einzige), mit denen er Verbindung zu suchen habe: es handle sich um die Vereinigung derer, welche ahnten, was das Dichterische sei* ... So hat es Hofmannsthal später erzählt. George muß sehr nachdrücklich um den Jüngeren geworben haben. Er sollte in den Kreis der Gemeinde, die er um sich zu versammeln begann, hineingezogen werden. Aber Hofmannsthal sperrte sich, wenngleich er George bewunderte. Nach der ersten Begegnung im Dezember 1891 schickte er ihm ein Gedicht, in dem es heißt: *Du hast mich an dinge gemahnet / Die heimlich in mir sind / Du warst für die saiten der seele / Der nächtige flüsternde wind.* Nach außen blieb Hofmannsthal höflich und verbindlich, wie es seine Art war, im Tagebuch aber notierte er: *Inzwischen wachsende Angst: das Bedürfnis den Abwesenden zu schmähen.* Er hat ihn nicht geschmäht, noch lange nach der endgültigen Zurückweisung der persönlichen Werbung zitiert Hofmannsthal in seinem »Gespräch über Poesie« (1903) Georges Gedichte als Beispiel für lyrische Vollkommenheit in der Gegenwart: *komm in den totgesagten park und schau* ... Hofmannsthal hatte sich also entzogen, aber er hörte nicht auf, George als denjenigen zu bewundern, der den lyrischen Zauberkreis zu schließen vermochte zu einem Zeitpunkt, als ihm selbst das große Gedicht nicht mehr gelang. Hofmannsthal hatte im »Chandos-Brief« die Ansprüche der poetischen Mystik, die den Weltdingen ihr eigentliches Wesen ablauschen sollte, so sehr erhöht, daß er sich selbst damit von der lyrischen Produktion ausschloß. George aber zog weiter seine Kreise und gründete seinen ›ästhetischen Staat‹, wie ihn sich einst Friedrich Schlegel in seinen kühnen Träumen wohl vorgestellt hatte. Daß Stefan George auch sonst ein Romantiker war, wenn auch einer von der strengen Observanz, leidet keinen Zweifel. Es genügt, an jenes wunderbare Gedicht aus dem »Neuen Reich«, überschrieben »Das Lied«, zu erinnern: *Es fuhr ein knecht hinaus zum wald / Sein bart war noch nicht flück / Er lief sich irr im wunderwald / Er kam nicht mehr zu-*

rück. // Das ganze dorf zog nach ihm aus / Vom früh- zum abendrot /
Doch fand man nirgends seine spur / Da gab man ihn für tot. // So flossen
sieben Jahr dahin / Und eines morgens stand / Auf einmal wieder er vorm
dorf / Und ging zum brunnenrand. // Sie fragten wer er wär und sahn /
Ihm fremd ins angesicht · / Der vater starb die mutter starb / Ein andrer
kannt ihn nicht. // Vor tagen hab ich mich verirrt / Ich war im wunder-
wald / Dort kam ich recht zu einem fest / Doch heim trieb man mich
bald. / Die leute tragen güldnes haar / Und eine haut wie schnee.. / So
heissen sie dort sonn und mond / So berg und tal und see. // Da lachten all:
in dieser früh / Ist er nicht weines voll. / Sie gaben ihm das vieh zur hut /
Und sagten er ist toll. // So trieb er täglich in das feld / Und sass auf einem
stein / Und sang bis in die tiefe nacht / Und niemand sorgte sein. // Nur
kinder horchten seinem lied / Und sassen oft zur seit.. / Sie sangen's als er
lang schon tot / Bis in die spätste zeit.

Hofmannsthal, Rilke, George – bei ihnen war noch einmal romantische Blüte, noch einmal gelang dieses *und die Welt hebt an zu*
singen, triffst du nur das Zauberwort ... Sie übten als gewissermaßen
offizielle Würdenträger und Botschafter des poetischen Reiches
große Wirkung aus. Sie sind die Ausnahme von der Regel, die
Friedrich Hebbel am 27. April 1838 in einem Brief mit einiger Bit-
terkeit so formuliert: *Es leben jetzt, die wenigen ausgenommen, die selbst*
im Lyrischen etwas hervorbringen, keine fünf Menschen in Deutschland,
welche über diese zartesten Geburten der Seele ein Urteil hätten.

Eine Romantik der besonderen Art gab es im wilhelminischen
Deutschland auch ohne *Einbruch einer Mystik* und ohne lyrische
Sublimierung. *Wenn sich ... Menschen der neuen Generation*, erklärte
Oswald Spengler, *der Technik statt der Lyrik, der Marine statt der Male-*
rei, der Politik statt der Erkenntniskritik zuwenden, so tun sie, was ich
wünsche, und man kann ihnen nichts besseres wünschen. In der Tat, man
wandte sich in der aufstrebenden Industriemacht Deutschland ver-
mehrt der Technik, der Marine und der Politik zu, und der oberste
Repräsentant, der Kaiser, verkörperte diesen neuen Willen zur
Macht auf ingeniöse Weise. Zumal da er sich nach der Eulenburg-
Affäre, die ihn in den Geruch des romantischen Weichlings gebracht

hatte, besonders waffenklirrend gebärden wollte. Außerdem legte es ihm sein Schauspielertalent nahe, Politik als Kostümfest zu inszenieren, bei dem er als Hunnenhäuptling, Kreuzfahrer und Industriekapitän reüssieren konnte.

Als der britische Kriegsminister Lord Haldane, der eigentlich ein gelernter Philosoph war und Hegel übersetzt hatte, im Februar 1912 nach Berlin kam, um Deutschland zu bewegen, sich bei der Flottenrüstung zu mäßigen, besuchte er den Dorotheenstädter Friedhof. Er fand die Gräber von Fichte und Hegel ziemlich verwahrlost und sprach das abends beim Festbankett an. Der Kaiser antwortete lächelnd und schnarrend: »Ja, in meinem Reiche ist für Kerle wie Hegel und Fichte kein Platz.« Es war kein Zufall, daß dieses Scharmützel beim Festbankett in Zusammenhang stand mit der Flottenbaupolitik, denn diese war ein Stück der real existierenden Romantik im Deutschen Reich. Später wird man es ›stählerne Romantik‹ nennen. Marine statt Malerei, hatte Oswald Spengler erklärt, und der Kaiser ergänzte: Marine statt Hegel und Fichte.

Marine und Romantik – wie hängt das zusammen? Die Marine war eine Herzenssache der Bürgergesellschaft. Der Schlachtflottenbau, mit dem die offizielle Politik nach dem Abgang Bismarcks England in die Schranken weisen und einen imperialen Platz an der Sonne erobern wollte, war nicht nur ein praktisches, sondern auch symbolträchtiges Unternehmen, ein Ventil für frustrierte Machtträume von Bürgern, die sonst von der politischen Macht ferngehalten wurden. ›Auf die Schiffe‹ war die Losung der romantischen Aufbrüche gewesen, von Herder bis Nietzsche; und sie wurde nun von den Ingenieuren, Prokuristen und Oberlehrern, wenn sie ihre romantischen Anwandlungen hatten, in robuste Wirklichkeit übersetzt. Die Kinder steckte man sonntags in Matrosenanzüge, die Biergärten wurden mit den Emblemen der berühmten Schlachtschiffe bewimpelt, bei den Flottenbauvereinen traten Blaskapellen und Männerchöre auf. In der Armee gab der alte Adel noch den Ton an, bei der Marine aber konnte das Bürgertum Karriere machen. Das Flottenbauprogramm wurde so populär, daß es schon fast zum Symbol der selbstbewußten Nation wurde, die von ihrer Weltmachtgeltung träumte, von der man damals glaubte, daß man sie nur als Seemacht erringen konnte. Tirpitz, der Leiter des Programms, erwies sich als genialer Werbefachmann und Organisator. Er wurde am Ende des 19. Jahrhunderts zum Erfinder und Wegbereiter der modernen Massenmobilisierung, die das 20. Jahrhundert dann zur höchsten Vollkommenheit entwickelte.

Und doch war das alles romantisch, in dem schlichten Sinne von unrealistisch und verträumt. Die Flotte, die da gebaut wurde, verärgerte England und trieb es in die gegnerische Koalition, konnte aber sonst wenig ausrichten, wie sich dann im Krieg zeigte. Die Schiffe waren für große, entscheidende Schlachten gebaut, denen sich England aber gar nicht stellen mußte. Es konnte Blockadelinien weitab von der deutschen Küste aufbauen und mit kleineren, beweglichen Schiffen sichern, während die deutsche Hochseeflotte funktionslos auf ihren Liegeplätzen blieb und sich dort als das erwies, was sie war: l'art pour l'art, das romantische Spielzeug eines Bürgertums, das geträumt hatte, statt vernünftig zu handeln. Daß ausgerechnet auf diesen Schiffen am Ende des Krieges die Novemberrevolution beginnt, ist die Ironie dieser Geschichte einer politischen Romantik im wilhelminischen Deutschland.

Thomas Mann gehört bei Beginn des Ersten Weltkrieges zu denen, die in patriotischen Gefühlen schwelgen. Zunächst sind es die üblichen, die in den ersten Monaten massenhaft geäußerten. Anderthalb Millionen Kriegsgedichte sollen im August aus deutschen Federn geflossen sein. Sogar Rilke hatte gedichtet: *Heil mir, daß ich Ergriffene sehe* ...

Ergriffenheit machte sich überall bemerkbar, solange der Ernst des Krieges in den grauenhaften Materialschlachten noch nicht wirklich erfahren worden war und die verklärte Erinnerung an die siegreichen und raschen Kriegsabläufe von 1866 und 1870 nachwirkte. Die Soldaten zogen im August 1914 ins Feld mit der Erwartung eines ritterlichen Kampfes im alten Stil und wurden überrascht von den neuen Techniken der industriellen Massentötung, die der Romantik des männlichen Kampfes den Boden entzogen. Es gab auch ein Ungenügen und eine Langeweile infolge der langen Friedensperiode. Rilkes Gedicht spielt darauf an: *Endlich ein Gott. Da wir den friedlichen oft nicht mehr ergriffen, / Ergreift uns plötzlich der Schlacht-Gott.* Auch Thomas Manns im August 1914 niedergeschriebene »Gedanken im Krieg« sind auf diesen Ton gestimmt. Es ist von der *cancanierenden Gesittung* der Friedensperiode die Rede, die nun endlich ihr verdientes Ende gefunden habe: *Gräßliche Welt, die nun nicht mehr ist – oder doch nicht mehr sein wird, wenn das große Wetter vorüberzog!* Das schrieb Thomas Mann, während er sich brieflich bei Bekannten erkundigte, wie man es am besten anstellt, nicht zum Kriegsdienst eingezogen zu werden. Da er das Glück hatte, verschont zu bleiben, konnte er sich mit großer Erleichterung darauf beschränken, *soldatisch zu leben aber nicht als Soldat.* Darunter verstand er den *Gedankendienst mit der Waffe.* So heißt es in der Vorrede zu den »Betrachtungen eines Unpolitischen«.

Begonnen hatte Thomas Mann diese Schrift in der Empörung über den offenen Brief Romain Rollands an Gerhart Hauptmann, worin die Verletzung der belgischen Neutralität durch die deutschen Truppen angeprangert und die deutschen Schriftsteller und Geistesschaffenden an die humanistische Tradition erinnert und zu einem Friedensbund des Geistes aufgerufen wurden. Es wurde in diesem Brief unterschieden zwischen dem Deutschland Goethes, dem wahren, und dem militaristischen, dem falschen. Dieses Dokument wurde zusammen mit anderen ähnlich lautenden Erklärungen aus dem kriegsgegnerischen Ausland der Anlaß zahlreicher kriegsbegeisterter Stellungnahmen von Intellektuellen, etwa der von 3016 Hochschullehrern unterschriebenen »Erklärung« vom 16. Oktober 1914, in der man sich darüber entrüstete, *daß die Feinde Deutschlands ... angeblich zu unseren Gunsten einen Gegensatz machen wollen zwischen dem Geist der deutschen Wissenschaft und dem, was sie den preußischen Militarismus nennen.* Man wollte sich vom *Militarismus* nicht abspalten lassen, sich aber auch nicht einfach zu ihm als zu einem Factum brutum bekennen: Man wollte etwas Bedeutungsvolles daraus machen. Ein Deutungsfieber ohnegleichen ergriff die Ergriffenen. *Es sind,* schrieb Erich Marcks, der damit den Grundtenor dieser Flut von Stellungnahmen traf, *in Wahrheit gerade die tiefsten Kräfte unserer Kultur, unseres Geistes und unserer Geschichte, die diesen Krieg tragen und beseelen.* Nationale Identitätsbekundungen von sehr robuster Natur haben Konjunktur. Auch Thomas Mann läßt sich davon bestimmen. Er nennt den Krieg ein Ereignis, bei dem *die Individualität einzelner Völker, ihre ewigen Physiognomien mächtig hervortreten* und nur mit einer *Fresko-Psychologie* erfaßt werden können. Zu kombattanten Zwecken werden schnellfertige kulturphilosophische Typologien großen Stils entworfen. In England redet man vom Hunnensturm gegen die europäische Gesittung, und in Frankreich von der asiatischen Barbarei im Kampf gegen die Vernunft. In Deutschland schießen die Antithesen mächtig ins Kraut: organische Gemeinschaft gegen kalte Gesellschaft, Helden gegen Händler, Gefühl gegen Verstand, die Ideen von 1789 – Freiheit, Gleichheit, Brüderlichkeit – gegen die deutschen Ideen von 1914 – Pflicht, Ordnung, Gerechtigkeit.

An den Heimatfronten werden die blutigen Gemetzel zu Geisterschlachten umgedeutet. Im Krieg werde der Hunger nach *selbständig originaler Anschauung der Welt* wachsen, schreibt Max Scheler. Tatsächlich aber sind die Anschauungen kaum originell, es sind zumeist die überlieferten, die nun neu mobilisiert werden, um dem Krieg Tiefe und Bedeutung zu verleihen. Die wirklich politischen Köpfe, von Max Weber bis Carl Schmitt, fühlen sich davon abgestoßen. Max Weber geißelt das *Gerede und Geschreibe der Literaten*, die ihre Gesinnungskunststücke mit politischem Denken verwechseln. Und für Carl Schmitt ist, wie er in seiner späteren Kritik der politischen Romantik schreibt, die metaphysische Überhöhung des Politischen blanker *Occasionalismus*, eine Haltung, die das Wirkliche nur zum Anlaß für selbstverliebte Ideenproduktion nimmt.

Wenn Thomas Manns ursprünglich als Gelegenheitsschrift geplante »Betrachtungen eines Unpolitischen« sich dem Umfang und Gewicht nach zu einem Hauptwerk auswachsen, das ihn vier Jahre beschäftigen wird, dann liegt das daran, daß auch er occasionalistisch verfährt, denn er nimmt die Auseinandersetzung mit Kriegspolitik und Pazifismus zum Anlaß, sein eigenes Künstlertum zu reflektieren und in den Zusammenhang der kulturellen Tradition zu stellen. Dabei definiert er sich, um es mit einem Wort zu sagen, als ironischer Romantiker und sagt von der für ihn verbindlichen romantischen Epoche: Sie *wird immer als ein zaubervollstes Begebnis der europäischen Geistes- und Kunstgeschichte gefeiert werden.*

Thomas Mann bedient sich der schon seit längerer Zeit gebräuchlichen Unterscheidung zwischen Kultur und Zivilisation. Aber deren Zuspitzung zur Antithese, woran er anknüpft, ist neu. Sie entstand erst bei Beginn des Krieges. Noch wenige Jahre zuvor war es auch in Deutschland eher üblich, Zivilisation und Kultur als einander ergänzende Aspekte im Rahmen einer Gesamtkultur zu verstehen, die zum einen zivilisatorische Aspekte besitzt, die sich auf die technischen und materiellen Lebensformen sowie die Gesittung beziehen, und zum anderen kulturelle Aspekte, worunter vor allem die Werke – die künstlerischen, wissenschaftlichen, religiösen – zu verstehen sind. Daraus ergab sich, daß das Zivilisatorische eher als äußerlich und das Kulturelle als innerlich angesehen wurde, aber es war unbestritten, daß natürlich beide Aspekte in den jeweiligen Nationalkulturen eine Rolle spielen. Daß daraus ein Gegensatz wurde, der dann auch noch zwischen die Nationen gelegt wurde – diese Interpretation deutet sich zwar bei Paul de Lagarde und Julius Langbehn, den beiden populären Kulturphilosophen in Deutschland am Ende des Jahrhunderts, an, aber mit polemischer Energie wird die ominöse Antithese erst unmittelbar vor und im Krieg aufgeladen. Thomas Mann verwendet sie und gibt ihr noch eine besondere Bedeutung, in der Nietzsches Unterscheidung zwischen dem Dionysischen und dem Apollinischen durchscheint. Dementsprechend ist Zivilisation apollinisch, lebenserhaltend, optimistisch, erleichternd, rational, gesittet. Sie bändigt die dunklen Triebe, zivilisiert sie. Sie ist lebbare Oberfläche. Das Dionysische aber ist tief, elementar, triebhaft, wild, auch böse. In der apollinischen Zivilisation ist es uns geheuer, das Dionysische aber verweist auf das Ungeheure, das man romantisch oder auf andere Weise irrational zum Ausdruck bringen oder aber – im apollinischen Stil – rational bewältigen und vielleicht sogar fortschaffen kann.

Der Westen ist apollinisch-sokratisch, optimistisch. Die deutsche Kultur aber, so Thomas Mann, hat mehr dionysische Elementarkraft in sich. Auf die kürzeste Formel gebracht: Sie ist mehr Musik als Demokratie. Und Musik bedeutet: Tragik, Rausch, Lust an Auflösung und Tod, Eros, Tristan, Dionysos. Thomas Mann verweist auf Schopenhauer, Nietzsche, Wagner; sie haben den dunklen Untergrund aufgerührt und aus *Wille, Wahn und Weh* große, maßgebliche Werke geschaffen. Thomas Mann ist unbescheiden genug, sich in diese Reihe zu stellen, ein Dionysiker mit Bügelfalte und gestärktem Kragen.

Das Dionysische ist ihm zugleich das Romantische. Und Romantik ist für ihn der Inbegriff des Politikfernen. Sie ist *Traum, Musik, Gehenlassen, ziehender Posthornklang, Fernweh, Heimweh, Leuchtkugelfall auf nächtlichen Park.* Diese Kennzeichen liest er an Eichendorffs »Taugenichts« ab, für ihn das eindrucksvollste Beispiel einer Poesie, die darum so vollkommen ist, weil sie sich *auf eine heute schlechthin verblüffende Weise im Stande politischer Unschuld und Ruchlosigkeit befindet.* Der Taugenichts ist heiter, aber sein Erzähler ist untergründig melancholisch, denn er weiß, daß das Glück der Poesie nicht ganz von dieser Welt ist und sich auch nicht anders als eben nur in der Poesie verwirklichen läßt. Die Politik des *Meliorismus* kann daran nichts ändern. In immer neuen Anläufen und Wendungen umgrenzt Thomas Mann den Bereich der Poesie, der es verdient, vor der Politik geschützt zu werden im doppelten Sinn: Weder soll daraus Politik werden, noch soll die Politik darauf zugreifen dürfen. Der große Widersacher ist: der Geist des Primats der Politik. Ihn projiziert er in die Figur des Zivilisationsliteraten, für die ihm bekanntlich der Bruder Heinrich Modell gesessen hat.

Aber warum diese Angst vor der Politik, was hat der Geist des Taugenichts von der Politik zu befürchten? Gibt es wirklich eine

Gefahr von dieser Seite? Thomas Mann malt das Schreckgespenst der *besserischen Aufklärung* und der *revolutionären Philanthropie* an die Wand, als ob der Fortschrittsgeist der sozialen Demokratie solche Taugenichtse nicht mehr zulassen würde. Thomas Mann hat sich in der Zeit und in der politischen Himmelsrichtung geirrt. Was er als den Geist des Westens perhorresziert, wird erst 1917 mit der russischen Revolution im Osten wirklich: die terroristische Reduktion des Menschen auf das sozial nützliche Arbeitstier. Dort erst geht es den Taugenichtsen – es sind Heines *Nachtigallen* – wirklich ans Leben.

Die schöne Unvernunft der Taugenichtse ist für Thomas Mann die eine poetische Ressource, die es zu bewahren gilt. Die andere ist die Affäre mit Tod und Todessehnsucht, dieser *faustische Duft, Kreuz, Tod und Gruft*. Auch diese dunklen Stimmungen, aus denen Kunst lebt, würden, befürchtet er, negiert vom Geist der Zivilisation, der auf Lebensdienlichkeit um jeden Preis eingeschworen ist. Die *Zeitkorrekten* der Zivilisation, schreibt er, dulden keine Tragik, *Pessimismus* ist ihnen verdächtig, die heikle Verbindung von Eros und Thanatos auch.

Bei der Arbeit an den »Betrachtungen eines Unpolitischen« hatte Thomas Mann Maß an Nietzsche genommen. Auf ihn beruft er sich, wenn er sein Künstlertum dionysisch illuminiert und Abstand hält zum Geist des Forschritts, der sozialen Nützlichkeit und Demokratie.

Dreißig Jahre später, 1947, blickt Thomas Mann noch einmal auf Nietzsche zurück in dem großen Essay »Nietzsches Philosophie im Lichte unserer Erfahrung«, einem Seitenstück seiner Arbeit am »Doktor Faustus«. Jetzt nennt er Nietzsche den *rettungslosesten Ästheten*, den man in einer Hinsicht keinesfalls nachahmen sollte. Anders als Nietzsche sollte man sich nämlich nicht der ästhetisch vielleicht unattraktiven Begriffe von *Wahrheit, Freiheit, Gerechtigkeit* schämen. Man sollte das politisch Vernünftige tun, auch wenn es ästhetisch uninteressant ist, und umgekehrt sollte man nicht seine ästhetischen Obsessionen von *Kreuz, Tod und Gruft* in Politik umsetzen wollen, wie er selbst es in den »Betrachtungen«, in diesem *Gedankendienst mit der Waffe* versucht haben mochte. Damals hatte er gegen die Politisierung der Kunst Stellung genommen und mit seiner Anti-Politik dann schließlich doch Politik im Dienste des Deutschtums betrieben. Inzwischen weiß er, daß nicht nur die Politisierung der Kunst, sondern auch die Ästhetisierung der Politik eine Gefahr ist. Die *im Namen der Schönheit Revoltierenden*, schreibt er im Nietzsche-Essay, vergessen häufig, daß die Politik das Gewöhnliche und den Kompromiß zu verteidigen hat; daß sie im Dienste der Lebbarkeit stehen sollte. Die Kunst aber ist an Extremzuständen interessiert, sie ist radikal und, zumal bei Thomas Mann, auch todesverliebt. Beim wahrhaften Künstler ist das Verlangen nach Intensität stärker als der Wille zur Selbsterhaltung, in deren Dienst die Politik steht. Wenn Politik diese Orientierung verliert, wird sie gemeingefährlich. Und darum warnt Thomas Mann vor der *unheimlichen Nähe* von *Ästhetizismus und Barbarei*.

Thomas Mann hat dem Geist seiner »Betrachtungen« zeitlebens die Treue gehalten, aber er achtete in den späteren Jahren darauf, daß die ästhetischen Obsessionen nicht zu sehr in die anderen Lebensbereiche expandieren. Er hatte Max Webers Theorie der Ausdifferenzierung der Wertsphären inzwischen ganz gut begriffen. Der Dionysiker muß zuerst ausnüchtern, ehe er politischen Boden betritt. So hat es Thomas Mann damit gehalten: Ästhetisch trank er Wein, politisch predigte er Wasser. Er hätte sich dabei sogar stützen können auf Nietzsches Idee vom Zweikammersystem der Kultur, wo in der einen Kammer genialisch und romantisch eingeheizt und in der anderen lebenserhaltend vernünftig heruntergekühlt wird.

Sechzehntes Kapitel

Vom Zauberberg ins Flachland. Langemarck. Wanderer zwischen beiden Welten. Zwei abenteuerliche Herzen: Ernst Jünger und Franz Jung. Tanzwut in Thüringen. Die Morgenlandfahrt. Angestrengte Sachlichkeit. Das Warten auf den großen Augenblick. Explodierende Altertümer am Ende der Republik. Heideggers politische Romantik.

Wo sind wir? Was ist das? Wohin verschlug uns der Traum? So fragt der Erzähler gegen Ende des »Zauberbergs«. Hans Castorp lebt nun schon sieben Jahre im Sanatorium. Von eigentümlicher Romantik war, was ihn dort oben verzaubert und all die Jahre festgebannt hatte: dieses Widerspiel von Eros und Thanatos; dieses Pfeifen der Pneumothoraxe; diese Meditationen über Zeit und Langeweile; dieses Türenschlagen der Madame Chauchat; diese großen Debatten zwischen Naphta und Settembrini über Mittelalter und Aufklärung, heilige Ordnung und humanen Fortschritt; dieses Pistolenduell im Schnee; dieses Weiterungen abschneidende *Erledigt* ... des Mynheer Peeperkorn. Es waren Ausschweifungen in einer *Schattensicherheit*, in der sich fast nichts verändert hatte. Nur daß Hans Castorp jetzt auch bisweilen am schlechten Russentisch sitzt und sich nicht mehr die »Maria Mancini« aus Bremen kommen läßt, sondern vorliebnimmt mit der Schweizer Zigarrenmarke namens »Rütlischwur«.

Inzwischen aber hat drunten im Flachland der Krieg begonnen, der die jungen Männer zu den Waffen ruft. Auch Hans Castorp findet sich plötzlich auf dem Schlachtfeld wieder, im Granathagel, im Schlamm und im Sterben von Langemarck. Auch er singt, wie man von den Regimentern der jugendbewegten Kriegsfreiwilligen behauptet hat, daß sie gesungen hätten, als sie, kaum an den Waffen ausgebildet, im flandrischen Novembernebel gegen die Maschinengewehre der britischen Berufsarmee anstürmten und zu Tausenden in wenigen Stunden hingemäht wurden. Hans Castorp, außer Atem und kaum mehr bei Verstand, singt das romantische Lied vom »Lindenbaum«: *Und seine Zweige rau-uschten / Als rie-fen sie mir zu* – und so kommt dieses *Sorgenkind* einer am Ende explodierenden Epoche uns *aus den Augen.* Dem Entschwindenden schickt der Erzähler noch die Bemerkung nach: *Abenteuer im Fleische und Geiste, die deine Einfachheit steigerten, ließen dich im Geist überleben, was du im Fleische wohl kaum überleben sollst.* Wieviel Romantik überlebte in diesem Krieg?

Man könnte denken, daß im Grauen der Materialschlachten auch noch jeder Rest von Romantik verbrannt wäre. Dem war aber nicht so. Da gab es die elegischen Romantiker, die als Wandervögel in den Krieg gezogen waren wie auf große ›Fahrt‹ und die ihr Schicksal als Opfergang verklärten. »Der Wanderer zwischen beiden Welten« von Walter Flex wurde zum Kultbuch dieser Generation. Es kam 1916 heraus und zählte zu den am meisten gelesenen Büchern der Weimarer Zeit. Um den Autor, der 1917 fiel, bildete sich ein Totenkult, den vor allem die bündische Jugend und nationalromantische Kreise pflegten. Ein Gedenkstein auf einer Anhöhe gegenüber der Wartburg wurde zur Wallfahrtstätte. Im Mittelpunkt der autobiographischen Erzählung steht Ernst Wurche, ein Theologiestudent und Wandervogel, ein charismatischer jugendlicher Führer, der beiden Welten, der Erde und dem Himmel, dem Leben und dem Tod, gleich nahe ist und der im Tornister Goethes Gedichte und Nietzsches »Zarathustra« mit sich führt. Einmal steht er auf einer Anhöhe, nach dem Bade nackt der Sonne zugewandt, wie im »Lichtgebet« von Fidus: *Der junge Mensch stand schlank und hell auf dem blühenden Grunde, die Sonne ging schimmernd durch seine leichtgebreiteten Hände.* Der Erzähler und Wurche erleben zwischen zwei Einsätzen bezaubernde Frühsommertage, lange Gespräche bei Wanderungen und Nachtwachen am Feuer. Der Freund wird nach diesen verklärten Tagen im nächsten Gefecht fallen, und er ist vom nahen Tod schon gezeichnet. Das Geschehen ist eingehüllt in eine Atmosphäre aus Hingabe und Wehmut, von ferne an Alain-Fourniers »Der große Meaulnes« erinnernd. Eine homoerotische Liebesgeschichte im Krieg, auf sanfte Art heroisch, schicksalsergeben und doch voller Sehnsucht, eine Kriegserinnerung, klagend, aber nicht anklagend, eher schwermütig als militant. Den Ton des Ganzen trifft das Gedicht, mit dem die Erzählung anhebt: *Wildgänse rauschen durch die Nacht / Mit schrillem Schrei nach Norden – / Unstäte Fahrt! habt acht, habt acht! / Die Welt ist voller Morden ...*

Es gab auch Frontkämpfer, die dem Grauen und der Vernichtung einen ganz anderen dunklen Reiz abgewannen. Ernst Jünger, vielfach verwundet und hochdekoriert, ist ein berühmtes Beispiel dafür. *Uns war es noch vergönnt,* schreibt er in seinen Kriegserinnerungen »In Stahlgewittern«, *in den unsichtbaren Strahlen großer Gefühle zu leben, das bleibt uns unschätzbarer Gewinn.* Die großen Gefühle haben dabei weniger mit Patriotismus zu tun als mit Nietzsche. Jünger schildert ekstatische Augenblicke an der Grenze zum Tod, jene Augenblicke, die Nietzsche *Verzückungsspitzen* genannt hat. Von einem gescheiterten Sturmangriff in der Nähe von Cambrai berichtet Jünger: *Nun hatte es mich endlich erwischt. Gleichzeitig mit der Wahrnehmung des Treffers fühlte ich, wie das Geschoß ins Leben schnitt ... Als ich schwer auf die Sohle des Grabens schlug, hatte ich die Überzeugung, daß es unwiderruflich zu Ende war. Und seltsamer Weise gehört dieser Augenblick zu den ganz wenigen, von denen ich sagen kann, daß sie wirklich glücklich gewesen sind. In ihm begriff ich, wie durch ein Blitz erleuchtet, mein Leben in seiner innersten Gestalt.* Der Krieg ist nicht nur zerstörerisch. Er kann auch, so Jünger, eine dramatische Wandlung bewirken. Der materielle und der geistige Zivilisationskomfort verbrennt, und übrig bleibt der gehärtete Kern der Person, die sich nichts mehr vormacht und der man auch nichts mehr vormachen kann. Verächtlich ist dem in Stahlgewittern Gehärteten eine Kultur des Wohlwollens und Lebensbehagens. Er meidet die mittlere Temperatur und die moderate Haltung. Das Heiße, das Kalte und das Radikale ziehen ihn an. Der Krieger, wie ihn Ernst Jünger zur Kultfigur erhebt, ist für die Wonnen der Gewöhnlichkeit nicht mehr zu haben. Und auch nicht mehr für den humanistischen Geist, der so offensichtlich im Weltkrieg seinen Bankrott erlebt hat. *Die beste Antwort auf den Hochverrat des Geistes gegen das Leben ist der Hochverrat des Geistes gegen den Geist; und es gehört zu den hohen und grausamen Genüssen unserer Zeit, an dieser Sprengarbeit beteiligt zu sein.* Durch sie sollen die Zugänge zum *elementaren Raum* freigelegt werden. Das ist der Raum jenseits oder unterhalb der bürgerlichen Sicherheit. Es ist die bellizistische Version des Dionysischen. Jünger bezieht den elementaren Raum ausdrücklich auf den *romantischen Raum*. Romantik bedeutet für ihn Sehnsucht nach Gefahr, nach starken Gefühlen, nach Leben an der Grenze; sie ist mit alledem Ausdruck eines *abenteuerlichen Herzens*. Aber Romantik verspricht nur ein Abenteuer, ohne es schon zu sein. Das wahrhafte Abenteuer hat erst der Krieg gebracht, der den elementaren Raum öffnet. Der romantische Raum ist im Vergleich dazu ein *Naturschutzpark* oder ein Wartezimmer. Im elementaren Raum sehnt man sich nicht mehr nach Gefahr, denn sie ist da, und man lebt auch nicht mehr an der Grenze, sondern hat sie überschritten. Jenseits dieser Grenzen bürgerlicher Wohlbehütetheit gilt für abenteuerliche Herzen: *Wir werden nirgends stehen, wo nicht die Stichflamme uns Bahn geschlagen, wo nicht der Flammenwerfer die große Säuberung durch das Nichts vollzogen hat. Weil wir die echten, wahren und unerbittlichen Feinde des Bürgers sind, macht uns seine Verwesung Spaß. Wir aber sind keine Bürger. Wir sind Söhne von Kriegen und Bürgerkriegen, und erst wenn dies alles, dieses Schauspiel im Leeren kreisenden Kreise, hinweggefegt ist, wird sich das entfalten können, was noch an Natur, an Elementarem, an echter Wildheit, an Fähigkeit zu wirklicher Zeugung mit Blut und Samen in uns steckt. Dann erst wird die Möglichkeit neuer Formen gegeben sein.*

Ernst Jünger erklärt ausdrücklich, daß die romantischen Taugenichtse von einst die Krieger von heute sind. Was beide eint, sei ihr Ekel vor dem *Leben der Krämer*. Aus Eichendorffs metaphorisch gemeintem Schlachtruf *Krieg den Philistern!* ist in den Bürgerkriegswirren der 20er Jahre blutiger Ernst geworden. Die von Jünger gerühmten *Söhne von Kriegen und Bürgerkriegen* suchten das Außerordentliche nicht mehr nur im Imaginären, in Traum und Poesie, sondern zum Teil auch in der Wirklichkeit des Tötens. Sie kämpften in den Freikorps gegen die Weimarer Republik, beteiligten sich an Putschversuchen, begingen Fememorde und bildeten jenes militante Milieu, aus dem auch Adolf Hitler kam.

Aber diesen Krieger-Typus gab es natürlich auch bei der extremen Linken und im militant anarchistischen Milieu. Hier dachte man ebenso antibürgerlich und fühlte sich dem Elementaren verbunden – gegen Kapitalismus und die spießbürgerlichen Parteileute. Als ›linke Entsprechung‹ zu Ernst Jünger könnte Franz Jung gelten. Sein Buch über den Geschlechterkampf, »Das Trottelbuch«, wurde als ein Höhepunkt expressionistischer Prosa gefeiert. Er verkehrte in der anarchistischen Boheme Münchens und gehörte in Berlin dem Kreis der Dadaisten an. Jungs Kampfzeit fand nicht so sehr im Krieg statt – er desertierte und war in Irrenanstalten eingesperrt –, sondern danach. Er verließ die KPD, weil sie ihm zuwenig militant war, kaperte 1920 ein Schiff, um zum Kominternkongreß nach Rußland zu gelangen. Mit Max Hoelz zusammen beteiligte er sich führend an den Mitteldeutschen Märzkämpfen 1921 und wurde, so berichtet er, vom kommunistischen Funktionär Ernst Reuter-Friesland, dem späteren Westberliner Regierenden Bürgermeister, zur Vorbereitung eines Bombenanschlags auf ein Gebäude am Berliner Nollendorfplatz herangezogen. Nach 1924 löste er sich von der kommunistischen Politik und eröffnete ein Geldmaklerbüro, das mit Rußland-Wechseln spekulierte und die Aufführung von Brechts »Mahagonny« finanzierte. Jung war gewiß ein Mann des abenteuerlichen Herzens. Er plädierte für eine sachliche Romantik, für einen Anarchismus, der sich der Maschinen zu bedienen weiß. »Die Eroberung der Maschinen« lautete der programmatische Titel einer seiner Romane. Der Staat ist für ihn der Inbegriff der Herrschaft der toten Vergangenheit über das gegenwärtige Leben. In dem Essay »Technik des Glücks« von 1920 heißt es: *Der Staat, wie immer konstruiert, wird niemals die inhaltliche Kristallisation des Lebendigen im Leben sein.* Also muß man ihn abschaffen und an seiner Stelle etwas Neues schaffen. Was das sein sollte, blieb ziemlich unklar. Es muß sich in den institutionellen Formen nur eben *der Rhythmus der Gemeinschaft, der zugleich das Leben und das Glück ist,* zum Ausdruck bringen können. *Rhythmus* ist das romantische Zauberwort Franz Jungs. Rhythmus löst Erstarrung und läßt Gesellschaft zur Gemeinschaft werden. Es kommt alles darauf an, das Leben und die Dinge in *Schwingung* zu versetzen, das ist Franz Jungs Romantik. Der linksradikale Psychoenergetiker Franz Jung ebenso wie der politisch eher ›rechte‹ Ernst Jünger haben Fühlung zu den romantischen Erregungen in den frühen Jahren der Weimarer Republik.

Anfang 1919 hatte Max Weber in seinen beiden berühmten Münchener Vorträgen über den »Beruf zur Wissenschaft« und den »Beruf zur Politik« das Verlangen nach Wiederverzauberung analysiert und vor *Kathederpropheten* gewarnt, besonders in den Fällen, wo das *prophetische Pneuma* in die politische Arena bläst. Max Weber hatte mit seiner Warnung das Publikum mächtig aufgewühlt. Es hagelte Kritik, Anwürfe und Verleumdungen. Er starb 1920. Er hätte aber auch nicht fertigwerden können mit allem, was da an Prophetien, Visionen, Heilslehren und Weltanschauungen emporkam. Denn in den ersten Jahren der Weimarer Republik war den *Kathederpropheten* eine starke freischaffende Konkurrenz erwachsen. Es war die Zeit der Inflationsheiligen, die auf der Straße, in den Wäldern, auf den Marktplätzen, in den Zirkuszelten und den verräucherten Hinterzimmern von Kneipen Deutschland oder die Welt erlösen wollten. Oswald Spenglers »Der Untergang des Abendlandes«, in jenen Jahren sechshunderttausendmal verkauft, war der großtheoretische Entwurf, der in tausend kleine Splitter zersprang, Weltdeutungen aus dem Geiste von Endzeit und radikalem Neubeginn. Fast jede größere Stadt verfügt über einen oder sogar mehrere ›Heilande‹. In Karlsruhe gab es einen, der sich ›Urwirbel‹ nannte und seinen Anhängern Teilhabe an kosmischen Energien versprach; in Stuttgart trieb ein ›Menschensohn‹ sein Wesen, der zu erlösendem vegetarischem Abendmahl einlud; in Düsseldorf predigte ein neuer Christus den nahen Weltuntergang und rief zum Rückzug in die Eifel auf. In Berlin füllte der ›geistige Monarch‹ Ludwig Haeusser große Säle, wo er die *allerkonsequenteste Jesus-Ethik* im Sinne des Urkommunismus forderte, die Liebesanarchie propagierte und sich selbst als *Führer* anbot – *die einzige Möglichkeit zur Höherentwicklung von Volk, Reich und Menschheit.* Die zahlreichen Propheten und Charismatiker jener Jahre sind fast alle millenarisch und apokalyptisch gestimmt, es sind Irrgänger der Revolutionen bei Kriegsende, Dezisionisten der Welterneuerung, wildgewordene Metaphysiker und Geschäftemacher auf dem Jahrmarkt der Ideologien und Ersatzreligionen. Wer sich um seine Seriosität sorgte, der ging auf Distanz zu dieser Schmuddelszene, doch waren die Übergänge durchaus fließend. Das gilt auch für die politische Szene im engeren Sinne, wo Messianismus und Heilslehren links und rechts ebenfalls üppig gediehen. In den Tagen der Münchener Räterepublik kündigt ein von Ernst Toller und Erich Mühsam verfaßter Erlaß die Verwandlung der Welt in *eine Wiese voll Blumen* an, *in der jeder seinen Teil pflücken* könne; ausgebeutete Arbeit, jegliche Hierarchie und juristisches Denken werden für abgeschafft erklärt, und den Zeitungen wird befohlen, auf der Titelseite neben den neuesten Revolutionsdekreten Gedichte von Hölderlin oder Schiller zu publizieren.

Der fiebrige Geist jener Jahre warf sich in allen politischen Lagern auf die Sinngebung des Sinnlosen. Nur die ›Dadaisten‹, die sich als Zyniker aufführten und dabei doch nur romantische Ironie inszenierten, gaben sich abgebrüht und metaphysisch abgemagert.

Die Dadaisten, in Berlin, Zürich und anderswo, hatten schon während des Krieges über das Ästhetentum des George-Kreises, über das ›O Mensch‹-Pathos der Expressionisten, über den Traditionalismus der Bildungsphilister, über die metaphysischen Himmelsgemälde gespottet, weil alle diese Ideen sich wieder einmal tüchtig blamiert hätten vor der Wirklichkeit des Krieges. Die Provokation der Dadaisten bestand aber vor allem darin, daß sie auf die Frage, was sie dem allen entgegensetzen wollten, antworteten: Nichts! Wir wollen nur das, was sowieso schon der Fall ist. Der Dadaismus, so heißt es im »Dadaistischen Manifest«, *zerfetzt alle Schlag-*

worte von Ethik, Kultur und Innerlichkeit. Das heißt: Eine Trambahn ist eine Trambahn, Krieg ist Krieg, ein Professor ist ein Professor, eine Latrine eine Latrine. Wer redet, beweist damit nur, daß er vor der lakonischen Tautologie des Seins in die geschwätzige des Bewußtseins ausweicht. *Mit dem Dadaismus tritt eine neue Realität in ihre Rechte.* Diese neue Realität ist eine, die von allen guten Geistern verlassen und deren Kulturkomfort zertrümmert ist. *Das Wort Dada symbolisiert das primitivste Verhältnis zur umgebenden Wirklichkeit.* Es gibt nur noch dies da und dies da und dies da. *Dadaist sein, heißt, sich von den Dingen werfen lassen ... ein Moment auf einem Stuhl gesessen, heißt, das Leben in Gefahr gebracht haben.* Der Dadaist spottet über romantische Jenseitssehnsucht und über die Himmelstürmer. Warum sollte man nicht sich und die Dinge fallen lassen? *Ich werde ja doch nicht so sehr den Kopf verlieren, daß ich nicht fallend die Fallgesetze studiere,* erklärt Hugo Ball. Doch trotz ihrer bilderstürmerischen Tendenz und ihrem Kulturekel bleiben die Dadaisten, jedenfalls die meisten von ihnen, auf der Suche nach dem Wunderbaren. Hugo Ball notiert nach einer dadaistischen Veranstaltung in seinem metaphysischen Tagebuch »Die Flucht aus der Zeit«: *Es gibt wohl noch andere Wege, das Wunder zu erreichen, auch andere Wege des Widerspruchs.* Die Dadaisten blieben, auf ihre Weise, heimliche und unheimliche Metaphysiker, auch wenn sie zum Mißtrauen gegen die schönen großen Worte anstifteten. Man soll sich bloß nichts vormachen lassen in Zeiten der grassierenden Bereitschaft zum Kreditbetrug und zum Ausstellen von Wechseln auf eine Zukunft, der man doch keinesfalls mächtig ist. Die Dadaisten plädieren für die Räumung der Feldherrnhügel großer Welterklärungen.

Gleichwohl, diese Virtuosen der Ausnüchterung drückten doch nicht die allgemeine Stimmungslage aus. Man war in der Regel durchaus nicht bereit, die Entzauberung der modernen Welt hinzunehmen, auch nicht in der intellektuellen Szene. Der Geist des Realismus und der Realpolitik (›Weimarer Koalition‹) war nach 1920 nicht mehr mehrheitsfähig, und bei den Erregten und Ergriffenen fand Max Webers Aufforderung zur Nüchternheit wenig

Gehör. Eduard Spranger faßte 1921 den Protest gegen die Weber-sche Sachlichkeit und seinen Metaphysikverzicht so zusammen: *Gläubig ... erwartet die junge Generation eine innerste Wiedergeburt ... Der junge Mensch atmet und lebt heute mehr als zu allen Zeiten durch die Totalität seiner geistigen Organe.* Es gebe einen *Trieb zur Ganzheit* und zugleich eine *religiöse Sehnsucht: ein Zurücktasten aus künstlichen und mechanischen Verhältnissen in das ewig quellende Metaphysische.*

Es ist in diesem Zusammenhang von einem wunderlichen Vor-kommnis zu berichten, von einem realen Ereignis dionysischer Ver-zauberung, bei dem Nietzsche sich an seine denkwürdigen Sätze hätte erinnern fühlen müssen: *Unter dem Zauber des Dionysischen schließt sich ... der Bund zwischen Mensch und Mensch wieder zusam-men ... Jetzt ... fühlt sich Jeder mit seinem Nächsten nicht nur vereinigt, versöhnt, verschmolzen, sondern eins, als ob der Schleier der Maja zerrissen wäre und nur noch in Fetzen vor dem geheimnisvollen Ur-Einen herum-flattere.* Im Sommer 1920 löste einer der Inflationsheiligen in den altdeutschen Landen Thüringens eine wahre Tanzwut aus, auch eine Verbrüderung und Verschwesterung in dem von Franz Jung beschworenen *Rhythmus der Gemeinschaft.* Ganz plötzlich zeigte sich hier, daß Hegel recht hatte, als er von der Wahrheit sagte, sie sei der *bacchantische Taumel an dem kein Glied nicht trunken ist.* Dabei waren die Tanzenden im üblichen Sinne gar nicht trunken. Aber nüchtern waren sie auch nicht. Sagen wir mit Hölderlin, sie waren *heilignüchtern.*

Am 14. Mai 1920 bricht von einem Städtchen im Erzgebirge eine Gruppe junger Leute zu einem Zug durch Franken und Thüringen auf, der allmählich, je mehr es Sommer wird, zum Triumphzug heranwächst. Sie nennen sich die ›Neue Schar‹. Ihr Mittelpunkt ist Friedrich Muck-Lamberty, ein kleinwüchsiger und schlanker Drechsler aus dem Elsaß, mittellange Haare, streng nach hinten ge-kämmt. Eine Christusfigur in Sandalen. Die Gebildeten fühlen sich an Stefan George erinnert. Der Mann hat eine modulationsreiche, tiefe Stimme. Man hört ihm gerne zu. Er spricht unliterarisch, aber eindringlich und sanft. Wer ihn einmal erlebt hat, kann ihn schwer vergessen. Einer erinnert sich: *Sein scharfes Profil hob sich gegen die untergehende Sonne ab, und alle lauschten andächtig. Noch heute sehe ich ihn vor mir, ohne sagen zu können, was mich – und die anderen – seinerzeit so faszinierte. Er sprach über Gott und die Welt, über die ›Neue Zeit‹, die eine ›Not-Zeit‹ sei und daß man zu einer ›Notwende‹ kommen müsse . . . Wer bereit sei, mit ihm zu gehen, solle sein Geld in die ausgebreitete Zeltbahn werfen.*

Lamberty spricht zwar vom *Kampf für die Volksgemeinschaft gegen alles Gemeine, gegen Ausbeutung,* aber bei ihm und den Seinen kommt alles sehr friedlich heraus. Es ist die völkische Jugendbewegung auf dem Marsch, mit Klampfe und in selbstgewirkten weichen und wallenden Gewändern. Am Anfang sind es zwanzig, später im Sommer werden es bisweilen fünftausend sein, die da über Land ziehen.

Mir begegnete, heißt es in einem anderen Bericht, *Muck Lamberty mit seiner Schar in Thüringen . . . Mir schien es wie ein Kreuzzug der Fröhlichkeit. Jünglinge und Mädchen machten aus trägen Kleinstädtern im Handumdrehen lebendige, heitere Menschengemeinden. Muck predigte Fröhlichkeit und ›innere‹ Wahrhaftigkeit . . . von den Kanzeln der Kirchen. Und heute noch ist diese einmalige Begegnung zwischen Kleinstädtern und Wandervögeln von solchem Glanz umgeben, daß sich alte Leute ihrer wie einer kostbaren Legende erinnern.*

Die Schar sucht auch die Einsamkeit, löst sich von der Menge, lagert im Verborgenen. In Rudolstadt ist gerade Kirmes, als man erfährt, daß Lambertys Schar in der Nähe ist. Man sucht ihn, die Kirmes leert sich, worüber sich andere ärgern und Lärm schlagen, während draußen auf der Wiese gesungen und getanzt wird. In Jena pöbeln farbentragende Studenten. Die Menge nimmt Lamberty in die Mitte, um ihn zu schützen. Lisa Tetzner, die damals Thüringen bereist, begegnet der ›Neuen Schar‹, als diese gerade eine Stadt verläßt: *Eine unzählige Menschenmasse wälzte sich den Berg heran. Es scheint als seien alle Menschen der Stadt im Anmarsch begriffen. Voran schreitet ein kleiner Trupp sonderbar bekleideter Burschen und Mädchen . . . Ihnen voran schwebt eine blaue von Wind und Sonne zerschlissene Fahne mit weißem Kreuz. An ihren Seiten und Händen halten sich zahlreiche Kinder . . .*

Aber, es sind nicht nur Kinder, es ist ein ganzes buntes Volk, was nachfolgt. Und von dieser anmarschierenden Masse fühle ich etwas Strahlendes ausgehen, so als hätten sie eben in dieser Stunde eine große Verkündigung erfahren und wollten nun ausziehen, das Heil zu suchen. Ihr Gehen ist ein beschwingtes Schreiten ...

Auf den Markplätzen der Städte und Dörfer singt und tanzt die Schar und reißt alle in einen Tanztaumel, der immer stärker wird, je mehr die Fama wächst, die der Schar vorauseilt. Im einzelnen geht das so vor sich: Die Schar bildet einen Kreis, man singt Volkslieder oder etwas aus dem »Zupfgeigenhansel«. Leute kommen dazu, bilden weitere Kreise, die sich langsam drehen und verschlingen, schreitend, hüpfend, vor allem aber schwingend. ›Schwingen‹ ist der Lieblingsausdruck der Lamberty-Schar. Man spricht sich mit ›du‹ an, berührt sich, faßt sich an den Händen, natürlich ist die Stimmung erotisch, aber auf zarte Weise. »Rundinella-rula« wird immer wieder angestimmt. Instrumente sind da, Geigen, Flöten, Lauten. Die ›Neue Schar‹ führt sogar einen Dudelsack mit sich. Frisch gesammelte Blumen werden ausgestreut, in den Fenstern liegen die älteren Leute, manche winken mit bunten Tüchern. Wenn der Abend kommt, brennen Lampions in den Bäumen. Das geht mehrere Tage so, es werden immer mehr Menschen. Sie kommen auch aus der Umgebung. Dazwischen wird geübt, die Kinder im Schulhof, die Erwachsenen hinterm Haus. Ein Gymnasiast von damals erzählt, wie er auf dem Domplatz von Erfurt eine Welt außer Rand und Band erlebte. *Das Lehrerkollegium war nicht mehr wiederzuerkennen, selbst den Direktor sah man wahrhaftig tanzen: mit fliegenden Rockschößen und einem grimmig lachenden Gesicht! Wir spotteten und machten derbe Späße, auch über die anderen Lehrer, die ihre professorale Würde über Nacht vergessen zu haben schienen. Aber merkwürdig: schon nach einer halben Stunde tanzten wir selber ... berauscht, doch zugleich seltsam nüchtern – ein verwegener abenteuerlicher Zustand.*

Erfurt war der Höhepunkt des Tanztaumels, aber auch der Andacht. Der Stadtpfarrer Ritzhaupt, der sich zunächst gegen das Treiben der Schar ausgesprochen hatte, berichtet: *Die Dunkelheit kommt. Plötzlich brechen die Kreise ab. Die Scharen wälzen sich den hohen Domstufen zu und die Stufen hinauf. Der Dom hat verwundert dem Spiel zugeschaut. Er hat schon viel gesehen, zuletzt den Aufmarsch der Revolution; aber so etwas Verwunderliches, Unkriegerisches hat er auf dem weiten Platz zu seinen Füßen noch nie gesehen. Es sind keine zwei-, dreitausend mehr wie am Nachmittag, es sind fünf-, sechstausend geworden am Abend ... Ich habe noch nie einen so starken Eindruck von einer in die Höhe wachsenden Menschenmenge gehabt, ... die sich in den dämmernden Abendstunden die Treppen hinauf zwischen den mächtigen Monumentalbauten des Mittelalters hinaufgelagert hatten. Und über uns ein wolkenloser, noch lichter Himmel. Auf den obersten Stufen lagert die Schar um ihr blaues Fähnlein. Die Menschen, groß und klein, hocken auf den Treppen. Auf dem Platz breitet sich die Menge aus, an den Rändern sich lockernd, verzackend und hineinverlierend in die stilleren Straßen. Lieder heben an.*

Natürlich endet auch diese Geschichte wie alle ähnlichen enden, mit Sündenfall und Vertreibung. Anfang Oktober 1920 kehrte die ›Neue Schar‹ auf derselben Route wieder zu ihrem Ausgangspunkt zurück und quartierte sich auf der Leuchtenburg bei Kahla ein. Im Frühling wollte man dann wieder *ins Land fliegen*. Inzwischen wollte man sich mit Schnitz- und Tischlerarbeiten beschäftigen. Nun aber kommen böse Gerüchte auf. Eine Frau aus dem Umkreis der Schar beschuldigt Lamberty bei den Behörden, er *entheilige das Heiligtum der Weiblichkeit* und betreibe eine *Haremswirtschaft*. Die Vorwürfe ließen sich nicht entkräften, denn es gab ganz einfach zu viele junge Frauen, die in Muck verliebt waren, und dieser machte auch kein Hehl daraus, daß er die Liebe nicht auf die Ehe beschränken wollte. Man lästerte, Lamberty habe wohl *Inbrunst und Brunst* verwechselt. Die Schar mußte die Leuchtenburg verlassen. Sie blieb zusammen, zog sich aber aus der Öffentlichkeit zurück. Doch blieb der legendäre Sommer 1920 den Beteiligten, den nahen und den ferneren, unvergeßlich.

Zehn Jahre später veröffentlichte Hermann Hesse die Erzählung »Die Morgenlandfahrt«, die mit dem Satz beginnt: *Da es mir beschieden war, etwas Großes mitzuerleben, da ich das Glück gehabt habe, dem ›Bund‹ anzugehören und einer der Teilnehmer jener einzigartigen Reise sein zu dürfen, deren Wunder damals wie ein Meteor aufstrahlte und die nachher so wunderlich rasch in Vergessenheit, ja in Verruf geriet, habe ich mich entschlossen, den Versuch einer kurzen Beschreibung dieser unerhörten Reise zu wagen.*

Es ist eine phantastische Reise, aber es gibt darin auch zahlreiche Anklänge an die wirklichen ›Fahrten‹, Bünde und Aufbruchsbewegungen der frühen 20er Jahre. Einmal wird sogar ausdrücklich auf jene Tanzenden von Thüringen angespielt: *Erschüttert vom Kriege, verzweifelt durch Not und Hunger ... war unser Volk ... auch manchen echten Erhebungen der Seele zugänglich, es gab bacchantische Tanzgemeinden ... es gab dies und jenes, was nach dem Jenseits und dem Wunder hinzuweisen schien.*

Die Morgenlandfahrer, die in der Erzählung und die wirklichen, eint *die Bereitschaft für das Überwirkliche.* Der Traum der Romantik, den die Erzählung darstellt, nährt sich von den chiliastischen Bewegungen jener Jahre, wie umgekehrt diese Bewegungen sich verbunden fühlen mit dem Imaginären, das ihnen eine ganze noch lebendige Tradition zuspielt. Deshalb kommen sie beim Fest in Bremgarten, ein Höhepunkt der Erzählung, alle zusammen: Novalis, E. T. A. Hoffmann, Clemens Brentano, aber auch viele der Figuren, die sie erfunden haben, sind da, und sie wirken noch lebendiger als ihre Dichter.

Im *Bund* schließen sich die romantischen Pilger zusammen, es ist ein geheimes Deutschland der Poesie, unterwegs zu den Sehnsuchtszielen, den nahen und fernen, den gegenwärtigen und vergangenen. Die einen zieht es ins heilige Land der Kreuzfahrer zur Zeit der Staufer-Kaiser, andere nach dem Mondmeer von Famagusta, zur Schmetterlingsinsel hinter Zipangu, zum Kloster in Maulbronn, auf die Wartburg des Sängerkrieges, in die stolzen Patrizierhäuser des alten Augsburg oder in die Estramadura des Don Quixote. Das *Morgenland* aber ist das Inbild der romantischen Suche. Es war *ja nicht nur ein Land und etwas Geographisches, sondern es war die Heimat und Jugend der Seele, es war das Überall und Nirgends, war das Einswerden aller Zeiten.*

Doch es geht nicht nur um romantische Aufbrüche. Die Erzählung erinnert auch daran, daß nicht nur die Poesie, sondern zuvor schon das Grauen des Krieges einen *außerordentlichen Zustand von Unwirklichkeit* geschaffen hat. Zwischen dieser *Unwirklichkeit* des Krieges und der *Überwirklichkeit* des Poetischen gibt es einen subtilen Zusammenhang. Im Krieg erscheint die Wirklichkeit selbst so sehr verrückt, daß im Vergleich dazu die Verrücktheiten der poetischen Welt als Übergang vom grausamen in den schönen Wahnsinn erscheinen können. Der Erzähler, der nach der rätselhaften Zerstreuung des Bundes und des Abbruchs der großen Fahrt versucht, seine Erlebnisse zu schildern und verzweifelt, da es ihm nicht gelingen will, trifft einen Bekannten, der seinerseits ähnliche Schwierigkeiten hat, seine ganz anders gearteten Kriegserlebnisse darzustellen. Die Morgenlandfahrt und den Krieg eint, daß sie vom Alltag abgeschnitten, aus dem gewöhnlichen Leben wie herausgeschnitten sind. Die *wegrasierten Dörfer und Wälder, das Erdbebenzittern im Trommelfeuer* sind ebenso *unsäglich weit fort* wie das zauberhafte Bundesfest in Bremgarten. Beide Ereignisse rücken in Traumferne. Der eine kann nicht erzählen, weil es zu schrecklich, der andere, weil es zu schön ist. Hatte Rilke vielleicht doch recht, ist das *Schöne nichts als des Schrecklichen Anfang*?

Was am Ende deutlich wird und bei Hesse auch nicht überrascht: Die Erzählung handelt auch von der Darstellung einer Reise nach innen, es ist die Geschichte der Wiedervereinigung einer gespaltenen Person. Der Erzähler scheitert zunächst bei dem Versuch, jene unter merkwürdigen Umständen abgebrochene legendäre Bundesfahrt zu schildern, bis er endlich den Diener Leo, der damals plötzlich verschwand, wiederfindet. Leo ist, was man erst nach seinem Verschwinden bemerkte, das magische Zentrum des ›Bundes‹. Ohne ihn löst sich der Zauber auf. Er ist der Geist der Poesie, und der Erzähler muß begreifen, daß er nicht über ihn verfügen kann, sondern angewiesen bleibt auf seine Zuwendung. Das Schöpferische ist eine Gnade.

Aber nicht nur deshalb wird der Erzähler von Selbstzweifeln und

Anfechtungen geplagt. In der Stimmungslage der Neuen Sachlichkeit der späteren 20er Jahre kommt er nicht umhin, sich zu fragen, wie wirklich war der ›Bund‹, wie wirklich war die Reise? Und deshalb ist die Frage nicht nur, ob jene romantische Fahrt denn überhaupt *erzählbar* ist, sondern: *War sie denn erlebbar?* Jedenfalls sieht der Autor die Morgenlandfahrt als ein romantisches Unternehmen, das nicht mehr oder noch nicht wieder in die Zeit paßt.

In der Provinz, auf dem Lande und in den kleinen Städten gab es für die romantische Phantasie auch in den Jahren der Neuen Sachlichkeit, der zeitweiligen Wirtschaftskonjunktur und der politischen Stabilisierung immer noch einen guten Nährboden. In Berlin aber, wohin es die geistige Szene vor allem zog, triumphierte der neue Geist, der für Romantik zu abgebrüht war. Das Berlin des Kaiserreichs war eindrucksvoll gewesen, das neue Berlin aber war unwiderstehlich, *die schöne, trockene, kühle und doch nicht kalte Atmosphäre, die unbeschreibliche Dynamik, die Arbeitslust, die Unternehmungslust, die Bereitschaft schwere Schläge einzustecken – und weiterzuleben.* Die ›Stillen im Lande‹, die sich jetzt zu den letzten Mohikanern der Romantik zählen, wie zum Beispiel Ernst Wiechert, hören auf andere Stimmen und träumen von anderen Versprechen: *Ich will dir einen Acker geben und einen stillen See, wo du dich nicht mehr so zu quälen brauchst ... Ruhe nun aus mein Knecht.* Für die konservative Romantik des Bodens, manchmal auch des Blutes, ist Berlin ein Sündenbabel, ein *Totensaal* und eine *Wüste, über der ein grünlicher Mond hing ... fragwürdig wie alles Licht in dieser Stadt*; ein Beziehungsnetz aus Bezuglosigkeit, ein Gewebe des Geldes, des Verkehrs, des Tempos, der Nachrichten, der inflationären Worte. Ein lärmendes Nichts, sagt die Provinz. Ein Ort der *totalen Mobilmachung*, erklärt Ernst Jünger, der Schauplatz der *Verwandlung des Lebens in Energie, wie sie sich in Wirtschaft, Technik und Verkehr im Schwirren der Räder oder auf dem Schlachtfeld als Feuer und Bewegung offenbart.* Das dynamische und sachliche Berlin – das ist, mit Jünger gesprochen, ganz einfach *die Potenz des Lebens.* Es ist eine Mobilität von anderer Art als die der romantischen Fahrten, jener *Wellen im ewigen Strome der Seelen.*

Der neue sachliche Geist von Berlin definiert sich dezidiert anti-romantisch: Mobilität gegen die Verwurzelung, Kälte gegen die Wärme, Vergessen gegen die Erinnerung, Zerstreuung gegen die Sammlung, Transparenz gegen die Undurchsichtigkeit, Helle gegen das Dunkel, Eindeutigkeit gegen das Zwielicht. Bertolt Brecht, der Star der Szene, gibt ein »Lesebuch für Städtebewohner« heraus, in dem die *Verhaltenslehren der Kälte*, um eine Wendung von Helmut Lethen zu gebrauchen, im neuen sozialen Raum gegeben werden: Gehe auf Distanz, betrachte Unterkünfte als Provisorien, sei miß-trauisch, spare deine Worte, versprich nichts, sei nicht zu fassen, sei lässig, laß die Zigarre nicht ausgehen. *Setze dich auf jeden Stuhl, der da ist / Aber bleibe nicht sitzen . . .* Und vor allem und immer wieder: *Verwisch die Spuren!*

Man gibt sich unterkühlt und desillusioniert. *Es gibt kein Schicksal mehr*, schreibt Gottfried Benn 1930, *die Parzen sind als Direktricen bei einer Lebensversicherung untergekommen, im Acheron legt man eine Aal-zucht an, die antike Vorstellung von dem Furchtbaren des Menschen wird bei der Eröffnung der Hygieneausstellung stehend unter allgemeiner Teil-nahme, während die deutschen Ströme in verschiedenfarbigen Gewändern vorüberziehen, in tiefer Ergriffenheit auf ihren Normalgehalt zurückge-führt.*

Doch diese neuen Töne, dieser Stil waren rein saisonal. Benn selbst hat sich über die Kurzlebigkeit der Desillusionierung keine Illusionen gemacht. In der *neuen literarischen Saison*, schreibt er, ist man ganz einfach nicht gut zu sprechen auf dieses »Füllest wieder Busch und Tal . . .«. Das mag in der nächsten Saison schon wieder anders sein.

Tatsächlich hielt der kühle Stil nicht lange vor. Mit der Wirt-schaftskrise und der Verschärfung der politischen Spannungen, mit dem Anwachsen des Extremismus rechts und links ist die fiebrige Erregung der frühen 20er Jahre wieder da, der revolutionäre Atten-tismus, das spannungsgeladene Warten auf den großen Augenblick.

Eigentlich hatte es in der Neuen Sachlichkeit schon damit be-gonnen. Sie hatte, wenn auch metaphysisch heruntergekühlt, auf die Geistesgegenwart gesetzt. Sie läßt als Niveau nur gelten, was *auf der Höhe der Zeit* ist. Für Brecht wird der Boxer zur kultischen Figur, er ist der Athlet der Geistesgegenwart. Der gute Boxer hat einen Instinkt dafür, in welchem Augenblicke er sich ducken und in welchem er zuschlagen muß. Die Mobilitätsphantasien der Neuen Sachlichkeit werden von der Obsession beherrscht, man könnte seine Zeit verfehlen, wie man einen Zug verpaßt. In einem geistig und materiell destabilisierten Lebensmilieu wird Geistesgegenwart das große Ideal. Von dieser Geistesgegenwart handelt auch Kafkas Roman »Das Schloß«, den man als zeitgemäß empfindet. Darin wird die verpaßte Gelegenheit und mangelnde Geistesgegenwart zu einem metaphysischen Horrorszenario: Der Landvermesser Josef K. verschläft ein Stelldichein bei der Schloßbehörde. Vielleicht hätte es ihn retten können.

Fern von Berlin, in Freiburg, beschwört Heidegger das romantische Pathos von Augenblick und Entscheidung. *Der Augenblick, erklärt Heidegger, ist nichts anderes als der Blick der Entschlossenheit, in der sich die volle Situation eines Handelns öffnet und offenhält.*

Heideggers Entdeckung und Auszeichnung des *Augenblicks* ist symptomatisch für das wieder stärker werdende Krisenbewußtsein am Ende der Republik. Die dominierende Zeitdiagnostik der letzten Weimarer Jahre sucht die geschichtliche Wahrheit nicht im Zeitkontinuum sondern im Riß und Bruch. Blochs »Spuren«, Benjamins »Einbahnstraße«, Ernst Jüngers »Abenteuerliches Herz« sind Beispiele dafür. *Das Jetzt der Erkennbarkeit ist der Augenblick des Erwachens*, schreibt Benjamin. Geschichte als vulkanischer Krater: Sie geschieht nicht, sie bricht aus. Deshalb muß man deutungsschnell zur Stelle sein, ehe man verschüttet wird. Wer den Augenblick liebt, darf nicht allzusehr um seine Sicherheit besorgt sein. Die gefährlichen Augenblicke verlangen abenteuerliche Herzen. Da die *Weltgeschichte von Katastrophe zu Katastrophe fortschreitet*, so Oswald Spengler, muß man sich darauf gefaßt machen, daß das Entscheidende *plötzlich* geschieht, *jäh wie ein Blitz, ein Erdbeben, ... Wir müssen uns auch darin von den Anschauungen des vorigen Jahrhunderts lösen, wie sie ... im Begriffe ›Evo-*

lution‹ liegen. Die philosophischen Entwürfe des Zeitenbruchs – von Ernst Blochs *Dunkel des gelebten Augenblicks* bis Carl Schmitts *Augenblick der Entscheidung*, von Ernst Jüngers *plötzlichem Schrecken* bis Paul Tillichs *Kairos* – bezogen sich alle, wie eben auch Heidegger, auf den *Augenblick*, dessen Karriere bei Kierkegaard begonnen hatte.

Kierkegaard kommt in Mode. Sein *Augenblick*: wenn Gott in das Leben einbricht und der Einzelne sich zur Entscheidung aufgerufen fühlt, den Sprung in den Glauben zu wagen. Seit Kierkegaard wird der *Augenblick* zum Fanal antibürgerlicher Religionsvirtuosen von der Art eines Carl Schmitt, der sich mit seiner Augenblicksmystik in die Politik und das Staatsrecht verirrt, oder eines Ernst Jünger, der damit unter die Krieger und Surrealisten gerät. Gegen die flache Gewöhnlichkeit der bürgerlichen Stabilität steht der grelle Genuß einer intensiven Unendlichkeit – im Augenblick.

Kierkegaard war der eine Denker des 19. Jahrhunderts, der das 20. Jahrhundert in das Mysterium des Augenblicks einweihte. Der andere war Nietzsche. Der Kierkegaardsche Augenblick bedeutete Einbruch des ganz Anderen. Nietzsches Augenblick bedeutet Ausbruch aus dem Gewohnten. Im Augenblick der *großen Loslösung* ereignet sich bei Nietzsche die Geburt des freien Geistes: *Die große Loslösung kommt ... plötzlich, wie ein Erdstoß: die junge Seele wird mit einem Male erschüttert, losgerissen, herausgerissen ... ein aufrührerisches, willkürliches, vulkanisches stoßendes Verlangen nach Wanderschaft.*

In Kierkegaards Augenblick bricht etwas ein, bei Nietzsche bricht etwas aus. Beide Male handelt es sich um Ausnahmezustände. Aber erst von ihnen her wird deutlich, was im regelhaften Leben sonst verborgen bleibt. *Das Normale beweist nichts, die Ausnahme beweist alles ... In der Ausnahme durchbricht die Kraft des wirklichen Lebens die Kruste einer in Wiederholung erstarrten Mechanik.*

Das sind Sätze aus der »Politischen Theologie« von Carl Schmitt, der für Entscheidungen plädiert, die *normativ gesehen aus dem Nichts geboren* sind. Die Entscheidung hat kein anderes Fundament als den Willen zur Macht und die Lebensintensität eines Augenblicks. Schmitt, der einst die politische Romantik als *Occasionalismus* kritisiert hatte, bekennt sich nun indirekt zu einer politischen Romantik der Souveränität im numinosen Ausnahmezustand. *Souverän ist, wer über den Ausnahmezustand entscheidet ... Der Ausnahmezustand hat für die Jurisprudenz eine analoge Bedeutung wie das Wunder.*

Man merkt: Mit der angestrengten Sachlichkeit ist es vorbei, der Wille zum Wunder und zum Geheimnis, das Romantische eben, dringt wieder durch. In seiner berühmten Vorlesung »Die Grundbegriffe der Metaphysik« von 1929/30 erklärt Heidegger, es komme darauf an, daß man den Augenblick des *inneren Schreckens* zuläßt, den *jedes Geheimnis bei sich trägt und der dem Dasein seine Größe gibt.*

Verweilen wir noch einen Augenblick bei Heidegger. Drei Jahre später, nach der Machtergreifung, hält er seine Rektoratsrede, nicht als Mitläufer, sondern als entschlossener Revolutionär, der sich seinen eigenen Nationalsozialismus zurechtgelegt hat. Was geschieht für ihn in dieser Revolution?

Mit ihr, so phantasiert er, nimmt eine Elite des Volkes bewußt die *Verlassenheit des heutigen Menschen inmitten des Seienden* auf sich. Das bedeutet, in doppeltem Anklang an Nietzsche, daß zum einen *Gott tot* ist und zum anderen, daß diese völkische Elite sich offenbar weigert, zu den *letzten Menschen* zu gehören, von denen Nietzsche im »Zarathustra« gesagt hat, es seien diejenigen, die das bequeme *Glück* erfunden und die *Gegend verlassen* haben, *wo es hart war zu leben*, die sich statt dessen mit ihrem *Lüstchen für den Tag und für die Nacht* begnügen und ihre *Gesundheit* ehren. In gut romantischer Manier setzt Heidegger, um seine Elite vom Gewöhnlichen abzusetzen, mit einer Philisterkritik ein. Als ob es nur gegen die Spießbürger ginge. Die nationalsozialistische Revolution ist für Heidegger nicht nur, wie er später behauptet, Kampf gegen Arbeitslosigkeit, Beseitigung eines nicht funktionstüchtigen Parlamentarismus, Revision des Versailler Vertrages und neues Gemeinschaftsgefühl, sondern sie ist etwas viel Erhabeneres, ist der Versuch, auf den Spuren Nietzsches in einer götterlosen Welt einen *Stern zu gebären*. Und deshalb zieht Heidegger alle Register einer politisch-metaphysischen Romantik, um den Ereignissen eine ungeahnte Tiefe zu geben.

Die zu seinen Füßen lauschenden Studenten und Parteioberen, die Professoren, Honoratioren, Ministerialbeamten und Dezernenten samt Gattinnen werden von Heidegger so angesprochen, als gehörten sie zu dem metaphysischen Stoßtrupp, der aufbricht in die Region *der schärfsten Gefährdung des Daseins inmitten der Übermacht des Seienden.* Und Heidegger selbst inszeniert sich als geistiger Stoßtruppführer. Kein Zweifel: Der Redner will sich selbst und seine Zuhörer aufwerten. Alle zusammen gehören sie zum Stoßtrupp, zur verwegenen Schar, und der Führer noch ein wenig mehr. Alles dreht sich um die Gefahr, und dabei verschwindet das einfache Faktum, daß es in dieser Situation gefährlicher war, nicht zu diesem ominösen Stoßtrupp der Revolution zu gehören.

In einem fatalen Sinn ›romantisiert‹ Heidegger, indem er dem *Gemeinen einen hohen Sinn, dem Gewöhnlichen ein geheimnisvolles Ansehn* gibt.

Und noch in einem weiteren Sinne ›romantisiert‹ er. Er instrumentalisiert Archaik zu politischen Zwecken. Man kennt das Verfahren von den Schlagworten ›Nibelungentreue‹ und ›Dolchstoß‹, die durch die Weimarer Jahre dröhnen. Thomas Mann hatte 1930 vor der Gefahr der *explodierenden Altertümlichkeiten* gewarnt.

Eine *explodierende Altertümlichkeit* findet sich auch in Heideggers Rede, an der Stelle, wo er von den drei Diensten spricht, *Arbeitsdienst – Wehrdienst – Wissensdienst.* Hier verwendet er das ehrwürdige, die gesellschaftliche Imagination des Mittelalters beherrschende Bild der ›Drei Ordnungen‹: Bauern – Krieger – Priester. Die mittelalterliche Definition dieser Ordnung lautet: *Dreifach also ist das Haus Gottes, das man eines wähnt: hier auf Erden beten die einen, andere kämpfen, und noch andere arbeiten; diese drei gehören zusammen und ertragen nicht, entzweit zu sein; derart, daß auf der Funktion des einen die Werke der beiden anderen beruhen, indem alle jeweils allen ihre Hilfe zuteil werden lassen.*

Im mittelalterlichen Bild der ›Drei Ordnungen‹ verknüpfen die Priester den gesellschaftlichen Organismus mit dem Himmel. Sie sorgen dafür, daß spirituelle Energien im Irdischen zirkulieren. Die

Stelle der Priester nehmen bei Heidegger nun die Philosophen ein, genauer: die Philosophie, die ihrer Zeit mächtig ist. Aber wo einmal der Himmel war, dort ist jetzt das Dunkel des sich verbergenden Seienden, die *Weltungewißheit*; und die neuen Priester sind nun wirklich die *Statthalter des Nichts* geworden und womöglich noch verwegener als die Krieger. Sie haben keine Botschaften mehr, die sie vom Himmel auf die Erde lenken könnten, und doch strahlen sie noch einen matten Abglanz jener alten priesterlichen Macht aus, die sich einst auf das Monopol an den großen unsichtbaren und überschwenglichen Dingen gründete.

Heidegger mischt sich als Priester in die Politik und ergreift das Wort, als es darum geht, der Weimarer Republik den Todesstoß zu versetzen. Fünfzehn Jahre zuvor, am Anfang der Republik, hatte Max Weber in seiner Münchener Rede über den »Beruf zur Wissenschaft« die Intellektuellen aufgefordert, die *Entzauberung der Welt* zu ertragen. Die große Erlösung, ein Höhlenausgang, ist nicht in Sicht, und Max Weber warnt vor dem trüben Geschäft der Wiederverzauberung durch die ›Kathederpropheten‹. Auch Heidegger war den ›Kathederpropheten‹ nicht wohlgesonnen. Er selbst wollte keiner sein. Aber Kathederpropheten sind immer nur die anderen.

Wie kommen wir nach Hause, hatte Heidegger mit Novalis gefragt und hatte Heimkehr, die für ihn Durchbruch zum Sein bedeutete, als Vorgang beschrieben, der *in aller Nüchternheit und in der völligen Entzauberung eines rein sachlichen Fragens* sich vollziehen sollte.

Aber jetzt steht Heidegger da, emporgereckt und martialisch mit Worten klirrend, der Priester ohne Botschaft vom Himmel, der metaphysische Sturmbannführer, umgeben von Fahnen und Standarten; er hatte sich bei einer Platon-Vorlesung hineingeträumt in die Rolle des Befreiers, der die Gefangenen in der Höhle entfesselt und ans Licht führt. Jetzt bemerkt er, daß die Höhlenbewohner alle schon auf dem Marsch sind. Er braucht sich nur an ihre Spitze zu setzen.

Es ist ein Lehrstück darüber, daß Romantik von der Politik besser ferngehalten werden sollte. Es gibt aber, nicht nur in der deut-

schen Kultur, aber in ihr ganz besonders, die Versuchung zum Kurz-
schluß zwischen Romantik und Politik. Ein Verkennen der Grenzen der politischen Sphäre, in der pragmatische Vernunft, Sicherheit, Übereinstimmung, Friedenstiftung, Gerechtigkeit maßgeblich
sein sollten, nicht Abenteuerlust, Wille zum Extrem, Intensitäts-
hunger, Liebe und Todeslust. Immer aber bleibt das Mißverständnis,
daß man in der Politik etwas sucht, was man dort niemals finden
wird: Erlösung, das wahre Sein, Antwort auf die letzten Fragen, Verwirklichung der Träume, Utopie des gelingenden Lebens, den Gott
der Geschichte, Apokalypse und Eschatologie. Wer solches aber
doch in der Politik sucht, der gehört zur politischen Romantik.
Über sie hat Paul Tillich kurz vor Ende der Republik auf großartig
prägnante Weise gesagt, sie sei der alle politische Vernunft zerstörende Versuch, *vom Sohn her die Mutter zu zeugen und den Vater aus
dem Nichts zu rufen.*

Siebzehntes Kapitel

Romantik unter Anklage. Wie romantisch war der Nationalsozialismus?
Streit um die Romantik im NS-Kulturapparat. NS-Modernismus:
stählerne Romantik. Reichsromantik. Nürnberg. Romantische Geistes-
haltung als Vorgeschichte. Dionysisches Leben oder Biologismus.
Weltfremdheit, Weltfrömmigkeit und weltstürzender Furor. Die höhere
Interpretation des kruden Geschehens. Heidegger als Beispiel. Hitler und
die Fieberträume der Romantik. Wahn und Wahrheit.

Der große Religionsphilosoph Paul Tillich hatte in seiner noch
kurz vor seiner Vertreibung aus Deutschland 1933 fertiggestellten,
aber unter dem Druck der politischen Verhältnisse teilweise einge-
stampften Schrift »Die sozialistische Entscheidung« die nationalsozialistische Bewegung zusammen mit anderen völkischen und
nationalistischen Gruppierungen zur politischen Romantik gerechnet. Romantik definierte er als eine Geisteshaltung, die, statt
sich auf das Abenteuer der Selbstbestimmung einzulassen, es vor-
zieht, bei den *Ursprungsmächten* des Bodens, der Abstammung und
der tradierten Gemeinschaft und ihren Sitten und Satzungen Zuflucht zu suchen, und, da es diese Ursprungsmächte in ihrer ursprünglichen Form nicht mehr gibt, sich anheischig macht, sie *neu*
entspringen zu lassen. Das führt dann in jene Paradoxie, die Tillich so
eindrucksvoll in der bereits zitierten Wendung zusammenfaßt, diese
Art Romantik enthalte *gleichsam die Forderung, vom Sohn her die Mut-*
ter zu schaffen und den Vater aus dem Nichts zu rufen.

Nationalsozialismus ist politische Romantik, so also lautet eine
Diagnose unmittelbar vor der Machtergreifung Hitlers, und es ließen sich noch viele andere kritische Stimmen aus den letzten Jahren der Weimarer Republik zitieren, welche auch in diesem Sinne
geurteilt haben.

Auch nach dem Zusammenbruch der Diktatur wird immer wieder eine Beziehung zwischen Nationalsozialismus und Romantik hergestellt. Victor Klemperer schreibt: *Ich hatte und habe das ganz bestimmte Wissen um die engste Verbundenheit zwischen Nazismus und deutscher Romantik in mir ... Denn alles, was den Nazismus ausmacht, ist ja in der Romantik keimhaft enthalten: die Entthronung der Vernunft, die Animalisierung des Menschen, die Verherrlichung des Machtgedankens, des Raubtiers, der blonden Bestie.* Für die marxistischen Interpretationen hatte Georg Lukács die Linie vorgegeben: Die Romantik sei, so heißt es in seinem Buch »Die Zerstörung der Vernunft«, der verhängnisvolle Wendepunkt der deutschen Geistesgeschichte, das irrational enthemmte Leben habe über die humanistische Vernunft gesiegt und damit dem nationalsozialistischen Irrationalismus direkt vorgearbeitet. Aber auch bürgerlich-konservative Stimmen kamen zu einem ähnlichen Ergebnis. Fritz Strich schreibt in dem nach 1945 geschriebenen Vorwort seines zuerst 1922 erschienenen Buches »Deutsche Klassik und Romantik«: *Wenn es damals eine Aufgabe war, das eigene Recht der Romantik gegenüber der Klassik ins Licht zu stellen, so gestehe ich heute, daß mich die Entwicklung der Geschichte dazu geführt hat, in der deutschen Romantik eine der großen Gefahren zu erkennen, die dann wirklich zu dem über die Welt hereingebrochenen Unheil führten.*

Romantik als geistige Vorgeschichte des Unheils? Es sind zwei maßgebliche Ideenhistoriker, die das so gesehen haben: Isaiah Berlin und Eric Voegelin.

Für Isaiah Berlin hat die deutsche Romantik eine geniale *Zügellosigkeit* ins Spiel gebracht: die Machtergreifung der subjektiven Einbildungskraft zuerst auf geistigem Gebiet und dann in der Politik, was zur Zerstörung überkommener humaner Ordnungen geführt habe. Die Romantik habe deshalb politische Monstren ausbrüten können, so Berlin, weil sie zuerst spielerisch und genial, dann aber praktisch dem Grundsatz gehuldigt habe, daß der individuelle schöpferische Wille stärker ist als jede objektive *Struktur der Welt, der man sich anpassen müßte.*

Eric Voegelin sieht es als verhängnisvoll an, daß Deutschland Anfang des 19. Jahrhunderts ausgerechnet unter romantischen Vorzeichen sich zur Nation zu bilden beginnt. Denn die selbstbewußte Romantik hatte, so Voegelin, die *theomorphe* Ordnung und den objektiven Humanismus der Aufklärung verworfen und durch imaginative Eigenmacht ersetzt, die dann auf das Volkstum projiziert wurde. So entstand jene gefährliche Zügellosigkeit, von der auch Berlin spricht. Die Romantik – ein verhängnisvolles Schicksal für Deutschland?

Daß die romantischen Sehnsüchte der Denker und Künstler im Nationalsozialismus ihre Erfüllung finden würden, hat zuerst Hitler behauptet. Am 21. März 1933, am sogenannten ›Tag von Potsdam‹, erklärt er: *Der Deutsche, in sich selbst zerfallen, uneinig im Geist, zersplittert in seinem Wollen und damit ohnmächtig in der Tat, wird kraftlos in der Behauptung des eigenen Lebens. Er träumt vom Recht in den Sternen und verliert den Boden auf der Erde ... Am Ende blieb den deutschen Menschen immer nur der Weg nach innen offen. Als Volk der Sänger, Dichter und Denker träumte es dann von einer Welt, in der die anderen lebten, und erst, wenn die Not und das Elend es unmenschlich schlugen, erwuchs vielleicht aus der Kunst die Sehnsucht nach einer neuen Erhebung, nach einem neuen Reich und damit nach neuem Leben.* Wieviel Romantik war aber nun wirklich am Triumph des Nationalsozialismus beteiligt?

Zunächst einmal geht es – das hat jüngst Ralf Klausnitzer detailliert untersucht – um die Aneignung und Verwendung romantischer Traditionen im engeren Sinne durch die ideologieverwaltenden Institutionen und die Propaganda. Was nahm man auf, wie formte man es um, was wies man zurück?

Von Interesse für die Ideologen der Bewegung waren die folgenden Aspekte der romantischen Tradition: die Ideen über Volk und Volkskultur, die romantischen Organismus-Vorstellungen in bezug auf Staat und Gesellschaft und die romantischen Mytheninterpretationen eines Görres und Creuzer.

Die Heidelberger Romantik hatte bekanntlich, die Anregungen Herders aufnehmend, die Volkslieder, Märchen, Sinnsprüche gesammelt und nacherzählt. Man hatte den Blick vom schöpferischen

Einzelnen auf das Volk gelenkt und dort eine poetische Substanz entdeckt, ein poetisches Volksvermögen. Friedrich Ludwig Jahn hatte 1810, um den Begriff Nationalität einzudeutschen, den Ausdruck *Volkstum* gebildet, und Schleiermacher und Adam Müller hatten zum ersten Mal von *Volksgemeinschaft* gesprochen. Das war alles noch sehr unschuldig und, sieht man von Turnvater Jahn ab, auch unpolemisch und unpolitisch gemeint. Und doch schien es in das völkische Apriori zu passen, das Joseph Goebbels im März 1933 so formulierte: *Wenn ich den politischen Umbruch auf seinen einfachsten Nenner bringe, dann möchte ich sagen: Am 30. Januar ist endgültig die Zeit des Individualismus gestorben. Die neue Zeit nennt sich nicht umsonst Völkisches Zeitalter. Das Einzelindividuum wird ersetzt durch die Gemeinschaft des Volkes. Wenn ich in meiner politischen Betrachtung das Volk in den Mittelpunkt stelle, dann lautet die nächste Konsequenz daraus, daß alles andere, was nicht Volk ist, nur Mittel zum Zweck sein kann. Wir haben also in unserer Bestätigung wieder ein Zentrum, einen festen Pol in der Erscheinungen Flucht ... das Volk als Ding an sich, das Volk als den Begriff der Unantastbarkeit, dem alles zu dienen und dem sich alles unterzuordnen hat.*

Das *Volk als Ding an sich*, das ist eine Formulierung für die gebildeten Stände, für die Intendanten und Direktoren der Rundfunkgesellschaften, vor denen Goebbels sprach, und er konnte darauf hinweisen, daß er unter diesem Gesichtspunkt den Geist der Romantik wiederbeleben wollte. Doch ließ man sich näher auf diesen Geist ein, zeigte sich bald das Unpassende. Es entwickelte sich in den ideologischen Apparaten eine Auseinandersetzung um die entweder ›realistische‹ oder ›romantische‹ Fundierung. Die ›Realisten‹ opponierten gegen die romantische Konzeption des Volks als ›Sprachvolk‹, sie forderten eine biologische, rassische Begründung des Volkstums. Der *Volksgeist*, heißt es bei Hermann Pongs, bilde sich noch vor dem sprachlichen Bewußtsein, als *Ideen ohne Worte*, aus Blut und Boden. In diesem Sinne forderte Ernst Krieck, ein maßgeblicher Ideologe im Bereich der Erziehungswissenschaft, den radikalen Bruch mit der geistigen Tradition der Romantik und des

Idealismus. Ähnliche Positionen wurden auch im ›Amt Rosenberg‹ vertreten, das für die weltanschauliche Schulung der Parteimitglieder zuständig war. Volksgemeinschaft, hieß es dort, dürfe man nicht mit einer *romantischen Idylle* verwechseln; überhaupt sei die Romantik zu *quietistisch* und habe *bei ihrer Flucht vor der unbewältigten Wirklichkeit* die einfachen Menschen verraten. Die Romantiker hätten zwar Volkslieder gesammelt, aber die wirkliche Volksgemeinschaft gescheut. Sie seien elitär gewesen. Diese Vorwürfe mündeten schließlich in den Angriff auf den *verhehlten Humanismus* in der historischen Romantik. Dazu passen dann auch die Hinweise darauf, daß die romantischen Kreise von *jüdischem Kosmopolitismus, allgemeiner Weltbürgerstimmung* und *krassem Individualismus* schwer durchsetzt gewesen seien. Die Angriffe auf die historische Romantik wurden bisweilen so scharf vorgetragen, daß Goebbels dagegen Einspruch erhob und pragmatisch daran erinnerte, daß die Romantik ganz einfach zum kulturellen Erbe gehöre, auf die das deutsche Volk auch gegenüber dem Ausland *stolz* sein könne. Er verwahrte sich gegen die übereifrigen Beckmesser, die von der Romantik eine rassenbiologische Weltanschauung einforderten, die sie sich besser bei den dafür zuständigen Wissenschaften besorgen sollten; mit dem romantischen Volkstumsbegriff war rassenbiologisch kein Staat zu machen.

Das galt auch für das andere Thema, bei dem man an die Romantik anzuknüpfen gedachte: die Organismus-Vorstellung. Das Organische in Staat und Gesellschaft war für die Nationalsozialisten eine Leitidee. Bereits das erste Parteiprogramm versprach, der Nationalsozialismus werde *die aus den Fugen geratene Welt ... wieder in Ordnung bringen* und das *Chaos organisch* ordnen, um aus der *bloßen Masse* das *sinnvoll gegliederte Ganze* der Volksgemeinschaft zu formen. Das war selbstverständlich gegen das mechanische, atomistische, *volksfremde* parlamentarische System Weimars gerichtet. Die Romantiker, besonders Adam Müller, hätten Gesellschaft und Staat als Organismus begriffen, in Abgrenzung zum nivellierenden, mechanischen Staat der Französischen Revolution. Aber wie die Nazis beim romantischen Volkstum das Rassische und Biologische vermißten, so vermißten sie im romantischen Organismus das Führerprinzip, und insofern waren die diesbezüglichen romantischen Ideen doch nicht brauchbar, die Romantik zeigte auch hier wieder ihren *passiven* Zug. Die Naziideologen forderten die *aktivische* Haltung, die Romantiker hätten sich einen Staat für die Geborgenheit gewünscht, einen Staat wie eine Mutter, es komme aber darauf an, einen strengen, straff organisierten väterlichen Staat zu schaffen, einen Staat nicht fürs Behagen, sondern fürs Marschieren und Kämpfen. Krieck wendete seine Kritik an der Romantik ins Grundsätzliche: *Das idealistisch-organische Weltbild vertraut dem bloßen Wachsen, dem stillen Werden, dem Geschehen aus der Spontaneität der Triebkräfte. Es kennt und anerkennt nicht die heldische Tat ... die Empörung des Einzelnen ... und damit fehlt ihm der eigentliche Ansatz für eine geschichtliche Dynamik.*

Das nationalsozialistische Regime war auch in ideologischer Hinsicht polyzentrisch. Es gab unterhalb der Führungsspitze rivalisierende ideologische Machtzentren, deren Wortführer verdeckte, aber auch offene Kämpfe ausfochten. Gegen Kriecks romantikkritischen heroischen Aktivismus opponierte Rosenberg, für den die Leistung der Romantik in der Entdeckung des Mythischen bestand, in dem Rückgang auf das *Triebhafte, Gestaltlose, Dämonische, Geschlechtliche, Ekstatische, Chthonische.* Goebbels hielt davon nicht viel. Er hatte schon Alfred Rosenbergs 1930 erschienenen »Mythus des 20. Jahrhunderts« einen *philosophischen Rülpser* genannt und in seinem Tagebuch notiert: Wenn Rosenberg könnte, wie er wollte, *gäbe es kein deutsches Theater mehr, sondern nur noch Thing, Kult, Mythos und ähnlichen Schwindel.*

Goebbels gab bei diesem ideologischen Streit um die Romantik eine vergleichsweise pragmatische Linie vor: Romantik ist als kulturelles Erbe zu pflegen, wie auch die Klassik und andere repräsentative Literaturepochen. Für die Gegenwart aber ist eine andere als die historische Romantik vonnöten, eine *stählerne Romantik,* so nennt er sie in einer programmatischen Rede zur Eröffnung der Reichskulturkammer am 15. November 1933: *Eine Romantik, die*

sich nicht vor den Härten des Daseins versteckt oder ihr in blaue Fernen zu
entrinnen trachtet, – eine Romantik vielmehr, die den Mut hat, den Proble-
men gegenüberzutreten und ihnen fest und ohne Zucken in die mitleidlosen
Augen hineinzuschauen.

In der Formel von der *stählernen Romantik* kommt der moderni-
stische Grundzug des NS-Regimes zum Ausdruck. Das Regime
strebte ja nicht in archaische Zeiten zurück, eine hochtechnisierte,
industriell leistungsfähige, Autobahnen bauende und kriegsbereite
Gesellschaft sollte entwickelt werden. Die Träume von Archaik und
Erdverbundenheit – der Anteil der Agrarwirtschaft ging zurück! –
waren ideologisches Kunstgewerbe, das von den Pragmatikern nicht
ernstgenommen wurde. Selbst bei der SS-Führung um Heinrich
Himmler, wo man für die eroberten und zu versklavenden Ostge-
biete eine Arisierung im großen Maßstab plante und zu diesem
Zweck germanische Mythologie bemühte, wußte man, daß der
romantischen Germanophilie das Entscheidende fehlte: der rabiate
Biologismus und Rassismus. Außerdem spielte auch hier die in-
dustriell-technische Komponente die Hauptrolle: Arbeitskräfte,
Rohstoffe, Absatzmärkte. Die romantische Kritik der technischen
Rationalität, die es im nationalsozialistischen Ideologiegemenge
durchaus gab – Ludwig Klages und seine Gruppe waren hier Wortführer –, fand auf offizieller Seite wenig Anklang. Das nannte man
›romantisch‹ in einem verächtlichen Sinne. Man brauchte die Technik und auch die modernen Naturwissenschaften. Vom *Untergang*
der Seele am (technischen) *Geist* wollte man nichts hören. Die Seele,
was immer man darunter verstehen mochte, sollte sich jedenfalls
mit der Technik versöhnen. Die Praktiker der Macht wollten modern sein, technisch fortgeschritten, unsentimental, sachlich, effek-
tiv, nicht verträumt, rückwärtsgewandt, eben nicht so *idyllisch* wie
die historische Romantik. Deshalb hatte ja Goebbels den Ausdruck
stählerne Romantik verwendet und wiederholte ihn noch einmal
1939 bei der Eröffnung einer Automobil-Ausstellung. *Wir leben in*
einem Zeitalter, das zugleich romantisch und stählern ist, das seine Gemüts-
tiefe nicht verloren, andererseits aber auch in den Ergebnissen der modernen

Erfindung und Technik eine neue Romantik entdeckt hat; der National-sozialismus habe *es verstanden, der Technik ihr seelenloses Gepräge zu nehmen und sie mit dem Rhythmus und dem heißen Impuls unserer Zeit zu erfüllen.*

Die *heißen Impulse* sollten sich beziehen auf *Volk, Reich und Führer.* Dazu mobilisierte man die dafür brauchbaren romantischen Ressourcen. Hatte die Romantik – man denke an Novalis' »Die Christenheit oder Europa« – nicht von der Verteidigung und Wie-derherstellung des christlichen Reiches deutscher Nation geträumt? Gewiß, aber er hatte so davon geträumt, daß Thomas Mann in sei-nem Bekenntnis zur Weimarer Republik von 1922 sich auf Novalis berufen konnte als Überwinder des Nationalismus und Eideshelfer für einen universalen Humanismus. Novalis wollte das Reich als Wiederherstellung des christlichen Europa. Der Nationalsozialis-mus aber nutzte den Mythos des Reiches als Leitbild für ein *germa-nisches* Großreich. Umrankt von der Mystik einer *germanisch-christ-lichen Vermählung,* sollte der Reichsmythos spirituelle Bedürfnisse befriedigen. Dieser Mythos war vage und verheißungsvoll genug, um dem Glauben an die Wiederherstellung deutscher Größe Nah-rung zu geben. Es gab Staaten und Nationen, aber eben nur ein ›Reich‹, es war der Adelstitel der Deutschen, die zwar zeitweilig gedemütigt waren, aber künftiger Größe entgegensehen konnten. Solche Reichsromantik wurde inszeniert.

Nürnberg, ein Symbol der alten Reichsherrlichkeit, erwählte man zur Stadt des Reichsparteitages. Es war die historische Ro-mantik, die dieses ›Reichs-Schatzkästlein‹ wiederentdeckt hatte. Ludwig Tieck und Wackenroder waren 1796 dorthin gepilgert und hatten darüber geschrieben: *Nürnberg! du vormals weltberühmte Stadt! Wie gerne durchwanderte ich deine krummen Gassen, mit welcher kind-lichen Liebe betrachtete ich deine altväterischen Häuser und Kirchen, denen die feste Spur von unserer alten vaterländischen Kunst eingedrückt ist. Wie innig lieb ich die Bildungen jener Zeit, die eine so derbe, kräftige und wahre Sprache führen. Wie ziehen sie mich zurück in jenes graue Jahrhundert.* Die romantisierende Verklärung der Stadt dauerte das ganze 19. Jahrhundert über an, Richard Wagners »Meistersinger« hatten dabei mitgeholfen.

So glanzvoll, wie man sich die Reichstage der alten Kaiser vorstellte, sollte auch der ›Generalappell‹ der Partei gestaltet werden. Die Kulisse der immer noch altertümlichen Stadt gab den verklärenden Rahmen. Mit Glockengeläut und Fanfarenklängen, umsäumt von jubelnden und fähnchenschwenkenden Massen, hielt Hitler Einzug; durch bewimpelte, im Blumenschmuck prangende Straßen zog man in den festlichen Rathaussaal, wo ihm ein Ehrengeschenk überreicht wurde. Zum ›Parteitag des Sieges‹ 1933 war es Dürers Kupferstich »Ritter, Tod und Teufel«, Nietzsches Lieblingsbild.

So viel zu den romantischen Requisiten der Naziherrschaft. Im übrigen wurde Romantik als gewöhnliches kulturelles Erbe gepflegt, in den Schulen, an der Universität, auf dem Theater, in den Leihbibliotheken und Verlagen. Sie gehörte zum Kanon, wie Lessing, Goethe und Schiller, sie war selbstverständlicher Teil der kulturellen Innenausstattung des ›Doppelmenschen‹ während der Diktatur. Der gewöhnliche Bürger zwischen 1933 und 1945 agierte ja zumeist in einer doppelten Rolle. Er war derjenige, der brav seiner Arbeit nachging, seine herkömmlichen kulturellen Vorlieben pflegte, sein Bedürfnis nach Unterhaltung befriedigte; und er war zugleich derjenige, der sich uniformierte, marschierte, jubelte und denunzierte und sich auch wohldosiert am Willen zur Macht berauschte. Dieser Doppelmensch war zugleich der von den Romantikern verspottete Philister mit seiner Vorliebe für Ruhe, Ordnung und Sicherheit, und der Mensch, der teilhaben wollte am Herren- und Heldenbewußtsein. Im Archiv der Romantik fanden sich passende Ausstattungen für beide Bedürfnisse, für beide Rollen.

Nun geht es bei der Kritik der Romantik, wie sie von Isaiah Berlin, Eric Voegelin, aber auch Lukács, Fritz Strich, Helmuth Plessner und anderen formuliert wurde, nicht in erster Linie um die Rezeption und Verwendung der historischen Romantik durch das NS-Regime, sondern um eine sogenannte romantische Geisteshaltung, die mitverantwortlich gewesen sein soll für die deutsche Katastrophe. Dabei kommt, wie auch in diesem Buch, ein erweiterter Begriff des Romantischen zur Anwendung.

Da ist zunächst einmal die Romantik des dionysischen Lebens, das bei Schlegel und Nietzsche *schöpferisches Chaos* genannt wird, in das die Vernunft zwar eindringen möchte, in dem sie aber allzubald untergeht, überwältigt von Rausch, Ekstase, Begeisterung, Liebe. Große Gefühle statt Besonnenheit. Der Mensch mag sich zwar an seiner Vernunft festklammern, kommt aber nicht umhin zu bemerken, daß der Lebensprozeß insgesamt irrational ist. Schlegel und Schelling setzen das Irrationale mit dem Göttlichen gleich. Ihr Gott ist aber ein unruhiger, werdender, treibender Gott, der verdächtige Ähnlichkeit hat mit dem blinden, triebhaften Weltwillen bei Schopenhauer. An Schopenhauers blinden Weltwillen knüpft Nietzsche seinen Begriff des dionysischen Lebens. Romantisch ist diese Lebensphilosophie zwischen Schlegel und Nietzsche, weil sie vitalistisch und dynamisch die von Kant gezogenen Grenzen der Vernunft überschreitet und intensitätshungrig eintauchen möchte in den großen Lebensstrom. Bei Schelling und Schlegel noch religiös gebunden, bei Nietzsche von religiösen Hemmungen befreit.

Was diese in Nietzsche kulminierende Romantik des dionysischen Lebens betrifft, so lautet der Vorwurf: Nietzsche hätte den Geist zu einer bloßen Funktion des Lebens erniedrigt, das Erkennen reduziert auf Wahrheiten als lebensdienliche Fiktionen. Indem aber die Wahrheit verschwindet, brechen die Fundamente der gesellschaftlichen Moral. Übrig bleibt die wilde Logik der Selbstbehauptung und das Ideal der ungehemmten Selbstverwirklichung des starken Lebens auf Kosten des schwächeren. Diese Art Lebensphilosophie hätte also eine geistige Voraussetzung geschaffen für eine moralische Enthemmung, die mit der Erlaubnis zur Auslöschung des sogenannten lebensunwerten Lebens endete.

Tatsächlich finden sich in Nietzsches späten Schriften Gedankengänge, die solches nahelegen. Etwa wenn er am Ende von »Ecce homo« alle seine Einwände gegen die christliche Moral in dem

Vorwurf bündelt, das Christentum habe die *Entpersönlichung und Nächstenliebe* als höchsten Wert angesetzt und damit die gattungsgeschichtliche *Niedergangs-Moral par excellence* geschaffen. Gegen diese *Partei alles Schwachen, Kranken, Mißratnen* müsse endlich eine *Partei des Lebens* auftreten, *welche die größte aller Aufgaben, die Höherzüchtung der Menschheit in die Hände nimmt, eingerechnet die schonungslose Vernichtung alles Entartenden und Parasitischen.*

Bezeichnenderweise finden sich solche Äußerungen bei Nietzsche dort, wo er den sonst vorherrschenden ästhetischen Gesichtspunkt der Selbststeigerung des individuellen Lebens durch einen biologischen ersetzt; dort also, wo er nicht mehr eine romantische Tradition fortsetzt, sondern unter den Einfluß biologistischen und sozialdarwinistischen Denkens gerät. In Nietzsche kommt der Widerstreit zwischen Romantik und dem gänzlich unromantischen Biologismus seiner Zeit zum Austrag. Und es ist dieses Gedankenmilieu, also die vulgarisierte Naturwissenschaft, wo die Monstren des Rassismus ausgebrütet werden, die Züchtung von ›reinrassigen‹ Germanen, die Auslöschung lebensunwerten Lebens und ein mörderischer Antisemitismus, der in den Juden die Bazillen sieht und ihre Ermordung als sanitäre Maßnahme fordert.

Die romantische Lebensphilosophie ist in dem Augenblick vergiftet worden, wo sie sich mit einem Szientismus verband, der glaubte, aus der Biologie eine Moral ableiten zu können, zum Beispiel aus dem Satz des um 1900 berühmten Rassehygienikers Wilhelm Schallmayer: *Individuen, die für das Gattungsinteresse keinen Wert mehr haben, sind in der Natur regelmäßig einer baldigen Vernichtung geweiht.* Nicht die Romantik, sondern vor allem der Biologismus einer wissenschaftsgläubigen Welt hat das Denken moralisch korrumpiert. Man hat die Warnung Thomas Huxleys, eines Schülers von Darwin, nicht beherzigt, der erklärte: *Begreifen wir doch ein für allemal, daß der sittliche Fortschritt der Gesellschaft sich nicht der Nachahmung des kosmischen Prozesses verdankt, auch nicht dem Davonlaufen vor ihm, sondern dem Kampf gegen ihn ...*

Wenn die romantische Lebensphilosophie auch die Ideen vom

lebensunwerten Leben nicht ausgeheckt hat, hat es dann also nicht vielleicht jene weltfremde und weltstürzende romantische Geisteshaltung in Deutschland möglich gemacht, daß die aus anderen Quellen entsprungenen Ideen so hemmungslos in die Tat umgesetzt werden konnten?

Die Weltfremdheit ist tatsächlich lange Zeit ein Kennzeichen des deutschen Geisteslebens gewesen. Thomas Mann hatte sie in seinen »Betrachtungen eines Unpolitischen« ausdrücklich verteidigt, weil sie die künstlerische Einbildungskraft frei läßt und nicht auf die Gesichtspunkte des sozialen und politischen Nutzens einschränkt. Auf diese ästhetische Freiheit, die sich vor allem in der Ironie zeigt, auf dieses Über-den-Dingen-Schweben weist Thomas Mann hin, und in diesem Zusammenhang kommt er auf die romantische Weltfremdheit in der deutschen Kultur zu sprechen, eine Weltfremdheit, die seitdem immer wieder beschrieben und von ihren historischen Voraussetzungen her und auf ihre politischen Wirkungen hin analysiert worden ist. Besonders eindringlich und Maßstäbe setzend in Helmuth Plessners Buch »Die verspätete Nation«, eine Studie, die zuerst fast unbemerkt 1935 im holländischen Exil und 1959 in erweiterter Form mit großer Wirkung erschien.

Das geistige Leben Deutschlands war, wie Madame de Staël zuerst bemerkte, tief geprägt von der politischen Zersplitterung, dem Fehlen großer urbaner Zentren, der Kleinformatigkeit des gesellschaftlichen Lebens. Es gab in Deutschland keine politische Nation, sondern zahlreiche kleine und mittelgroße Obrigkeitsstaaten und darin eingeschachtelt eine Mannigfaltigkeit von privaten Kleinwelten, Brutstätten für individuelle Charaktere, vom Sonderlingshaften bis zum Genialischen. Es mußte einem schon die große Welt fehlen, daß man wie Werther ausrufen konnte: *Ich kehre in mich selbst zurück, und finde eine Welt!*

Das alles ist bekannt und seitdem häufig beschrieben worden und muß nicht im einzelnen wiederholt werden. Für den Gesichtspunkt der deutschen Weltfremdheit ist nur festzuhalten: Weil die große Welt draußen fehlte, entwickelte man sie, in Einsamkeit und Freiheit, im eigenen Kopf. Man war erhaben oder idyllisch, hatte entweder kühne Entwürfe und Deutungen über die politische Welt hinaus im Sinn oder duckte sich unter ihr hinweg, sich liebevoll in Idyllen oder in die Tiefe der eigenen Seele versenkend. Die eigentlich politische Sphäre blieb unterbelichtet und gab dem geistigen Leben wenig Anreiz. Das Desinteresse konnte sich bis zur überheblichen Verachtung steigern. Es fehlte somit eine politische Kultur, wie sie der Westen hervorgebracht hat, ein auf Realismus, praktischer Klugheit und Weltläufigkeit gründender politischer Humanismus. Diese politische Weltfremdheit verbindet sich aber, worauf Plessner hingewiesen hat, mit einer besonderen *Weltfrömmigkeit*. Die im protestantischen Staatskirchentum ernüchterte Religion setzte unbefriedigte religiöse Stimmungen und Antriebe frei, die in Kunst, Philosophie, Literatur, Musik einströmten. Kultur wurde religiös aufgeladen, Bildung wurde zum Religionsersatz. Gleichgültig gegenüber der gewöhnlichen Politik, blickte man bei außerordentlichen Gelegenheiten weltfromm, nach tiefen Bedeutungen Ausschau haltend auf die politische Sphäre, von der man sich etwas versprach, was sonst nur die Religion zu bieten hat, nämlich Antwort auf die letzten Fragen, also Erlösung, Apokalyptik, Eschatologie. Das eigentlich Politische mußte in einem überpolitischen fast heiligen Glanz erstrahlen, wie etwa das ›Reich‹ oder ›Volk‹ und ›Nation‹, wenn das kulturelle Interesse sich seiner annehmen sollte. Darum auch bekannte sich Thomas Mann in den »Betrachtungen eines Unpolitischen« zu einer Romantik, *die keine andere politische Forderung kannte, als die hochnationale nach Kaiser und Reich.*

Die Verbindung von Weltfrömmigkeit und Weltfremdheit behinderte tatsächlich die Bildung des politischen Sinns. Man entwickelte fruchtbare Perspektiven für das Nahe: das Existentielle und Persönliche, und für das Ferne: für die großen metaphysischen Fragen. Statt politischer Klugheitslehre gab es Geschichtsphilosophie. Die politische Sphäre aber liegt zwischen dem Nahen und dem Fernen, in einer mittleren Distanz. Hier ist politische Urteilskraft gefordert, und daran fehlte es in Deutschland. Man näherte sich dem Politischen mit unangemessenen Mitteln, entweder existentiell oder metaphysisch-spekulativ, statt mit pragmatischer Vernunft. Deshalb klang das politische Pathos oft so falsch.

Isaiah Berlin, Eric Voegelin und andere bezeichnen diese Verfehlung des Politischen und seine Überblendung mit halbreligiösen existentialistischen und geschichtsphilosophischen Bildern und Erwartungen als Romantizismus. Diese Geisteshaltung hat 1933 bei der nationalsozialistischen Revolution tatsächlich eine fatale Wirkung gezeitigt. Der politisch geläuterte Thomas Mann hat sie im »Doktor Faustus« als das Verlangen nach einer *höheren Interpretation des kruden Geschehens* bezeichnet.

Nehmen wir als Beispiel dafür noch einmal Martin Heidegger, diesen Meister aus Deutschland. Als Heidegger bei seinem vorläufig letzten Besuch bei Karl Jaspers im März 1933 erklärte, *man muß sich einschalten*, war er wie elektrisiert, aber nicht einfach durch die kruden Ereignisse, sondern durch die höhere Interpretation, die er ihnen gab. Es waren politische Vorgänge, auf die Heidegger reagierte, und sein Handeln vollzog sich auf der politischen Ebene – aber es war die philosophische Einbildungskraft, die das Reagieren und das Handeln steuerte. Und diese philosophische Einbildungskraft verwandelte die politische Szenerie in eine geschichtsphilosophische Bühne, auf der ein Stück aus dem Repertoire der Seinsgeschichte gespielt wurde. Die griechische Philosophie, so Heidegger, hatte den Menschen aus der Höhle der mythischen Benommenheit befreit. Inzwischen sei aber die Weltgeschichte wieder ins trübe Licht der Uneigentlichkeit getaucht, sie ist in die platonische Höhle zurückgekehrt. Und die Revolution von 1933 deutet er nun als Chance für den erneuten Ausbruch aus der Höhle, ein neuer geschichtlicher Augenblick der Eigentlichkeit. So interpretiert Heidegger – romantizistisch – die gegenwärtigen Ereignisse, in denen er sich vom grübelnden Seinsdenker in einen Akteur verwandelt. Deshalb wird er Rektor, organisiert ein Wissenschaftslager auf Todtnauberg, läßt dort bei der Sonnwendfeier Feuerräder ins Tal rollen, spricht vor Arbeitslosen, die er an die Universität holt, verfaßt zahllose Aufrufe, hält Ansprachen, die alle darauf abzielen, die tagespolitischen Ereignisse zu *vertiefen,* so daß sie auf die imaginäre metaphysische Bühne passen. Er beruft sich dabei auf Hegel und Hölderlin. Haben nicht auch sie die wirkliche Geschichte *vertieft* und etwas Erhabenes daraus gemacht? Hat Hegel in Napoleon nicht den Weltgeist erblickt und Hölderlin den *Fürst des Festes, zu dem die Götter und Christus geladen* seien?

Im rechtfertigenden Rückblick der späteren Jahre, nachdem er schon längst aus dem Rausch seiner tiefen Interpretationen erwacht ist, hört sich das alles ganz anders an. Dann weist Heidegger auf die Not der Zeit hin, auf Arbeitslosigkeit, Wirtschaftskrise, Reparationen, Bürgerkrieg, Gefahr des kommunistischen Umsturzes und die Schwächen der Republik, die mit diesen Schwierigkeiten nicht fertig werden konnte. An seine *höheren Interpretationen* will er sich nicht erinnern. Zwar ist auch weiterhin von der Seinsgeschichte die Rede, nicht aber von Hitler, den er als ihr Erneuerer begrüßt hatte. Es war ihm zu Hitler so viel *Tiefschwätzerei* (eine Formulierung von Thomas Mann in den »Betrachtungen eines Unpolitischen«) eingefallen, wie überhaupt den meisten Intellektuellen in Deutschland zu Hitler so viel eingefallen war.

Hitlers Machtergreifung hatte in dem Augenblick eine revolutionäre Stimmung ausgelöst, als man mit Schrecken, aber auch mit Bewunderung und Erleichterung bemerkte, daß die Nazis tatsächlich daran gingen, das nur noch von einer Minderheit unterstützte ›Weimarer System‹ zu zerschlagen. Es gab überwältigende Kundgebungen des neuen Gemeinschaftsgefühls, Massenschwüre unter Lichterdomen, Freudenfeuer auf den Bergen, Führerreden im Rundfunk – man versammelte sich festtäglich gekleidet auf öffentlichen Plätzen, um sie anzuhören, in der Aula der Universität und in den Wirtshäusern –, Choralgesang in den Kirchen zu Ehren der Machtergreifung. Die Stimmung jener Wochen sei schwer wiederzugeben, schreibt Sebastian Haffner, der sie selbst erlebte. Sie bildete die eigentliche Machtgrundlage für den kommenden Führerstaat. *Es war – man kann es nicht anders nennen – ein sehr weit verbreitetes Ge-*

fühl der Erlösung und Befreiung von der Demokratie. Nicht nur bei den Feinden der Republik gab es dieses Gefühl der Erleichterung über das Ende einer Demokratie. Auch die meisten ihrer Anhänger hatten ihr nicht mehr die Kraft zugetraut, die Krise meistern zu können. Es war, als hätte sich ein lähmender Bann gelöst. Etwas wirklich Neues schien sich anzukündigen: eine Volksherrschaft ohne Parteien mit einem Führer, von dem man hoffte, daß er Deutschland wieder einig nach innen und selbstbewußt nach außen machen werde. Die Sehnsucht nach einer unpolitischen Politik schien plötzlich ihre Erfüllung zu finden. Politik war ja für die meisten eine Angelegenheit des Parteiengezänks und des Egoismus gewesen. Heidegger selbst hatte dieses Ressentiment gegen Politik zum Ausdruck gebracht, als er diese ganze Sphäre dem *Man* und dem *Gerede* zuschlug. ›Politik‹ galt als Verrat an den Werten des ›wahren‹ Lebens: Familienglück, Geist, Treue, Mut. *Ein politischer Mensch ist mir widerlich*, hatte schon Richard Wagner gesagt. Der antipolitische Affekt will sich nicht abfinden mit der Tatsache der Pluralität der Menschen, sondern sucht nach dem großen Singular: der Deutsche, das Volk, der Arbeiter, der Geist.

Was von politischer Klugheit geblieben war, büßte über Nacht allen Kredit ein, was jetzt noch zählte war Ergriffenheit. Benn schrieb in diesen Wochen an Klaus Mann, seine Parteinahme für das Regime begründend: *Großstadt, Industrialismus, Intellektualismus, alle Schatten, die das Zeitalter über meine Gedanken warf, alle Mächte des Jahrhunderts, denen ich mich in meiner Produktion stellte, es gibt Augenblicke, wo dies ganze gequälte Leben versinkt, und nichts ist da als die Ebene, die Weite, Jahreszeiten, einfache Worte —: Volk.*

Es war wie eine Erlösung, ein Salto mortale in die große Einfachheit, man kann aber auch sagen in die Primitivität. Heidegger erklärt in einem Vortrag vor der Tübinger Studentenschaft am 30. November 1933: *Primitiv sein heißt aus innerem Drang und Trieb dort stehen, wo die Dinge anfangen, primitiv sein, getrieben sein von inneren Kräften. Gerade deshalb, weil der neue Student primitiv ist, hat er die Berufung zur Durchführung des neuen Wissensanspruchs.*

Man will einfach sein und tief, man will den gordischen Knoten einer allzu kompliziert gewordenen Wirklichkeit durchhauen und zugleich einen tieferen Sinn finden. Primitivität verbindet sich mit Romantizismus.

Was hier vor sich geht, nennt Hannah Arendt das *Bündnis zwischen Mob und Elite*. Eine geistige Elite, für die im Ersten Weltkrieg die traditionellen Werte der Welt von gestern untergegangen waren, ist weltfremd genug, um in der nationalsozialistischen Revolution ihre Träume vom Reich, einem einigen Volk und einem neuen Sein wirklich werden zu sehen.

Nur weltfremd? Handelt es sich nicht auch um eine beispiellose Korruption des moralischen Bewußtseins?

Die romantische Weltfremdheit sieht Isaiah Berlin eng verbunden mit der Vernachlässigung und Verächtlichmachung der Normalität, das heißt der gewöhnlichen Lebensregeln, die ein Zusammenleben erst möglich machen. Das sind die vernunftgeregelten politischen Beziehungen, in denen die Würde und die Freiheit der Individuen geschützt sind, und die nicht preisgegeben werden dürfen zugunsten irgendeiner ›großen‹ philosophischen Idee und auch nicht zugunsten der Obsessionen eines ›großen‹ schöpferischen Individuums, das in seinen Werken und sonstigen Handlungen sich mehr seinen Ausdruckswelten als sozialen Rücksichten verpflichtet weiß. Diese Geisteshaltung, welche geistige Originalität und subjektive Expressivität höher schätzt als die gesellschaftlich verbindlichen Werte und Normen, nennt Isaiah Berlin ›romantisch‹. Er schreibt: *In dem Maße, wie es gemeinsame Werte gibt, ist es unmöglich zu behaupten, daß alles von mir selbst zu schaffen wäre, daß ich alles Gegebene zerschmettern müßte oder daß ich all das, was eine bestimmte Struktur hat, zerstören müßte, um meiner ungezügelten Fantasie freien Lauf zu lassen. So gesehen endet die Romantik, so sie denn bis zu ihrer logischen Konsequenz fortgeführt wird, in einer Art Wahnsinn.* Die historische Romantik habe diese gefährliche Ermächtigung der Einbildungskraft und des subjektiven Begehrens auf künstlerischem Gebiet erprobt, was zunächst harmlos erscheint, aber nicht harmlos bleibt: *Im Grunde*, so fährt

Berlin fort, *ist die ganze Bewegung der Versuch, der Wirklichkeit ein ästhetisches Modell überzustülpen, so daß alles den Regeln der Kunst zu gehorchen hat. Für Künstler mögen manche Behauptungen der Romantik tatsächlich eine gewisse Gültigkeit beanspruchen. Doch ihr Versuch, das Leben in Kunst umzumünzen, setzt voraus, daß Menschen bloßer Stoff sind, daß sie einfach eine Art Material sind, nicht anders als Farbe und Töne: Und in dem Maße, wie dies nicht zutrifft, in dem Maße, wie Menschen, wenn sie kommunizieren wollen, dazu gezwungen sind, gewisse gemeinsame Werte und Tatsachen anzuerkennen und eine gemeinsame Welt bewohnen ... in diesem Maße scheint mir die voll entfaltete Romantik, nicht minder als ihre Ableger, Existenzialismus und Faschismus, einem Irrtum zu unterliegen.*

Berlins These lautet also: Die Romantik hat durch ihren Subjektivismus der ästhetischen Einbildungskraft, der Expressivität, der Phantasie, der ironischen Spielfreude, des enthemmten Tiefsinns mitgewirkt, die tradierte moralische Ordnung zu untergraben. Ähnlich argumentiert Voegelin, nur daß er diese unterminierte Ordnung als eine *theomorphe* identifiziert und die Kritik am Subjektivismus der Romantik um den Vorwurf erweitert, daß die Romantik eine Selbstvergöttlichung des ästhetischen Subjektes betrieben habe. Ein Vorwurf, den bereits Heinrich Heine gegen Ende seines Lebens in der Matratzengruft erhoben hatte, als er die Romantiker und ihre Nachfahren einschließlich seiner selbst *gottlose Selbstgötter* nannte, die nicht begriffen hätten, daß *Gutsein* besser ist als *Schönheit*. Man kann in die Reihe der Kritiker des romantischen Subjektivismus auch den von marxistischen Voraussetzungen her argumentierenden Georg Lukács aufnehmen, für den Objektivismus natürlich etwas anderes bedeutet als für Isaiah Berlin und Eric Voegelin. Für Berlin handelt es sich um eine Objektivität des moralischen Konsenses, bei Voegelin bedeutet sie die Verantwortung vor Gott und bei Lukács die ›objektive‹ Dialektik des Geschichtsprozesses. Wie auch immer diese Objektivität definiert wird, die Romantik jedenfalls wird beschuldigt, daß sie subjektiv-irrationalistisch dagegen verstößt und eine Geisteshaltung begünstigt hat, die nach der Devise verfährt: Wenn die Wirklichkeit nicht meinen Vorstellungen

entspricht, um so schlimmer für die Wirklichkeit! Was in der Weltfremdheit ausgebrütet wurde, soll grundstürzend in die Welt einge-
brochen sein. Wieder ist hier an Heinrich Heine zu erinnern, der in
den berühmten Schlußpassagen seiner »Geschichte der Religion
und Philosophie in Deutschland« das französische Publikum vor
den Folgen der romantischen Geistesrevolution warnt: *Lächelt nicht
über den Phantasten, der im Reiche der Erscheinungen dieselbe Revolution
erwartet, die im Gebiete des Geistes stattgefunden. Der Gedanke geht der
Tat voraus, wie der Blitz dem Donner. Der deutsche Donner ist freilich auch
ein Deutscher und ist nicht sehr gelenkig, und kommt etwas langsam heran-
gerollt; aber kommen wird er, und wenn ihr es einst krachen hört, wie es noch
niemals in der Weltgeschichte gekracht hat, so wißt: der deutsche Donner hat
endlich sein Ziel erreicht ...*

Erinnert man sich der bewundernswerten Genies der romantischen Epoche, die ihre Welten geschaffen und der Wirklichkeit
selbstbewußt entgegengesetzt hatten, so sträubt sich alles dagegen,
eine Figur wie Hitler in einem Atemzug mit dieser romantischen
Tradition zu nennen. Und doch kann man nicht umhin, in Hitler
diese fatale Verbindung von Weltfremdheit und weltstürzendem
Furor am Werke zu sehen.

Gewiß, die Ideen Hitlers waren ganz und gar nicht romantisch.
Sie kommen aus den vulgarisierten, moralisch verwahrlosten und
zur Ideologie gewordenen Naturwissenschaften: Biologismus, Rassismus und Antisemitismus. Hitler selbst rühmte sich seiner *wissenschaftlichen* Weltanschauung, und es lohnt sich, einen kurzen Blick
auf sein Wahnsystem zu werfen, das er in die Tat umgesetzt hat.

Man hat sich angewöhnt, von Hitlers wirrem Gedankengebäude
zu sprechen. Tatsächlich aber sind seine Gedanken nicht wirr. Das
Erschreckende daran ist vielmehr die unerbittliche Logik, mit der
in »Mein Kampf« aus einigen rassistischen und sozialdarwinistischen
Prämissen mörderische Konsequenzen gezogen werden. *Es mag hier
natürlich der eine oder andere lachen, allein dieser Planet zog schon Jahrmil-
lionen durch den Äther ohne Menschen, und er kann einst wieder so dahin-
ziehen, wenn die Menschen vergessen, daß sie ihr höheres Dasein nicht den*

Ideen einiger verrückter Ideologen, sondern der Erkenntnis und rücksichtslosen Anwendung eherner Naturgesetze verdanken. Es gelten die Gesetze der Selbsterhaltung und der Selektion der Stärkeren im mörderischen Daseinskampf. *Im ewigen Kampf ist die Menschheit groß geworden – im ewigen Frieden geht sie unter.* Es gibt mindere und stärkere Rassen. Der Arier ist der *Prometheus der Menschheit,* er entzündet jenes Feuer, *das als Erkenntnis die Nacht der schweigenden Geheimnisse aufhellt.* Der Arier aber ist bedroht von rassischer *Verunreinigung.* Besonders gefährlich sind die Juden. Wenn man sie nicht austilgt, geht das höhere Leben zugrunde, und es kommt dahin, daß der Planet wieder menschenleer in der Weltraumnacht kreist. Die Juden müssen auch deshalb umgebracht werden, weil sie den arischen Selbstbehauptungskampf dadurch hemmen, daß sie mit ihrem mosaischen Tötungsverbot den Ariern ein schlechtes Gewissen machen. Hitler will eine Ethik beseitigen, indem er die angeblichen ›Erfinder‹ dieser Ethik auslöscht. *Wir stehen,* erklärt er in den Gesprächen mit Hermann Rauschning, *vor einer ungeheuren Umwälzung der Moralbegriffe und der geistigen Orientierung des Menschen ... Wir beenden einen Irrweg der Menschheit. Die Tafeln vom Berg Sinai haben ihre Gültigkeit verloren. Das Gewissen ist eine jüdische Erfindung.*

Hitlers Politik gründet auf einem Wahn, der sich bewahrheitete, indem er verwirklicht wurde. Die Menschen, über die Hitler Macht gewann, wirkten dabei mit, als Gläubige, als Befehlsempfänger, als willige Helfer, als Eingeschüchterte, als Gleichgültige. Die sittliche Kultur der Gesellschaft vermochte jedenfalls diesem Treiben kein Ende zu setzen. Normalerweise trennt der Wahn einen Menschen von seiner Umgebung ab, isoliert ihn und schließt ihn ein. Das Ungeheure des Falles Hitler liegt darin, daß er die Einsamkeit des Wahns überwand, indem er seinen Wahn erfolgreich vergesellschaftete. Es hat verschiedene Motive gegeben, Hitler zu folgen, aber das ändert nichts an dem Ergebnis, daß hier eine ganze Gesellschaft daran beteiligt war, ein Wahnsystem in die Wirklichkeit umzusetzen.

Es waren, wie schon gesagt, keine romantischen Ideen, die hier umgesetzt wurden, aber solche Gestalten wie Hitler, die eine ganze

Gesellschaft in ihren Bann schlagen, sind in den Fieberträumen der Romantiker bereits antizipiert worden, etwa in den dämonisch-nihilistischen Machtfiguren Jean Pauls und in der Gestalt des großen Magnetiseurs bei E. T. A. Hoffmann. *Alle Existenz*, so der Magnetiseur, *ist Kampf und geht aus dem Kampf hervor. In einer fortsteigenden Klimax wird dem Mächtigen der Sieg zuteil, und mit dem unterjochten Vasallen vermehrt er seine Kraft* ... Daß Hitler eine Figur wie aus einem romantischen Alptraum ist, klingt auch in Thomas Manns kühnem Essay von 1938, »Bruder Hitler«, an. Dort beschreibt Thomas Mann Hitler als gescheiterten, mißratenen Künstler, der ein ganzes Volk als plastisches Material gebraucht und als ein Instrument, auf dem er spielt. *Ich will es dahin gestellt sein lassen*, schreibt Thomas Mann, *ob die Geschichte der Menschheit einen ähnlichen Fall von moralischem und geistigem Tiefstand, verbunden mit dem Magnetismus, den man ›Genie‹ nennt, schon gesehen hat, wie den, dessen betroffene Zeugen wir sind.*

Hitler ist eine perverse Verkörperung des Fichteschen ›Ich‹, das sich seine Welt baut und den Widerstand des Nicht-Ichs bricht. Hitler wollte ein Weltreich gründen vom Atlantik bis zum Ural, er wollte ganze Völker umsiedeln, ›minderwertiges‹ Leben ausrotten, das eigene Volk höher züchten, und er wird dann kurz vor seinem Selbstmord erklären, das deutsche Volk habe sich leider doch als zu schwach erwiesen und es sei nicht notwendig, daß es überlebt. Es soll mit ihm sterben.

Das Volk aber, das sich in diesen kalten Taumel des mörderischen Wahns hineinziehen ließ – gab es damit nicht den stärksten Beweis für seinen mangelnden Realitätssinn, zeigte sich darin nicht doch etwas von dieser Verbindung aus romantischer Weltfremdheit mit dem Furor des Weltensturzes? Dafür spricht, daß der Zusammenbruch der NS-Herrschaft von vielen wie das Erwachen aus einer Benommenheit erlebt wurde, wie das Ende eines Spuks, als sei der Bann gebrochen. Von einem Tag auf den anderen erschien, was eben noch geherrscht hatte, ganz irreal, und es dauerte nicht lange, dann wollten die Menschen sich gar nicht mehr in dem wiedererkennen, was sie soeben noch gewesen waren. *Wir sind erst dann bei uns,* schrieb Arnold Gehlen 1971 zur Frage »Was ist deutsch?«, *wenn wir ... ein Phantom oder was immer, uns so weit vorauswerfen können, daß der Versuch, uns durch das Dickicht der Wirklichkeit zu ihm durchzukämpfen, gewaltsam ausfallen muß.* Als die Menschen 1945 bei sich selbst ankamen, war das Phantom verschwunden, und ihre Wirklichkeit lag in Trümmern.

Achtzehntes Kapitel

Die Katastrophe und ihre romantische Deutung: Thomas Manns
Doktor Faustus. Höhere Interpretationen des kruden Geschehens.
Ernüchterung. Trockengelegte Alkoholiker. Die skeptische Generation.
Nochmals neue Sachlichkeit. Der Avantgardismus, die Technik und die
Massen. Adorno und Gehlen im Nachtstudio. Wie romantisch war die
68er-Bewegung? Über Romantik und Politik.

Im Januar 1947 beendet Thomas Mann im fernen Kalifornien den
»Doktor Faustus«, diesen Roman über »Das Leben des deutschen
Tonsetzers Adrian Leverkühn erzählt von einem Freunde«, wie es
im altertümlich stilisierten Untertitel heißt. Auf nichts Geringeres
hatte es Thomas Mann in diesem hochambitionierten Roman abgesehen, als darauf, im Spiegel des Lebensganges eines Komponisten das verhängnisvolle Schicksal Deutschlands darzustellen und
zu reflektieren. Ein Künstlerroman, ein Gesellschaftsroman und vor
allem ein Roman über Deutschland sollte es werden. Er wurde,
als er im Sommer 1947 erschien, größtenteils ehrfurchtsvoll aufgenommen. Man wußte es zu schätzen, daß die furchtbare Geschichte
des nationalsozialistischen Deutschland – nach und nach bekam das
Grauen seine Statistik: 55 Millionen Kriegstote, davon 25 Millionen
Zivilisten, 15 Millionen ›Unpersonen‹ in Konzentrationslagern,
11 Millionen ermordet, davon 6 Millionen Juden, über 10 Millionen auf der Flucht, 5 Millionen Wohnungen zerstört oder schwer
beschädigt –, daß diese furchtbare Geschichte eine derartig sublime
Deutung erfuhr, und der feierliche Tiefsinn des Werkes versöhnte
schon wieder fast mit dem Schrecken. Im Roman hatte sich Thomas Mann gegen das romantische Verlangen nach einer *höheren*
Interpretation des kruden Geschehens verwahrt, doch genau dies bot er:
eine *höhere Interpretation des kruden Geschehens.* Wenn dieses Verlangen nach *höherer Interpretation* wirklich ein romantisches Problem

ist, dann ist dieser Roman selbst ein Teil des Problems, für dessen Lösung er sich hält.

Daß sich in der Gefährdung des Künstlers die Gefährdung der deutschen Seele spiegeln sollte, nahm man auch deshalb nicht ungern zur Kenntnis, weil es sich bei Leverkühn um einen genialen Künstler handelte, der zudem frappante Ähnlichkeit mit Nietzsche hatte; ein ganzer dämonischer Apparat aus syphilitischer Anstekkung und Teufelspakt wurde aufgeboten. Eine Deutung des Grauens, die sich zu erstaunlichen Höhen kunst- und geschichtsphilosophischer Reflexion erhob. Es war Thomas Mann zu Hitler wirklich sehr viel eingefallen. Der Roman beschwor das Gefühl des Endes in jedem Sinne: Ende des bürgerlichen Künstlers, der Kunst, des Bürgertums, Ende des traditionellen Humanismus, des Vernunftbegriffs. Eine Götterdämmerung ohnegleichen. Auch das Bild des Engelsturzes, wie ihn Michelangelo in der Sixtinischen Kapelle gemalt hat, wird vom Erzähler Serenus Zeitblom herbeizitiert, der in den letzten Sätzen des Romans über Deutschland sagt: *Heute stürzt es, von Dämonen umschlungen, über einem Auge die Hand und mit dem andern ins Grauen starrend, hinab von Verzweiflung zu Verzweiflung. Wann wird es des Schlundes Grund erreichen? Wann wird aus letzter Hoffnungslosigkeit, ein Wunder, das über den Glauben geht, das Licht der Hoffnung tagen.*

Der Altphilologe und Pädagoge Serenus Zeitblom, *eine gesunde, human temperierte, auf das Harmonische und Vernünftige gerichtete Natur,* erzählt zwischen 1943 und 1945 die Lebensgeschichte Adrian Leverkühns, seines bewunderten und genialen Freundes von Jugend an, der, 1885 geboren, in Kaisersaschern aufwächst – einer altdeutschen Stadt, die man sich wie Naumburg vorstellen muß – und der in Halle und Leipzig Theologie studiert, wo er seine metaphysische Neugier mit strenger Mathematik abkühlt, um schließlich zur Musik, ebenfalls ihrer Strenge wegen, überzuwechseln; der einige Werke im modernsten Stil, der Zwölfton-Technik, komponiert und schließlich 1931, auf dem Höhepunkt seines musikalischen Schaffens, geistig zusammenbricht und, wie Nietzsche, noch zehn Jahre unter der Obhut seiner Mutter in geistiger Umnachtung hinbringt, bis er im Jahre 1941 stirbt. Thema ist also das Leben und Schaffen eines *stolzen und von Sterilität bedrohten Geistes*, in dem sich, wie Thomas Mann kommentiert, die *Situation der Kunst überhaupt, der Kultur, ja des Menschen, des Geistes selbst in unserer durch und durch kritischen Epoche* spiegelt.

Leverkühn als Spiegel der deutschen Seele – das hatte sich Thomas Mann so gedacht: Beide, Deutschland und Leverkühn, geraten in eine sterile, glaubenslose, von Lebenserstarrung bedrohte Situation. Deutschland politisch, Leverkühn künstlerisch. Beide schließen einen Teufelspakt, um wieder an lebendige Kraftquellen heranzukommen: Deutschland, um aus der zerfallenden Gesellschaft zur gefühlsstarken Gemeinschaft zu finden; Leverkühn, um schöpferischen Rausch und dionysische Enthemmung zu erfahren und um aus der Überreflexivität zum elementaren Gefühl, zu einer zweiten Naivität, durchzubrechen. Deutschland sucht die vitale Revolution, Leverkühn die Inspiration. Beide werden am Ende vom Teufel geholt. Sie haben die humane Vernunft verraten und sich den Mächten des Irrationalen ausgeliefert. Beide Male ein katastrophaler Rückfall des hochentwickelten Geistes in archaische Primitivität.

Doch diese Parallelität wird nicht durchgehalten. Leverkühn sollte eigentlich, wie Nietzsche zur Zeit des »Zarathustra«, einen dionysischen Schaffensrausch erleben. Er wird ihm vom Teufel bei jenem Zwiegespräch im Hause Manardi in Palestrina mit fast genau denselben Worten versprochen, wie Nietzsche sie im »Ecce homo« für die Beschreibung seiner Augenblicke der Inspiration verwendet. Auch verspricht der Teufel dem Komponisten die Kraft, sich zur *Barbarei* zu *erdreisten* und die *vom Kultus abgefallene Kultur* wieder ins *Elementarische* zurückzuführen.

Doch es kommt anders. Leverkühn bleibt Apolliniker, statt zum Dionysiker zu werden. Er wird nicht ins Unbewußte hinabtauchen, sondern die Bewußtheit und das konstruktive Raffinement steigern. Statt enthemmter Sinnlichkeit kommt es zur enthemmten

Sachlichkeit im Gebrauch der künstlerischen Mittel. Statt im Elementaren zu versinken, wird er sich emporschwingen zu den Verzückungsspitzen der Reflexion.

Damit aber bleibt das ursprüngliche Konzept der Parallelität zwischen dem Schicksal Deutschlands und dem des künstlerischen Geistes unrealisiert. Es ist inzwischen, vor allem von Hermann Kurzke, bis ins einzelne erforscht, wie es geschehen konnte, daß Thomas Mann sich von seinem ursprünglichen Konzept ablenken ließ. Ursächlich dafür war die Begegnung mit Adorno und dessen Musikphilosophie. Man hätte es ahnen können, daß ihn jener auf andere Gedanken bringen würde, denn bereits im Teufelsgespräch gibt es einen Augenblick, wo der Teufel plötzlich so aussieht wie Adorno und auch so spricht. *Die Subsumtion des Ausdrucks unters versöhnlich Allgemeine ist das innerste Prinzip des musikalischen Scheins. Es ist aus damit*, sagt das kleine, dickliche Männchen mit der großen Brille und den spärlichen Haaren, jene Gestalt, in die sich der Teufel zwischenzeitlich verwandelt hat und von der her es Leverkühn kalt anweht . . .

Dem Autor verwandelt sich, unter dem Einfluß Adornos, der ursprüngliche Entwurf seiner Hauptfigur. Trotz des Teufelspaktes bleibt Leverkühn der Sphäre des Dionysischen fern. Dieser überreflexive Künstler eignet sich nicht mehr dafür, den vitalistischen Sturz ins Elementare, die Verlockung der Primitivität, zur Darstellung zu bringen.

Hält man doch am Konzept des Parallelismus fest – und Thomas Mann hat in seinen öffentlichen Kommentaren daran festgehalten –, dann wird die *hohe Interpretation des kruden Geschehens* noch höher hinaufgetrieben. Der Zusammenhang zwischen dem Schicksal Deutschlands und dem des Künstlers droht im Sublimen zu verschwinden. Thomas Mann hat sehr wohl bemerkt, daß hier einiges nicht mehr zusammenpaßt. Und darum mußte der Erzähler Serenus Zeitblom zunehmend den das deutsche Schicksal repräsentierenden Part übernehmen. So wie die Figur des verständigen Humanisten Zeitblom angelegt war, konnte es sich bei ihm nun keinesfalls um den Durchbruch des Dionysischen und Elementaren handeln, sondern lediglich um das Thema der *machtgeschützen Innerlichkeit.* Zeitblom, nicht Leverkühn, repräsentiert das deutsche Bürgertum. Er teilt die Kriegsbegeisterung von 1914, ist abgestoßen von der Novemberrevolution, hospitiert in den erregten intellektuellen Zirkeln der 20er Jahre bei den Kosmikern, Apokalyptikern und Dezisionisten, er verhält sich zunächst vorsichtig zustimmend zum nationalsozialistischen Regime als Ordnungsmacht – bis ihm die Katastrophe bewußt wird in dem Augenblick, da sie ihn in seiner stillen Klause endlich heimsucht.

Kurz vor Beendigung des Romans erklärt Thomas Mann in seiner Ansprache »Deutschland und die Deutschen« im Oktober 1945: *Eines mag diese Geschichte uns zu Gemüte führen: daß es nicht zwei Deutschland gibt, ein böses und ein gutes, sondern nur eines, dem sein Bestes durch Teufelslist zum Bösen ausschlug. Das böse Deutschland, das ist das fehlgegangene gute, das Gute im Unglück, in Schuld und Untergang.*

Die Bemerkung, daß durch *Teufelslist* das *Beste* zum *Bösen* verkehrt worden sei, war auch auf Leverkühn gemünzt. Aber da Leverkühn dann doch nicht in einen dionysischen Rausch oder einen romantischen Exzeß geriet, sondern mit Adornos Hilfe sich ins hochreflexiv Artifizielle steigerte, konnte sich an ihm das *Böse* nicht so recht zeigen. An Zeitblom konnte es sich aber auch nicht zeigen, er ist zu brav dafür. Seiner machtgeschützen Innerlichkeit fehlt das Abgründig-Geniale. Also war dem Roman der Repräsentant für jenes Deutschland, *dem sein Bestes durch Teufelslist zum Bösen ausschlug,* schlicht abhanden gekommen.

Halten wir fest, daß Thomas Mann jene Interpretation der deutschen Katastrophe, der zufolge ein Exzeß des romantischen Geistes zum politischen Verbrechen führte, zwar behaupten, aber nicht in künstlerische Darstellung umsetzen konnte. Wie hätte sie sich umsetzen lassen? Doch wohl nur so, daß Leverkühn aus romantischer Geisteshaltung und auf der Suche nach einem neuen Lebens- und Schaffensimpuls in die Sphäre des dionysischen Rausches gestürzt wäre und – in Analogie zum späten Nietzsche – sich einem Dezisionismus der Macht und Gewalt überantwortet hätte, ganz so, wie es Thomas Mann in seinen Reden als Verhängnis beschwor, als er zum Beispiel erklärte, die Deutschen hätten *ihre Verbrechen aus weltfremdem Idealismus begangen.* Leverkühn sollte eine Figur werden, die diesen Zusammenhang in ihrem Schicksal verkörpert. Diese Figur aber ist ihrem Autor anders geraten, und das scheint darauf hinzudeuten, daß ihm das künstlerische Gewissen eine solche Darstellung doch nicht erlaubte und er Adornos Anregungen bezüglich der künstlerischen Profilierung Leverkühns gerne folgte. Warum? Vielleicht deshalb, weil die ursprünglich intendierte Deutung des Zusammenhangs von romantischem Geist und verbrecherischer Politik doch nicht zu halten ist und Thomas Mann bemerkte, daß ihre Unwahrheit sich in einem künstlerischen Schematismus niedergeschlagen hätte. Jedenfalls löst Thomas Mann in seinem Roman faktisch das Ende Leverkühns von der Idee der deutschen Katastrophe. Statt dessen zeigt sich in Leverkühns Ende etwas ganz anderes, nämlich die Krise eines künstlerischen Schaffens, das am Intellektualismus leidet und nach einem Rückweg in eine zweite Naivität sucht. Das aber ist nun nicht mehr ein speziell deutsches, sondern ein allgemeines Phänomen des modernen Kunstbewußtseins. Thomas Mann hat das in Interviews, die er zum Erscheinen der amerikanischen Ausgabe des Romans gegeben hat, auch eingeräumt. Gleichwohl hat er sich in anderen Zusammenhängen nicht davon abhalten lassen, jene Interpretation der deutschen Katastrophe – daß der Idealismus oder der romantische Geist in Deutschland zum Verbrechen geführt hat – bei verschiedenen Gelegenheiten zu wiederholen. Man hörte sie damals durchaus nicht ungern, denn sie hatte etwas Schmeichelhaftes, weil das *krude Geschehen* auf diese Weise eine so hohe Bedeutsamkeit erhielt.

Thomas Manns *höhere Interpretation des kruden Geschehens* fügte sich ganz gut ein in den damals vorherrschenden Stil, für den die hohen Töne überhaupt charakteristisch waren. 1947 erschien ein Buch von Ferdinand Lion, einem Freund Thomas Manns, mit dem Titel »Romantik als deutsches Schicksal«. Darin wird die Verbindung zwischen einer Romantik, die *frei wuchern* konnte, und dem preußischen Militarismus als das *schicksalsträchtige Ereignis* gedeutet, das schließlich in die politische Katastrophe führte. Lions Buch war nur einer der zahlreichen Versuche, die deutsche Schuldfrage mit tief in die Geschichte zurückreichenden Großdeutungen zu verbinden. Den Ursprung des Unheils lokalisierte man wahlweise im späten Mittelalter, in den Bauernkriegen oder eben in der Romantik. Es handelte sich dabei um subtile Genealogien des Verhängnisses, um negative Teleologien, die von weit zurückliegenden Anfängen aus einen angeblich zwangsläufigen Weg in die Katastrophe nachzeichneten. Hannah Arendt hat bei ihrem ersten Deutschlandbesuch 1950 solche Interpretationen als Ausdruck des notorischen deutschen Tiefsinns gewertet, der die Ursachen des Krieges, der Zerstörung Deutschlands und der Ermordung der Juden nicht in den Taten des Naziregimes und der Folgsamkeit der Bevölkerung sucht, sondern, wie sie mit lakonischem Spott schreibt, *in den Ereignissen, die zur Vertreibung von Adam und Eva aus dem Paradies geführt haben.*

Es fehlte in den ersten Jahren nach 1945 ein politisches Raisonnement, das nicht sogleich in die übergroßen Fragen auswich, es fehlte ein pragmatisch-politisches Denken, das ein Gegengewicht hätte bilden können zu einem Geist, der oft entweder zu hoch oder zu tief ansetzte, beim Nichts oder bei Gott, beim Untergang oder beim Aufgang des Abendlandes. Daß man mit diesen hohen Tönen das Entscheidende möglicherweise doch verfehlt, hat sogar der ehemalige Nazi-Ideologe Alfred Baeumler in seinen Aufzeichnungen während der Haft selbstkritisch bemerkt. Statt eine wirkliche *Nähe zu den Dingen* zu suchen, schreibt er, hätten die *Fernsichten* triumphiert und die Wirklichkeit vergewaltigt. Er warnt vor den *Abstraktionen ins Unbestimmte* und lernt die Demokratie schätzen, gerade weil sie das *Anti-Erhabene* ist. Unter dem Eindruck der Katastrophe, auch der persönlichen, beginnt Baeumler mit der für ihn schwierigen Lektion, das Politische ohne Geschichtsmetaphysik zu denken.

So nüchtern wie dieser ehemalige Nazi war man in der Regel noch nicht. Man romantisierte, indem man mit *Fernsichten* den Nationalsozialismus nicht als das krude Geschehen, das er war, sondern als romantischen Irrweg der Nation darstellte.

1957 stellte Helmut Schelsky in seinem Buch »Die skeptische Generation« den jungen Leuten in der Wirtschaftswunderwelt der Bundesrepublik das Zeugnis aus, sie seien nicht mehr anfällig für das Romantische. Der Nationalsozialismus und der Krieg, den sie noch in seiner Endphase als Flakhelfer und vielleicht als Werwölfe erlebt und überlebt hatten, hatten sie gründlich kuriert. Die Folgen davon waren, so Schelsky, *Prozesse der Entpolitisierung und Entideologisierung*, die zu einer bemerkenswerten Nüchternheit geführt hätten. Es trafen also zusammen diejenigen, die gerade aus dem Rausch erwacht waren, und diejenigen, die am Ende des Krieges als Jugendliche noch jenseits von Illusion und Desillusionierung standen und nur einen Schrecken erlebt hatten, dem sie gerade noch entronnen waren und der sie im Nu in Erwachsene verwandelt hatte, die das Träumen verlernten, noch ehe sie es richtig gelernt hatten. Diese Generation, so Schelsky, ist *in ihrem sozialen Bewußtsein kritischer, skeptischer, mißtrauischer, glaubens- oder wenigstens illusionsloser als alle Jugendgenerationen vorher* und dabei *wirklichkeitsnäher, zugriffsbereiter und erfolgssicherer.* Also jedenfalls nicht romantisch. Wenn in den späten 50er Jahren Wahlkämpfe mit dem Slogan »Keine Experimente« geführt und haushoch gewonnen werden, so ist das sicherlich nicht ein Hinweis auf romantische Neigungen. Man arbeitete fleißig und hatte wenig Zeit für Trauerarbeit. Von Tag zu Tag baute man sich aus Ruinen ein Leben wieder auf, das man schon fast verloren hatte. Das Anschaffen und Einrichten erfüllte die meisten Erwartungen, Utopien gab es gegen Ratenzahlung.

Es waren die Jahre des Neuaufbaus, der, wie man weiß, mit sachlichem Modernismus und wenig Rücksicht auf die romantischen Reste altdeutscher Städtekultur unternommen wurde. Fassaden wurden abgeschlagen, die Entkernung und Verwüstung der Innenstädte setzte man auch dort fort, wo nicht bereits die Bomben für Planierung gesorgt hatten. Die Architektur der 50er Jahre gehört, ästhetisch gesehen, eher zu den Sünden der jungen Bundesrepublik.

Das Trauma des Krieges und der Gewalt saß noch so tief, daß der Stil des Bunker- und Gefängnisbaus dominierte. Man baute für die ›nivellierte Mittelstandsgesellschaft‹, wie das damals hieß. Ein diesbezügliches Avantgardeprojekt war das Berliner ›Hansa-Viertel‹. Es wurde von der Elite der europäischen Architekten erbaut. Es sollten neue Gehäuse für den neuen Menschen werden. In einer Untersuchung Ende der 50er Jahre stellte man dann aber fest, daß die Bewohner der neuen Bauten hilflos seien: sie erfaßten nicht den Sinn des Grundrisses, verstünden nicht, wie man Farben zusammenstellt und warum Chippendale und ein Kräutergarten auf dem Balkon häßlich sein sollen. Die Architekten schüttelten sich vor Abscheu angesichts des ›Piefke-Geschmacks‹. So ging man dazu über, ›Wohnmaschinen‹ zu bauen. Dort konnte der Normalverbraucher wenig falsch machen, dort konnte man ihn in den atomisierten Wohnzellen sich selbst überlassen. In Berlin war die Gropius-Stadt Ausdruck dieser Stein gewordenen Massenverachtung. Auch sonst übte man sich in herablassender Anpassung an die prosperierende Arbeits- und Freizeitwelt. Sachlichkeit bei der Arbeit, Sentimentalität in kleinen Portionen und zu geringen Preisen in der Freizeit und beim Konsum. Der sozial reglementierte Markt gab Sicherheit, die man nach den abenteuerlichen und auch verbrecherischen Exzessen der Nazizeit zu schätzen wußte. Vom gefährlichen Leben hatte man genug. Auch geistigen Exzessen war man abhold. Man war stolz auf die Ideologie der Ideologielosigkeit, wobei die ideologischen Reste der Nazizeit sich bequem im Antikommunismus entsorgen ließen.

In den Kreisen, die sich für die Elite hielten, war man durchaus avantgardistisch gesinnt und hielt auf Abstand. Die abstrakte Malerei begann ihren Siegeszug. Hilfreich war die doppelte Legitimation, einmal durch den sozialistischen Realismus, von dem man sich ebenso abgrenzen wollte wie von dem nazistischen Verdammungsurteil gegenüber der ›entarteten Kunst‹. Diese doppelte Abgrenzung ergab in den avantgardistischen Kreisen einen Konformismus der Nonkonformisten. Man vermied das sogenannte ›Erlebnis‹ und die Nachahmung von Realität. Der Formwille sollte sich nur der

Logik des Materials beugen. Der Künstler müsse sich, hieß es, von außerkünstlerischen Bezugspunkten befreien, sein Gegenstand sind die Töne, die Worte, die Farben. Gedichte, sagte Benn, der damals zum Star aufstieg, werden nicht aus Gefühlen sondern aus Worten gemacht. Vor allem: Sie werden *gemacht*, so wie auch alles andere gemacht wird. Das emphatische oder betuliche Schöpfertum stand nicht hoch im Kurs. Man gab sich kühl. Man wollte nichts nachahmen und ahmte doch die Methode der Fabrikation, der industriellen Fertigung nach. Außerdem verwies man auf das unanschauliche Weltbild der modernen Physik. Wirklichkeit, so ließ sich daraus folgern, ist etwas, das sich eben nicht abbilden läßt. Und doch sollte das Abstrakte *Fenster ins Unsichtbare* aufstoßen, wie es in einem Katalog zur Ausstellung »Kirche und abstrakte Kunst« hieß. Man merkt: Eine Romantik der ästhetischen Transzendenz kann auch im Avantgardismus wirken.

In diesem Avantgardismus übrigens gedieh jenes Kunstideal, das genau dem entsprach, was sich Thomas Mann für seinen Adrian Leverkühn ausgedacht hatte: strikte Autonomie, Materialgerechtheit, Nichtabbildlichkeit, Menschenferne. Donaueschingen, wo im Roman Leverkühns Werke zuerst aufgeführt worden waren, wurde in den 50er Jahren tatsächlich zum Wallfahrtsort der musikalischen Moderne, und Adorno gab inzwischen der ganzen modernen Musikszene die Stichworte vor. Man teilte Leverkühns Ablehnung der *Kuhwärme* der traditionellen Musik, den dionysischen Teufelspakt aber brauchte man nicht. Es mag sein, daß man die Seele ans technische Zeitalter verkaufte, gewiß aber nicht für einen dionysischen Rausch.

Diese Art Moderne war garantiert rauschfrei. Sie war nüchtern, aber auf heitere Weise. Im »Magnum«, der damals maßgebenden Zeitschrift für den gehobenen Geschmack, konnte man 1955 lesen: *Eine Welt des Ernstes versinkt. Der Abbau der Konventionen setzt Heiterkeit frei. Der Verfall der Ideologien macht gerunzelte Stirnen lächerlich. Der ›Ernst des Lebens‹ ist mehr ein ironischer Begriff ... Auch das Verhältnis der Geschlechter zueinander wird von Dunklem und Schwerem befreit, ent-*

krampft sich. Strindbergs und Wedekinds Tragödien liegen weit zurück. Liebe ohne Furcht. Wir gewinnen ein neues, gelassenes Körpergefühl ... Mit dieser neuen Leichtigkeit eines gelassenen Körpergefühls sieht man nun auch die Frauen auftreten. Von ihnen heißt es im »Magnum« von 1958: *Sie sind illusionslos, sie haben das Wort Romantik gestrichen, sie sind ehrlich, sachlich, ungeschminkt ... Keiner kann dem anderen etwas vormachen. Komplimente sind verpönt. Schnörkel hassen sie. Sie flirten nicht. Sie machen keine Konversation.*

Man vergißt häufig, daß die als reaktionär und muffig verschrienen 50er und frühen 60er Jahre auch eine Zeit der modernistischen Sachlichkeit waren. Und weil die neuen Errungenschaften der Technik jetzt bis in jeden Haushalt vordrangen, war sie auch technikfromm. Max Bense war der philosophische Wortführer dieser neusachlichen, avantgardistischen Intelligenz: *Wir haben eine Welt hervorgebracht,* schrieb er 1950, *und eine außerordentlich weitzurückreichende Tradition bezeugt die Herkunft dieser Welt aus den ältesten Bemühungen unserer Intelligenz. Aber heute sind wir nicht in der Lage, diese Welt theoretisch, geistig, intellektuell, rational zu beherrschen. Ihre Theorie fehlt, und damit fehlt die Klarheit des technischen Ethos, das heißt, die Möglichkeit, seinsgerechte ethische Urteile innerhalb dieser Welt zu fällen ... Wir perfektionieren vielleicht noch diese Welt, aber wir sind außerstande, den Menschen dieser Welt für diese Welt zu perfektionieren. Das ist die bedrückende Situation unserer technischen Existenz.* Die von Bense herausgestellte *Diskrepanz* zwischen dem Menschen und der von ihm geschaffenen technischen Welt konnte man auch anders deuten. In den 50er Jahren meldete sich auch eine Technikkritik zu Wort, die nicht, wie Bense, forderte, daß der Mensch sich an die Technik, sondern umgekehrt, daß die Technik sich an den Menschen anzupassen habe. Zu diesen Technikkritikern zählten Friedrich Georg Jünger mit seinem Buch »Die Perfektion der Technik« (1953), Martin Heidegger mit seinem berühmten Vortrag »Die Frage nach der Technik« von 1953 und vor allem Günther Anders 1956 mit dem ersten Band von »Die Antiquiertheit des Menschen«.

Diese Technikkritiker wurden von der Gegenseite häufig abfällig als ›Romantiker‹ bezeichnet. Man solle, so hieß es in einem Artikel im »Monat«, statt eine Dämonisierung der Technik zu betreiben, sich die *Technik der Dämonisierung* genauer ansehen: *Im Erschrecken vor der Technik wiederholt sich heute auf einer höheren geistigen Ebene der Hexenwahn des Mittelalters in sublimierter Form.*

Der Streit um die Technik rührte an die Ängste der Zeit. In der Epoche des Kalten Krieges, die eigentlich den Gedanken nahelegte, daß die Politik das Schicksal sei, meldeten sich vermehrt und unüberhörbar die Stimmen zu Wort, welche die Fixierung aufs Politische als Selbsttäuschung kritisierten und davon sprachen, daß in Wahrheit die Technik inzwischen zu unserem Schicksal geworden sei. Ein Schicksal, so hieß es, dessen wir politisch kaum mehr Herr werden können, vor allem dann nicht, wenn wir an den überlieferten Begriffen der Politik, sei es derjenigen des ›Plans‹ oder derjenigen des ›Marktes‹, festhalten. Es mag in den 50er Jahren die Unheimlichkeit des Vergangenen verdrängt worden sein, aber an den Tag trat, trotz Wirtschaftswunder und Aufbaueifer, ein Unbehagen angesichts der Zukunft der technischen Welt. Zahllos waren die Tagungen evangelischer Akademien zum einschlägigen Thema, es spukte in den Sonntagsreden der Politiker, in den Zeitschriften wurde es breit diskutiert. In der Bewegung ›Kampf dem Atomtod‹ fand es unmittelbaren politischen Ausdruck. Es waren dazu auch die schon genannten Bücher von Jünger, Heidegger und Günther Anders erschienen. 1953 kam die deutsche Ausgabe von Aldous Huxleys »Schöne neue Welt« heraus und wurde ein Bestseller. Der Roman bietet die Horrorvision einer Welt, worin die Menschen schon im Reagenzglas auf ihr Glück und ihren Beruf programmiert werden: eine Welt, deren Schicksal es ist, kein Schicksal mehr zu haben, und die sich zu einem totalitären System zusammenschließt – ganz ohne Politik, allein durch Technik. Im selben Jahr erregte Alfred Webers Buch »Der dritte oder der vierte Mensch« großes Aufsehen, weil es das Schreckgemälde einer technischen Zivilisation mit Robotermenschen in der Sprache einer seriösen Soziologie und Kulturphilosophie ausmalte. Außerdem gab es dem Leser das Gefühl, Zeitgenosse einer epochalen Zäsur zu sein, der dritten in der Menschheitsgeschichte. Zuerst der Neandertaler, dann der primitive Mensch der Horden- und Stammesgeschichte und schließlich der Mensch der Hochkultur, die im Abendland die Technik hervorgebracht hat. Aber inmitten dieser hochgerüsteten technischen Zivilisation, so Alfred Weber, ist die Menschheit wieder dabei, sich seelisch und geistig zurückzubilden. Was da mit uns geschieht, ist nichts Geringeres als die Soziogenese einer Mutation. Am Ende wird es zwei Menschentypen geben: die überraffinierten, aber von Melancholien bedrohten Gehirntiere und die neuen Primitiven, die sich in der künstlichen Welt wie in einem Dschungel bewegen, enthemmt, ahnungslos und geängstigt. Solche Panoramen erregten ein schauriges Gefühl und stärkten das Selbstbewußtsein einer intellektuellen Elite, die sich stolz vom sogenannten ›Massenmenschen‹ absetzte. Wie man sich diesen Massenmenschen vorzustellen hat und unter welchen Bedingungen er die geschichtliche Bühne betritt, konnte man in den beiden Theorie-Bestsellern jener Jahre nachlesen, in Ortega y Gassets »Der Aufstand der Massen« und in David Riesmans »Die einsame Masse«.

Das Unbehagen an der gegenwärtigen Kultur war, ehe es nach 1967 in eine breite Öffentlichkeit vordrang, auf den intellektuellen Gipfelhöhen erörtert worden. Bereits die 50er und frühen 60er Jahre haben einen Katastrophendiskurs ausgebildet, der vorerst noch friedlich koexistierte mit dem Aufbaueifer, dem Wohlstandsbehagen, dem Optimismus in kleinen Dingen und auf kurze Distanzen. Die Kulturkritik begleitete in düsterem Moll die muntere Geschäftigkeit der prosperierenden Bundesrepublik. Die Kassandras auf den hohen Bergen der schlechten Aussichten riefen sich über die Niederungen, wo die Tüchtigkeit und das ›Weiter so‹ regierten, ihre dunklen Einsichten zu.

Eines dieser Zwiegespräche von Berg zu Berg fand im Jahre 1965 im Südwestfunk statt. Es war kurz vor Beginn der Studentenbewegung. Zwei Matadore des gehobensten Zeitgeistes trafen aufeinander, der eine in der Rolle des Großinquisitors, der andere in der des

Menschenfreundes. Der Großinquisitor war Arnold Gehlen, sein Widerpart Adorno.

Glauben Sie wirklich, frage Gehlen, *daß man die Belastung mit Grundsatzproblematik, mit Reflexionsaufwand, mit tief nachwirkenden Lebensirrtümern, die wir durchgemacht haben, weil wir versucht haben uns freizuschwimmen, daß man die allen Menschen zumuten sollte? Das würde ich ganz gerne wissen.* Adorno antwortet: *Darauf kann ich nur ganz einfach sagen: Ja! Ich habe eine Vorstellung von objektivem Glück und objektiver Verzweiflung und ich würde sagen, daß die Menschen so lange, wie man sie entlastet und ihnen nicht die ganze Verantwortung und Selbstbestimmung zumutet, daß so lange auch ihr Wohlbefinden und ihr Glück in dieser Welt ein Schein ist. Und ein Schein, der eines Tages platzen wird. Und wenn er platzt, wird das entsetzliche Folgen haben.*

Gehlen erwidert, das sei zwar ein schöner Gedanke, aber die Menschen seien nun einmal nicht so. Sie wollen Entlastung und halten Ausschau nach jemand, der ihnen Verantwortung abnimmt. Vom Anspruch der Mündigkeit werden sie in der Regel überfordert. Gehlen schließt seine Überlegungen mit der Bemerkung ab: *Herr Adorno ... obzwar ich das Gefühl habe, daß wir uns in tiefen Prämissen einig sind, habe ich den Eindruck, daß es gefährlich ist und daß Sie die Neigung haben, den Menschen mit dem Bißchen unzufrieden zu machen, was ihm aus dem ganzen katastrophalen Zustand noch in den Händen geblieben ist.*

Das Ganze ist das Unwahre, diese Position vertreten beide. Das beste ist, sagt Gehlen, man hilft den Menschen dabei, daß sie ihren Geschäften *kritikfest und einwandsimmun* nachgehen können, und erspart ihnen einen Reflexionsaufwand, durch den sie überhaupt erst auf den katastrophalen Zustand des Ganzen gestoßen werden. Nein, sagt Adorno, im Namen der Befreiung müssen wir sie zu solcher Reflexion ermuntern, damit sie merken, wie schlimm es um sie steht. Der eine will die Menschen aus hochreflexiven Gründen – weil er keine praktikable Alternative zum Bestehenden sieht – vor der Reflexion schützen, der andere will sie ihnen zumuten, obwohl er für die Einsicht in die Aussichtslosigkeit des Widerstandes nur wenig Trost anzubieten hat. Und das wenige ist fast durchweg etwas Romantisches, Kindheitserinnerungen, Träumereien, Ahnungen von Glück im Gedicht, in der Musik oder in der *Metaphysik im Augenblick ihres Sturzes*.

Bemerkenswert, wie schnell sich beide darauf einigen können, daß die gesellschaftliche Gesamtverfassung eigentlich katastrophal ist. Aber dieser Katastrophe fehlt das Alarmierende. Man kann ganz gut mit ihr leben. Für Adorno eine Folge davon, daß die Menschen doppelt entfremdet sind: Sie haben das Bewußtsein ihrer Entfremdung verloren. Für Gehlen ist die Zivilisation sowieso nichts anderes als die Katastrophe im Zustand ihrer Lebbarkeit. Und beide haben es sich, trotz ihrer Fundamentalkritik, recht bequem gemacht in dem *Unwesen*, das sie kritisieren. Sie haben resigniert, der eine mit gutem, der andere mit schlechtem Gewissen.

Noch findet die Fundamentalkritik im »Nachtstudio« statt. Zwei Jahre später ist sie auf den Straßen und Plätzen und bei den Sit-ins und Teach-ins angekommen.

Richard Löwenthal, in den 20er Jahren selbst ein kommunistischer Studentenführer, der sich im Exil zum Sozialdemokraten wandelte und einer der bedeutendsten Politikwissenschaftler. der Bundesrepublik wurde, sprach 1970 im Blick auf die Studentenbewegung von einem *romantischen Rückfall*. Er vergleicht die 68er mit der ›skeptischen Generation‹, von der er sagt, sie habe jenseits von *steriler Sezession* und *unkritischem Konformismus* ein realistisches Verhältnis zur Industriegesellschaft entwickelt. Anders die 68er-Generation. Bei ihr seien die *tieferen Traditionen der romantischen Abwehr der Industriegesellschaft* wieder zum Durchbruch gekommen.

Zunächst einmal ist es auffällig, wie schnell eine universitäre Oppositionsbewegung, die zunächst nur gegen verschlechterte Studienbedingungen (›Massenuniversität‹) und autoritäre Strukturen (›Ordinarienuniversität‹) aufbegehrte, zur radikalen Fundamentalkritik der Gesellschaft durchdrang. Noch 1966 kam eine vom Frankfurter Institut für Sozialforschung angestellte sorgfältige Untersuchung zu dem Ergebnis, die Studenten seien in der Regel anpassungsbereit, unkritisch und politisch desinteressiert, an den Universitäten fehle ein Potential der Erneuerung. Die Soziologie hatte offenbar den Aufbruch von 1967 ebensowenig vorhergesehen wie zwanzig Jahre später den Zusammenbruch der DDR und des Ostblocks insgesamt. Die Generation, die damals aufbegehrte, war im Wirtschaftswunder groß geworden, also ohne Not und Armut, sie hatte bisher nur eine Friedenszeit erlebt, trotz des Kalten Krieges, und hatte sich an demokratische Verhältnisse gewöhnt. Woher kam dann aber die Bereitschaft zur Fundamentalkritik? War es wirklich, wie Löwenthal formulierte, die Wiederkehr von *Traditionen der romantischen Abwehr der Industriegesellschaft*?

Löwenthals Kritik an der Studentenbewegung war keine nachträgliche, sondern sie war im Handgemenge formuliert und wirkte unmittelbar auf die Bewegung zurück, die sich gegen den Vorwurf verteidigte. Man wollte nicht romantisch sein. Das klang zu sehr nach Traum und Illusion. Nach bloßer Subjektivität. Man glaubte aber, mit einer objektiven Tendenz im Bunde zu sein. Tatsächlich, es gab eine Gleichzeitigkeit der Ereignisse von Berkeley bis Rom, Paris und Berlin. Überall gingen die Studenten auf die Straße und artikulierten ihren lautstarken und phantasievollen Protest. Die Bewegungen waren im einzelnen verschieden gerichtet, gemeinsam aber waren ihnen die antiautoritäre Tendenz und die Ablehnung des amerikanischen Vietnamkrieges. Und überall in den freien und offenen Gesellschaften des Westens wurde mehr Freiheit und Offenheit eingeklagt, wurde der Verfassungsanspruch kritisch gegen die Verfassungswirklichkeit gewendet. Aber es blieb nicht beim liberalen und pazifistischen Protest. Es wurden auch die Lebensformen der kapitalistischen Arbeits- und Konsumgesellschaft in Frage gestellt. In der Bundesrepublik kam noch die Hypothek der nationalsozialistischen Vergangenheit hinzu. Der in der Nazizeit ausgebliebene Ungehorsam der Väter wurde ihnen gegenüber nachgeholt, obwohl es nun keine diktatorischen Instanzen mehr gab. Odo Marquard hat das den wohlfeilen *nachträglichen Ungehorsam* der 68er Generation genannt.

Aus dem Protest innerhalb des Systems wurde überraschend schnell eine Ablehnung des ganzen Systems. Die Systemalternative des Ostblocks erschien in der Regel nicht attraktiv. Wo sonst ließ sich eine Alternative zum System finden? Es gab sie, vom exotischen China und dem karibischen Sozialismus auf Kuba abgesehen, noch nicht, es gab nur diese innere Transzendenz zum System. Das waren die in der Gesellschaft unbefriedigten oder nur pervertiert befriedigten Bedürfnisse. Sie wurden zu Produktivkräften aufgewertet, die geeignet sein sollten, die spätkapitalistischen Produktionsverhältnisse zu sprengen. Diese unterdrückten Bedürfnisse nannte Herbert Marcuse folgerichtig die neue *triebmäßige Basis*. Das eigentliche Proletariat gibt es nicht mehr, also sind es nun diese unterdrückten Bedürfnisse, die im Individuum eine Art inneres Proletariat darstellen. Der *Unterbau der Individuen*, schreibt Marcuse, ist selbst *eine Dimension des Unterbaus der Gesellschaft*. Mit dieser Wendung werden die kühnen Träume der Fichteschen Ich-Philosophie theoretisch noch überboten. Fichte hatte die Welt aus dem Ich-Bewußtsein gebaut, jetzt genügte das Begehren. Es kam nun nicht mehr auf Selbstbeherrschung an, sondern das Begehren sollte herrschen. Das Begehren ist Trieb, und der hat mit Freiheit nur so viel zu tun, daß man für die Freiheit kämpft, sich von seinem Begehren beherrschen zu lassen. Ein vulgärer Rousseauismus war hier im Spiel, denn man verfuhr nach der Devise: Der Mensch ist von Natur aus gut, die Gesellschaft macht ihn schlecht. Beseitigen wir die gesellschaftlichen Entfremdungen, dann kann die wahre, die natürliche Güte endlich zum Vorschein kommen. Es läßt sich nicht leugnen, daß hier ein aus Fichte und Rousseau trübe gemischtes romantisches Erbe wirksam wurde und, wie banalisiert auch immer, in die Ideologie der 68er-Bewegung Eingang fand.

Der Protest hatte auch existentialistische Wurzeln. Der Existentialismus war ja als Geisteshaltung bei den Intellektuellen nicht nur in Deutschland vor 1968 weit verbreitet. Er war, zunächst unpolitisch, dann sich zunehmend politisierend, eine Einübung in die Freiheit, verbunden mit einer fundamentalen Ablehnung des Bestehenden, das als etwas Absurdes, Sinnabweisendes galt, von dem man sich mit schwarzem Rollkragenpullover und melancholischem Nonkonformismus abgrenzte. War es nicht eine absurde Welt, die auf der einen Seite einen Überfluß hervorbrachte und auf der anderen Seite in Armut und Elend versank? Da aber nun das Absurde nicht nur metaphysisch, sondern politisch und ökonomisch erklärt werden konnte, verlor auch der Protest seine melancholische Einfärbung von Vergeblichkeit und wurde politisch. Beim Existentialismus durfte man sich einer nonkonformistischen Elite zugehörig fühlen. Dieser Nonkonformismus ließ sich im Handumdrehen umdeuten in einen Avantgardismus des Protestes. Die große Mehrheit galt als manipuliert, verstrickt in die doppelte Entfremdung – die *Not der Notlosigkeit* (Heidegger)– die Avantgarde aber litt unter ihren Phantomschmerzen: sie spürte, was ihr fehlte, und es dauerte nicht mehr lange, dann konnte man auf den Straßen hören und von den Mauern lesen: *Macht kaputt, was euch kaputt macht!* Existentialistisch an der Bewegung blieb ihr Voluntarismus. Ein Subjekt, das wirklich will und sich seine Freiheit nimmt, kann die Verhältnisse zum Tanzen bringen. Die Langmut und Geduld, mit der man auf das Heranreifen der objektiven Bedingungen wartet, war nichts für die Aufgeregten, die ahnten, daß sie ihren Schwung verlieren und abstürzen würden, wenn sie sich auf allzu langfristige Projekte einließen. Der *lange Marsch durch die Institutionen* (Dutschke) war nicht gemeint im Sinne einer langwierigen Reformpolitik sondern als eilige Eroberung von Positionen im Ausbildungs- und Medienbetrieb. Man wollte nicht dicke Bretter bohren, sondern bürgerliche Bastionen entern. Zwischen Herbst 1967 und Frühjahr 1968 wurden im inneren Zirkel des SDS in Westberlin allen Ernstes Pläne für einen rätedemokratischen Umsturz erwogen. Die politische Romantik wurde tatendurstig. Man glaubte, daß die Stunde gekommen sei, den Traum zu entbinden, mit dem die wirklichen Verhältnisse angeblich schwanger gingen.

Das Zauberwort, das als Geburtshelfer dienen sollte und alles mit allem verband, das komfortable Leiden am Überfluß hier mit dem weltweiten Elend dort, lautete: ›Dialektik‹.

›Dialektik‹ war die Methode der Selbstaufwertung des studentischen Ärgers über die autoritären Eltern, die mangelnde Vergangenheitsbewältigung, die Bevormundung durch Zimmerwirtinnen, den öffentlichen Nahverkehr, den traditionellen Sexualverkehr, die Studienbedingungen, die Lehrpläne, die Ordinarien. Diese Mißlichkeiten mußten nur dramatisiert und zum Terror aufgewertet werden – vom Konsumterror bis zum Meinungsterror –, und schon wurden daraus die studentischen Leiden am Spätkapitalismus, die sich kurzschließen ließen mit den Napalmverbrannten in Vietnam und den hungernden Bauern in Bolivien. Die ›Dialektik‹ verknüpfte die rebellierenden Studenten mit den Enterbten und Entrechteten in aller Welt. Zu den gemeinsamen Leiden kam der gemeinsame Feind. Es waren der Imperialismus, die Logik des Systems und seine ›Charaktermasken‹. Von der Kritischen Theorie hatte man gelernt, daß das privatkapitalistische und staatskapitalistische Unwesen, also Ost und West, einen einzigen *Verblendungszusammenhang* (Adorno) bildeten. Doch man begnügte sich nicht mehr mit der *heillosen Universalpolemik* (Walter Benjamin), dieser Ausdrucksform linker Melancholie in den Nischen. Man wollte handeln – auf großer Bühne. Gelegenheit dazu gab es, weil die technische Entwicklung der Medien inzwischen neue Möglichkeiten der Globalisierung von Erregungen geschaffen hatte. Die westliche Welt wurde in diesem Moment zur Ansteckungsgemeinschaft von Aufbruchsgefühlen. Hinzu kam das Verlangen nach dem historischen Augenblick. Jede Generation möchte irgendwann einmal einen Epochenumbruch erleben. Die 68er glaubten, jetzt seien sie an der Reihe.

Die Dynamik der Bewegung veränderte die Beteiligten. Man durfte sich als neues Subjekt fühlen mit neuen Sensibilitäten, Phantasien, Wünschen und Lebensgewohnheiten im scharfen Gegensatz zur falschen Welt des Systems mit seinen *eindimensionalen Menschen*. Es lief auf eine Sezession hinaus. Herbert Marcuse hatte dafür die Losung ausgegeben: die *Große Weigerung*.

Löwenthals Beobachtung, daß dabei *die tieferen Traditionen der ro-*

mantischen Abwehr der Industriegesellschaft wiederbelebt würden, trifft in diesem Zusammenhang sicherlich zu. Subkulturen gediehen wie einst um 1900 bei den Lebensreformern und Sonnenanbetern. Auch wimmelte es wieder von barfüßigen Propheten und ihren Jüngern. Sie nannten sich jetzt ›herumschweifende Haschrebellen‹. Es wurde wieder zu Morgenlandfahrten aufgebrochen. Tanzwut gab es jetzt überall, nicht nur, wie einst, in Thüringen. Die überkommenen Gegensätze traten wieder in Kraft: Gemeinschaft gegen Gesellschaft, Seele gegen Geldherrschaft, Spontaneität gegen Konvention, Natur gegen Künstlichkeit, Selbstverwirklichung gegen Karrieredenken. Beim Pariser Mai hieß es: *Phantasie an die Macht!* Dazu die Musik. Man versteht jene Jahre nicht mehr recht, wenn man nicht ihren Sound hört. Als die Berliner Studenten im Sommer 1968 aus Protest gegen die Notstandsgesetze die Besetzung der universitären Einrichtungen beschlossen und danach vom Audimax sich in hellen Scharen auf die umliegenden Institute ergossen, schallte ihnen an diesem strahlenden Sommertag über den ganzen Campus »Street fighting man« der Rolling Stones entgegen. Die Kommune I hatte es sich bereits bei den Mediävisten bequem gemacht und Lautsprecher in die Fenster gestellt. Es gab Melodien, Lieder und Rhythmen, welche die Aktivitäten jener Jahre grundierten und einen Vorgeschmack auf die ›Bewußtseinserweiterung‹ gaben, die man sich von der Systemveränderung insgesamt versprach.

Von Marx stammt die Bemerkung, daß soziale Bewegungen Illusionen nötig haben, um ihre beschränkten Inhalte durchsetzen zu können. Die Studentenbewegung hat imaginär die ganze Welt vor das Tribunal ihrer Kritik gezogen, hat sich als revolutionäres Subjekt mißverstanden und sich bisweilen ins Kostüm der alten Arbeiterbewegung gehüllt. Ganz zu schweigen davon, daß einige Irrläufer sogar zu den Waffen griffen. Die Bewegung hat wenig erreicht, wenn man die unmittelbaren Ergebnisse ins Auge faßt. Aber es gab einen politischen Stimmungsumschwung. Die sozialliberale Regierungszeit begann mit der Losung: *Mehr Demokratie wagen.* Wo die

Veränderungen wirklich tiefgreifend waren, bei den Familienstruk-
turen, dem Stil der Partnerschaften, bei den sexuellen Gewohnheiten, den Manieren, dem Konsumstil, dem Hedonismus, dort zeigte
sich, daß die 68er-Bewegung eher Symptom einer Entwicklung als
ihre Ursache gewesen war. Die begleitenden und stimulierenden
Illusionen aber waren beträchtlich. Und sie waren romantisch. Im
Kern äußerte sich in ihnen nämlich die Vorstellung eines neuen
Realitätsprinzips. Auch hierfür hatte Herbert Marcuse die entschei-
denden Stichworte geliefert. Das Realitätsprinzip des Kapitalismus
hat, so lehrte er, zu einer Überflußgesellschaft geführt und ist gerade
deshalb überflüssig geworden. Das Lustprinzip, bisher streng in
Schach gehalten vom Arbeitszwang, ist dabei, sich in seiner Substanz zu verändern. Die aggressiven Triebe, in letzter Instanz der
Todestrieb, verlieren gegenüber dem erotischen Trieb an Bedeutung. Die innere Natur des Menschen verändert sich. Es dämmert
eine große Zeit der Versöhnung herauf. Es rührt sich, schreibt Marcuse, *die erotische Energie der Natur – eine Energie, die befreit werden will:*
auch die Natur wartet auf Revolution. Das hätte auch Novalis sagen
können.

In der 68er-Bewegung gab es tatsächlich eine Romantik der all-
umfassenden Befreiung. Um so erstaunlicher, daß die Bewegung,
von der Allianz mit der Popkultur einmal abgesehen, ein fast feind-
seliges Verhältnis zur sogenannten Hochkultur unterhielt. Diese galt
als ›Überbau‹, man wollte sich aber mit der ›Basis‹ verbinden. Wo
fand man die Basis? In den Befreiungsbewegungen der Dritten
Welt, im Betrieb und Stadtteil und im unsublimierten Untergrund
der eigenen Seele. Von dieser ›Basis‹ aus gesehen galt alles andere als
abgehoben, eben als romantisch im schlechten Sinne. Es ist dasselbe
Paradox, das sich schon bei Börne in der Auseinandersetzung mit
Heine beobachten ließ: man investierte Romantik in den objektiven Prozeß der Befreiung, woraus sich die Sozialromantik ergab,
und sprach gleichzeitig verächtlich über das Romantische, über die
Nachtigallen der Poesie. Die objektiven Romantiker wollten es
subjektiv nicht sein. So verkündete man 1968 den *Tod der Literatur*

aus Gründen eines politisch-moralischen Utilitarismus. In Vietnam, so hieß es, werden Kinder mit Napalmbomben verbrannt, deshalb sei Kunst Lüge. Angesichts der Verpflichtung für das sozial und politisch Gute, beispielsweise den antiimperialistischen Kampf, sei für das Schöne keine Zeit und kein Platz. Es wurde Lenin zitiert, der erklärt hatte, bei Beethovens Musik möchte man den Menschen, allen Menschen, zärtlich über den Kopf streichen. So sei aber die Welt nicht, einige Köpfe müsse man abschlagen. Kunst, insbesondere die romantische, galt also als falsche, weil vorzeitige Versöhnung. Man müsse sich vor ihren milden Stimmungen hüten, gerechtfertigt sei sie allenfalls in ihren Agitprop-Formen. Literarisch hieß das: Straßentheater, Flugblatt, Reportage. Viele Schriftsteller ließen sich in dieser Zeit in die Pflicht zur Selbstmarginalisierung nehmen. Ihr soziales und politisches Gewissen verlangte es so. Außerdem fiel manchen nichts anderes mehr ein. Es handelte sich wieder um das alte Theodizeeproblem der Kunst: dürfen die Musen singen, wenn die Welt im Argen liegt? Sie dürfen nicht, erklärten die 68er, es sei denn, sie stimmen Kampflieder gegen Ausbeutung und Unterdrückung an. Wieder gab es, wie einst in Rußland nach der Revolution, eine Verfeindung mit der Kunst und schließlich ihre Zerstörung aus vorgeblicher Solidarität mit den Verdammten dieser Erde. Das alles ist 1968 wiederholt worden, allerdings eher als Komödie. Auch war die linke Kritik am Eskapismus der Romantik nicht konsequent, denn bei der Popmusik feierte man seine dionysischen Saturnalien.

Die 68er lasen Karl Marx und redeten unablässig über Produktivkräfte und Produktionsverhältnisse, aber eigentlich standen sie dem »Taugenichts« näher, freilich ohne dessen Anmut zu besitzen. Schelsky, der an der ›skeptischen Generation‹ den Arbeitseifer gerühmt hatte, veröffentlichte 1975 eine Polemik unter dem Titel »Die Arbeit tun die anderen. Klassenkampf und Priesterherrschaft der Intellektuellen«. Schelsky erblickte das Betriebsgeheimnis der neuen Linken darin, daß sie den wirklichen Betrieb der Gesellschaft nicht kannte und nur sein Nutznießer war. Es ist der alte Streit: Die

Realisten verweisen auf die ehernen Gesetze der Produktion, auf den Sinn der Institutionen und der Üblichkeiten und bezeichnen die Radikalen als die verantwortungslose Spielschar der Ich-Verliebten und der Tagträumer, eben als Romantiker.

Dieser Streit wird notwendig immer wieder aufbrechen, wenn der romantische Impuls den gewöhnlichen Realismus nicht nur sprengt, was durchaus wünschenswert ist, sondern ungebremst in die Politik durchschlägt, was weder gut ist für die Romantik noch für die Politik.

Kommen wir zum Ende. Die Romantik ist eine glänzende Epoche des deutschen Geistes, mit großer Ausstrahlung auf andere Nationalkulturen. Die Romantik als Epoche ist vergangen, das Romantische als Geisteshaltung aber ist geblieben. Es ist fast immer im Spiel, wenn ein Unbehagen am Wirklichen und Gewöhnlichen nach Auswegen, Veränderungen und Möglichkeiten des Überschreitens sucht. Das Romantische ist phantastisch, erfindungsreich, metaphysisch, imaginär, versucherisch, überschwenglich, abgründig. Es ist nicht konsenspflichtig, es braucht nicht gemeinschaftsdienlich, ja noch nicht einmal lebensdienlich zu sein. Es kann in den Tod verliebt sein. Das Romantische sucht die Intensität bis hin zu Leiden und Tragik. Mit alledem ist das Romantische nicht sonderlich für Politik geeignet. Wenn es in die Politik einströmt, sollte es mit einer kräftigen Zugabe von Realismus verbunden sein. Denn Politik sollte sich auf das Prinzip der Verhinderung von Schmerzen, Leid und Grausamkeit gründen. Das Romantische liebt die Extreme, eine vernünftige Politik aber den Kompromiß. Wir brauchen beides: die Abenteuer der Romantik und die Nüchternheiten einer abgemagerten Politik. Wenn wir die Vernunft der Politik und die Leidenschaften der Romantik nicht als zwei Sphären begreifen und als solche zu trennen wissen, wenn wir statt dessen die bruchlose Einheit wünschen und uns nicht darauf verstehen, in mindestens zwei Welten zu leben, dann besteht die Gefahr, daß wir in der Politik ein Abenteuer suchen, das wir besser in der Kultur finden, oder daß wir, umgekehrt, der Kultur dieselbe soziale Nützlichkeit abfordern wie der Politik. Wünschenswert aber ist weder eine abenteuerliche Politik noch eine politisch korrekte Kultur. Es war Friedrich Schlegel, der auf die Notwendigkeit der Trennung der Sphären hinwies, als er erklärte, man solle *mit der Selbständigkeit des Schönen* beginnen und sie vom *Wahren und Sittlichen* getrennt halten. So war es damals in der Epoche der Romantik zu jener grandiosen Entfesselung des Romantischen gekommen.

Die Spannung zwischen dem Romantischen und dem Politischen gehört zu der noch umgreifenderen Spannung zwischen dem Vorstellbaren und Lebbaren. Der Versuch, diese Spannung in eine widerspruchsfreie Einheit überführen zu wollen, kann zur Verarmung oder zur Verwüstung des Lebens führen. Das Leben verarmt, wenn man sich nichts mehr vorzustellen wagt über das hinaus, was man auch leben zu können glaubt. Und das Leben wird verwüstet, wenn man um jeden Preis, auch den der Zerstörung und Selbstzerstörung, etwas leben will, bloß weil man es sich vorgestellt hat. Das eine Mal verarmt das Leben, weil das Vorstellbare aufgegeben wird um des lieben Friedens willen; das andere Mal zerbricht es unter der Gewalt, mit der das Vorstellbare ohne Abstriche verwirklicht werden soll. Beides Mal hält man den Widerspruch zwischen dem Vorstellbaren und Lebbaren nicht aus und will ein Leben aus einem Guß. Ein solches Leben aber ist wohl doch nur ein romantischer Traum.

Das Romantische gehört zu einer lebendigen Kultur, romantische Politik aber ist gefährlich. Für die Romantik, die eine Fortsetzung der Religion mit ästhetischen Mitteln ist, gilt dasselbe wie für die Religion: Sie muß der Versuchung widerstehen, nach der politischen Macht zu greifen. *Phantasie an die Macht!* – das war wohl doch keine so gute Idee.

Andererseits darf uns Romantik nicht verlorengehen, denn politische Vernunft und Realitätssinn ist zu wenig zum Leben. Romantik ist der Mehrwert, der Überschuß an schöner Weltfremdheit, der Überfluß an Bedeutsamkeit. Romantik macht neugierig auf das

ganz andere. Ihre entfesselte Einbildungskraft gibt uns die Spielräume, die wir brauchen, falls wir mit Rilke bemerken,

daß wir nicht sehr verläßlich zu Haus sind
in der gedeuteten Welt.

Literatur und Nachweise

Prolog

Thomas Mann: Essays 5. Herausgegeben von Hermann Kurzke und Stephan Stachorski. Frankfurt am Main 1993, S. 279

Novalis: Werke, Bd. II. Herausgegeben von Hans-Joachim Mähl. München 1978, S. 334

Joseph von Eichendorff: Schläft ein Lied in allen Dingen. Werke. Herausgegeben von Wolfdietrich Rasch. München 1977, S. 103

Erstes Kapitel

Hermann August Korff: Geist der Goethezeit. Erster Band. 1966. Darmstadt 1988

Friedrich Nietzsche: Sämtliche Werke. Kritische Studienausgabe, Bd. III. Herausgegeben von Herausgegeben von Giorgio Colli und Mazzino Montinari. München, Berlin, New York 1980, S. 530

Friedrich Wilhelm Kantzenbach: Johann Gottfried Herder. Reinbek bei Hamburg 1970, S. 37, 24

Johann Gottfried Herder: Journal meiner Reise im Jahr 1769. Werke, Bd. I. Herausgegeben von Wolfgang Proß. München 1984, S. 360f., 359, 364f., 370, 375

Johann Wolfgang Goethe: Münchner Ausgabe, Bd. 16. Herausgegeben von Peter Sprengel. München 1985, S. 433, 436f., 554

Johann Wolfgang Goethe: Münchner Ausgabe, Bd. 1.2. Herausgegeben von Gerhard Sauder. München 1987, S. 135

Karl August Böttiger: Literarische Zustände und Zeitgenossen. Begegnungen und Gespräche im klassischen Weimar. Herausgegeben von Klaus Gerlach und René Sternke. Berlin 1998, S. 75

Johann Gottfried Herder: Schriften zu Philosophie, Literatur, Kunst und Altertum 1784-187. Werke, Bd. IV. Herausgegeben von Jürgen Brummack und Martin Bollacher. Frankfurt am Main 1994, S. 345

Herder Lesebuch. Herausgegeben von Siegfried Hartmut Sunnus. Frankfurt am Main, Leipzig: 1994, S. 184, 235, 268f.

Johann Wolfgang Goethe: Münchner Ausgabe, Bd. 17. Herausgegeben von Gonthier-Louis Fink, Gerhart Baumann und Johannes John. München 1991, S. 815

Zweites Kapitel

Johan Huizinga: Homo ludens. Vom Ursprung der Kultur im Spiel. Reinbek bei Hamburg 1981

Roger Caillois: Die Spiele und die Menschen. Maske und Rausch. Frankfurt am Main, Berlin, Wien 1982

Die Französische Revolution. Die Augenzeugenberichte und Darstellungen deutscher Schriftsteller und Historiker. Herausgegeben von Horst Günther. Frankfurt am Main 1985

Heinrich August Winkler: Der lange Weg nach Westen. Deutsche Geschichte vom Ende des Alten Reiches bis zum Untergang der Weimarer Republik. München 2000

Hans Ulrich Wehler: Deutsche Gesellschaftsgeschichte 1700-1815. München 1987

Thomas Nipperdey: Deutsche Geschichte 1800-1866. Bürgerwelt und starker Staat. München 1998

Rüdiger Safranski: Schiller oder Die Erfindung des Deutschen Idealismus. München 2004

Georg Wilhelm Friedrich Hegel: Vorlesungen über die Philosophie der Geschichte. Frankfurt am Main 1970, S. 529

Friedrich Schlegel: Kritische Schriften. Herausgegeben von Wolfdietrich Rasch. München 1970, S. 498

Friedrich Gottlieb Klopstock: Die Etats Généraux. Ausgewählte Werke, Bd. I. Herausgegeben von Karl August Schleiden. München 1981, S. 140

Klaus Günzel: Das Leben des Dichters Ludwig Tieck in Briefen, Selbstzeugnissen und Berichten. Berlin 1981, S. 112

Richard Brinkmann: Frühromantik und Französische Revolution. In: Deutsche Literatur und Französische Revolution. Sieben Studien. Göttingen 1974, S. 173

Johann Wolfgang Goethe: Münchner Ausgabe, Bd. 12. Herausgegeben von Hans J. Becker, Gerhard H. Müller, John Neubauer und Peter Schmidt. München 1989, S. 308

Johann Wolfgang Goethe: Münchner Ausgabe, Bd. 9. Herausgegeben von Christoph Siegrist, Hans J. Becker, Dorothea Hölscher-Lohmeyer, Norbert Miller, Gerhard H. Müller und John Neubauer. München 1987, S. 137

Johann Wolfgang Goethe: Münchner Ausgabe, Bd. 5. Herausgegeben von Hans-Jürgen Schings. München 1988, S. 408

Nicholas Boyle: Goethe. Der Dichter seiner Zeit. Bd. II: 1791-1803. Übersetzt von Holger Fliessbach. München 1999, S. 249, 249 f.

Novalis: Werke. Herausgegeben von Richard Samuel, Hans-Joachim Mähl und Hans Jürgen Balmes. München 1978-87, Bd./S. II/412, I/557

Friedrich Schiller: Sämtliche Werke, Bd. V. Herausgegeben von Wolfgang Riedel. München 2004, S. 580, 575, 573, 618, 572, 582, 584, 586

Friedrich Hölderlin: Hyperion. Sämtliche Werke und Briefe, Bd. I. Herausgegeben von Michael Knaupp. München 1992, S. 754f.

Drittes Kapitel

Henri Brunschwig: Gesellschaft und Romantik in Preußen im 18. Jahrhundert. Frankfurt am Main, Berlin, Wien 1975

Josef Nadler: Die Berliner Romantik 1800-1814. Berlin 1921

Ricarda Huch: Die Romantik. Ausbreitung, Blütezeit und Verfall. 1908. Tübingen 1979

Peter Merseburger: Mythos Weimar. Zwischen Geist und Macht. München 2000

Norbert Oellers/Robert Steegers: Treffpunkt Weimar. Literatur und Leben zur Zeit Goethes. Stuttgart 1999

Das klassische Weimar. Texte und Zeugnisse. Herausgegeben von Heinrich Pleticha. München 1983

Walter H. Bruford: Die gesellschaftlichen Grundlagen der Goethezeit. Frankfurt am Main, Berlin, Wien 1975

Leo Balet / E. Gerhard: Die Verbürgerlichung der deutschen Kunst, Literatur und Musik im 18. Jahrhundert. Herausgegeben von Gerd Mattenklott. Frankfurt am Main, Berlin, Wien 1972

Theodore Ziolkowski: Das Amt der Poeten. Die deutsche Romantik und ihre Institutionen. München 1994

Friedrich Schlegel: Lucinde. Dichtungen und Aufsätze. Herausgegeben von Wolfdietrich Rasch. München 1984, S. 35

Friedrich Schlegel: Kritische Schriften. Herausgegeben von Wolfdietrich Rasch. München 1970, S. 23, 161, 38, 155, 161, 498, 127, 505, 502, 503, 97, 538f., 11, 5, 11, 47

Ludwig Tieck: Werke, Bd. I. Herausgegeben von Marianne Thalmann. München 1963, S. 124f.

Novalis: Werke, Bd. II. Herausgegeben von Hans-Joachim Mähl. München 1978, S. 334

Carl Grosse: Der Genius. Frankfurt am Main 1982, S. 6

Johann Gottfried Herder: Sämtliche Werke. 1877, Bd. 5, S. 588

Johann Gottfried Herder: Werke, Bd. I. Herausgegeben von Wolfgang Pross. München 1984, S. 636

Friedrich Wilhelm Joseph von Schelling: Ausgewählte Schriften, Bd. I. Frankfurt am Main 1985, S. 47, 57

Georg Wilhelm Friedrich Hegel: Phänomenologie des Geistes. 1807. Hamburg 1952, S. 39

Wilhelm Heinrich Wackenroder: Werke und Briefe. Herausgegeben von Gerda Heinrich. München 1984, S. 304

Friedrich Schiller: Sämtliche Werke, Bd. V. Herausgegeben von Wolfgang Riedel. München 2004, S. 618

Ernst Behler: Friedrich Schlegel. Reinbek bei Hamburg 1966, S. 57

Viertes Kapitel

Romantische Utopie – Utopische Romantik. Herausgegeben von Gisela Dischner und Richard Faber. Hildesheim 1979

Richard von Dülmen: Poesie des Lebens. Eine Kulturgeschichte der deutschen Romantik. Köln, Weimar, Wien 2002

Egon Friedell: Kulturgeschichte der Neuzeit. 1927-32. München 1976, Bd. 2, S. 908

Nicholas Boyle: Goethe. Der Dichter seiner Zeit. Bd. II: 1791-1803. Übersetzt von Holger Fliessbach. München 1999, S. 260

Johann Wolfgang Goethe: Münchner Ausgabe, Bd. 17. Herausgegeben von Gonthier-Louis Fink, Gerhart Baumann und Johannes John. München 1991, S. 827

Wilhelm G. Jacobs: Johann Gottlieb Fichte. Hamburg 1984, S. 34

Immanuel Kant: Kritik der reinen Vernunft. Herausgegeben von Wilhelm Weischedel. Frankfurt am Main 1964, S. 134

Novalis: Werke. Herausgegeben von Richard Samuel, Hans-Joachim Mähl und Hans Jürgen Balmes. München 1978-87, Bd./S. I/469, II/18, II/181, II/177, II/232, II/236, II/106, II/235

Theodore Ziolkowski: Das Wunderjahr in Jena. Geist und Gesellschaft. Stuttgart 1998, S. 63

Johann Wolfgang Goethe: Münchner Ausgabe, Bd. 18.1. Herausgegeben von Gisela Henckmann und Dorothea Hölscher-Lohmeyer. München 1997, S. 175

Jean-Jacques Rousseau: Die Bekenntnisse. 1781. München 1978, S. 9

Johann Wolfgang Goethe: Münchner Ausgabe, Bd. 1.2. Herausgegeben von Gerhard Sauder. München 1987, S. 203

Friedrich Hölderlin: Sämtliche Werke und Briefe. Herausgegeben von Günter Mieth. München 1970, Bd. I, S. 917

Madame de Staël: De l'Allemagne, 2. Teil, 1. Kapitel. Paris 1813, 1868, S. 160

Friedrich Hölderlin: Sämtliche Werke und Briefe. Bd. II, Herausgegeben von Michael Knaupp, München 1992, S. 668

Max Preitz: Friedrich Schlegel und Novalis. Darmstadt 1957, S. 43

Ludwig Tieck: Schriften, Bd. 6. Herausgegeben von Manfred Frank et. al., Frankfurt am Main 1985, S. 1206

Schelling. Ausgewählt und vorgestellt von Michaela Boenke. München 1995, S. 103

Athenaeum. Herausgegeben von August Willhelm Schlegel und Friedrich Schlegel. Ersten Bandes zweites Stück. Berlin 1798, S. 209

Dieter Arendt (Herausgeber): Nihilismus. Die Anfänge. Von Jacobi bis Nietzsche. Köln 1970, S. 33

Friedrich Schiller: Sämtliche Werke, Bd. V. Herausgegeben von Wolfgang Riedel. München 2004, S. 780

Jean Paul: Sämtliche Werke. Herausgegeben von Norbert Miller. München 1959, Bd./S. I.2/274, I.5/31

Fünftes Kapitel

Wolfgang Rath: Ludwig Tieck. Das vergessene Genie. Paderborn 1996

Roger Paulin. Ludwig Tieck. Eine literarische Biographie. München 1988

Arno Schmidt: Das essayistische Werk zur deutschen Literatur in 4 Bänden. Zürich 1988

Ludwig Tieck: Werke, Bd. I. Herausgegeben von Marianne Thalmann. München 1963, S. 354, 690, 369, 702, 811f.

Klaus Güntzel: Das Leben des Dichters Ludwig Tieck in Briefen, Selbstzeugnissen und Berichten. Berlin 1981, S. 147

Bettine von Arnim: Werke, Bd. I. Frankfurt am Main 1986, S. 281

Wilhelm Heinrich Wackenroder: Werke und Briefe. Herausgegeben von Gerda Heinrich. München 1984, S. 332, 247, 254, 256

Ludwig Tieck: Werke, Bd. IV. Herausgegeben von Marianne Thalmann. München 1966, S. 375

Ludwig Tieck, Phantasus. Schriften, Bd. 6. Herausgegeben von Manfred Frank et. al. Frankfurt am Main 1985, S. 18, 27, 182f., 9

Joseph von Eichendorff: Werke. Herausgegeben von Wolfdietrich Rasch. München 1977, S. 11

Friedrich Schlegel: Kritische Schriften. Herausgegeben von Wolfdietrich Rasch. München 1970, S. 79

Sechstes Kapitel

Florian Roder: Novalis. Die Verwandlung des Menschen. Leben und Werk Friedrich von Hardenbergs. Stuttgart 2000

Gerhard Schulz: Novalis. Reinbek bei Hamburg 1969

Novalis: Dokumente seines Lebens und Sterbens. Herausgegeben von Hermann Hesse und Karl Isenberg. Frankfurt am Main 1976

Henrik Steffens: Was ich erlebte. München 1956

Novalis: Werke. Herausgegeben von Richard Samuel, Hans-Joachim Mähl und Hans Jürgen Balmes. München 1978-87, Bd./S. I/452f., I/294, I/156, I/153, I/155, I/463, I/150, I/153, I/157f., I/158, I/162, II/239, II/232, II/372f., II/741, II/749, II/257, II/741, III, 205

Schelling. Ausgewählt und vorgestellt von Michaela Boenke. München 1995, S. 110

Siebtes Kapitel

Kurt Nowak: Schleiermacher. Göttingen 2001

Karl Barth: Die protestantische Theologie im 19. Jahrhundert. Zürich 1981

Friedrich Wilhelm Kantzenbach: Schleiermacher. Reinbek bei Hamburg 1967

Paul Tillich: Vorlesungen über die Geschichte des christlichen Denkens. Teil II. Stuttgart 1972

Friedrich Schlegel: Kritische Schriften. Herausgegeben von Wolfdietrich Rasch. München 1970, S. 94, 97, 96, 94

Novalis: Werke. Herausgegeben von Richard Samuel, Hans-Joachim Mähl und Hans Jürgen Balmes. München 1978-87, Bd./S. III/256, III/257, I/679, II/775

Richard van Dülmen: Poesie des Lebens. Köln 2002, S. 299

Günter de Bruyn: Als Poesie gut. Frankfurt am Main 2006, S. 173, 175

Rudolf Haym: Die romantische Schule. Darmstadt 1977, S. 413

Friedrich Schleiermacher: Über die Religion. Berlin o. J., S. 62, 54, 27, 114, 113, 54, 181, 179, 105, 103f., 66, 110

Achtes Kapitel

Friedrich Meinecke: Weltbürgertum und Nationalstaat. München, Berlin 1908

Dieter Henrich: Selbstverhältnisse. Gedanken und Auslegungen zu den Grundlagen der klassischen deutschen Philosophie. Stuttgart 1982

Dieter Henrich: Konstellationen. Probleme und Debatten am Ursprung der idealistischen Philosophie (1789-1795). Stuttgart 1991

Evolution des Geistes: Jena um 1800. Natur und Kunst, Philosophie und Wissenschaft im Spannungsfeld der Geschichte. Herausgegeben von Friedrich Strack. Stuttgart 1994

Mythologie der Vernunft. Hegels ›ältestes Systemprogramm des deutschen Idealismus‹. Herausgegeben von Christoph Jamme und Helmut Schneider. Frankfurt am Main 1984

Hans-Otto Rebstock: Hegels Auffassung des Mythos in seinen Frühschriften. Freiburg, München 1971

Charles Taylor: Hegel. Frankfurt am Main 1978

Moritz Kronenberg: Geschichte des Deutschen Idealismus. Band 1 und 2. München 1909

Richard Kroner: Von Kant bis Hegel. Band 1 und 2. Tübingen 1961

Hermann Timm: Die heilige Revolution. Schleiermacher – Novalis – Friedrich Schlegel. Frankfurt am Main 1978

Friedrich Schleiermacher: Über die Religion. Berlin o. J., S. 57f.

Georg Wilhelm Friedrich Hegel: Werke. Frankfurt am Main 1986, Bd./S. I/234, I/236, IV/311

Friedrich Hölderlin: Sämtliche Werke und Briefe. Herausgegeben von Günter Mieth. München 1984, Bd. I, S. 917

Manfred Frank: Der kommende Gott. Frankfurt am Main 1982, S. 199

Friedrich Schlegel: Kritische Schriften. Herausgegeben von Wolfdietrich Rasch. München 1970, S. 502

Alfred Baeumler: Das mythische Weltalter. 1926. München 1965

Herbert Uerlings (Herausgeber): Theorie der Romantik. Stuttgart 2000, S. 171

Walter Jaeschke: Der Streit um die Grundlagen der Ästhetik. Texte von Humboldt u. a. Hamburg 1999, S. 403ff.

Friedrich Hölderlin: Sämtliche Werke und Briefe. Herausgegeben von Michael Knaupp. München 1992/93, Bd./S. I/374, I/190, II/921, I/308, II/715, II/650, I/654, I/308, I/674, I/279, II/667, I/311

Neuntes Kapitel

Deutschland unter Napoleon in Augenzeugenberichten. Herausgegeben von Eckart Kleßmann. München 1976

Die Befreiungskriege in Augenzeugenberichten. Herausgegeben von Eckart Kleßmann. München 1973

Adam Müller: Schriften zur Staatsphilosophie. Herausgegeben von Rudolf Kohler. München o. J.

Joachim Maass: Kleist. Die Geschichte seines Lebens. München, Zürich 1980

Paul Kluckhohn: Das Ideengut der Deutschen Romantik. Tübingen 1961

Karl Heinz Bohrer: Der romantische Brief. Die Entstehung ästhetischer Sujektivität. München 1987

Friedrich Schlegel: Kritische Schriften. Herausgegeben von Wolfdietrich Rasch München 1970, S. 101

Novalis: Werke, Bd. II. Herausgegeben von Hans-Joachim Mähl. München 1978, S. 294, 738, 743, 748, 749, 309

Immanuel Kant: Kritik der reinen Vernunft. Herausgegeben von Wilhelm Weischedel. Frankfurt am Main 1964, S. 224

Wilhelm Dilthey: Das Erlebnis und die Dichtung. Göttingen 1965, S. 202

Friedrich Schiller: Sämtliche Werke, Bd. I. Herausgegeben von Albert Meier. München 2004, S. 474, 475, 478

Johann Gottlieb Fichte: Werke. Herausgegeben von Immanuel Hermann. Berlin 1971, S. 17 ff.

Alfred Baeumler: Das mythische Weltalter. 1926. München 1965, S. 120

Herbert Uerlings (Herausgeber): Theorie der Romantik. Stuttgart 2000, S. 342, 185, 433, 167

Paul Kluckhohn: Das Ideengut der deutschen Romantik. Tübingen 1961, S. 103, 114, 106

Joseph von Eichendorff: Werke. Herausgegeben von Wolfgang Wolfgang Frühwald, Brigitte Schillbach und Hartwig Schultz. Frankfurt am Main 1985-93, Bd. V, S. 430, 431f., 435f.

Richard van Dülmen: Poesie des Lebens. Köln 2002, S. 210, 215

Des Knaben Wunderhorn. Alte Deutsche Lieder. Gesammelt von Ludwig Achim von Arnim und Clemens Brentano. München 1957, S. 885f.

Rüdiger Safranski: Schopenhauer. München 1987, S. 223

Heinrich August Winkler: Der lange Weg nach Westen. Deutsche Geschichte, Bd. 1. München 2002, S. 164

Friedrich Schulze: Franzosenzeit in deutschen Landen. Leipzig 1908, Bd. 1, S. 10

Heinrich von Kleist: Werke. Herausgegeben von Helmut Sembdner. München 1993, Bd./S. I/26, I/27, II/379

Friedrich Nietzsche: Sämtliche Werke, Kritische Studienausgabe, Bd. I. Herausgegeben von Herausgegeben von Giorgio Colli und Mazzino Montinari. München, Berlin, New York 1980, S. 354f.

Zehntes Kapitel

Lothar Pikulik: Romantik als Ungenügen an der Normalität. Am Beispiel Tiecks, Hoffmanns, Eichendorffs. Frankfurt am Main 1979

Lothar Pikulik: Frühromantik. Epoche – Werke – Wirkung. München 2000

Peter Gay: Die Macht des Herzens. Das 19. Jahrhundert und die Erforschung des Ich. München 1997

Albert Béguin: Traumwelt und Romantik. Versuch über die romantische Seele in Deutschland und in der Dichtung Frankreichs. Bern 1972

Novalis: Werke, Bd. II. Herausgegeben von Hans-Joachim Mähl. München 1978, S. 741, 263, 334

Ludwig Tieck: Werke. Herausgegeben von Marianne Thalmann. München 1963, Bd./S. I/269, IV/245, I/390, I/633

E.T.A. Hoffmann: Werke. Frankfurt am Main 1967, Bd./S. II/125f., II/127, I/28, I/34, I/189f., II/540, IV/201

Clemens Brentano: Werke, Bd. II. Herausgegeben von Wolfgang Frühwald und Friedhelm Kemp. München 1963, S. 782.

Friedrich Schiller: Sämtliche Werke, Bd. II. Herausgegeben von Peter-André Alt. München 2004, S. 253

Achim von Arnim. Werke, Bd. 4. Herausgegeben von Renate Moering. Frankfurt am Main 1992, S. 107

Die Nachtwachen des Bonaventura. Herausgegeben von Wolfgang Paulsen. Stuttgart 1964, S. 122

Friedrich Hölderlin: Sämtliche Werke und Briefe, Bd. I. Herausgegeben von Michael Knaupp. München 1992, S. 230

Joseph von Eichendorff: Werke. Herausgegeben von Wolfgang Frühwald, Brigitte Schillbach und Hartwig Schultz. Frankfurt am Main 1985-93, Bd./S. II/229, I/322f.

Wilhelm Heinrich Wackenroder: Werke und Briefe. Herausgegeben von Gerda Heinrich. München 1984, S. 304

Elftes Kapitel

Oskar Walzel: Deutsche Romantik. Berlin 1926

Hans Mayer: Das unglückliche Bewußtsein. Zur deutschen Literaturgeschichte von Lessing bis Heine. Frankfurt am Main 1986

Michail Bachtin: Literatur und Karneval. Zur Romantheorie und Lachkultur. München 1969

Der Mensch der Romantik. Herausgegeben von Francois Furet. Essen 2004

Gerhard Schulz: Die deutsche Literatur zwischen Französischer Revolution und Restauration. Teil 1 und 2. München 1983

Ludwig Tieck: Werke, Bd. I. Herausgegeben von Marianne Thalmann. München 1963, S. 565, 467

E. T. A. Hoffmann. Werke. Frankfurt am Main 1967, Bd./S. III,271, III/92, IV/383, I/145, I/201, I/442, III/114, III/56, III/124, III/92, III/54

Joseph von Eichendorff: Werke. Herausgegeben von Wolfgang Frühwald, Brigitte Schillbach und Hartwig Schultz. Frankfurt am Main 1985-93, Bd./S. I/226, III/353, I/224, I/225, I/361, I/120f., I/346, I/173, III/131, III/131f., I/329, III/110, II/469, II/496, II/561

Hermann Korte: Joseph von Eichendorff. Reinbek bei Hamburg 2000, S. 59

Joseph von Eichendorff: Werke. Herausgegeben von Wolfdietrich Rasch. München 1977, S. 78f.

Johann Wolfgang Goethe: Italienische Reise. Münchner Ausgabe, Bd. 15. Herausgegeben von Andreas Beyer und Norbert Miller. München 1992, S. 602

Arthur Schopenhauer: Die Welt als Wille und Vorstellung. Werke, Bd. 2.2. Zürich 1977, S. 645

Rainer Maria Rilke: Duineser Elegien I. Werke. Frankfurt am Main 1955. Bd. I, S. 194

Ludwig August von Rochau: Grundsätze der Realpolitik. Herausgegeben von Hans-Ulrich Wehler. Frankfurt am Main, Berlin, Wien 1972

Hermann Baumgarten: Der deutsche Liberalismus. Herausgegeben von Adolf M. Birke. Frankfurt am Main, Berlin, Wien 1974

Ludwig Marcuse: Ludwig Börne. Aus der Frühzeit der deutschen Demokratie. Zürich 1977

Klaus Briegleb: Opfer Heine? Versuche über Schriftzüge der Revolution. Frankfurt am Main 1986

Dolf Sternberger: Heinrich Heine und die Abschaffung der Sünde. Frankfurt am Main 1976

Heinrich Heine. Ästhetisch-politische Profile. Herausgegeben von Gerhard Höhn. Frankfurt am Main 1991

Ernst Heilborn. Zwischen zwei Revolutionen. Der Geist der Schinkelzeit 1789-1848. Berlin 1927

Walter Jaeschke: Der Streit um die Grundlagen der Ästhetik. Texte von Humboldt u.a. Hamburg 1999, S. 385, 410

Friedrich Schlegel: Dichtungen und Aufsätze. Herausgegeben von Wolfdietrich Rasch. München 1984, S. 632

Arsenij Gulyga: Hegel. Frankfurt am Main 1981, S. 167, 163, 81

Georg Wilhelm Friedrich Hegel: Werke in zwanzig Bänden. Frankfurt am Main 1986, Bd./S. XI/556, XIII, 289

Max Lenz: Geschichte der Kgl. Friedrich-Wilhelm-Universität zu Berlin. Halle 1918, S. 220

Johann Eduard Erdmann: Philosophie der Neuzeit. Der deutsche Idealismus (mit Quellentexten) Bd. VII. Reinbek bei Hamburg 1971, S. 168

Heinrich Heine: Sämtliche Schriften. Herausgegeben von Klaus Briegleb. München 1968-76, Bd./S. IV/55, IV/431, V/201, IV/581, IV/574, I/107f., III/691f., III/695, III, 361, III/378, IV/495, IV/18, II/956, III/317, IV/75, IV/76, V/232, V/232, II/382, VI/I/498

Karl Marx/Friedrich Engels: Werke. Berlin 1959ff. Bd./S. I/391, III/7, I/379, I/346

Theobald Ziegler: Die geistigen und sozialen Strömungen des Neunzehnten Jahrhunderts. Berlin 1910, S. 179, 195, 203

Jost Hermand (Herausgeber): Das Junge Deutschland. Texte und Dokumente. Stuttgart 1968, S. 185

Florian Vaßen (Herausgeber): Die deutsche Literatur in Text und Darstellung. Restauration, Vormärz und 48er Revolution. Stuttgart 1975, S. 174

Karl Gutzkow: Wally – Die Zweiflerin. 1835. Göttingen 1965 (Reprint), S. 114, 302

Ludwig Feuerbach: Grundsätze der Philosophie der Zukunft. 1843. Frankfurt am Main 1983 (Reprint), § 62

Ludwig Marcuse: Heinrich Heine. Zürich 1980, S. 230, 197, 228

Dreizehntes Kapitel

Martin Gregor-Dellin: Richard Wagner. Sein Leben. Sein Werk. Sein Jahrhundert. München 1980

Dieter Borchmeyer: Richard Wagner. Ahasvers Wandlungen. Frankfurt am Main 2002

Wagner-Handbuch. Herausgegeben von Ulrich Müller und Peter Wapnewski. Stuttgart 1986

Ludwig Marcuse: Das denkwürdige Leben des Richard Wagner. Zürich 1973

Über Wagner. Von Musikern, Dichtern und Liebhabern. Eine Anthologie. Stuttgart 1995

Theodor W. Adorno: Versuch über Wagner. München, Zürich 1964

Richard Wagner: Mein Denken. Auswahlband. Herausgegeben von Martin Gregor-Dellin. München 1982, S. 96, 132, 116, 116, 174, 189, 150, 362

Cosima Wagner: Tagebücher. München 1978, Bd./S. I/ 1052, 7.4.1873, II/852

Richard Wagner: Der Ring des Nibelungen. München 1991, S. 240, 118, 80, 346

Richard Wagner: Sämtliche Werke. Mainz 2004 ff., Band 10, S. 274

Kurt Hübner: Die Wahrheit des Mythos. München 1985, S. 398

Arthur Schopenhauer: Werke, Bd. 1. Zürich 1977, S. 482 645

Charles Baudelaire: Werke. Dreieich 1981, Bd. III, S. 30

Dolf Oehler: Pariser Bilder. Frankfurt am Main 1979, S. 48

Richard Wagner. Ein Lebensbild in Dokumenten. Herausgegeben von Otto Werner. Berlin 1990, S. 467

Vierzehntes Kapitel

Georg Bollenbeck: Tradition. Avantgarde. Reaktion. Deutsche Kontroversen um die kulturelle Moderne. 1880-1945. Frankfurt am Main 1999

Nietzsche und Wagner. Stationen einer epochalen Begegnung. Herausgegeben von Dieter Borchmeyer und Jörg Salaquarda. Band 1 und 2. Frankfurt am Main 1994

Karl Joël: Nietzsche und die Romantik. Jena und Leipzig 1905

Curt Paul Janz.: Friedrich Nietzsche. Biographie. 3 Bände. München 1981

Walter Kaufmann: Nietzsche. Philosoph – Psychologe – Antichrist. Darmstadt 1988

Nietzsche-Handbuch. Leben – Werk – Wirkung. Herausgegeben von Henning Ottmann. Stuttgart 2000

Rüdiger Safranski. Nietzsche. Biographie seines Denkens. München 2000

Karl Jaspers: Nietzsche. Berlin, New York 1981

Friedrich Nietzsche: Sämtliche Werke. Kritische Studienausgabe. Herausgegeben von Herausgegeben von Giorgio Colli und Mazzino Montinari. München, Berlin, New York 1980, Bd./S. I/433, I/455, I/364, I/169, I/188, I/184f., I/182, I/452, I/ 184, I/194, I/197, I/146, I/456, I/29f., I/38, I/153, I/56, I/134, I/56, I/452, I/469, I/47, I/115, I/453f., VII/7,200, I/448, I/449, I/64, III/574, I/38, I/56, I/57, III/620, I/145, VI/26, I/22, I/18, III/538, XIII/41, IV/31, III/570, II/20, VI/365

Friedrich Albert Lange: Geschichte des Materialismus (1866). Herausgegeben von Alfred Schmidt. Frankfurt am Main 1974, Bd. II

Immanuel Kant: Kritik der reinen Vernunft. Herausgegeben von Wilhelm Weischedel. Frankfurt am Main 1964, Bd. III, S. 267134

Fünfzehntes Kapitel

Ferdinand Tönnies: Gemeinschaft und Gesellschaft. 1887. Darmstadt 1991

Julius Langbehn: Rembrandt als Erzieher. Von einem Deutschen. Leipzig 1890

Paul de Lagarde Deutsche Schriften. Göttingen 1891

Die Wiener Moderne. Literatur, Kunst und Musik zwischen 1890 und 1910. Herausgegeben von Gotthard Wunberg. Stuttgart 1981

Impressionismus, Symbolismus und Jugendstil. Stuttgart 1977

Walter Muschg: Tragische Literaturgeschichte. Bern 1953

Janos Frecot/Johann Friedrich Geist/Diethart Kerbs: Fidus. Zur äthetischen Praxis bürgerlicher Fluchtbewegungen. München 1972

George L. Mosse: Die Nationalisierung der Massen. Frankfurt am Main, Berlin, Wien 1976

George L. Mosse: Die völkische Revolution. Königstein/Taunus 1991

Kurt Flasch: Die geistige Mobilmachung. Die deutschen Intellektuellen und der Erste Weltkrieg. Berlin 2000

Thomas Carlyle: Helden und Heldenverehrung. Berlin o. J., S. 83

Heinrich Rickert: Philosophie des Lebens. Tübingen 1922, S. 155

Hermann Glaser: Sigmund Freuds Zwanzigstes Jahrhundert. München 1976, S. 146

Kurt Pinthus (Herausgeber): Menschheitsdämmerung. Ein Dokument des Expressionismus (1920). Hamburg 1959, S. 224

Jahrhundertwende. Aufbruch in die Moderne. Herausgegeben von August Nitschke u. a. Reinbek bei Hamburg. 1990, Bd. I, S. 312

Christian Graf von Krockow: Die Deutschen in ihrem Jahrhundert 1890-1990. Reinbek bei Hamburg 1990, S. 47, 48, 86, 101

Gustav Landauer: Aufruf zum Sozialismus. Herausgegeben von Heinz-Joachim Heydorn. Frankfurt am Main 1967, S. 98

Manfred Frank: Gott im Exil. Vorlesungen über die Neue Mythologie. Frankfurt am Main 1988, S. 149, 147

Steven E. Aschheim: Nietzsche und die Deutschen. Stuttgart 1996, S. 23

Hugo von Hofmannsthal: Brief des Lord Chandos. Poetologische Schriften. Ausgewählt von Hansgeorg Schmidt-Bergmann. Frankfurt am Main 2000

Rainer Maria Rilke: Werke. Frankfurt am Main 1955. Bd. I, S. 194f., 685, 719

Hugo von Hofmannsthal: Gesammelte Werke in zehn Einzelbänden. Erzählungen. Frankfurt am Main 1979, S. 499

Franz Schonauer: Stefan George mit Selbstzeugnissen und Bilddokumenten. Reinbek bei Hamburg 1960, S. 28, 29, 20

Stefan George: Werke. Düsseldorf und München 1976. Bd. II, S. 241f.

Oswald Spengler: Der Untergang des Abendlandes. Gütersloh o. J., S. 63

Thomas Mann: Essays 1. Herausgegeben von Hermann Kurzke und Stephan Stachorski. Frankfurt am Main 1993, S. 192

Hermann Kurzke: Thomas Mann. Epoche – Werk – Wirkung. München 1997, S. 243

Fritz K. Ringer: Die Gelehrten. Der Niedergang der deutschen Mandarine 1890-1933. München 1987, S. 171

Thomas Mann: Betrachtungen eines Unpolitischen. Frankfurt am Main 1988, S. 142, 308, 367, 23, 138, 13, 45, 45

Sechzehntes Kapitel

Stefan Breuer: Anatomie der konservativen Revolution. Darmstadt 1993

Stefan Breuer: Ästhetischer Fundamentalismus. Stefan George und der Deutsche Antimodernismus. Darmstadt 1995

Rüdiger Safranski: Ein Meister aus Deutschland. Heidegger und seine Zeit. München 1994

Thomas Mann: Der Zauberberg. Frankfurt am Main 1974, S. 990, 993, 994

Walter Flex: Der Wanderer zwischen beiden Welten. München 1940

Ernst Jünger: In Stahlgewittern. Sämtliche Werke, Bd. I. Stuttgart 1978, S. 293

Ernst Jünger: Der Arbeiter. Stuttgart 1982, S. 54, 55

Christian Graf von Krockow: Die Deutschen in ihrem Jahrhundert 1890-1990. Reinbek bei Hamburg 1990, S. 159

Franz Jung: Technik des Glücks. Berlin 1920, S. 17

Ulrich Linse: Barfüßige Poeten. Erlöser der zwanziger Jahre. Berlin 1983, S. 27, 97, 100, 104, 118

Tzara, Grosz, Marcel Janko, Huelsenbeck, Gerhard Preiß, Hausmann in: Die deutsche Literatur. Ein Abriß in Text und Darstellung. Bd. 14. Expressionismus und Dadaismus. Herausgegeben von Otto F. Best. Stuttgart 1974, 293ff.

Hugo Ball: Die Flucht aus der Zeit. 1914-21. Zürich 1992, S. 100

Fritz K. Ringer: Die Gelehrten. Der Niedergang der deutschen Mandarine 1890-1933. München 1987, S. 328

Friedrich Nietzsche: Sämtliche Werke, Kritische Studienausgabe, Bd. I. Herausgegeben von Herausgegeben von Giorgio Colli und Mazzino Montinari. München, Berlin, New York 1980, S. 29

Werner Helwig: Die blaue Blume des Wandervogels. Gütersloh 1960, S. 181, 182

Hermann Hesse: Die Morgenlandfahrt. Gesammelte Schriften. Bd. VI. Frankfurt am Main 1987, S. 9, 10, 24, 10, 39, 36, 15

Peter Gay: Die Republik der Außenseiter. Frankfurt am Main 1987, S. 170

Ulrike Haß: Vom »Aufstand der Landschaft gegen Berlin«. In: Literatur der Weimarer Republik. Herausgegeben von Bernhard Weyergraf. München 1995, S. 363

Bertolt Brecht: Lesebuch für Städtebewohner. Werke, Bd. XI. Frankfurt am Main 1966, S. 162ff.

Gottfried Benn: Gesammelte Werke in vier Bänden. Herausgegeben von Dieter Wellershoff. Wiesbaden 1978, Bd. I, S. 85

Martin Heidegger: Gesamtausgabe. Herausgegeben von Hermann Heidegger. Frankfurt am Main 1991, Bd. 29/30, S. 224, 244, Bd. 24, S. 404

Walter Benjamin: Gesammelte Schriften, Band V/2. Frankfurt am Main 1982, S. 1250

Oswald Spengler: Der Mensch und die Technik. München 1931, S. 27

Friedrich Nietzsche: Sämtliche Werke, Kritische Studienausgabe, Bd. II. Herausgegeben von Herausgegeben von Giorgio Colli und Mazzino Montinari. München, Berlin, New York 1980, S. 15f.

Carl Schmitt: Politische Theologie. München/Leipzig 1934, S. 14, 31, 11

Martin Heidegger: Die Selbstbehauptung der deutschen Universität. Das Rektorat. Frankfurt am Main 1983, S. 13

Friedrich Nietzsche: Sämtliche Werke, Kritische Studienausgabe, Bd. IV. Herausgegeben von Herausgegeben von Giorgio Colli und Mazzino Montinari. München, Berlin, New York 1980, S. S. 20.

Novalis: Werke, Bd. II. Herausgegeben von Hans-Joachim Mähl. München 1978, S. 334

Max Weber: Soziologie. Weltgeschichtliche Analysen. Politik. Herausgegeben von Johannes Winckelmann. Stuttgart 1964, S. 317

Siebzehntes Kapitel

Literatur und Dichtung im Dritten Reich. Eine Dokumentation von Joseph Wulf. Reinbek bei Hamburg 1963

Léon Poliakov/Joseph Wulf: Das Dritte Reich und seine Denker. Dokumente und Berichte. Wiesbaden 1969

Hans Dieter Schäfer: Das gespaltene Bewußtsein. Deutsche Kultur und Lebenswirklichkeit 1933-1945. München 1981

Hans Ulrich Thamer: Verführung und Gewalt. Deutschland 1933-1945. Berlin 1994

Götz Aly: Hitlers Volksstaat. Raub, Rassenkrieg und nationaler Sozialismus. Frankfurt am Main 2005

Paul Tillich: Gesammelte Werke, Bd. 2. Herausgegeben von Renate Albrecht. Stuttgart 1962, S. 249, 252

Victor Klemperer: LTI. Notizbuch eines Philologen. Halle 1957, Leipzig [13]1995

Ralf Klausnitzer: Blaue Blume unterm Hakenkreuz. Paderborn 1990, S. 359, 374, 377, 375, 380, 383, 400, 401, 467, 468

Fritz Strich: Deutsche Klassik und Romantik. Bern, München 1962, S. 9

Isaiah Berlin: Die Wurzeln der Romantik. Berlin 2004, S. 227, 244, 245

Eric Voegelin: Hitler und die Deutschen. München 2006, S. 86

Joachim Fest: Hitler. Berlin 2004, S. 525

Albert Speer: Erinnerungen. Frankfurt am Main 1969, S. 139

Joseph Goebbels: Tagebücher. Herausgegeben von H. G. Reuth. München 1988, Bd. III, S. 1076

Thomas Mann: Essays 2. Herausgegeben von Hermann Kurzke und Stephan Stachorski. Frankfurt am Main 1993, S. 130

Peter Reichel: Der schöne Schein des Dritten Reiches. München 1991, S. 125

Christian Graf von Krockow: Die Deutschen in ihrem Jahrhundert 1890-1990. Reinbek bei Hamburg 1990, S. 209

Friedrich Nietzsche: Sämtliche Werke. Kritische Studienausgabe, Bd. VI. Herausgegeben von Herausgegeben von Giorgio Colli und Mazzino Montinari. München, Berlin, New York 1980, S. 372, 374, 304

Hedwig Conrad-Martius: Utopien der Menschenzüchtung. München 1955, S. 74

Johann Wolfgang Goethe: Münchner Ausgabe, Bd. 1.2. Herausgegeben von Gerhard Sauder. München 1987, S. 203

Helmuth Plessner: Die verspätete Nation. Frankfurt am Main 1974, S. 41

Thomas Mann: Betrachtungen eines Unpolitischen. Frankfurt am Main 1988, S. 108, 52

Thomas Mann: Doktor Faustus. Frankfurt am Main 1974, S. 409

Sebastian Haffner: Von Bismarck zu Hitler. München 1978, S. 219

Gottfried Benn: Gesammelte Werke in vier Bänden. Herausgegeben von Dieter Wellershoff. Wiesbaden 1978, Bd. IV, S. 79

Bernd Martin (Herausgeber): Martin Heidegger und das ›Dritte Reich‹. Darmstadt 1989, S. 180

Hannah Arendt: Elemente und Ursprünge totaler Herrschaft. München 1986, S. 528

Heinrich Heine: Sämtliche Schriften. Herausgegeben von Klaus Briegleb. München 1968-76, Bd./S. II/510, VI.I/486, III/639

Hermann Rauschning: Gespräche mit Hitler. Zürich 1973, S. 210

E. T. A. Hoffmann: Werke. Frankfurt am Main 1967, Bd. I, S. 170

Thomas Mann: Essays 4. Herausgegeben von Hermann Kurzke und Stephan Stachorski. Frankfurt am Main 1993, S. 311

Arnold Gehlen: Gesamtausgabe, Bd. VII. Frankfurt am Main 1978, S. 420

Achtzehntes Kapitel

Angelo Bolaffi: Die schrecklichen Deutschen. Eine merkwürdige Liebeserklärung. Berlin 1995

Bundesrepublikanisches Lesebuch. Drei Jahrzehnte geistiger Auseinandersetzung. Herausgegeben von Hermann Glaser. München 1978

Clemens Albrecht u.a.: Die intellektuelle Gründung der Bundesrepublik. Eine Wirkungsgeschichte der Frankfurter Schule. Frankfurt am Main, New York 1999

Hermann Glaser: Kleine Kulturgeschichte der Bundesrepublik Deutschland 1945-1989. München 1991

Martin Greiffenhagen. Das Dilemma des Konservatismus in Deutschland. München 1971

Gerd Koenen: Das rote Jahrzehnt. Unsere kleine Kulturrevolution 1967-1977. Köln 2001

Wolfgang Kraushaar: Frankfurter Schule und Studentenbewegung. Von der Flaschenpost zum Molotowcocktail 1946 bis 1995. Drei Bände. Hamburg 1998

Ludwig Pesch: Die romantische Rebellion in der modernen Literatur und Kunst. München 1962

Romantikforschung seit 1945. Herausgegeben von Klaus Peter. Königstein/Taunus 1980

Romantik. Ein Zyklus Tübinger Vorlesungen. Tübingen, Stuttgart 1948

Eberhard Rathgeb: Die engagierte Nation. Deutsche Debatten 1945-2005. München 2005

Die Identität der Deutschen. Herausgegeben von Werner Weidenfeld. Bonn 1983

Thomas Mann: Doktor Faustus. Frankfurt am Main 1974, S. 409, 675, 324, 331, 322

Thomas Mann: Essays 5. Herausgegeben von Hermann Kurzke und Stephan Stachorski. Frankfurt am Main 1993, S. 279, 274

Ferdinand Lion: Romantik als deutsches Schicksal. Stuttgart 1963, S. 9

Hannah Arendt: Zur Zeit. Politische Essays. Berlin 1986, S. 45

Alfred Baeumler: Hitler und der Nationalsozialismus. Aufzeichnungen 1945-1947 In: Der Pfahl V, S. 160 ff.

Jost Hermand: Kultur im Wiederaufbau. München 1986, S. 256, 417, 261, 258

Max Bense: Technische Existenz. Stuttgart 1950, S. 202

Rolf Wiggershaus: Die Frankfurter Schule. München 1986, S. 653

Richard Löwenthal: Der romantische Rückfall. Stuttgart 1970, S. 12, 31

Odo Marquard: Abschied vom Prinzipiellen. In: Zukunft braucht Herkunft. Philosophische Essays. Stuttgart 2003

Herbert Marcuse: Versuch über die Befreiung. Frankfurt am Main 1969, S. 17

Herbert Marcuse: Konterrevolution und Revolte. Frankfurt am Main 1970, S. 90

Personenregister

Adorno, Theodor W. 373f., 382ff., 388

Altenstein, Karl Sigmund Franz Freiherr vom Stein zum 235

Anaxagoras 280

Anders, Günther (d. i. Günther Stern) 380

Annunzio, Gabriele siehe D'Annunzio, Gabriele

Arendt, Hannah 364, 376

Arndt, Ernst Moritz 162, 185ff.

Arnim, Bettina von (geb. Brentano) 186

Arnim, Ludwig Achim Freiherr von 55, 181ff., 186, 201, 233, 253

Ast, Georg Anton Friedrich 157

Bachofen, Johann Jakob 309

Baeumler, Alfred 376

Bakunin, Michail Alexandrowitsch 249, 260

Ball, Hugo 333

Baudelaire, Charles 121, 224, 273

Bauer, Bruno 243

Bebel, August 306

Beethoven, Ludwig van 187, 391

Benjamin, Walter 314, 342, 388

Benn, Gottfried 169, 341, 363, 379

Bense, Max 380

Berlin, Isaiah 349, 356, 361, 364f.

Bernhardi, Johann Christian August Ferdinand 91

Bloch, Ernst 342f.

Böckh, Philipp August 162f.

Böhmer, Caroline siehe Caroline Schlegel

Börne, Ludwig 241ff., 249ff., 255f., 390

Böttiger, Carl August 21f.

Brecht, Bertolt 341

Brentano, Clemens 52, 65, 84, 87, 181ff., 198, 218, 338

Brentano, Sophie siehe Sophie Mereau

Büchner, Karl Georg 242

Büchner, Ludwig 280

Burke, Edmund 179f.

Cagliostro, Alessandro Graf von 54

Callot, Jacques 224

Carlyle, Thomas 303

Charpentier, Julie von 119

Claudius, Matthias 36

Corday d'Armans, Marianne Charlotte de 52

Creuzer, Georg Friedrich 157, 181f., 350

Czolbe, Heinrich 280

D'Annunzio, Gabriele 274

Dante Alighieri 150

Demokrit 280

Descartes, René 280

Devrient, Ludwig 220

Dilthey, Wilhelm 304

Dürer, Albrecht 98, 105

Dutschke, Rudi 387

Eichendorff, Joseph Freiherr von 12, 15, 57, 100, 163, 181f., 186, 194, 199, 201f., 205, 211ff., 227, 233, 238, 323

Enfantin, Prosper 255

Engels, Friedrich 243, 251

Feuerbach, Paul Johann Anselm 70

Feuerbach, Ludwig 243, 245, 246, 263